Wärmepumpen

Jürgen Bonin

Wärmepumpen

Fehler vermeiden bei Planung, Installation und Betrieb

3., überarbeitete und erweiterte Auflage 2023

Herausgeber:
DIN Deutsches Institut für Normung e. V.

Fraunhofer IRB | Verlag

Beuth Verlag GmbH · Berlin · Wien · Zürich

Herausgeber: DIN Deutsches Institut für Normung e. V.

© 2023 Beuth Verlag GmbH
Berlin · Wien · Zürich
Am DIN-Platz
Burggrafenstraße 6
10787 Berlin

Telefon: +49 30 2601-0
Telefax: +49 30 2601-1260
Internet: www.beuth.de
E-Mail: kundenservice@beuth.de

Fraunhofer IRB Verlag
Fraunhofer-Informationszentrum
Raum und Bau IRB
Nobelstr. 12
70569 Stuttgart

Telefon: +49 711 970-25 00
Telefax: +49 711 970-25 08
Internet: www.baufachinformation.de
E-Mail: irb@irb.fraunhofer.de

Titelbilder: © bancha, Benutzung unter Lizenz von stock.adobe.com
Satz: B & B Fachübersetzergesellschaft mbH, Berlin
Druck: L&C Printing Group, Kraków

Gedruckt auf säurefreiem, alterungsbeständigem Papier nach DIN EN ISO 9706

ISBN 978-3-410-31363-2 (Beuth)
ISBN (E-Book) 978-3-410-31364-9
ISBN 978-3-7388-0763-9 (Fraunhofer IRB Verlag)

Zum Autor

Der Autor ist im Februar 1957 geboren, ist verheiratet und hat zwei Kinder. Er absolvierte ein Hochschulstudium an der Universität Duisburg, welches er 1985 abschloss. 1993 gründete er seine Firma Umwelt & Technik zum Vertrieb von Wasseraufbereitungsanlagen und ökologischen Heizkonzepten, wozu natürlich auch Wärmepumpen zählen.

1998 baute er sein Wohnhaus nach rein ökologischen Aspekten, in dem er mit seiner Familie lebt und arbeitet. Es ist ein Lehm-Fachwerkhaus als Niedrigenergiehaus, welches natürlich mit einer Wärmepumpe zum Heizen + Kühlen sowie mit einer großen Solaranlage zur Nutzung der Solarthermie und auch einer Fotovoltaikanlage zur solaren Stromerzeugung ausgestattet ist.

Somit werden 80 % bis 90 % des benötigten Energiebedarfs aus rein regenerative Energien gewonnen.

Aufgrund seiner Tätigkeit als Sachverständiger sammelte Jürgen Bonin zahlreiche Erfahrungen über die möglichen Fehlerquellen von Wärmepumpenanlagen. Sein Wissen rund um mögliche Fehler und mögliche Fehlerbeseitigungen veranlasste ihn, dieses Buch zu verfassen. Dieses soll für Laien leicht verständlich die unterschiedlichen Fehler und deren Hintergründe darlegen. Als Sachverständiger berät Jürgen Bonin gerne potenzielle Bauherren als auch Fachleute sowie Besitzer von Wärmepumpenanlagen bei Problemen. Er verfasste zahlreiche Gutachten für Privatpersonen als auch für Gerichte. Er agiert auch gerne streitschlichtend, um gerichtliche Streitigkeiten zu vermeiden.

Im September 2011 wurde Jürgen Bonin auf der Energiefachmesse RENEXPO in Augsburg für seine Erfindung, den Geo-Protektor, mit einem EnergyAward ausgezeichnet. Der Geo-Protektor dient zur deutlichen Erhöhung des Grundwasserschutzes bei Sole- oder Wasser-Wasser-Wärmepumpen.

Jürgen Bonin hat weiterhin das Handbuch Wärmepumpen verfasst, um dem Fachmann, aber auch dem Laien die Technik einer Wärmepumpe zu vermitteln. Dieses Fachbuch basierte ursprünglich auf Schulungsunterlagen für das Zentrum für Umwelt, Energie und Klima im Handwerkszentrum Ruhr in Oberhausen.

Vorwort

Dieses Buch behandelt Fehler bei Installation und Betrieb von Wärmepumpenanlagen aus der Praxis. Aufgrund meiner Erfahrungen hinsichtlich Entwicklung von Wärmepumpen sowie Projektierung von Wärmepumpenanlagen und Begutachtungen als Sachverständiger weiß ich um zahlreiche Fehler, die sich in der Praxis oftmals wiederholen. Es handelt sich um Planungs- sowie Ausführungsfehler bei Wärmepumpenanlagen. Dabei ist erkennbar, dass diese Fehler im Alltag oftmals bei Arbeiten unter Zeitdruck und aus Unkenntnis entstehen. Dabei erkenne ich, dass es selbst bei Fachbetrieben in vielen Fällen an einem fundamentierten Fachwissen mangelt. Es gibt auch Fälle, die nicht richtig durchdacht oder umgesetzt wurden. Um den Experten und Interessierten die Möglichkeit zu eröffnen, aus diesen Fehlern zu lernen, beauftragte mich im Jahr 2014 zunächst die Fraunhofer-Gesellschaft zur Förderung der angewandten Forschung e. V. und später der Beuth-Verlag in Kooperation mit dem Fraunhofer IRB Verlag, diese Publikation zu verfassen.

Dieses Buch richtet sich somit an alle Interessenten von Wärmepumpen, Bauherren, Planer und Fachhandwerker für Wärmepumpenanlagen, aber auch an Wärmepumpenbetreiber, die Probleme mit ihrer Wärmepumpe haben. Es gibt aber auch einen kleinen Einblick in das Sachverständigenwesen.

Des Weiteren berate ich zur Erlangung einer optimalen Wärmepumpenanlage. Ich biete meine Beratungstätigkeit an, prüfe die Angebote und gebe den Bauherren Hinweise und Entscheidungshilfen. Für größere Wärmepumpenanlagen werde ich zu Inbetriebnahmen hinzugezogen. Eine Beratung mit anschließender Begleitung der Inbetriebnahme ist in den meisten Fällen der beste Weg.

Zu Beginn erläutere ich grundlegende Betrachtungen, insbesondere zur Funktion von Wärmepumpen, sowie physikalische Hintergründe. Mit diesen Grundlagen lassen sich die Probleme und Hintergründe der Fehler bei Wärmepumpenanlagen besser erörtern und verstehen. Neben der Fehleranalyse sind natürlich mögliche Lösungsansätze und die Anleitung zur richtigen Umsetzung von Bedeutung.

Anschließend beleuchte ich Schadensfälle. Dazu werden allgemeine, zum Teil auch recht spektakuläre und interessante Fälle betrachtet, bezogen auf spezielle Wärmepumpenanlagenformen. Weiterhin werden am Schluss einige Informationen zum Sachverständigenwesen gegeben.

Das Ihnen vorliegende Buch soll allen Praktikern, aber auch Betreibern helfen, Fehler zu vermeiden oder zu erkennen und erfolgreich zu beseitigen. Wie Wärmepumpenanlagen sicher und richtig ausgelegt werden, wird in einem weiteren Fachbuch „Handbuch Wärmepumpen" sehr ausführlich, praxisbezogen und mit vielen Bildern und Beispielen beschrieben.

Es ist mir ein Anliegen, auf Folgendes hinzuweisen: In diesem Buch finden sich Abbildungen von Wärmepumpen verschiedener Fabrikate. Um Missverständnisse zu vermeiden, weise ich ausdrücklich darauf hin, dass diese „Wärmepumpen" keineswegs mangelhaft sind – obwohl es leider auch solche Fälle gibt. Meistens sind es festgestellte Mängel, die auf fehlerhafte Planungen und Ausführungen basieren.

Ihr

Jürgen Bonin

Inhalt

Grundlagen zur Wärmepumpentechnik 1

Eine Wärmepumpe ist eine „Kältemaschine". Eine Kältemaschine ist ein Gerät, welches in der Regel kühlt, z. B. ein Kühlschrank. Dabei wird dem Innenraum durch das Kühlen Wärme entzogen. Die entzogene Wärme muss anderweitig wieder abgegeben werden. Dies geschieht bei Kühlschränken über einen hinten angebrachten Kühler (Verflüssiger), der die Wärme an die Umgebungsluft abgibt.

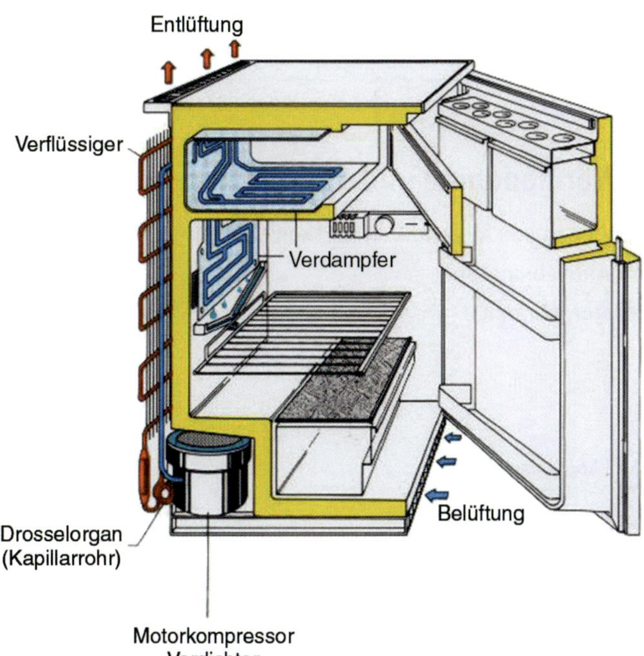

Bild 1.1: Der Kühlschrank – eine Kältemaschine
Quelle: Energieagentur NRW

Eine Wärmepumpe arbeitet genauso. Sie entzieht der Umwelt Wärme, und diese gewonnene Wärme führt sie dem zu beheizenden Gebäude, mit oder ohne Warmwasserbereitung, zu. Als Wärmequelle dient die Umweltenergie, z. B. Luft, Erdreich, Wasser oder andere Wärmequellen. Eine Wärmequelle ist das Medium, aus der Wärme gewonnen wird. Die Wärmesenke ist das zu beheizende Gebäude, dem die Wärme zugeführt wird. Als Wärmesenke bezeichnet man das, was die Wärme aufnimmt. – Und weil die Wärmequelle ein geringeres Temperaturniveau hat als die Wärmesenke (z. B. Vorlauftemperatur), muss die Wärmepumpe „Wärme von einem tieferen Temperaturniveau auf ein höheres pumpen". Deswegen heißt die Wärmepumpe auch „Wärmepumpe", wie Bild 1.2 verdeutlich. Sie „pumpt" Wärme von einem tieferen auf ein höheres Temperaturniveau.

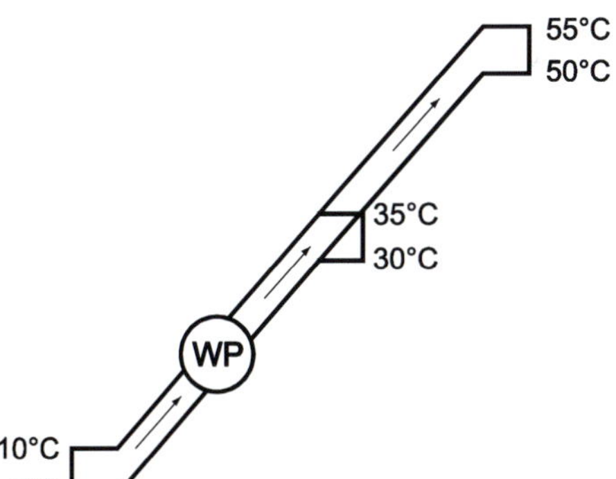

Bild 1.2: Temperaturniveaus einer Wärmepumpe
Quelle: J. Bonin, Umwelt & Technik

Bild 1.2 bezieht sich auf eine Wasser-Wasser-Wärmepumpe. Sie entzieht dem Grundwasser mit einer Temperatur von 10 °C Wärme, indem es dieses um ca. 3 °C auf 7 °C abkühlt. Diese Wärme, oder auch Wärmemenge bezeichnet, wird z. B. zum Heizen auf eine Vorlauftemperatur von 35 °C erwärmt oder zur Warmwasserbereitung auf 55 °C. Der Rücklauf ist etwa 5 °C kühler.

Die Wärmepumpe „pumpt" also Wärme von 10 °C auf 35 °C. Um dieses Temperaturniveau zu erreichen, muss die Wärmepumpe arbeiten. Dazu braucht sie Energie, in der Regel elektrische Energie aus dem Stromnetz. – Und je mehr sie „pumpen" muss, desto mehr Strom braucht sie.

Hinweis:

Je höher die erforderliche Vorlauftemperatur ist, desto mehr muss eine Wärmepumpe arbeiten. Deswegen ist es von größter Bedeutung, dass die Temperaturdifferenz zwischen Wärmequelle und Wärmesenke (z. B. Vorlauftemperatur zum Heizen) so niedrig wie möglich ist.

1.1 Prinzipieller Aufbau einer Wärmepumpe und deren Komponenten

Wärmepumpen bestehen im Wesentlichen aus folgenden Hauptkomponenten:

- Kompressor bzw. Verdichter mit Antriebsmotor
- Kondensator oder auch Verflüssiger genannt
- Expansionsventil
- Verdampfer

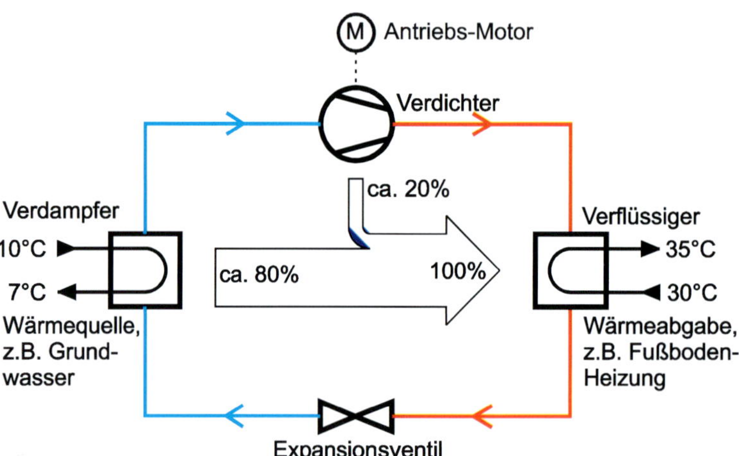

Bild 1.1.1: Prinzipieller Aufbau einer Wärmepumpe
Quelle: J. Bonin, Umwelt & Technik

Bild 1.2.1 zeigt den prinzipiellen Aufbau des Kältekreislaufes, den sogenannten „Carnot'schen Kreisprozess" einer Wärmepumpe sowie die Energieflüsse. Dieses vereinfachte Fließbild dient in den späteren Diskussionen als weitere Grundlage.

1.2 Der technische Kältekreislauf und die Funktion der Wärmepumpe

Zu einem sicheren Betrieb einer Kältemaschine gehören noch ein paar weitere Komponenten, nämlich ein Kältemittelsammler (ist nicht immer vorhanden), Trockner, Schauglas und Überwachungs- und Schutzeinrichtungen wie Hoch- und Niederdruckschalter sowie das Kältemittel an sich.

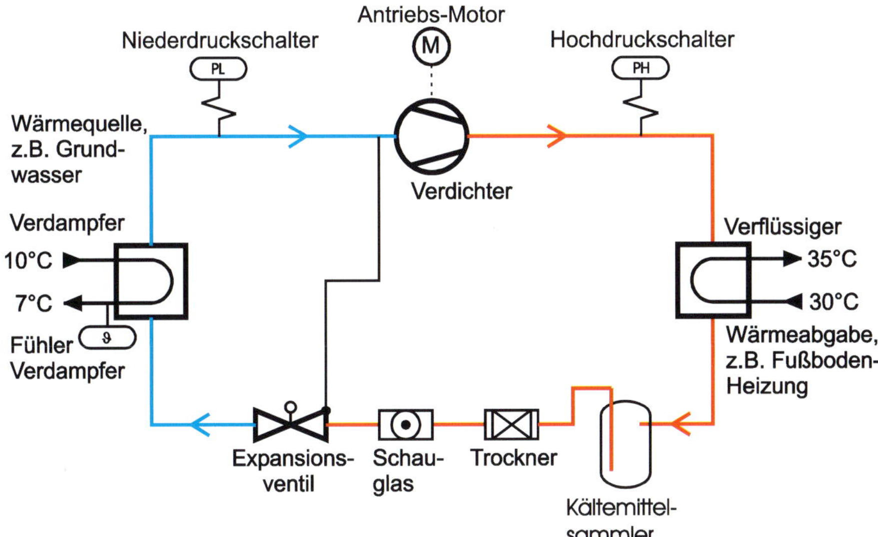

Bild 1.2.1: Wärmepumpe und deren Komponenten
Quelle: J. Bonin, Umwelt & Technik

Das Kältemittel ist ein Gas und befindet sich hermetisch abgeschlossen im Kältekreislauf. Dieses Kältemittel wird mithilfe des Kompressors durch den Kältekreislauf gepumpt. Kältemittel für Wärmepumpen lassen sich grundsätzlich in folgende Kategorien einteilen:

- FKW/HFKW (chlorfrei; FKW = Fluorkohlenwasserstoffe)
- Natürliche Kältemittel
- HFO (teilhalogenierte Fluor-Olefine)

Dabei haben die einzelnen Komponenten nachfolgend beschriebene Funktionen – siehe Abbildung oben:

1. **Der Verdichter/Kompressor mit Antriebsmotor**

   Der Verdichter komprimiert das Kältemittel. Er ist das Herz einer jeden Wärmepumpe. In der Regel werden bei den meisten Standardwärmepumpen Schrauben- bzw. Scroll-Verdichter eingesetzt.

   Entscheidend ist die Fähigkeit des Kältemittels, auch bei niedrigen Temperaturen zu verdampfen. Bei der Verdampfung entzieht es der Quelle Wärme. Wird ein Gas komprimiert oder verdichtet, erwärmt es sich. Je höher die Verdichtung ist, desto stärker ist die Erwärmung.

   Dieser Vorgang ist vergleichbar mit einer Luftpumpe, die beim Pumpen sich am unteren Ende erwärmt. Die Erwärmung wird nicht durch Reibung verursacht, sondern durch das komprimierte Gasgemisch Luft. Bei einer Fahrradpumpe sind das etwa 0,5–1,5 bar; bei einem Kompressor für Wärmepumpen ca. 15 bar und mehr. Entsprechend wärmer wird das Kältemittel – warm genug zum Heizen und zur Warmwasserbereitung. Je nach Kältemittel variieren die Drücke.

2. **Der Verflüssiger**

   Der Verflüssiger ist ein großflächiger Plattenwärmetauscher. Das Gas strömt in den Verflüssiger und wird durch das „kältere" Heizungswasser abgekühlt. Es kondensiert/verfüssigt sich im Verflüssiger. Dabei werden große Wärmemengen übertragen. Die über dem Verflüssiger abgegebene Wärme wird der Heizung zugeführt.

   Bei diesem Vorgang ändert sich nicht oder nur unwesentlich die Temperatur, sondern vielmehr der Aggregatzustand, nämlich vom gasförmigen Zustand in den flüssigen Zustand. Durch diese Änderung des Aggregatzustandes wird sehr viel Wärmeenergie zum Heizen freigesetzt – viel mehr, als wenn nur Wärme entzogen würde. Das Kältemittel ist nun in einem flüssigen Zustand.

Bild 1.2.2: Wärmetauscher
Quelle: GeaWTT

Wird bei diesem Vorgang nicht genug Wärme am Verflüssiger abgenommen, erhöht sich durch das Verdichten die Temperatur, die sog. Heißgastemperatur des Gases. Die Folge ist ein Anstieg des Druckes auf der Hochdruckseite. Bei Überschreitung eines bestimmten Maximaldruckes kommt es dann zu einer sogenannten Hochdruckstörung, indem der Hochdruckschalter schaltet. Die Wärmepumpe schaltet dann im Regelfall über den Regler ab.

3. Das Expansionsventil

Das Expansionsventil – kurz auch E-Ventil genannt – hat eine kleine Öffnung, durch die das flüssige Kältemittel mit hohem Druck gepresst wird. Nach dem E-Ventil entspannt das Kältemittel. Dabei verringert sich deutlich der Druck und damit auch die Temperatur des Kältemittels.

Dieser Vorgang ist vergleichbar mit dem Entweichen von Gas beim Nachfüllen eines Feuerzeugs. Strömt etwas Gas daneben, kühlt dieses deutlich ab. Dasselbe passiert im bzw. nach dem E-Ventil, nur mit einem deutlich größeren Druckunterschied, nämlich von z. B. 15 bar auf 4 bar (je nach Kältemittel und Betriebszustand).

Bild 1.2.3:
Expansionsventil
Quelle: Danfoss GmbH

E-Ventile regeln die Einspritzung des flüssigen Kältemittels in den Verdampfer. Diese Einspritzung wiederum wird von der Überhitzung des Kältemittels hinter dem Verdampfer gesteuert. Je höher die Temperatur hinter dem Verdampfer ist, desto mehr öffnet sich das E-Ventil, um mehr Kältemittel einzusprühen. Dadurch verringert sich dann die Temperatur hinter dem Verdampfer. Ist die Temperatur hinter dem Verdampfer zu gering, schließt das E-Ventil, um weniger Kältemittel einzusprühen. Das E-Ventil hat somit die Aufgabe, den Kältemittelstrom zu regeln.

Im Wesentlichen differenziert man zwischen thermischen und elektronischen E-Ventilen. Für den Bau von Wärmepumpen hat sich das thermisch arbeitende E-Ventil durchgesetzt.

4. Der Verdampfer

Der Verdampfer ist ebenfalls in der Regel ein Plattenwärmetauscher. Hier strömt das flüssige, sehr kalte Kältemittel mit Temperaturen von deutlich unter 0 °C in den Wärmetauscher. Durch das dem Wärmetauscher zugeführte Medium Luft oder Sole oder Wasser wird das Kältemittel entsprechend erwärmt. Durch diese Erwärmung verdampft das Kältemittel in dem Verdampfer.

Bei diesem Vorgang ändert sich erneut der Aggregatzustand vom flüssigen Zustand in den gasförmigen – es verdampft. Dabei wird von dem Kältemittel sehr viel Wärmeenergie aufgenommen. Auch hier ist durch die Änderung des Aggregatzustandes die Energieaufnahme deutlich höher, als wenn das Kältemittel nur erwärmt würde.

Bild 1.2.4:
Kältemittelsammler
Quelle: KLIMAL GmbH

5. Der Kältemittelsammler

Der Kältemittelsammler ist quasi ein Puffer und nimmt das flüssige Kältemittel aus dem Kondensator auf. Es sorgt dafür, dass nur flüssiges Kältemittel zum Expansionsventil gelangt. Es wird leider nicht in allen Wärmepumpen eingebaut.

6. Der Trockner

Bei der Herstellung der Wärmepumpe bleibt trotz sorgfältigster Evakuierung immer noch eine Restfeuchtigkeit im Kältekreislauf. Diese würde die Funktion empfindlich beeinträchtigen. Zur Entfernung/Bindung dieser Restfeuchtigkeit dient ein Trockner.

7. Das Schauglas

Das Schauglas dient in erster Linie dem Kälteanlagenbauer oder Servicetechniker bei der Inbetriebnahme bzw. bei der Wartung der Wärmepumpe. Der Techniker kann optisch erkennen, ob die Wärmepumpe in den verschiedenen Betriebspunkten optimal arbeitet.

Außerdem ist im Schauglas eine Restfeuchte durch Verfärbung des Indikatorringes erkennbar.

8. Der Niederdruckschalter

Dieser Schalter ist ein wichtiges Sicherheitsorgan. Er schaltet die Wärmepumpe ab, wenn der Kältemitteldruck auf der Seite der Wärmequelle zu niedrig ist. Das würde einer zu starken Unterkühlung des Kältemittels entsprechen. Dafür gibt es dann zwei mögliche Ursachen:

1. Die Abkühlung auf der Seite der Wärmquelle ist zu stark, sodass das Kältemittel nicht ausreichend verdampft. Es strömt nicht genug Kältemittel nach, welches gleichzeitig den Verdichter kühlen soll.

   Der Niederdruckschalter schaltet ab, um den Verdichter zu schützen.

   In diesem Fall ist zu überprüfen, ob die Wärmequelle ausreichend groß dimensioniert ist. Bei Sole-Wasser-Wärmepumpen sind dann meistens die Erdsonden oder Erdkollektoren nicht ausreichend groß dimensioniert. Bei Wasser-Wasser-Wärmepumpen der Wasserzufluss unzureichend.

   Achtung! Hier besteht Vereisungsgefahr!

2. Der Kältekreislauf ist undicht und Kältemittel entweicht. Dann muss der Niederdruckschalter den Verdichter abschalten, damit dieser nicht beschädigt wird.

9. Der Hochdruckschalter

Der Hochdruckschalter ist ebenfalls ein wichtiges Sicherheitsorgan. Er hat die Aufgabe, den Verdichter abzuschalten, wenn der Kältemitteldruck hinter dem Verdichter auf der Hochdruckseite zu hoch wird, um so den Kompressor und die Verrohrung zu schützen.

Hochdruck entsteht, wenn am Verflüssiger nicht genügend Wärme abgenommen wird. Dann verflüssigt sich das Kältemittel unzureichend und es entsteht quasi ein „Gasstau“. Es baut sich ein Druck auf. Bei ausreichender Verflüssigung (Kondensation) kann der Hochdruck nicht zu stark ansteigen.

Bei einer Hochdruckstörung sollte der Regler den Verdichter unverzögert abschalten. Etliche Regler schalten nach einer gewissen Zeitverzögerung den Kompressor wieder ein, um den Heizbetrieb möglichst aufrechtzuerhalten. Einige Regler zählen die Hochdruckstörungen und schalten die Wärmepumpe erst dann mit einer Verriegelung (Einschaltsperre) ab, wenn pro Tag z. B. dreimal eine Hochdruckstörung auftritt.

10. Regler und Fühler Verdampfer

Der Regler, einschließlich der Fühler steuert die Wärmepumpe und regelt die vorgegebenen Temperaturen für die gesamte Wärmepumpenanlage. Weitere Informationen siehe nachfolgendes Kapitel.

Ein wichtiger Fühler ist insbesondere bei Wasser-Wasser-Wärmepumpen ein Fühler im oder hinter dem Verdampfer. Dieser Fühler misst wasserseitig die Ausgangstemperatur am Verdampfer. Ist diese Temperatur zu gering, erfolgt eine Sicherheitsabschaltung, um eine Vereisung oder zu starke Auskühlung der Wärmequelle zu verhindern. Um eine möglichst schnelle Sicherheitsabschaltung zu realisieren, ist dieser Fühler bei den meisten Wasser-Wasser-Wärmepumpen im Verdampfer eingebaut.

Dieser Sicherheitsfühler ersetzt jedoch nicht einen Strömungswächter, der zum Schutz einer Wasser-Wasser-Wärmepumpe unbedingt zu empfehlen ist.

Beispiel zum Aufbau einer Wärmepumpe 1.3

Nachfolgende Abbildung zeigt einen typischen Aufbau einer Wärmepumpe als Einzelgerät. Die einzelnen Komponenten sind gut erkennbar und gut zugänglich. Letzteres ist wichtig für spätere Service- und Wartungsarbeiten.

Gute Schalldämmung durch ein 2-schaliges Stahlblechgehäuse mit innerem Lochblech und hochwertiger Schalldämmung plus 3-facher Schwingungsdämpfung.

Einblick in das Innere einer ***Geo-Max***®-Wärmepumpe:

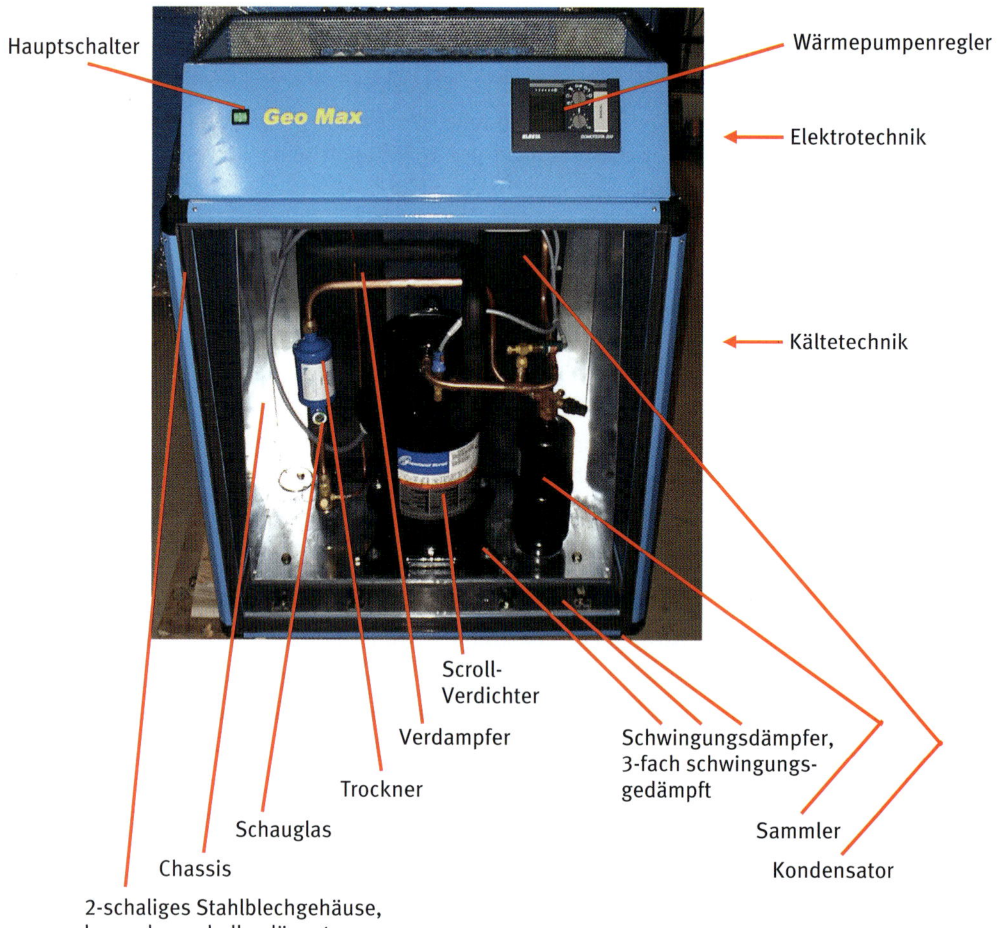

Bild 1.3.1: Kältetechnik einer Wärmepumpe
Quelle: J. Bonin, Umwelt & Technik

Bei dieser Wärmepumpe ist die Kältetechnik von der Elektrotechnik räumlich getrennt. Im unteren Teil befindet sich die Kältetechnik und im oberen die Elektrotechnik. Für eventuelle Servicearbeiten sind alle Teile gut zugänglich und es ist ersichtlich, um welche Teile es sich handelt, sodass ein späterer Service von jedem Fachmann herstellerunabhängig möglich ist.

Im oberen Teil dieser Wärmepumpe befindet sich die Elektrotechnik mit einer durchgehenden Klemmleiste als Schnittstelle für alle elektrisch anzuschließenden Aggregate wie Pumpen, Stellglieder, Spannungsversorgung, Sensoren, Fühler etc.

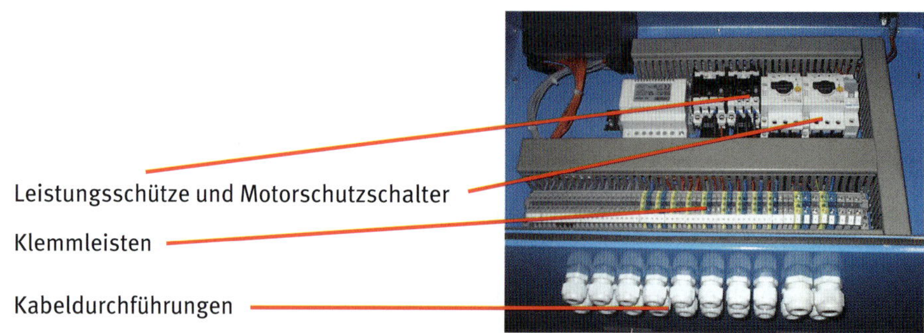

Bild 1.3.2: Elektrotechnik einer Wärmepumpe
Quelle: J. Bonin, Umwelt & Technik

Für die Regelung und Überwachung gibt es noch weitere Sicherheitseinrichtungen, wie Strömungswächter und ggf. Trockenlaufschutz (bei Wasser-Wasser-Wärmepumpen) bzw. Strömungs- und/oder Druckwächter (bei Sole-Wasser-Wärmepumpen) sowie Motorschutzschalter.

> **Hinweis:**
>
> Besonders für nicht unterkellerte Häuser ist eine möglichst geringe Schallemission wichtig!
>
> Eine ordentlich schallgedämmte Wärmepumpe ist auch ein gutes Qualitätsmerkmal.

Der Regler 1.4

Jede Heizungswärmepumpe hat einen Regler, der unterschiedliche Aufgaben übernimmt. Einige wenige Regler überwachen lediglich nur die Wärmepumpe als Kältemaschine – insbesondere bei Wärmepumpen im unteren Preisgefüge. Die Regler hochwertiger Wärmepumpen übernehmen zusätzliche Regelaufgaben auf der Seite der Wärmequelle sowie auch auf der Wärmesenke (Heizungsanlage). Mit einem solchen Regler ist für die Heizungsanlage eine optimale Regelung möglich.

Eine wesentliche Aufgabe des Reglers ist die witterungsgeführte Regelung. Diese sorgt dafür, dass je nach Außentemperatur der Pufferspeicher, respektive die Fußbodenheizung nur so weit aufgewärmt wird, wie es für den Wohnkomfort erforderlich ist. Darüber hinaus sollten unbedingt individuelle Einstellmöglichkeiten für den Betreiber möglich sein. Der Betreiber sollte eine Möglichkeit haben, die Heiztemperatur am Regler einfach und bedienerfreundlich verändern zu können.

Die untere Abbildung zeigt einen Regler mit aufgeklapptem Deckel. Ist der Deckel zugeklappt, hat der Betreiber die Möglichkeit, am oberen Wahlschalter die gewünschte Betriebsart und am unteren Drehknopf die Temperatur um ± 3 °C vom Sollwert zu verändern.

Regler von ELESTA:

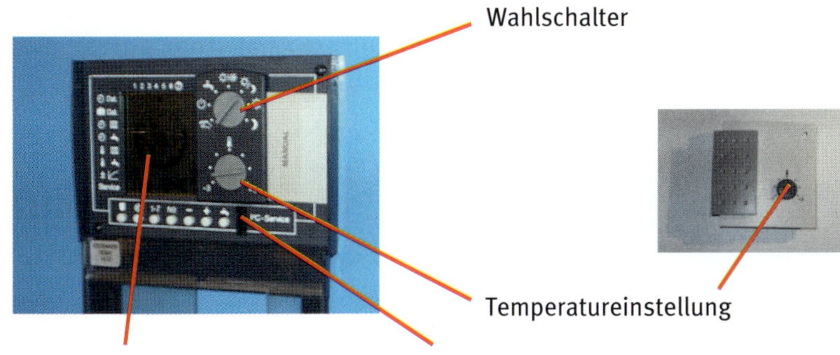

Bild 1.4.1: Regler einer Wärmepumpe
Quelle: J. Bonin, Umwelt & Technik

Bild 1.4.2: Fernbedienung
Quelle: J. Bonin, Umwelt & Technik

Für den Anwender gibt es bei guten Reglern folgende Funktionen:

- Partyfunktion
- Ferienprogramm
- Kühlfunktion

Dem Servicetechniker stehen noch sog. „Serviceebenen" zur Verfügung, in die man in der Regel über einen Code gelangt. Darin lassen sich anlagenspezifische Werte und Parameter eingeben und ändern. Zu dieser Serviceebene sollte jedoch nur der „Fachmann" Zugriff haben. Falsche Eingaben können zu Fehlfunktionen bis hin zum Ausfall der gesamten Wärmepumpenanlage und Schäden führen!

Für kleinere Wärmepumpenanlagen sind o. g. Einstellmöglichkeiten völlig ausreichend.

Üblicherweise übernimmt der Regler wichtige Überwachungsfunktionen. Grundsätzlich muss der Druck auf der Niederdruckseite sowie der Hochdruckseite überwacht werden. Darüber hinaus sollte der Regler auch über entsprechende Eingänge für Motorschutzschalter und andere Überwachungssensoren, z. B. Strömungswächter und Druckwächter, verfügen. So kann dann der Regler die gesamte Wärmepumpenanlage optimal regeln, steuern und überwachen.

Es gibt jedoch komplexere Anlagen, deren Regelung ein Wärmepumpenregler, je nach Anwendungsfall, ebenfalls übernehmen sollte. Ein einfaches Beispiel: Ein Altbau mit einer Fußbodenheizung im Erdgeschoss und Heizkörper im Obergeschoss, der mit einer Wärmepumpe zu beheizen wäre. Um die Wärmepumpenanlage optimal zu betreiben, sind zwei Pufferspeicher zu empfehlen. Ein Pufferspeicher, der mit niedriger Temperatur für die Fußbodenheizung (z. B. 40 °C) und ein zweiter, der mit der höheren Temperatur für die Radiatoren (z. B. 50 °C) im Obergeschoss geladen wird. Dazu kommt natürlich auch noch der Warmwasserspeicher, dessen gewünschte Temperatur ebenfalls zu regeln ist.

1.5 Wärmepumpenanlagenformen

Es gibt die unterschiedlichsten Wärmepumpenanlagenformen. Bei einer Wärmepumpenanlagenform ist das Medium der Wärmequelle und Wärmesenke definiert. Als Wärmequelle dient in der Regel Luft, Erdreich oder Grundwasser. Die Wärmesenke ist das zu beheizende Medium, Wasser oder Luft. Dient z. B. als Wärmequelle das Erdreich, dem über eine Sole Wärme entzogen wird (durch Auskühlung) und wird die Wärme dem Heizungswasser zur Gebäudebeheizung (und ggf. auch Warmwasser) zugeführt, spricht man von einer Sole-Wasser-Wärmepumpe. Nachfolgend betrachten wir folgende Wärmepumpenanlagenformen:

- Wasser-Wasser-Wärmepumpen
- Sole-Wasser-Wärmepumpen
- Luft-Wasser-Wärmepumpen
- Luft-Luft-Wärmepumpen

1.5.1 Wasser-Wasser-Wärmepumpe

Bei einer Wasser-Wasser-Wärmepumpe dient in der Regel Brunnenwasser aus einem Bohrbrunnen als Wärmequelle. Nachfolgende Abbildung zeigt den schematischen Aufbau dieser Wärmepumpenanlage:

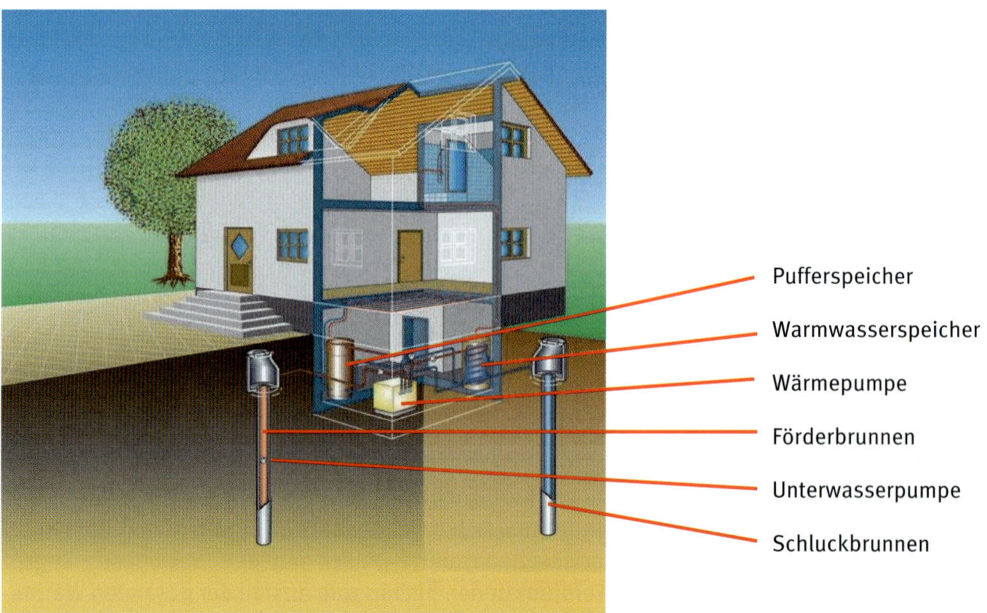

Bild 1.5.1.1: Wasser-Wasser-Wärmepumpenanlage
Quelle: Energieagentur NRW

Diese Form der Energiegewinnung wird als hydrothermale Energiegewinnung bezeichnet. Dabei wird dem Wasser, welches aus dem Förderbrunnen gepumpt wird, Wärmeenergie entzogen. Es kühlt ab. Das kühlere Wasser wird über den Schluckbrunnen dem Grundwasser wieder zugeführt. In etwa kann man davon ausgehen, dass das Brunnenwasser über das ganze Jahr eine relative konstante Temperatur von etwa 10 °C hat. Dieser Vorteil ermöglicht einen recht hohen Wirkungsgrad der Wärmepumpe. Wird die Wasser-Wasser-Wärmepumpe gem. DIN EN 14511-2 betrieben, darf das Wasser bis 3 K abgekühlt werden.

Bild 1.5.1.1 zeigt auch, dass Förder- und Schluckbrunnen ausreichend weit voneinander entfernt sein müssen, um einen „thermischen Kurzschluss“ zu verhindern. Zur Förderung des Brunnenwassers dient in der Regel eine Unterwasserpumpe, die im Brunnen eingebaut ist.

Des Weiteren zeigt dieses Bild alle wesentlichen Bestandteile einer Wasser-Wasser-Wärmepumpenanlage:

- den Förderbrunnen,
- den Schluckbrunnen,
- die Wärmepumpe,
- einen Pufferspeicher und
- einen Warmwasserspeicher.

Unbedingt zu beachten ist bei einer Wasser-Wasser-Wärmepumpe die Wasserqualität des Brunnenwassers.

Bei zu hohen Eisen- und/oder Mangangehalten des Grundwassers muss mit einem Verockern (Zusetzen) des Verdampfers und des Schluckbrunnens gerechnet werden. Setzt sich der Verdampfer zu, besteht die Gefahr der Vereisung und somit eines Ausfalls der Wärmepumpe. Verockert der Schluckbrunnens, kann dieser das Wasser nicht mehr aufnehmen; er läuft über. – Verockern ist das Ausfällen von unlöslichen Oxidhydraten aus eisen- und manganhaltigen Wässern. Die Ablagerungen führen dazu, dass sich Brunnen und Anlagenkomponenten zusetzen können und die Wärmepumpenanlage nicht mehr funktioniert. Bei eisen- und/oder manganhaltigen Wässer ist vom Betrieb einer Wasser-Wasser-Wärmepumpe unbedingt abzuraten.

Auch wenn kein Eisen und/oder Mangan vorhanden ist, muss die Wasserqualität hinsichtlich Aggressivität untersucht werden. Nur wenige Brunnenwässer eignen sich für die direkte Durchströmung bei Wärmepumpen mit einem kupfergelöteten Wärmetauscher als Verdampfer. Sehr häufig sind Brunnenwässer aggressiv, sodass ein nickelgelöteter Wärmetauscher oder ein Wärmetauscher komplett aus Edelstahl erforderlich ist. Viele Standardwärmepumpen haben einen einfachen kupfergelöteten Edelstahlplattenwärmetauscher. Alternativ zu einem nickelgelöteten oder kompletten Edelstahlwärmetauscher kann auch eine Systemtrennung zum Schutz der Wärmepumpe installiert werden. Natürlich ist dann für diesen Wärmetauscher die Wasserqualität entsprechend zu berücksichtigen.

Die Aggressivität wird anhand mehrerer Parameter festgemacht. Dazu gehören im Wesentlichen der pH-Wert, aber auch Werte für Erdsalze. Das führt dazu, dass in den meisten Fällen ein nickelgelöteter Wärmetauscher oder kompletter Edelstahlwärmetauscher zu empfehlen ist. In wenigen Sonderfällen sind Erdsonden zu empfehlen. Hinsichtlich der Nutzbarkeit eines Wassers sind folgende Parameter unbedingt zu beachten:

- Eisen und Mangan und
- die Aggressivität des Wassers.

Für die Festlegung des geeigneten Wärmetauschers nennt ein Hersteller von Wärmetauscher folgende Werte, anhand derer die Tauglichkeit des geeigneten Wärmetauschers festgelegt werden kann.

Tabelle 1.5.1.1: Zulässige Wasserinhaltsstoffe für Edelstahlplattenwärmetauscher
Quelle: J. Bonin, Umwelt & Technik

Wasserinhaltsstoffe + Kennwerte	Platten-WT, kupfergelötet	Platten-WT, nickelgelötet
pH-Wert	7–9 (unter Beachtung SI-Index)	6–10
Sättigungsindex SI (delta pH-Wert)	–0,2 < 0 < +0,2	keine Festlegung
Gesamthärte	6–15 °dH	6–15 °dH
Leitfähigkeit	10–500 µS/cm	keine Festlegung
abfiltrierbare Stoffe	< 30 mg/l	< 30 mg/l
Chloride (Cl^-)	< 500 mg/l bei 10 °C	< 500 mg/l bei 10 °C
freies Chlor (Cl)	< 0,5 mg/l	< 0,5 mg/l
Schwefelwasserstoff (H_2S)	< 0,05 mg/l	keine Festlegung
Ammoniak (NH_3/NH_4^+)	< 2 mg/l	keine Festlegung
Sulfat (SO_4)	< 100 mg/l	< 300 mg/l
Hydrogenkarbonat (HCO_3^-)	< 300 mg/l	keine Festlegung
Hydrogenkarbonat/Sulfat	> 1,0	keine Festlegung
Sulfid (S^{2-})	< 1 mg/l	< 5 mg/l
Nitrat (NO_3)	< 100 mg/l	keine Festlegung
Nitrit (NO_2)	< 0,1 mg/l	keine Festlegung
Eisen (Fe)	< 0,2 mg/l	< 0,2 mg/l
Mangan (Mn)	< 0,1 mg/l	< 0,1 mg/l
freie, aggr. Kohlensäure (H_2CO_3)	< 20 mg/l	keine Festlegung

Nachfolgend ein paar Erläuterungen zu den Parametern: Die Praxis zeigt, dass nur in den wenigsten Fällen kupfergelötete Wärmetauscher für Wasser-Wasser-Wärmepumpen geeignet sind. Oftmals liegt der pH-Wert zwischen 6 und 7, was dazu führt, dass kupfergelötete Wärmetauscher ausscheiden. Auch die Leitfähigkeit liegt oftmals über dem genannten Grenzwert für kupfergelötete Wärmetauscher. Die Gesamthärte spielt bei Kaltwasser nur eine untergeordnete Rolle. Abfiltrierbare Stoffe sollten generell nicht im Brunnenwasser vorhanden sein, weil diese sich im Verdampfer festsetzen und damit den Durchfluss zu stark verringern können – Achtung! Vereisungsgefahr! Die Werte für Chloride liegen in den meisten Fällen unterhalb des Grenzwerts, und freies Chlor ist in Brunnenwässern in der Regel nicht enthalten. Gleiches gilt auch für Schwefelwasserstoff (würde deutlich riechen) und Ammoniak. Der Wert für Sulfat liegt des Öfteren auch über 100 mg/l. Gleiches gilt auch für den Nitratwert. Die Werte für Eisen und Mangan sollten unbedingt eingehalten werden, weil ansonsten die Gesamtanlage nicht dauerhaft störungsfrei arbeiten kann.

Einige Hersteller fertigen nur Wärmepumpen mit kupfergelötetem Wärmetauscher, andere alternativ auch mit einem nickelgelöteten Wärmetauscher oder einem Wärmetauscher komplett aus Edelstahl. Nun gilt es zu überprüfen, ob die ausgewählte Wärmepumpe für die direkte Beschickung mit dem Brunnenwasser geeignet ist. Dazu sind auf jeden Fall die Angaben des Herstellers der Wärmepumpe zu beachten, um festzulegen, ob die Wärmepumpe direkt mit dem Brunnenwasser durchströmt werden darf oder nicht.

Nachfolgende Abbildung zeigt eine schematische Darstellung einer einfachen Wasser-Wasser-Wärmepumpe mit direkter Durchströmung:

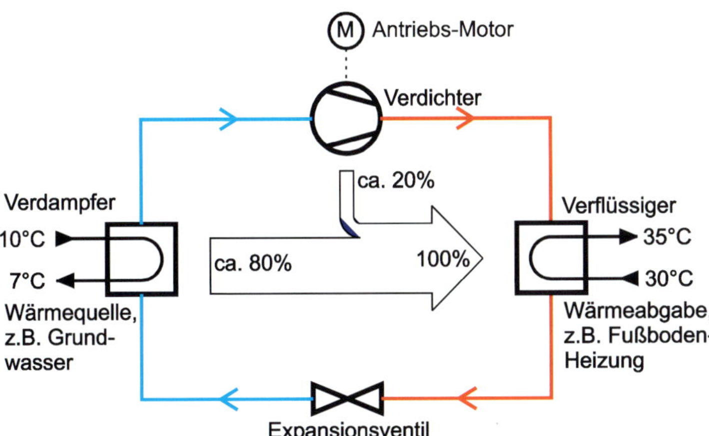

Bild 1.5.1.2: Schema Wasser-Wasser-Wärmepumpe mit direkter Durchströmung Brunnenwasser, Quelle: J. Bonin, Umwelt & Technik

Vorteilhaft ist der optimale Gesamtwirkungsgrad über das Jahr wegen der hohen Quellentemperatur des Brunnenwassers von ca. 10 °C. Nachteilig sind die erhöhten Risiken:

1. Es besteht erhöhte Vereisungsgefahr bei zu geringem Durchfluss durch den Verdampfer.
2. Bei aggressiven Wässern besteht erhöhte Korrosionsgefahr für den Verdampfer. In der Regel sollte hier ein nickelgelöteter Wärmeaustauscher eingesetzt werden. Hier tun sich die größeren Wärmepumpenhersteller zum Teil schwer, weil dies eine Abweichung von der Serienfertigung ist. Kleinere Wärmepumpenhersteller können hier oftmals flexibler reagieren.
3. Im Falle einer Havarie, d. h. bei einem Defekt des Verdampfers besteht die Gefahr für die Umwelt, dass Kältemittel und/oder Öl ins Grundwasser gelangen können.

Bei einer fachgerechten Planung und Ausführung lassen sich diese Risiken auf ein Minimum reduzieren. So ist dann ein optimaler Betrieb mit sehr gutem Wirkungsgrad über das Jahr realisierbar.

Oben geschilderte Risiken können mit einer Systemtrennung nahezu ausgeschlossen werden, die sich als Alternative zu einem nickelgelöteten Wärmetauscher anbietet. Zu einer Systemtrennung gehört ein Zwischenkreislauf, der in der Regel mit Sole beschickt wird.

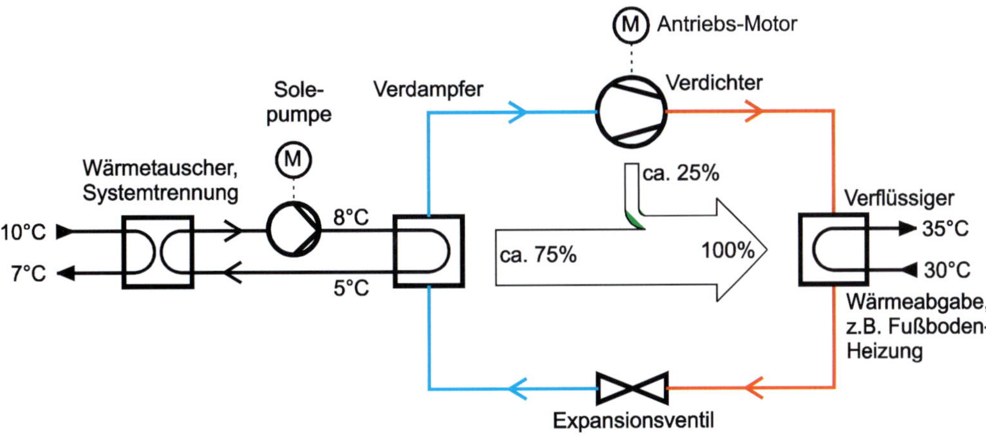

Bild 1.5.1.3: Schema Wasser-Wasser-Wärmepumpe mit Systemtrennung
Quelle: J. Bonin, Umwelt & Technik

Natürlich ist bei Einsatz eines Trennwärmetauschers darauf zu achten, dass dieser den Anforderungen des Brunnenwassers entspricht. Für den Zwischenkreislauf empfiehlt sich ein Wasser-Glykol-Gemisch, vergleichbar mit einer Sole-Wasser-Wärmepumpe. Das schützt den Verdampfer zusätzlich vor einer möglichen Vereisung. Vorteilhaft ist die höhere Sicherheit zulasten des Wirkungsgrades. Der Gesamtwirkungsgrad mindert sich durch den zusätzlichen Strombedarf für die Umwälzpumpe und die Übertragungsverluste über den zusätzlichen

Trennwärmetauscher. Der Gesamtwirkungsgrad reduziert sich um etwa 4 %. Für den Wärmetauscher zur Systemtrennung ist in vielen Fällen ein geschraubter Plattenwärmetauscher zu empfehlen. Dieser Wärmeaustauscher besteht, abgesehen von den Dichtungen, komplett aus Edelstahl und ist daher auch bei recht aggressiven und/oder korrosiven Wässern einsetzbar. Er bietet außerdem die Möglichkeit einer Reinigung, weil ein geschraubter Plattenwärmeaustauscher zerlegt, gereinigt und wieder zusammengesetzt werden kann. Ggf. sind die Dichtungen auszutauschen. Die Gefahr einer Vereisung des Wärmeaustauschers mit Systemtrennung ist recht gering, weil bis dahin die Wärmepumpe entweder über eine Niederdruckstörung oder die Temperaturbegrenzung am Verdampferaustritt abschalten sollte.

Ein weiterer Vorteil ist der erhöhte Umweltschutz. Selbst im Falle einer Havarie besteht hier die Möglichkeit, mit einem patentierten Geo-Protector® eventuell ausgetretenes Glykol oder Öl wieder abzusaugen und aus dem Schluckbrunnen zu entfernen.

Bei Wasser-Wasser-Wärmepumpen ist zu beachten, dass diese stets ausreichend mit Wasser versorgt werden. Zur Sicherheit ist deswegen unbedingt ein Strömungswächter einzusetzen und auf die minimal erforderliche Durchflussmenge einzustellen. Die Sicherheit kann mit einem Trockenlaufschutz zusätzlich erhöht werden. Wird die Wärmepumpe nicht ausreichend mit Wasser versorgt, besteht die Gefahr der Vereisung des Verdampfers, und damit ein Totalausfall der Wärmepumpe.

Die Vorteile einer Wasser-Wasser-Wärmepumpe:

- Es entfallen die hohen Kosten für Erdsonden.
- Die Wärmepumpenanlage hat einen deutlich höheren Wirkungsgrad – etwa 20 % mehr gegenüber einer Sole-Wasser-Wärmepumpe.
- Beste Voraussetzungen zum Heizen + Kühlen.
- Optimal für die freie Kühlung.
- Es steht zusätzlich Wasser zur Beregnung, etc. gratis zur Verfügung.

Die Nachteile einer Wasser-Wasser-Wärmepumpe:

- Eisen- und manganhaltige Wässer oder auch stark aggressive Wässer sind für eine Wasser-Wasser-Wärmepumpe ungeeignet.

  Bei eisen- und manganhaltigen Wässern kann das Wasser subterrestrisch (unterirdisch) aufbereitet werden, was sich aber ggf. nur bei größeren Wärmepumpenanlagen lohnt.

1.5.2 Sole-Wasser-Wärmepumpe

Die Energiegewinnung mit einer Sole-Wasser-Wärmepumpe bezeichnet man als geothermische Energiegewinnung. Bei der geothermischen Energiegewinnung entzieht eine Sole-Wasser-Wärmepumpe ihre Wärme einem Wasser-Glykol-Gemisch (Glykol = Frostschutzmittel), der Sole eines geschlossenen Solekreislaufes. Die Sole wiederum gewinnt die Wärme aus der Erde. Das Glykol schützt den Verdampfer der Wärmepumpe vor Frostschäden. Die Glykol-Konzentration beträgt etwa 30 %. Durch die Sole wird das Erdreich um die Erdsonden oder den Erdkollektor lokal ausgekühlt. Folglich ist die Temperatur der Wärmequelle für die Sole-Wasser-Wärmepumpen zwangsläufig deutlich tiefer als bei Wasser-Wasser-Wärmepumpen. Außerdem ist die Temperatur nicht konstant. Mit Beginn einer Heizperiode werden das Erdreich und damit auch die Sole allmählich abgekühlt. Erst nach der Heizperiode regeneriert sich allmählich wieder das Erdreich. Deswegen ist eine ausreichende Dimensionierung unbedingt erforderlich. Bei einer zu geringen Dimensionierung der Wärmequelle besteht Vereisungsgefahr. Somit ist hier eine größere Temperaturdifferenz zu überwinden, wozu entsprechend mehr Energie (Strom) benötigt wird. Die so aus der Erde aufgenommene „Wärme“ wird über den geschlossenen Solekreislauf der Wärmepumpe zugeführt.

Bei Sole-Wasser-Wärmepumpen differenziert man zwischen Sole-Wasser-Wärmepumpen mit Erdsonden oder mit Erdkollektoren. Beide werden in der Regel aus langlebigen PE-Rohren erstellt.

Schematische Darstellung einer Sole-Wasser-Wärmepumpe:

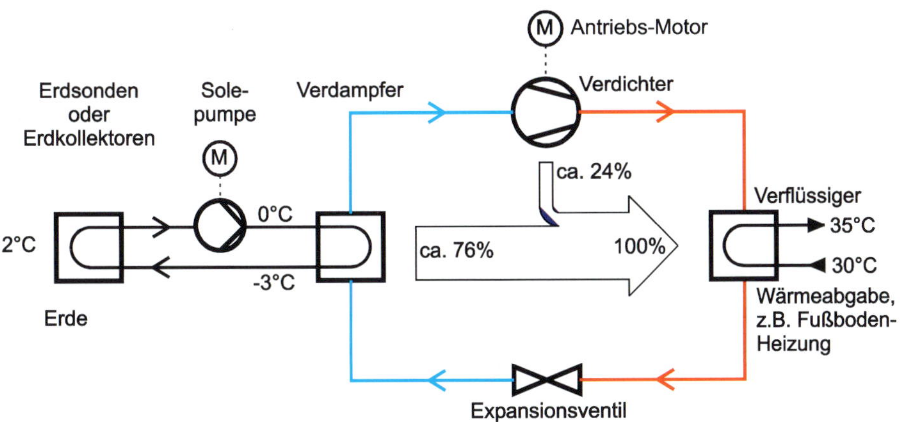

Bild 1.5.2.1: Schema Sole-Wasser-Wärmepumpe
Quelle: J. Bonin, Umwelt & Technik

Wichtige Hinweise:

- Bei Sole-Wasser-Wärmepumpen sind ggf. örtliche Auflagen zu berücksichtigen, insbesondere in der Nähe von Trinkwassergewinnungsanlagen.
- Um sicherzustellen, dass der Solekreislauf keine Sole verliert, ist zum Schutz des Grundwassers und der Wärmepumpe ein Druckwächter gem. VDI 4640/DIN 8901 zu installieren, der bei einem unzulässigen Druckabfall die Wärmepumpe abschaltet und verriegelt, sodass ein selbständiges Einschalten verhindert wird.

Sole-Wasser-Wärmepumpe mit Erdsonden 1.5.2.1

Bei diesen Wärmepumpenanlagen werden die Erdsonden in ein vertikal verlaufendes Bohrloch in der Erde eingebracht. Beim Betrieb wird über die Erdsonden dem umgebenen Boden Wärme lokal entzogen. Während des Betriebs wird das Erdreich um die Erdsonden herum lokal ausgekühlt. Gem. DIN EN 14511-2 stellt sich nach einiger Betriebszeit eine deutlich tiefere Temperatur (Beharrungstemperatur) ein als bei einer Wasser-Wasser-Wärmepumpe. Die Normbetriebstemperatur für die ankommende Sole beträgt 0 °C.

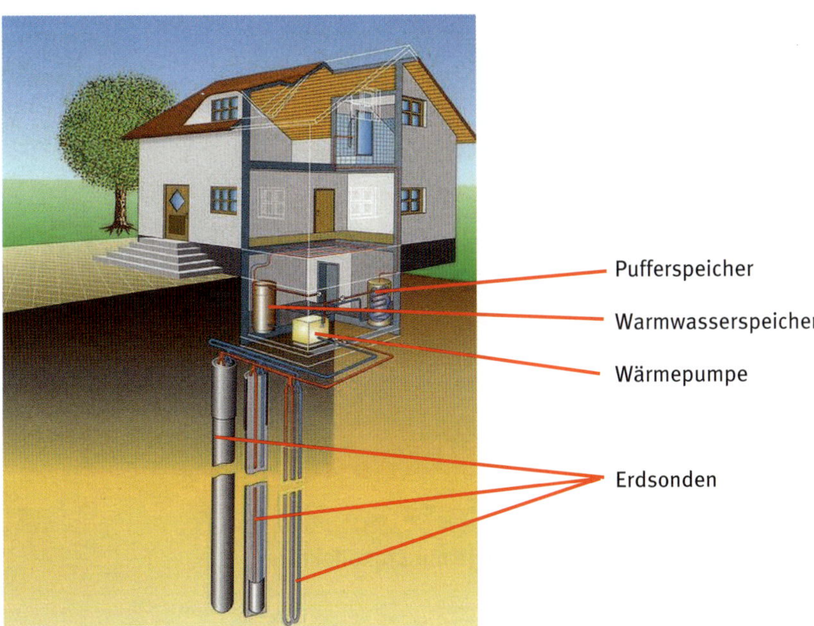

Bild 1.5.2.1.1: Sole-Wasser-Wärmepumpenanlage mit Erdsonden
Quelle: Energieagentur NRW

Aufgrund anfänglicher negativer Erfahrungen bei Wasser-Wasser-Wärmepumpenanlagen in den 80er-Jahren wurden die Erdsonden entwickelt, um einen sicheren Betrieb von Wärmepumpenanlagen zu ermöglichen. Ein Verockern der Brunnen oder Korrosionsschäden durch aggressives Wasser sind so ausgeschlossen. Nachteilig ist die Verringerung des Gesamtwirkungsgrades aufgrund der niedrigeren Soletemperatur im Vergleich zu Wasser-Wasser-Wärmepumpenanlagen.

Bei der Projektierung der Erdsonden sind die geologischen Gegebenheiten und insbesondere die spezifische Entzugsleistung zu beachten. Die spezifische Entzugsleistung ist die zur Verfügung stehende Wärmeleistung pro Bohrmeter (W/m). Der Mindestabstand, in der Regel mindestens 5 m, ist einzuhalten.

Aufgrund der nahezu konstanten Temperaturen im tieferen Boden eignet sich eine Sole-Wasser-Wärmepumpenanlage mit Erdsonden ebenfalls gut zur freien Kühlung.

Die Vorteile einer Sole-Wasser-Wärmepumpe mit Erdsonden:

- Hohe Betriebssicherheit.
- Gute Voraussetzungen zum Heizen + Kühlen.
- Lange Lebensdauer der Wärmequelle – quasi eine Investition fürs Leben.

Die Nachteile einer Sole-Wasser-Wärmepumpe mit Erdsonden:

- Deutlich geringerer Wirkungsgrad gegenüber einer Wasser-Wasser-Wärmepumpe.
- Recht hohe Erstellungskosten.

1.5.2.2 Sole-Wasser-Wärmepumpe mit Erdkollektoren

Erdkollektoren sind eine kostengünstigere Alternative zu Erdsonden. Sie werden horizontal in die Erde eingebaut. Wie bei Erdsonden wird auch hier dem Erdreich Wärme entzogen. Aufgrund dessen, dass die Erdkollektoren sehr oberflächennah eingebracht werden, unterliegen sie zwangsläufig stärkeren Temperaturschwankungen.

Eine Sole-Wasser-Wärmepumpenanlage mit Erdkollektoren:

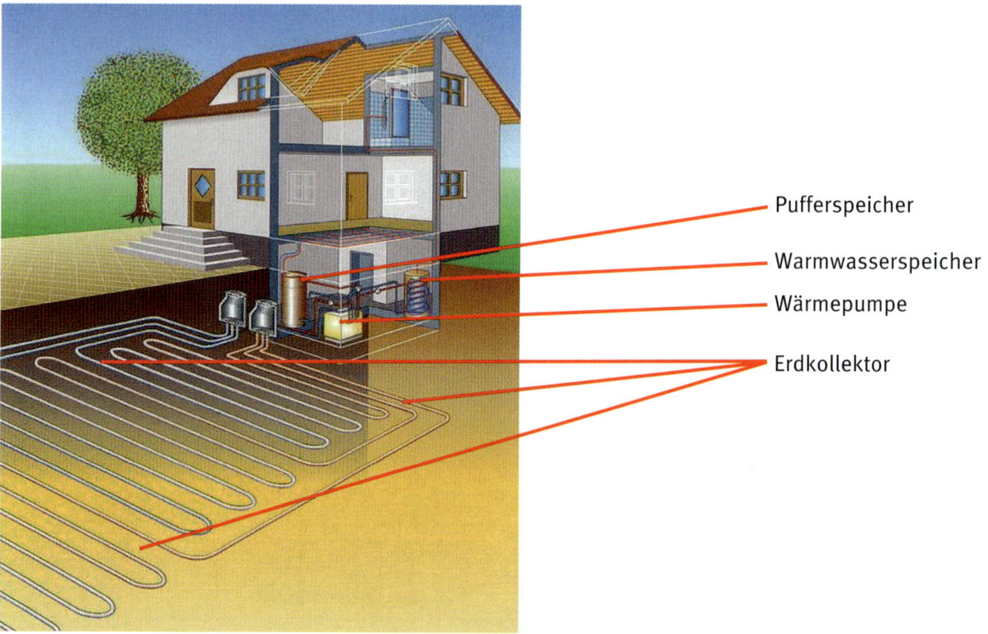

Bild 1.5.2.2.1: Sole-Wasser-Wärmepumpenanlage mit Erdkollektoren
Quelle: Energieagentur NRW

Bei der Planung ist unbedingt die flächenspezifische Entzugsleistung zu beachten. Die spezifische Entzugsleistung ist die zur Verfügung stehende Wärmeleistung pro Fläche (W/m^2). Diese ist nicht immer einfach zu ermitteln. Oftmals werden Erdkollektoren auch zu klein dimensioniert, was zu Störungen und Problemen führt. Ausschlaggebend für den Wärmeentzug aus dem Erdreich ist die spezifische Wärmekapazität des Erdreichs. Bei der Verlegung sind die Verlegeabstände und -tiefe zu berücksichtigen. Für die Verlegung ist der geologische Aufbau von großer Wichtigkeit. Danach richtet sich die Verlegetiefe und der Verlegeabstand sowie die mögliche spezifische Entzugsleistung des Erdkollektors. Je geringer der Entzug pro m^2 ist, desto sicherer findet eine ausreichende natürliche Regeneration der Wärmequelle statt. Je höher der Entzug pro m^2, desto schwieriger wird es, durch natürliche Regeneration konstante Wärmequellentemperaturen zu erreichen und ein Abfallen der Wärmequellentemperatur auf unter 0 °C und das Einfrieren zu vermeiden. Je geringer die Entzugsleistung ist, desto größer muss der Verlegeabstand sein.

Eine effektive „freie Kühlung" ist mit Erdkollektoren unmöglich, weil sich im Sommer das oberflächennahe Erdreich aufwärmt. Durch einen Kühlbetrieb würde das Erdreich zusätzlich erwärmt. Eine Kühlung ist hier nur mit einer reversibel arbeitenden Wärmepumpe möglich. Dabei arbeitet die Wärmepumpe reversibel (umgekehrt), d. h., sie entzieht dem Gebäude Wärme und führt diese über den Erdkollektor dem Erdereich zu. Weil dazu der Kompressor der Wärmepumpe arbeitet, erhöhen sich somit die Energiekosten.

Die Vorteile einer Sole-Wasser-Wärmepumpe mit Erdkollektoren:

- Hohe Betriebssicherheit
- Keine teuren Erdsonden!
- Guter Wirkungsgrad zum Heizen!
- Lange Lebensdauer – quasi eine Investition fürs Leben.

Die Nachteile einer Sole-Wasser-Wärmepumpe mit Erdkollektoren:

- Deutlich geringerer Wirkungsgrad gegenüber einer Wasser-Wasser-Wärmepumpe.
- Keine freie Kühlung möglich.

Luft-Wasser-Wärmepumpe 1.5.3

Bei Luft-Wasser-Wärmepumpen dient als Wärmequelle die Außenluft.

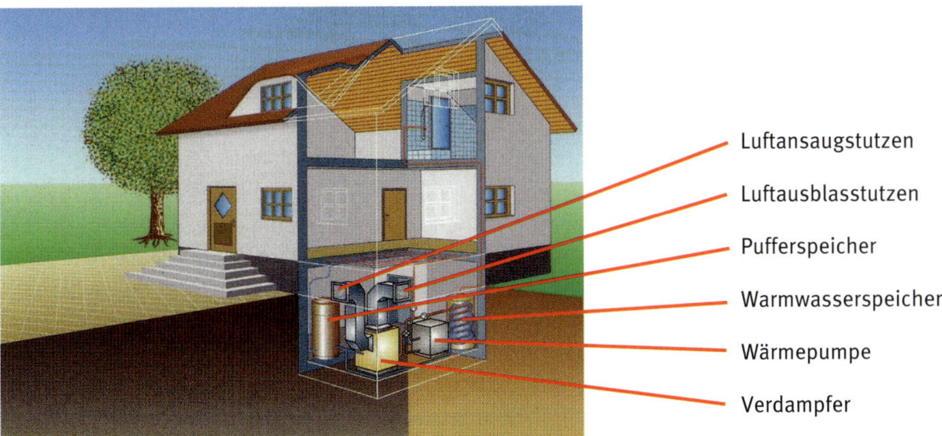

Bild 1.5.3.1: Luft-Wasser-Wärmepumpenanlage, Innenaufstellung
Quelle: Energieagentur NRW

In diesem Bild sind Wärmepumpe und Verdampfer getrennt dargestellt. Es gibt diese Wärmepumpen auch als kompakte Einheiten. Darüber hinaus gibt es auch noch weitere Varianten, die später noch gezeigt werden. Diese Art der Energiegewinnung bezeichnet man als aerothermische Energiegewinnung. Dabei entzieht die Luft-Wasser-Wärmepumpe die Wärme der Umgebungsluft. Obwohl eine Luft-Wasser-Wärmepumpenanlage technisch aufwändiger ist, sind die Gesamtinvestitionskosten deutlich günstiger, weil die Kosten für die Erschließung der Wärmequelle entfallen. Der größere technische Aufwand ist der große Verdampfer mit einem entsprechend großen Ventilator.

Luft-Wasser-Wärmepumpen entziehen die Wärme der Außenluft. Weil die spezifische Wärmekapazität der Luft sehr gering ist, müssen verhältnismäßig große Luftmengen bewegt werden. Daher sind die Lüftungskanäle sowie Ventilatoren ausreichend groß zu dimensionieren.

Nachteilig ist bei diesen Wärmepumpen, dass die Wärmequelle – nämlich die Luft – am kältesten ist, wenn die meiste Leistung gebraucht wird. Das verringert entsprechend den Gesamtwirkungsgrad. Außerdem ist zu berücksichtigen, dass der Verdampfer, insbesondere an nasskalten Tagen schnell vereisen kann und wieder aufgetaut werden muss. Für diesen Abtaubetrieb ist zusätzliche Energie erforderlich.

Die meisten Luft-Wasser-Wärmepumpen werden nicht monovalent betrieben. D. h., dass eine zusätzliche Energie erforderlich ist, z. B. ein Elektroheizstab oder eine andere Zusatzheizung (Öl oder Gas). Dies verschlechtert natürlich zusätzlich den Gesamtwirkungsgrad und die gewünschte Wirtschaftlichkeit.

Bei Luft-Wasser-Wärmepumpen differenziert man zwischen

- Kompaktanlagen (Monoblock) und
- Splitanlagen.

Schematische Darstellung einer Luft-Wasser-Wärmepumpe:

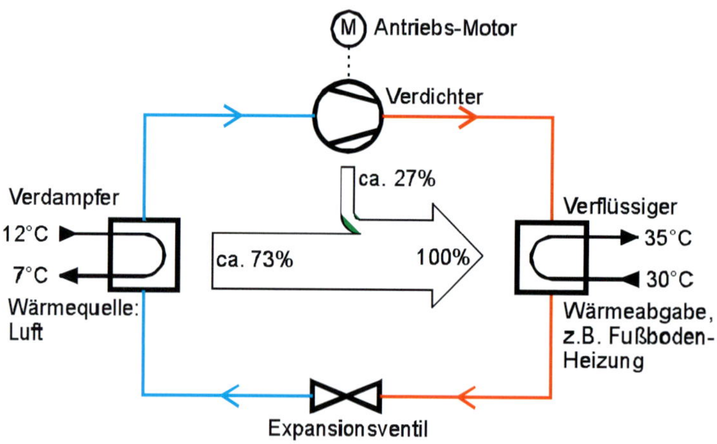

Bild 1.5.3.2: Schema Luft-Wasser-Wärmepumpe
Quelle: J. Bonin, Umwelt & Technik

1.5.3.1 Kompaktwärmepumpen

Diese kompakten Wärmepumpen bilden eine Einheit, d. h. Wärmepumpe und Verdampfer befinden sich in einem Gehäuse. Hier differenziert man zwischen Wärmepumpen für die Innenaufstellung und die Außenaufstellung. Bei Kompaktanlagen für die Innenaufstellung wird die erforderliche Luftmenge über Luftkanäle der Wärmepumpe zu- und abgeführt. Das ist bei Kompaktanlagen für die Außenaufstellung nicht notwendig. Vorteilhaft ist die kompakte Bauweise. Es ist jedoch bei der Installation dieser Wärmepumpenanlage darauf zu achten, dass die außerhalb des Gebäudes verlegten Rohre entsprechend gut isoliert und frostfrei verlegt sind.

Vorteile einer Luft-Wasser-Wärmepumpe als Kompaktanlage:

- Keine Kosten für Brunnen, Erdsonden oder Erdkollektoren, geringere Montagekosten.
- Kompakte Bauweise.
- Keine regelmäßige Kontrolle des Kältemittelkreislaufs erforderlich.
- Einfache Integration in die Heizungshydraulik.

Nachteile einer Luft-Wasser-Wärmepumpe als Kompaktanlage:

- Schlechterer Gesamtwirkungsgrad.
- Große Lüftungskanäle bei Innenaufstellung erforderlich.
- Bei Außengeräten ist die gesamte Wärmepumpentechnik der Witterung ausgesetzt.
- Das Heizungswasser muss bei Außengeräten frostsicher sein, z.B. durch ein Glykolgemisch.
- Kühlung nur mit reversibel arbeitenden Wärmepumpen möglich.
- Oftmals kein monovalenter Betrieb möglich.

Ein Beispiel einer Kompaktwärmepumpe – Außenwärmepumpe:

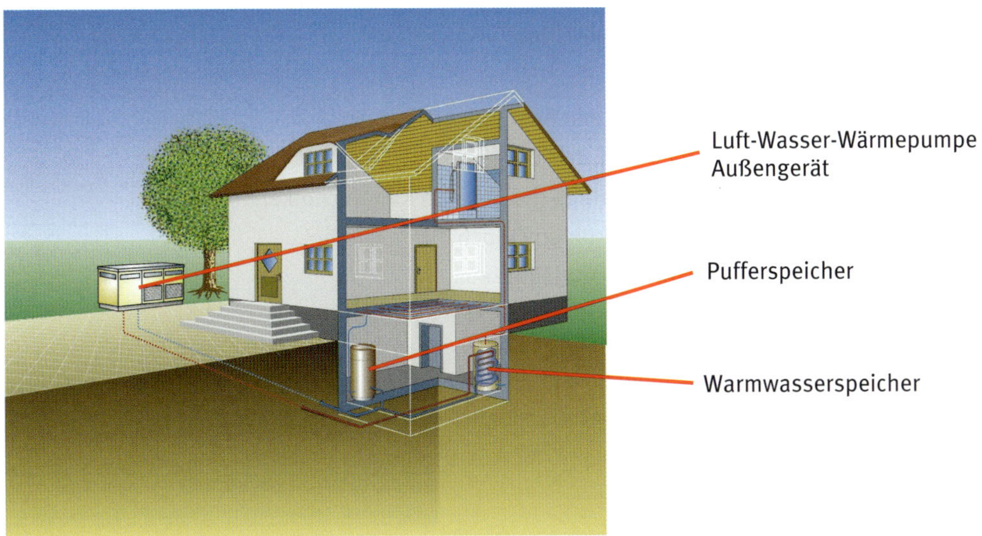

Bild 1.5.3.1.1: Eine Luft-Wasser-Wärmepumpenanlage, Außenaufstellung
Quelle: Energieagentur NRW

Splitanlagen 1.5.3.2

Splitanlagen sind Wärmepumpen, die im Wesentlichen aus zwei Teilen bestehen, nämlich aus der eigentlichen Wärmepumpe und dem separaten Verdampfer mit dem Lüfter. In der Regel wird dann der Verdampfer mit dem Lüfter außen aufgestellt, um so die Verlegung der Lüftungskanäle zu vermeiden. Die eigentliche Wärmepumpe steht dann im Gebäude. Die beiden Teile werden mit einer Kältemittelleitung verbunden.

Vorteile einer Luft-Wasser-Wärmepumpe als Splitanlage:

- Keine Kosten für Brunnen, Erdsonden oder Erdkollektoren.
- keine großen Lüftungskanäle erforderlich.
- Kein Frostschutz für Heizungswasser erforderlich.

Nachteile einer Luft-Wasser-Wärmepumpe als Splitanlage:

- Schlechterer Gesamtwirkungsgrad.
- Kühlung nur mit reversibel arbeitenden Wärmepumpen möglich.
- Oftmals kein monovalenter Betrieb möglich.
- Mögliche Geräuschbildung beim Abtaubetrieb.

1.5.4 Luft-Luft-Wärmepumpen

Luft-Luft-Wärmepumpen sind quasi Klimaanlagen. Dabei wird beim Heizbetrieb der Außenluft Wärme entzogen und diese direkt über Gebläse der Raumluft zugeführt. Im Kühlbetrieb arbeiten diese Wärmepumpen reversibel. Diese Wärmepumpen dienen hauptsächlich zur Klimatisierung von Räumen und Gebäuden. Diese werden als Splittanlagen ausgeführt. Sie bestehen aus einem oder mehreren Außengeräten und mehreren Innengeräten. Der Gesamtwirkungsgrad ist gegenüber Luft-Wasser-Wärmepumpenanlagen deutlich höher, weil kein Heizungswasserkreislauf vorhanden ist.

Sollen diese Wärmepumpenanlagen zur Gebäudebeheizung dienen, ist zu prüfen, ob deren Leistung zu allen Jahreszeiten ausreichend ist. Ein bivalenter Betrieb würde eine zusätzliche Heizungsart erfordern.

Vorteile einer Luft-Luft-Wärmepumpenanlage:

- Relativ guter Wirkungsgrad.
- Keine Kosten für Brunnen, Erdsonden oder Erdkollektoren.
- Keine großen Lüftungskanäle erforderlich.
- Einfache und kostengünstige Montage durch einen Kältetechniker.
- Heizen + Kühlen = Klimatisieren, kühlen jedoch nur reversibel.
- Kommt ohne Flächenheizung und Ähnliches aus.

Nachteile einer Luft-Luft-Wärmepumpenanlage:

- Mögliche Geräuschbildung beim Abtaubetrieb.
- Nicht generell ein monovalenter Betrieb möglich.
- Höhere Betriebskosten.

1.5.5 Direktverdampfer

Der Vollständigkeit halber seien hier noch Wärmepumpenanlagen mit einem Direktverdampfer erwähnt. Der Direktverdampfer ist ein Erdkollektor mit speziellen absolut dichten und druckfesten Rohren, welcher als Verdampfer im Erdreich dient. Dieser Verdampfer ist ein Teil der Wärmepumpe. Bei der Installation des Verdampfers ist unbedingt auf dessen absolute Gasdichtigkeit zu achten, weil ansonsten das Kältemittel verloren geht und die Wärmepumpe wegen Niederdruck abschaltet.

1.6 Leistungszahl und Jahresarbeitszahl

Die Leistungszahl einer Wärmepumpe wird mit dem COP (**C**oeffizient **o**f **p**erformance) angegeben. Der erste Teil des COP bezieht sich auf die Temperatur der Wärmequelle und der zweite auf die Wärmesenke. Beispiel einer Sole-Wasser-Wärmepumpe: COP = S0W35 oder B0W35. Das „S“ steht für Sole – „B“ steht für Brine und ist das englische Wort für Sole. S0 bedeutet, dass sich der COP auf eine eingehende Vorlauftemperatur (Eintrittstemperatur in den Verdampfer) von 0 °C bezieht. Das „W“ steht für Wasser (oder water), und das W35 bedeutet, dass sich der COP auf eine aus der Wärmepumpe kommende Vorlauftemperatur von 35 °C bezieht. Die Leistungszahlen einer Wärmepumpe sind in DIN EN 14511-2 definiert. Die Leistungszahl COP ist ein Maß für die Güte der Wärmepumpe.

Die Leistungszahl ist somit ein Maß für den Wirkungsgrad einer Wärmepumpe und beschreibt das Verhältnis der abgegebenen Heizleistung zur aufgenommenen elektrischen Leistung:

$$\mathrm{COP} = P_\mathrm{H}/P_\mathrm{el}$$

mit

COP = Leistungsziffer einer Wärmepumpe

P_H = Heizleistung der Wärmepumpe [kW]

P_el = aufgenommene elektrische Leistung der Wärmepumpe [kW]

Die aus der Umwelt gewonnene und kostenlos zur Verfügung stehende Leistung ist die Kälteleistung. Sie ist die Differenz zwischen der abgegebenen Heizleistung und der aufgenommenen elektrischen Leistung:

$$Q_\text{K} = P_\text{H} - P_\text{el}$$

mit

Q_K = Kälteleistung aus der Umwelt

Eine weitere Zahl ist die Jahresarbeitszahl. Sie ist ein Maß für die Güte einer Wärmepumpenanlage und beschreibt das Verhältnis zur im Jahr abgegebenen Wärmemenge:

$$\text{JAZ} = \beta = Q_\text{H}/Q_\text{el}$$

mit

JAZ = β = Jahresarbeitszahl

Q_H = Jahresheizarbeit der abgegebenen Wärmemenge [kWh]

Q_el = Elektrische Jahresarbeit aus dem Stromnetz [kWh]

Die Berechnung der JAZ ist in VDI 4650 vorgegeben.

Es ist durchaus möglich, dass eine Wärmepumpenanlage mit einer guten Wärmepumpe eine schlechte Jahresarbeitszahl aufweist. Die JAZ hängt erheblich von den Betriebsbedingungen der Wärmepumpe ab. Es gibt eine Reihe symptomatischer Ursachen für eine niedrigere Effizienz einer an sich guten Wärmepumpe in der Praxis, wie eine zu kleine Auslegung der Wärmepumpe, die fehlende Optimierung in den Regelstrategien und unzureichend einregulierte Netzhydraulik.

In VDI 4650 Blatt 1:2016-12 ist auch vorgegeben, wie die JAZ einer sich in Betrieb befindlichen Wärmepumpenanlage berechnet wird. Dabei wird jedoch die Betriebsweise nur unvollständig betrachtet. Z. B. wirkt sich ein zu häufiges Takten negativ auf den Wirkungsgrad aus, weil eine Kältemaschine nach dem Start in den ersten zwei bis vier Minuten stets einen deutlich schlechteren Wirkungsgrad hat als im ruhigen, statischen Betrieb, der sich erst nach fünf bis 10 Minuten einstellt. Die Dauer des Einschwingens und Einstellung eines stabilen Betriebszustandes hängt natürlich von der Größe der Wärmepumpe ab. Deswegen sind lange Lauf- und lange Standzeiten bei Wärmepumpen von besonderer Bedeutung. Diese Gegebenheit bleibt in VDI 4650 unberücksichtigt, was zu falschen JAZ führen kann. Eine reale JAZ lässt sich nur durch Messungen der aufgenommenen und abgegebenen Leistungen ermitteln. Diese ist dann jedoch nicht mehr gem. VDI 4650 normiert, stellt jedoch die reale JAZ dar. Diese kann jedoch witterungsbedingt entsprechend schwanken.

Wie erklärt sich dieses Verhalten?

In dem Moment, wenn der Kompressor einschaltet, saugt er aus dem Verdampfer Kältemittel ab und pumpt das Kältemittel in den Kondensator (Verflüssiger). Das kühlere Rücklaufwasser aus der Heizungsanlage kühlt das Kältemittel ab, sodass es kondensiert. Weil das vom Verdampfer kommende, in den Kompressor einströmende Kältemittel anfangs relativ warm ist, öffnet sich das Einspritzventil. Saugseitig verringert sich der Druck und druckseitig baut er sich auf. Der auf der Druckseite ansteigende Druck drückt zunehmend mehr Kältemittel über den Kondensator zum Einspritzventil. Mit zunehmender Druckdifferenz am Einspritzventil nimmt saugseitig auch die Temperatur des Kältemittels ab. Verringert sich dann die Temperatur vor dem Kompressor, beginnt sich das Einspritzventil zu schließen. Mit abnehmender Temperatur des Kältemittels nimmt die Energieaufnahme am Verdampfer zu. Druckseitig steigt der Druck so weit an, bis das Kältemittel kondensiert. Die Kondensation hängt natürlich von der Rücklauftemperatur des Heizungswassers ab. Je niedriger diese ist, desto eher kondensiert das Kältemittel und desto geringer ist der druckseitige Druck im Kältekreislauf hinter dem Kompressor. Der gesamte Vorgang ist anfangs sehr dynamisch und braucht eine gewisse Zeit, bis er sich einpendelt. Ebenso dynamisch verhält sich in den ersten Minuten auch der Wirkungsgrad (COP) der Wärmepumpe. Die gem. DIN EN 14511-2 gemessenen Wirkungsgrade beziehen sich auf einen eingeschwungenen und stabilen Betrieb, der sich nach etwa 15 Minuten eingestellt hat.

1.7 Kühlen mit einer Wärmepumpe

Weil das Kühlen mit einer Wärmepumpe immer populärer wird, soll dies nachfolgend betrachtet werden. Alle Wärmepumpen haben gegenüber allen anderen Heizaggregaten eine Besonderheit: Sie haben eine kalte und eine warme Seite. Die warme Seite dient zum Heizen – und die kalte Seite kann zum Kühlen genutzt werden. Besonders bei gewerblicher Nutzung, z. B. für Bürogebäude, Hotels etc., gewinnt die Kühlung zunehmend an Bedeutung! Für Wärmepumpen-Großanlagen und -Siedlungen hat die Kühlung eine weitere Bedeutung. Bei geothermischen Wärmepumpenanlagen wird durch die Kühlung das Erdreich effektiver regeneriert.

Bei zunehmender Dämmung kann die in den Gebäuden entstehende Wärme durch innere Wärmequellen, wie Haushaltsgeräte, Computer etc. immer schlechter abgeführt werden. Weiterhin ist bekannt, dass was für die Dämmung gegen Kälte gilt, auch für die Dämmung gegen Wärme zutrifft. Deswegen ist eine Kühlung bei gut gedämmten Häusern besonders effektiv.

Für eine optimale Kühlung eignen sich sogenannte Kühldecken, weil Kälte nach unten fällt. Ideal ist dabei die Kombination einer Fußbodenheizung mit Kühldecken. Über beides kann sowohl geheizt als auch gekühlt werden. Weil es sich hierbei um Flächenheizung und -kühlung handelt, überwiegt in beiden Fällen der Strahlungsanteil. Da Wärme nach oben steigt, ist das Heizen über eine Fußbodenheizung effektiver, und weil Kälte nach unten fällt, ist die Kühlung über Kühldecken effektiver.

Beim Kühlbetrieb ist darauf zu achten, dass keine Betauung entsteht, um Schäden durch Schwitzwasserbildung zu verhindern. Um eine Betauung zu verhindern, können entsprechende Taupunktsensoren eingesetzt werden. Diese wiederum haben den Nachteil, dass, wenn sie einmal angesprochen haben, erst nach langer Zeit wieder die Kühlung freigeben (technisch bedingt manchmal auch gar nicht mehr). Daher sollte der Regler unbedingt über eine Kühlfunktion verfügen, bei der sich die Vorlauftemperatur in die Heizungskreise begrenzen lässt (z. B. *ELESTA*).

Eine Erhöhung des Wohnkomforts ist mit der Kombination einer Wärmepumpenanlage mit einer kontrollierten Wohnungsbe- und -entlüftung mit Wärmerückgewinnung möglich. Mithilfe einer Lüftungsanlage ist die Kühlung durch die Luftbewegung in den Räumen noch effektiver. Die Effektivität zur Kühlung mit einer Lüftungsanlage kann mit einem Erdregister zusätzlich erhöht werden.

Zum Kühlen mit Wärmepumpen gibt es also zwei Möglichkeiten:

1. Man nutzt die kalte Seite direkt zum Kühlen, ohne dass die Wasser-Wasser- oder Sole-Wasser-Wärmepumpe laufen muss. In diesem Fall spricht man von einer „Freien Kühlung".
2. Die Wärmepumpe arbeitet reversibel (umgekehrt). In diesem Fall spricht man vom „Aktiven Kühlen".

1.7.1 Die „Freie Kühlung"

Bei der „Freien Kühlung", auch als indirekte Kühlung bezeichnet, wird die kalte Seite direkt zum Kühlen genutzt, ohne dass die Wärmepumpe laufen muss.

Vorteilhaft bei dieser Kühlung ist, dass die Wärmepumpe, respektive der Kompressor der Wärmepumpe nicht einschaltet und daher keinen Strom für die Kühlung benötigt. Es läuft lediglich die Primärpumpe (hier die Soleumwälzpumpe), die deutlich weniger Strom braucht als der Kompressor. Daher ist diese Kühlung aus ökologischer und ökonomischer Sicht die günstigere und auch vorteilhaftere Lösung.

Bei der in Abbildung 1.7.1.1 dargestellten Sole-Wasser-Wärmepumpenanlage wird im Kühlbetrieb das umlaufende Heizungswasser über den Trennwärmetauscher durch die umlaufende Sole gekühlt. Die Sole wiederum wird vom Erdreich gekühlt. Somit wird dem Erdreich Wärme zugeführt. Bei länger anhaltendem Kühlbetrieb steigen folglich die Erdtemperatur und somit auch die Soletemperatur entsprechend an. Dennoch ist die Kühlung über Erdsonden sehr effektiv möglich, wogegen die Kühlung über Erdkollektoren nicht mehr effektiv sein kann. Bei Erdkollektoren ist eine freie Kühlung uneffektiv, weil im Sommer das oberflächennahe Erd-

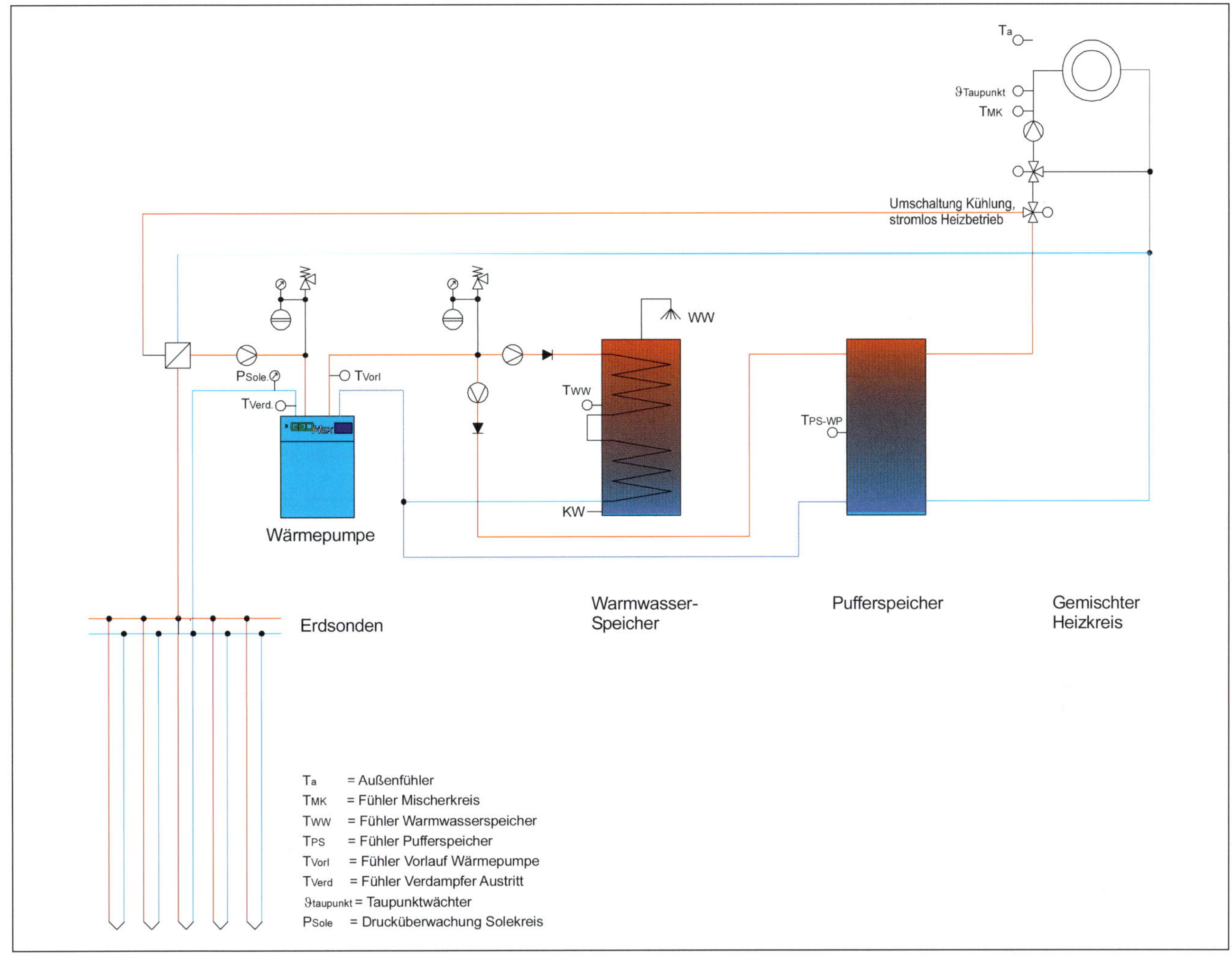

Bild 1.7.1.1: Sole-Wasser-Wärmepumpenanlage mit freier Kühlung – Kühlung über Fußbodenheizkreis
Quelle: J. Bonin, Umwelt & Technik

reich zu stark erwärmt wird. Noch effektiver ist die „Freie Kühlung" mit einer Wasser-Wasser-Wärmepumpe, weil hier ständig Wasser mit einer Temperatur von etwa 10 °C zur Verfügung steht.

> **Hinweis:**
> Bei größeren Wärmepumpenanlagen kann über ein Umschaltventil entweder der Wärmetauscher zur Kühlung oder die Wärmepumpe durchströmt werden, um so die Druckverluste zu reduzieren. In der Regel wird entweder geheizt oder gekühlt. Bei der Warmwasserbereitung wird dann der Kühlbetrieb unterbrochen.

Die reversible Kühlung 1.7.2

Eine weitere Möglichkeit ist die „aktive Kühlung", auch als direkte bzw. reversible Kühlung bezeichnet. Dabei arbeitet die Wärmepumpe reversibel (umgekehrt). Durch eine aktive Umkehr des Wärmepumpenkreislaufes wird die Wärmepumpe als Kühlaggregat genutzt. Während z. B. bei einer Luftwärmepumpe im Winter die Wärme der Außenluft entzogen wird, wird die Wärme im Sommer der Innenluft entzogen und nach draußen abgeführt. Dabei wird die über das Heizungssystem entzogene Wärme mithilfe des Kompressors aktiv auf die Wärmequelle übertragen. Wärmepumpen, die wahlweise heizen oder kühlen können, haben ein 4-Wege-Umschaltventil. Mittels dieses 4-Wege-Umschaltventils kann die Wärmepumpe vom Heizbetrieb auf Kühlbetrieb und umgekehrt umschalten.

Der Heizbetrieb einer reversibel arbeitenden Wärmepumpe:

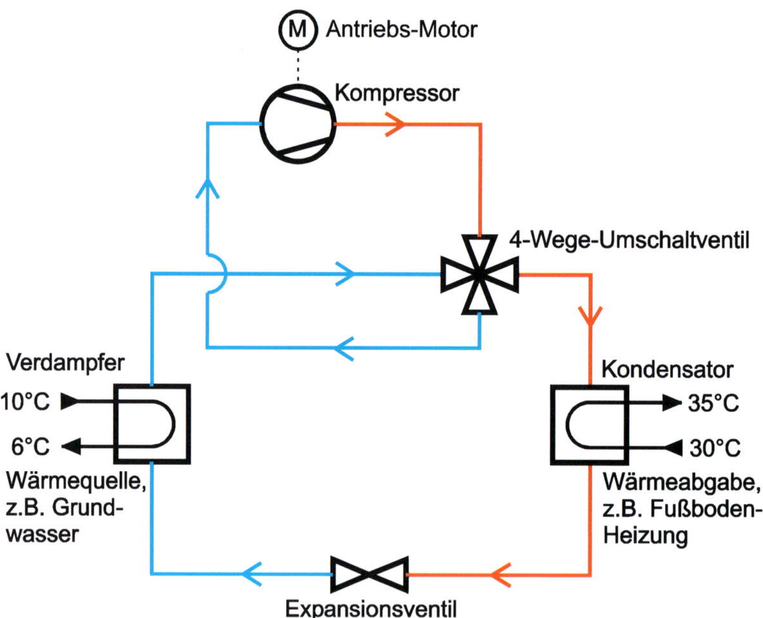

Bild 1.7.2.1: Heizbetrieb einer reversibel arbeitenden Wärmepumpe
Quelle: J. Bonin, Umwelt & Technik

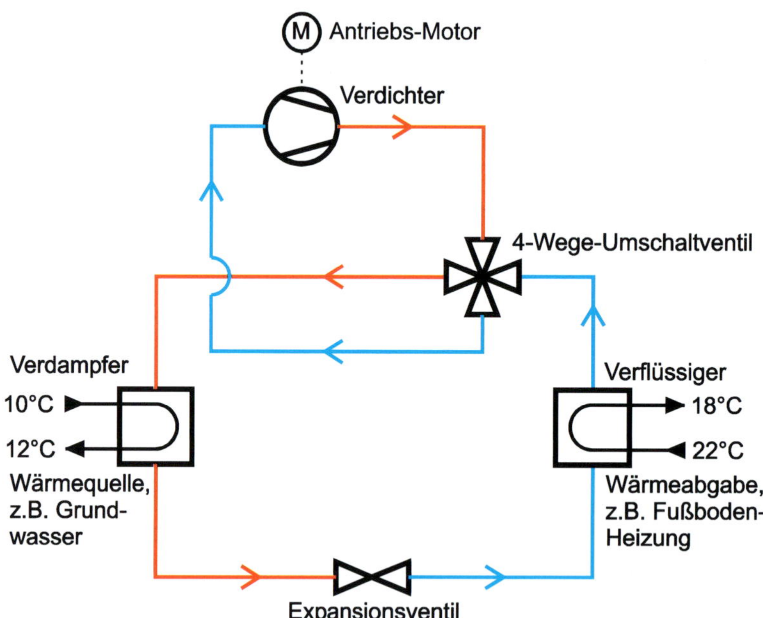

Bild 1.7.2.2: Kühlbetrieb einer reversibel arbeitenden Wärmepumpe
Quelle: J. Bonin, Umwelt & Technik

Vorteilhaft bei dieser Kühlung ist die recht hohe Effektivität.

Nachteilig ist, dass bei einer reversiblen Kühlung der Kompressor läuft. Das erhöht deutlich die Betriebskosten.

Regelung beim Kühlbetrieb 1.7.3

Bei der Planung einer Wärmepumpenanlage mit Kühlung sind einige Voraussetzungen erforderlich und zu beachten:

Der Regler der Wärmepumpe sollte über eine entsprechende Kühlfunktion verfügen. Das ist nicht bei allen Reglern der Fall. Auch bei der Kühlung regelt der Regler witterungsgeführt. Dazu ist in der Regel ein gemischter Heizkreis erforderlich. Nur so kann der Regler der Wärmepumpe die Vorlauftemperatur witterungsgeführt regeln und auf eine Minimaltemperatur begrenzen, um eine Taupunktbildung innerhalb des Gebäudes zu verhindern. Diese ist natürlich von den physikalischen Eigenschaften des Hauses abhängig. Ein Haus mit einer hohen Speicherfähigkeit kann in der Regel mehr Feuchtigkeit aufnehmen und speichern, was einen niedrigeren Taupunkt ermöglicht.

Weiterhin sind für die Einzelraumregler sogenannte Kühldeckenregler erforderlich. Zum Heizen öffnen sie für den Heizkreis das Stellventil, wenn es kühler werden soll. Die Regelung für die Kühlung funktioniert genau umgekehrt. Zum Kühlen öffnen sie für den Heizkreis das Stellventil, sobald es wärmer wird.

Zu empfehlen ist, dass dabei der Regler der Wärmepumpe und die Kühldeckenregler miteinander kommunizieren können, z. B. über eine einfache zweiadrige Busleitung. Dabei entscheidet der Regler der Wärmepumpe witterungsgeführt, ob geheizt oder gekühlt wird. Diese Information gibt er dann an die Kühldeckenregler weiter. Zum Heizen arbeiten die Kühldeckenregler wie Einzelraumregler. Bei zunehmendem Wärmebedarf öffnet der Kühldeckenregler die Stellventile. Bei Kühlbetrieb arbeiten diese umgekehrt. Sie öffnen mit zunehmendem Kühlbedarf.

Wenn der Regler der Wärmepumpe nicht die Möglichkeit hat, mit den Einzelraumreglern zu kommunizieren, kann dies dazu führen, dass die Einzelraumregler erkennen, dass es in einzelnen Räumen kühler wird und sie die Stellventile weiter öffnen. Das kann dann dazu führen, dass die Räume zu stark abkühlen. So ist dann ein geregelter Kühlbetrieb nicht möglich. Es besteht die Gefahr der Betauung.

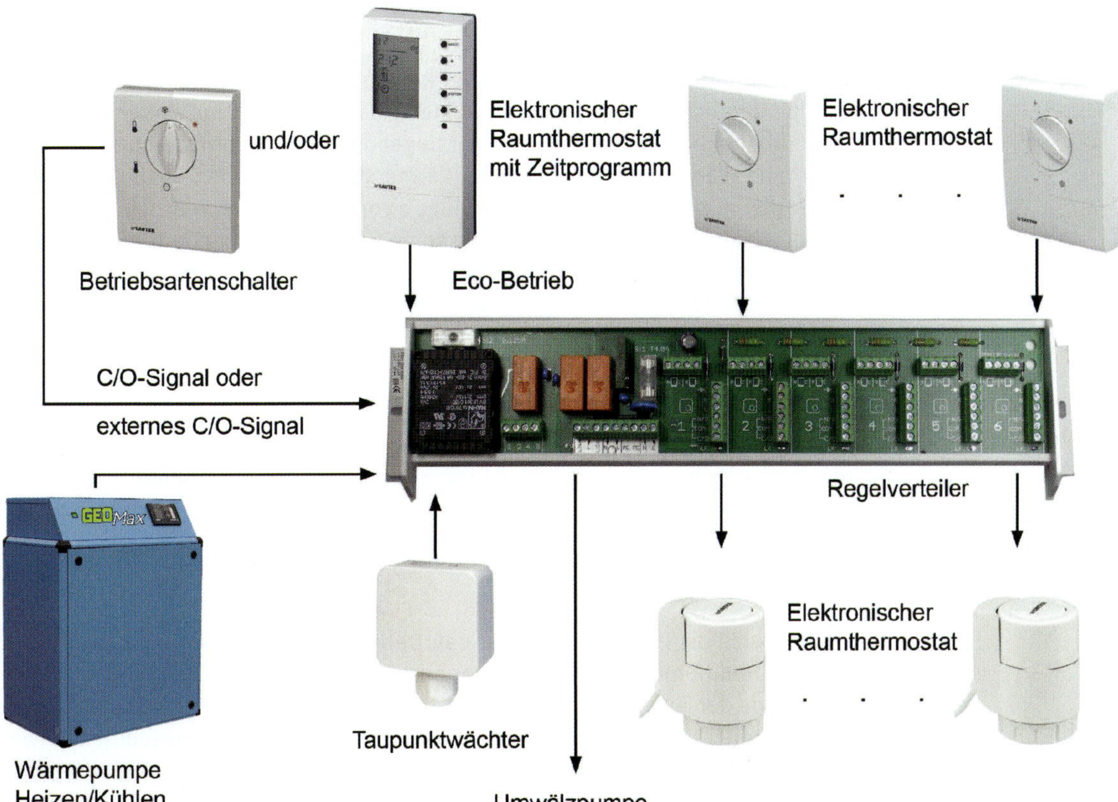

Bild 1.7.3.1: Steuer- und Regelsystem zum Kühlbetrieb einer Wärmepumpe
Quelle: J. Bonin, Umwelt & Technik & SAUTER Cumulus GmbH

Bei diesem System kommunizieren alle Regler miteinander, sodass es zu keinen Missverständnissen kommen kann.

1.8 Differenzierung zwischen Gebäudebestand und Neubau

Die Planung einer Wärmepumpenanlage beim Neubau ist verhältnismäßig einfach. Beim Gebäudebestand sind jedoch einige grundlegende Voraussetzungen zu überprüfen. Weil dies leider immer wieder nicht oder falsch gemacht wurde und wird, leidet der Ruf der Wärmepumpe darunter. Das sollte vermieden werden.

1.8.1 Wärmepumpen im Gebäudebestand

Motivation vieler Inhaber von bestehenden Gebäuden ist die Reduzierung der Heizkosten. Die Werbung vieler Wärmepumpenhersteller suggeriert die Möglichkeit zur Senkung der Heizkosten mit einer Wärmepumpe. Ja sie schrecken nicht davor zurück, sogar mit hohen Vorlauftemperaturen zu werben – speziell für Altbauten! Das widerspricht natürlich den physikalischen Gesetzen. Zunächst ist der Häuslebesitzer gut beraten, die Möglichkeiten einer besseren Dämmung zu überprüfen – Isolierung des Daches oder/und der Gebäudehülle, besser gedämmte Fenster etc. Das reduziert Heizenergie und die Vorlauftemperatur. Letztere ist entscheidend für einen guten Wirkungsgrad einer Wärmepumpe.

Ein weiteres Kriterium ist und bleibt die erforderliche Vorlauftemperatur zum Heizen des Gebäudes. Ist diese zu hoch, ist der Eigentümer besser mit der Sanierung seiner Heizungsanlage ggf. mit einem Pelletskessel beraten.

Eine Wärmepumpe im Gebäudebestand bei hohen Vorlauftemperaturen ist nicht nur in der Anschaffung teuer, sondern auch beim späteren Betrieb. Hier ist eine „ungeschönte" Berechnung des JAZ gem. VDI 4650 dringend anzuraten. Empfehlenswert ist es, sich die Berechnung aushändigen zu lassen, um sie selber nachvollziehen zu können. – Zugegeben, die Berechnung ist nicht ganz so einfach – aber sinnvoll. Ich habe bewusst die „ungeschönte" Berechnung betont, weil ich oftmals auch geschönte Berechnungen sehe. Manche Anbieter machen es sich derart einfach, dass sie irgendeine Berechnung einer JAZ nennen, die aber auf das in Frage kommende Objekt überhaupt nicht zutrifft.

Verfügt das Gebäude über eine Fußbodenheizung, können die Heizkosten des Gebäudes mit einer Wärmepumpe deutlich reduziert werden. Viele Gebäude im Bestand haben im unteren Stockwerk eine Fußbodenheizung und im darüber liegenden Heizkörper. Das muss kein Ausschlussgrund für eine Wärmepumpe sein, denn Wärme steigt nach oben, insbesondere bei offener Bauweise. Hier gilt es, sorgfältig die jeweiligen Vorlauftemperaturen zu beachten. Bei größeren Differenzen der Vorlauftemperaturen kann es sinnvoll sein, Niedertemperaturheizkörper oder Gebläseradiatoren einzusetzen. Ggf. wäre zu überprüfen, eventuell zwei Pufferspeicher einzusetzen, sodass jeder Heizkreis witterungsgeführt mit der entsprechenden Vorlauftemperatur betrieben werden kann.

Wichtiger Hinweis:

Generell sollte die gesamte Heizlast z. B. von einem Gebäudeenergieberater oder Planungsbüro gem. DIN EN 12831:2017-09 sowie DIN 4708:1994-04 berechnet werden!

1.8.2 Wärmepumpen für Neubauten

Bei Neubauten stellt sich die Planung einfacher dar. Dabei ist eine Fußbodenheizung Voraussetzung für eine gut funktionierende Wärmepumpenanlage. Entscheidend dafür sind die engeren Verlegeabstände der Fußbodenheizungsrohre. Auch hier sollte die Heizlast als Basis für die Planung einer Wärmepumpe vorliegen. In der Regel ist ohnehin ein Wärmeschutznachweis für das Gebäude zu erstellen. So kann aus dieser Berechnung die Gebäudeheizlast ermittelt werden. Die Gebäudeheizlast ist grundsätzlich nach DIN EN 12831:2017-09 zu ermitteln. Zu der Gebäudeheizlast ist dann noch der Bedarf zur Warmwasserbereitung zu addieren.

Die erforderliche Leistung für die Warmwasserbereitung ist gem. DIN EN 4708:1994-04 zu berechnen. Für normale kleinere Wohneinheiten wie Einfamilienhäuser kann die Leistung überschlägig auch mit 250–350 W/Person zugrunde gelegt werden.

Wichtiger Hinweis:
Die Fußbodenheizung ist so auszulegen, dass sie bei der minimalen Normaußentemperatur gem. DIN EN 12831:2017-09 mit max. 35 °C die erforderliche Wärme abgeben kann.

Aufgrund der Anforderungen aus dem Gebäudeenergiegesetz (GEG) nimmt die Heizlast im Verhältnis zur Warmwasserbereitung immer weiter ab. Infolgedessen steigt der prozentuale Anteil des Energiebedarfes zur Warmwasserbereitung. – Vgl. Vernachlässigung der Warmwasserbereitung.

Fehler bei Wärmepumpenanlagen 2

Die meisten Fachplaner und Fachhandwerker haben viel mehr Erfahrungen mit Öl- und Gaskesseln als mit Wärmepumpen. Oftmals ist der Fachhandwerker auch der Fachplaner, der auf Anfrage eine Heizungsanlage bzw. hier eine Wärmepumpenanlage plant, unsicher. Erst in den letzten Jahren wurden Wärmepumpen in der Ausbildung mehr Beachtung geschenkt. Das nutzt aber weniger den bestehenden Betrieben. Leider ist jedoch auch festzustellen, dass das Angebot zu Weiterbildungen von Fachhandwerker und -planer sowie Architekten hinsichtlich Wärmepumpen kaum wahrgenommen wird – aus meiner Sicht viel zu wenig. Ein weiteres Problem ist der häufige Zeitdruck. Der übliche Ablauf sieht oftmals so aus, dass der Fachplaner, der oftmals auch der Fachhandwerker ist, eine Anfrage erhält, die er möglichst kurzfristig beantworten soll. Er überlässt dann häufig einem Lieferanten/Hersteller für Wärmepumpen die Angebotserstellung. Schon dabei können Kommunikationsprobleme auftreten oder Hinweise übersehen werden, die dann dazu führen, dass nicht die passenden Komponenten angeboten werden. So kann ein Angebot erstellt werden, was nicht den Wünschen des Kunden entspricht. Weil es für den Endkunden oftmals schwer ist, zwischen verschiedenen Angeboten zu differenzieren, entscheidet er oftmals preisorientiert. An dieser Stelle kann ich allen Kunden nur nahelegen, so lange nachzufragen, bis sie wissen, was angeboten wird und ein realer Vergleich möglich ist.

Nachfolgend werden zunächst allgemeine Fehler anhand von bekannten Beispielen aus der Praxis betrachtet und diskutiert. Weiterhin werden anlagenspezifische Fehler aufgezeigt und anschließend werden Sonderfälle betrachtet.

Allgemeine Fehler 2.1

Unter allgemeine Fehler verstehen sich hier Fehler, die bei allen Wärmepumpenanlagenformen vorkommen können. Es wird nicht zwischen den Wärmepumpentypen differenziert.

Zu geringe Heizleistung – es wird nicht ausreichend warm 2.1.1

Nach Bezug des Neubaus beklagen die Bauherren im ersten Winter, dass es nicht ausreichend warm wird. Was kann die Ursache sein? Dafür gibt es verschiedene mögliche Ursachen. Häufig liegen hier folgende Planungs- bzw. Einstellungsfehler vor:

1. Heizleistung der Wärmepumpe ist zu klein
2. Nicht Berücksichtigung der EVU-Sperre
3. Vernachlässigung der Warmwasserbereitung
4. Zu hohe Heizkosten im Gebäudebestand
5. Einstellen eines Absenkbetriebs
6. Einige Räume werden nicht ausreichend warm
7. Es liegt ein erhöhter Wärmekomfortbedarf vor

Nachfolgend werden die möglichen Fehler und deren Auswirkung diskutiert.

Heizleistung der Wärmepumpe ist zu klein 2.1.1.1

Ist die Heizleistung einer Wärmepumpe zu klein, kann das folgende Ursachen haben:

1. Die Heizleistung wurde bewusst knapp kalkuliert, um preisliche Vorteile zu erzielen. Insbesondere bei Sole-Wasser-Wärmepumpenanlagen macht sich dies deutlich bemerkbar, weil mit einer kleineren Leistung die Wärmepumpe sowie insbesondere auch die Erdsonden bzw. Erdkollektoren kleiner und damit günstiger werden.

   Darin liegt dann eine doppelte Gefahr. Die gewünschte Wärme wird nicht erreicht. Weiterhin erhöhen sich zwangsläufig die Betriebsstunden. Das belastet umso mehr die Wärmequelle und führt zu einer zu starken Auskühlung.

2. Es können aber auch schlicht und einfach Planungsfehler zugrunde liegen.

   Für Neubauten und im Gebäudebestand sollte der Heizwärmebedarf nach DIN EN 12831 berechnet werden. Dabei sind auch der Bedarf für die Warmwasserbereitung gem. DIN 4708-2 sowie die Sperrzeiten zu berücksichtigen.

Beim Gebäudebestand ist bei hohen Vorlauftemperaturen auch die Heizleistung sowie der Wirkungsgrad bei der mittleren zu erwartenden Vorlauftemperatur bei der örtlichen Normaußentemperatur zu berücksichtigen.

Immer wieder erhalte ich Gutachteraufträge zu Wärmepumpen, die nicht ausreichend heizen, insbesondere für Luft-Wasser-Wärmepumpen. Daher möchte ich hier auf Luft-Wasser-Wärmepumpen näher eingehen:

Bei einer Luft-Wasser-Wärmepumpe ist zwingend darauf zu achten, dass sie bei der örtlich geltenden Normaußentemperatur nahezu die erforderliche Leistung abgeben kann. Dazu empfehle ich, den Bivalenzpunkt so zu wählen, dass die elektrische Zusatzheizung erst bei Unterschreiten der Normaußentemperatur zugeschaltet wird. Somit ist gewährleistet, dass die Luft-Wasser-Wärmepumpe wirtschaftlich arbeitet, sodass pro Jahr maximal 5 % der elektrischen Energie (Stromverbrauch) durch die Zusatzheizung genutzt werden. Hier werden oftmals gravierende Fehler begangen, wie nachfolgendes Beispiel zeigt:

Eine Mandantin wünschte sich eine Beratung (Beratervertrag) zur Errichtung einer Luft-Wasser-Wärmepumpenanlage in Kombination mit einer Fotovoltaikanlage. Das Erd- und Obergeschoss sollte über eine Fußbodenheizung beheizt werden. Der Keller sollte wegen der geringen Raumhöhe eine andere Wärmeverteilung erhalten. Ich empfahl, drei Angebote von ortsansässigen Heizungsbaufirmen einzuholen. Diese würde ich prüfen, vergleichen und bewerten. Die Mandantin teilte ihre o. g. Wünsche den Heizungsbaumeisterbetrieben mit. Die Grundrisse des Hauses leitete sie ebenfalls an die Betriebe weiter. Sie erhielt anschließend auch drei Angebote.

Weil keine aussagekräftige Heizlastberechnung vorlag, machte ich eine eigene Berechnung der zu erwartenden erforderlichen Heizleistung für die Luft-Wasser-Wärmepumpe.

Zur Veranschaulichung verfasste ich folgende Vergleichstabelle:

Artikel	Anbieter		
	Meier	Müller	Schulze
LW-WP	Fabr.: Buderus, WP-Paket Typ: WLW196 iAR-15 mit WP: WLW196 iAR-8 Heizleistung bei −7 °C: max. 8,43 kW Split-WP mit Inverter-technik, 60 % Inverter-leistung LS: 58 / 64 dB	Fabr.: Dimplex Typ: LA 12S-TU Heizleistung bei −7 °C: max. 7,3 kW Split-WP LS: 54 dB	Fabr.: Kermi Typ: x-change dynamic 8 AW E Heizleistung bei −7 °C: max. 10 kW Splitt-WP mit Inverter-technik, 3,5–10 kW LS: 48 / 45 dB
mit Kühlung	ja	nein	ja
mit ext. Puffersp.	120 l	200 l	
mit ext. WW-SP	277 l	400 l	
Kombi-SSP			800 l fragliche Eignung
Smart-Grid f. PV	ja	nein	nein
Schallhaubenset	nur wenn nötig		
	Gesamtpreis, netto: € 20 412,71	Gesamtpreis, netto: € 19 059,02	Gesamtpreis, netto: € 22 235,00

Positive beurteilte Bemerkungen markiere ich blau und negative rot und Anmerkungen grau.

Ein wichtiger zu prüfender Parameter ist dabei die Normaußentemperatur. Für 36304 Alsfeld gilt gem. der neuen DIN EN 12831 zur Heizlastberechnung eine Normaußentemperatur von −11,7 °C. Ein Handwerker ließ eine Heizlastberechnung von seinem Anbieter für die Fußbodenheizung erstellen und fügte diese dem Angebot bei. Die darin angegebene Vorlauftemperatur von 35 °C und gemittelte Rücklauftemperatur von 30 °C waren nicht zu beanstanden. Das Ergebnis dieser Heizlastberechnung wies eine Gebäude-Normheizlast von

$$P_{\text{HGeb}} = \mathbf{6\,866\ W = 6{,}9\ kW}$$

aus.

Bei der Betrachtung der übermittelten Heizlast fielen mir folgende Fehler auf:

1. **Fehlende Normaußentemperatur**

   Die Normaußentemperatur war bei der Heizlastberechnung nicht angegeben. Offensichtlich war der Ersteller sich unschlüssig, ob die neue oder die alte Heizlastberechnung gilt, seit September 2017 gilt die neue. Vielleicht hatte er ein Problem damit, die richtige Heizlast zu ermitteln, und nutzte daher noch die veraltete Heizlastberechnung. In der alten Heizlastberechnung sind höhere Normaußentemperaturen hinterlegt. Doch aufgrund der globalen Temperaturerwärmung wurden diese gesenkt. Diese sind im Internet unter „Klimakarte“, z. B. beim BWP (Bundesverband Wärmepumpen“ zu finden.

2. **Der Keller blieb unberücksichtigt**

   Dazu ist anzumerken, dass ein Betrieb die Heizlastberechnung von seinem Anbieter der Fußbodenheizung erstellen ließ. Die übrigen Fachanbieter nahmen irgendeine Leistung an. Das ist natürlich ein eklatanter Fehler, weil sich der Kunde berechtigterweise darauf verlassen darf, dass die vom Heizungsbaumeister angebotene Wärmepumpe die Faktoren, die die Effizienz der Wärmepumpe beeinflussen, korrekt anwendet.

   In den Angeboten vermisste ich auch den Hinweis, dass nach Vorlage einer korrekten Heizlastberechnung diese noch einmal zu prüfen wäre. Wenn der Handwerker in seiner Berechnung wichtige Faktoren und Werte erst einmal schätzungsweise annimmt, sollte er diese auch im Angebot vermerken.

   Ergänzend ist noch die erforderliche Heizleistung zur Warmwasserbereitung zu berücksichtigen. Aus den Grundrissplänen entnehme ich für die Ermittlung der Bewohner bzw. Nutzer anhand der geplanten Zimmer 2 Bewohner und 2 Gäste. Es könnten bei einer anderen Nutzung auch 2 Erwachsene und 2 Kinder sein – also 4 Personen. Zudem sind auch eine Sauna und Rainshower-Duschen geplant. Folglich ist von einem erhöhten Warmwasserbedarf auszugehen, weil bei einem Saunagang mehrfach abgeduscht wird. Dabei ist vom Anbieter sicherzustellen, dass der Warmwasserspeicher ausreichend Reserven hat, weil eine kleine Wärmepumpe, wie sie hier vorgesehen wird, längere Zeit zum Aufheizen braucht. Allerdings liegen zwischen den Saunagängen in der Regel auch längere Pausen. Gem. „Handbuch Wärmepumpen“, Beuth-Verlag, kann man hier überschlägig von folgender Heizleistung ausgehen:

   $$P_{\text{HWW}} = \mathbf{350\ W/Pers. \cdot 4\ Pers. = 1\,400\ W = 1{,}4\ kW}$$

   Dies wurde nur von einem der drei Anbieter mit einem Warmwasserspeicher, dessen Inhalt 400 l beträgt, berücksichtigt.

   Damit ergäbe sich bei der Normaußentemperatur eine Mindest-Heizleistung von

   $$P_{\text{Hges}} = P_{\text{HGeb}} + P_{\text{HWW}} = \mathbf{6{,}9\ kW + 1{,}4\ kW = 8{,}3\ kW,\ bei\ einer\ Normaußentemperatur\ von\ -11{,}7\ °C}$$

   Ergänzend sind dann noch die Sperrzeiten der Energieversorgungsunternehmen (EVU) von 6 Stunden zu berücksichtigen. Damit ergibt sich ein Multiplikationsfaktor von:

   $$F_{\text{EVU}} = 24\ h / (24\ h - 6\ h) = \mathbf{1{,}3}$$

   Daraus ergibt sich dann für die Wärmepumpe bei −11,2 °C eine erforderliche Heizleistung von:

   $$P_{\text{WP}} = P_{\text{Hges}} \cdot F_{\text{EVO}} = \mathbf{8{,}3\ kW \cdot 1{,}3 = 10{,}8\ kW}$$

Nur der Heizungsbauer Schulz, der auch eine Heizlastberechnung erstellen ließ, hatte annähernd die richtige Luft-Wasser-Wärmepumpe angeboten. Die angebotenen Wärmepumpen der anderen beiden Anbieter waren erheblich zu klein. Allerdings hatte der Anbieter Schulz den Keller nicht mitberücksichtigt. Dort soll auch die Sauna und ein Wellnessbereich installiert werden. Für die erforderliche Heizleistung im Keller rechne ich mit ca. 4 kW. Dann errechne ich die erforderliche Heizleistung zu:

$$P_{\text{HGebK}} = \mathbf{6{,}9\ kW + 4\ kW = 10{,}9\ kW}$$

und mit

$$P_{\text{HWW}} = \mathbf{350\ W/Pers. \cdot 4\ Pers. = 1\,400\ W = 1{,}4\ kW}$$

und

$$F_{\text{EVU}} = 24\ \text{h} / (24\ \text{h} - 6\ \text{h}) = \mathbf{1{,}3}$$

ergibt sich dann für die Wärmepumpe bei – 11,2 °C eine erforderliche Heizleistung von:

$$P_{\text{WP}} = (P_{\text{HGebK}} + P_{\text{Hges}}) \cdot F_{\text{EVO}} = \mathbf{(10{,}9\ kW + 1{,}4\ kW) \cdot 1{,}3 = 19{,}8\ kW}$$

3. **Zu kleine Warmwasserspeicher**

   Aufgrund des erhöhten Warmwasserbedarfs für die Sauna und Rainshower-Duschen sollte ein Warmwasserspeicher von 400 l eingeplant werden. Dies berücksichtigte nur ein Anbieter. Insbesondere wenn die Wärmepumpen nur eine geringe Leistung haben, kann der Warmwasserkomfort und das Saunavergnügen bei einem zu kleinen Warmwasserspeicher erheblich leiden.

4. **Pufferspeicher**

   Weil die angebotenen Luft-Wasser-Wärmepumpen über eine Invertertechnik verfügen, genügt ein kleiner Pufferspeicher als hydraulische Weiche. Dieser ist jedoch zu empfehlen.

5. **Kombination mit der Fotovoltaikanlage**

   Dass die Luft-Wasser-Wärmepumpe von einer Fotovoltaikanlage mit Strom versorgt werden soll, berücksichtigte nur ein Anbieter mit einer Smart-Grid-Schnittstelle.

Trauriges Fazit:

Hätten die Bauherren den Anbietern vertraut, wäre eine mangelnde Leistung vorprogrammiert gewesen! Somit war die Investition in einen beratenden Sachverständigen sicherlich eine gute Investition.

Grundlage für ein Angebot zu einer Wärmepumpenanlage sollte immer die Heizlastberechnung gem. DIN EN 12831 sein. Frage ich den Fachhandwerker nach einer Heizlastberechnung, verweist er auf seinen Anbieter der Fußbodenheizung oder den Planer oder Energieberater, der den Wärmeschutznachweis gem. GEG (Gebäudeenergiegesetz) erstellt hat. – Und das zu Recht, denn der Wärmeschutznachweis des Gebäudes wurde bereits berechnet. Warum sollte die Berechnung zweimal ausgeführt werden? An sich wäre es wünschenswert, wenn der Planer oder Energieberater beim Ausdruck des Wärmeschutznachweises die Heizlastberechnung gleich mit ausdruckt. Doch dazu bieten die Softwarehersteller zwei unterschiedliche Programme an, nämlich eins für den Energieberater und eins für den Planer oder Fachhandwerker. Soll ein Fachhandwerker die Heizlastberechnung durchführen, darf er für diese Dienstleistung natürlich auch die Kosten anrechnen. Weil das Geld kostet, schätzen viele Handwerker die erforderliche Heizleistung. Das ist jedoch zu unsicher, wie dieses Beispiel zeigt.

2.1.1.2 Nicht-Berücksichtigung der EVU-Sperre

Viele EVU (Energieversorgungsunternehmen) bieten einen günstigen Wärmepumpenstromtarif an, unter der Voraussetzung, dass zu den Spitzenlastzeiten die Wärmepumpen abgeschaltet werden. Hintergrund ist die Entlastung des Stromverteilungsnetzes. Zur Ab- bzw. Freischaltung erhält die Wärmepumpe vom EVU ein elektrisches Signal, über das das EVU die elektrisch betriebenen Wärmepumpen ab- bzw. zuschalten kann. Die Spitzenlastzeiten sind in der Regel morgens, mittags und abends, dann, wenn die Summe der Verbraucher besonders viel Strom brauchen. In der Tagessumme beträgt die Sperrdauer häufig in etwa 4 h,

z. B. morgens 1 h, mittags 2 h und abends 1 h. Die EVU-Abschaltung bewirkt in der Regel nur, dass die Wärmepumpe bzw. deren Kompressor während der Sperrzeit nicht einschaltet. Die Regelung der Heizungsanlage, einschl. Heizungsumwälzpumpe und Stellglieder arbeiten weiter.

Nun sind folgende Fragen zu beantworten/zu diskutieren:

Was passiert, wenn die Heizleistung nicht mehr ausreicht?

Welcher Planungsfehler liegt vor?

Für die Auslegung der Gebäudenormheizlast gilt die DIN EN 12831. Darin sind die regionalen Normaußentemperaturen festgelegt. Während den kalten Jahreszeiten strahlt ein Gebäude über 24 h Wärme ab. Beträgt die EVU-Sperrzeit in der Summe z. B. 4 h, stehen der Wärmepumpe nur 20 h zur Verfügung, um die erforderliche Wärmemenge dem Gebäude zuzuführen. Eine Wärmemenge oder der Wärmebedarf errechnet sich aus dem Produkt von Heizleistung mal Zeit:

$$Q_H = P_H \cdot t_H$$

mit

Q_H = Wärmemenge [kWh]

P_H = Heizleistung [kW]

t_H = Heizdauer [h]

Dies verdeutlichen nachfolgende Abbildungen:

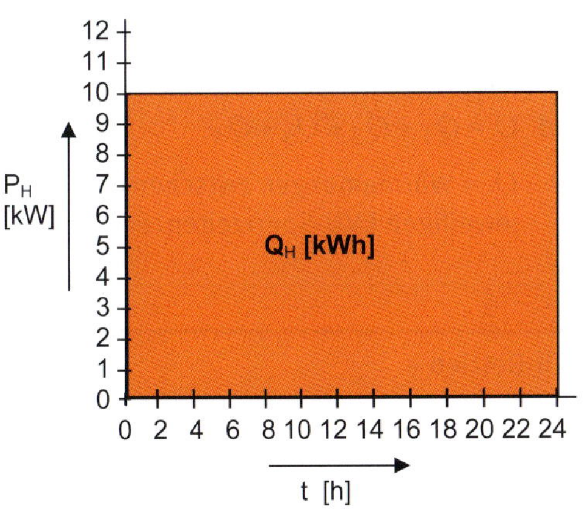

Bild 2.1.1.2.1: Heizarbeit, 24-h-Betrieb
Quelle: J. Bonin, Umwelt & Technik

Bild 2.1.1.2.2: Heizarbeit, 20-h-Betrieb
Quelle: J. Bonin, Umwelt & Technik

In diesem Beispiel beträgt die erforderliche Normheizlast bei der Normaußentemperatur 10 kW. Die Normaußentemperatur ist dabei der zugrunde zu legende Tagesmittelwert. Diese Wärmemenge strahlt das Gebäude über 24 h ab. D. h., es geht in 24 h eine Wärmemenge von 10 kW · 24 h = 240 kWh verloren. Diese ist in dem Bild 2.1.1.2.1 als rote Fläche dargestellt. Beträgt die Gesamtsperrzeit pro Tag 4 h, steht die Wärmepumpe zur Beheizung des Gebäudes nur 20 h zu Verfügung. Damit in dieser Zeit von 20 h die Wärmepumpe dieselbe Wärmemenge wieder zuführen kann, ist eine entsprechend höhere Leistung erforderlich. Es gilt für die Wärmepumpe:

$$Q_{WP} = P_{WP} \cdot t_{WP}$$

mit

Q_{WP} = abgegebene Wärmemenge der Wärmepumpe [kWh]

P_{WP} = Heizleistung der Wärmepumpe [kW]

t_{WP} = Heizdauer der Wärmepumpe [h]

Es darf die von der Wärmepumpe abgegebene Wärmemenge nicht kleiner sein als die Wärmemenge, die das Gebäude abstrahlt. D. h. es muss gelten:

$$Q_{WP} \geq Q_H$$

Folglich gilt:

$$P_{WP} \cdot t_{WP} \geq P_H \cdot t_H$$

und

$$P_{WP} \geq P_H \cdot t_H / t_{WP}.$$

Für das Beispiel bedeutet dies:

$$P_{WP} \geq 10\ \text{kW} \cdot 24\ \text{h}/20\ \text{h} = 12\ \text{kW}$$

Die Leistung der Wärmepumpe muss also größer/gleich 12 kW sein! Ist sie kleiner, reicht die von der Wärmepumpe abgegebene Heizleistung nicht aus. Dabei spielt es überhaupt keine Rolle, ob die EVU-Sperrzeiten an einem Stück oder über mehrere Blöcke über den Tag verteilt sind. Wichtig ist, dass die Summe aller Flächen und damit Gesamtwärmemenge der Wärmepumpe größer/gleich ist als die vom Gebäude abgestrahlte Wärmemenge. Nachfolgende Abbildung zeigt die von der Wärmepumpe zur Verfügung stehende Leistung bei den Sperrzeiten, morgens von 7:00 bis 8:00, mittags von 12:00 bis 14:00 und abends von 18:00 bis 19:00, in der Summe 4 h.

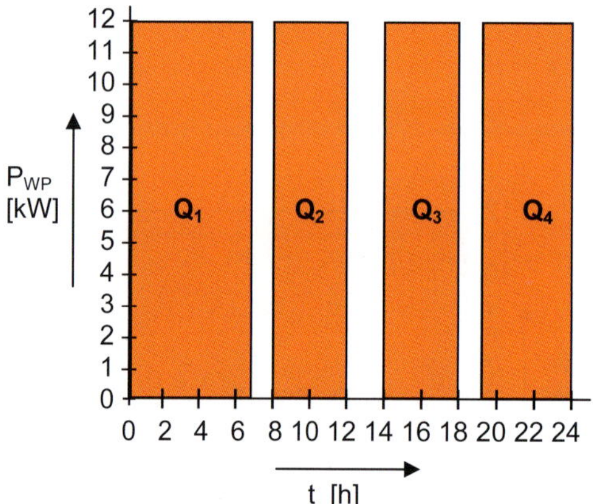

Die Gesamtwärmemenge (orange Flächen) muss in allen Fällen immer gleich sein!

Mathematisch spricht man von einem Integral über die Zeit.

Und $Q = Q_1 + Q_2 + Q_3 + Q_4$

mit Q_i = Wärmemengen zwischen den jeweiligen EVU-Sperrzeiten. $i = 1 - 4$

Bild 2.1.1.2.3: Heizarbeit bei unterbrochenem 20-h-Betrieb – EVU-Sperrzeiten, insgesamt 4 h
Quelle: J. Bonin, Umwelt & Technik

Oftmals wird die Frage gestellt, wie sich die Abkühlung des Gebäudes während den Sperrzeiten auswirkt. Ist dazu ein Pufferspeicher erforderlich? Die Antwort ist schlicht und einfach: Nein. Sicher kühlt das Gebäude während den Sperrzeiten ab. Doch aufgrund der vorgeschriebenen Dämmung und der Gebäudeträgheit machen sich diese Sperrzeiten mit oder ohne Pufferspeicher nicht bemerkbar. Ein Pufferspeicher kann jedoch das Defizit einer zu kleinen Wärmepumpe nicht ersetzen.

2.1.1.3 Zu hohe Heizkosten im Gebäudebestand

Auf einem Treffen für Sachverständige sprach mich unlängst ein Kollege als Bausachverständiger an und wusste zu berichten, dass er sehr oft von Betreibern angesprochen wird, weil die Heizkosten die oftmals zuvor prognostizierten Kosten bei weitem überschreiten. Auch das ist leider keine Seltenheit.

Im April 2008 betrachtete der WDR in der Sendung „markt" die Wärmepumpe sehr kritisch. Es zeigte sich, dass Stromkonzerne, Hersteller von Wärmepumpen und Installateure beim Einsatz von Wärmepumpen mit einer Heizkostenersparnis von bis zu 50 % werben! Diese Werbung richtet sich gezielt auf die Nachrüstung im Gebäudebestand. Doch so mancher Betreiber zieht nach wenigen Betriebsjahren eine ernüchternde Bilanz.

Eine schlecht oder falsch dimensionierte Wärmepumpe kann ein Fluch für den Betreiber und die Umwelt werden. Und dies in dreifacher Hinsicht:

1. wegen der hohen Anschaffungskosten, wenn sie keinen weiteren Nutzen bringen,
2. wegen der hohen Betriebskosten und

3. wegen einer erheblichen Umweltbelastung, denn der Strom wird derzeit immer noch zu einem großen Anteil (54 % im Jahr 2021) in herkömmlichen Kraftwerken erzeugt.

Eine richtig dimensionierte Wärmepumpenanlage dagegen kann für alle ein Segen sein, weil der Betreiber Heizkosten und Geld spart und durch die CO_2-Reduzierung die Umwelt entlastet.

Etliche Hersteller werben mit hohen Vorlauftemperaturen, z. B. bis zu 70 °C, für Wärmepumpen zur Nachrüstung im Gebäudebestand. Das erweckt den Eindruck, dass eine Wärmepumpe eine „Wundermaschine", speziell für den Gebäudebestand (Altbau) ist. Auch etliche Gespräche und Telefonate mit Interessenten für Wärmepumpen bestätigen dies all zu deutlich. Glaubt ein Interessent erst einmal diesen Versprechen, ist es teilweise schwierig, ihn davon zu überzeugen, dass eine Wärmepumpe im Gebäudebestand bei hohen Vorlauftemperaturen nicht sinnvoll ist. Werden Räume mit einer geringeren Vorlauftemperatur nicht warm, sollte über den Austausch der Heizkörper mit großflächigen Niedertemperaturheizkörpern nachgedacht werden, u. U. käme auch eine Pelletheizung infrage.

Warum ist das so?

Ganz einfach: Wie anfangs in Grundlagen zur Wärmepumpentechnik beschrieben, pumpt eine Wärmepumpe Wärme von einem tieferen Temperaturniveau auf ein höheres, und je mehr die Wärmepumpe „pumpen" muss, desto mehr Strom braucht diese. Das erklärt dann hohe Stromkosten bei der Beheizung eines Gebäudes mit hohen Vorlauftemperaturen. Hier kann es durchaus sein, dass eine Wärmepumpe mit einem guten COP installiert wurde, aber eine schlechte Jahresarbeitszahl aufweist. Dann kann man von einem Planungs- oder Beratungsfehler ausgehen.

Hinweis:
Bei Gebäudebestand ist zu empfehlen, darauf zu achten, dass die Temperatur der Wärmequelle möglichst hoch und die der Wärmesenke (Vorlauftemperatur) möglichst niedrig sein sollte. Ggf. ist es sinnvoll, vorhandene Heizkörper durch Niedrigtemperaturheizkörper oder Gebläsekonvektoren zu ersetzen.

Hierzu ist mir ein weiterer Fall bekannt, in dem in einem Mehrfamilienhaus zuvor eine Nachtspeicherheizung integriert war. Diese möglichst wirtschaftlich durch ein sinnvolles Heizungssystem zu ersetzen, ist sicher nicht so einfach. Es waren weder eine Fußbodenheizung noch Heizkörper noch Verrohrung vorhanden. Eine Fußbodenheizung ist wirtschaftlich kaum vertretbar. Dazu käme, dass dann auch größere Aufbauhöhen für die Böden zu berücksichtigen wären. Das wiederum hätte zur Folge, dass die Treppenanbindungen nicht mehr passen und die Höhen der Fenster und Türen sich entsprechend ändern. Also bleiben als sinnvolle Änderung nur Niedertemperaturheizkörper. Es wurden leider jedoch einfache Heizkörper mit höheren Vorlauftemperaturen installiert. Eine Sole-Wasser-Wärmepumpe soll hier das Gebäude wirtschaftlich beheizen. Aufgrund der höheren Vorlauftemperatur verringern sich zwangsläufig der COP und damit der Gesamtwirkungsgrad also der sogenannten JAZ (Jahresarbeitszahl). Der Heizungsbauer hat offensichtlich seinen Lieferanten gebeten, die JAZ gem. VDI 4650 zu ermitteln, ohne die Gegebenheiten zu nennen – vermutlich um eine Förderung zu beantragen. Bei der Ermittlung der JAZ ist der Hersteller offensichtlich von Normbedingungen ausgegangen. Der Fachunternehmer wiederum hat dies vermutlich ohne Überprüfung hingenommen. So wurde dem Kunden eine JAZ genannt, die absolut nicht stimmen konnte.

Die Folge ist, dass der Betreiber, nachdem er die ersten Stromrechnungen erhielt, enttäuscht war und ein Gutachten anfragte.

Wie hätte dies vermieden werden können?

Hier hat offensichtlich der Hersteller, aber insbesondere der Fachhandwerker nicht korrekt gehandelt. Der Hersteller hätte die Randbedingungen genauer abklopfen sollen, anstatt eine JAZ abzugeben, die den normierten Bedingungen entspricht. Der Fachunternehmer hätte die Randbedingungen, d. h. insbesondere die Betriebstemperaturen genauer nennen sollen. Nur mit den richtigen Werten ist eine in etwa genaue Vorherberechnung möglich. Dazu kommt jedoch, dass noch zu berücksichtigen ist, dass die realen klimatischen Gegebenheiten erheblich von den Normbedingungen abweichen können.

Weiterhin wäre es sinnvoll gewesen, statt statische Heizkörper Gebläsekonvektoren einzusetzen, um so die Vorlauftemperaturen entsprechend zu senken. Hohe Vorlauftemperaturen führen immer wieder zu Enttäuschungen und Ärger bei den Betreibern. Sie haben sich zuvor deutliche Ersparnisse erhofft und werden von der Realität enttäuscht. Das wiederum kann zu Verärgerungen und im Extremfall zu Rechtsstreitigkeiten führen.

Des Öfteren erhalte ich auch Anfragen für eine Wärmepumpe im Gebäudebestand. Bei zu hohen Vorlauftemperaturen rate ich von einer Wärmepumpe ab und empfehle eher zu überprüfen, in andere Maßnahmen zu investieren.

Es gibt aber auch viele Gebäude im Bestand mit einer Fußbodenheizung im Erdgeschoss und Heizkörper im Obergeschoss. Das sind eigentlich gute Gegebenheiten für einen wirtschaftlichen Betrieb einer Wärmepumpe. Hier ist dann das Gebäude zu betrachten. Bei einer offenen Bauweise kann die Wärme leicht vom unteren Erdgeschoss in die Räume im Obergeschoss gelangen. Es bleibt generell zu überprüfen, ob die Räume in den oberen Räumen mit den vorhandenen Heizkörpern mit derselben Vorlauftemperatur der Fußbodenheizung ausreichend warm werden. Es gibt aber auch Gebäude im Bestand, bei denen mehrere Räume mit Heizkörpern erwärmt werden, die eine höhere Vorlauftemperatur brauchen. Technisch ist es möglich, generell die Vorlauftemperatur auf die Heizkörper abzustimmen. Das geht natürlich zulasten des Gesamtwirkungsgrades, der sog. JAZ. Hier bleibt abzuwägen, ob die betroffenen Heizkörper durch Niedertemperaturheizkörper zu ersetzen sind oder ob es sinnvoller ist, zwei Heizkreise über zwei Pufferspeicher aufzubauen. Letzteres erfordert natürlich auch einen höheren Platzbedarf.

Hinsichtlich der Wirtschaftlichkeit einer Wärmepumpe muss davon ausgegangen werden, dass eine Nachrüstung ohnehin teurer ist als beim Neubau. Wenn es offensichtlich ist, dass sich eine Wärmepumpe nicht rechnet, halte ich es für angebracht, den Interessenten entsprechend zu beraten, z. B. eine Pelletsheizung oder andere Maßnahmen zu empfehlen. Dem gegenüber kann natürlich das Interesse des Verkäufers an einem berechtigten Geschäft stehen.

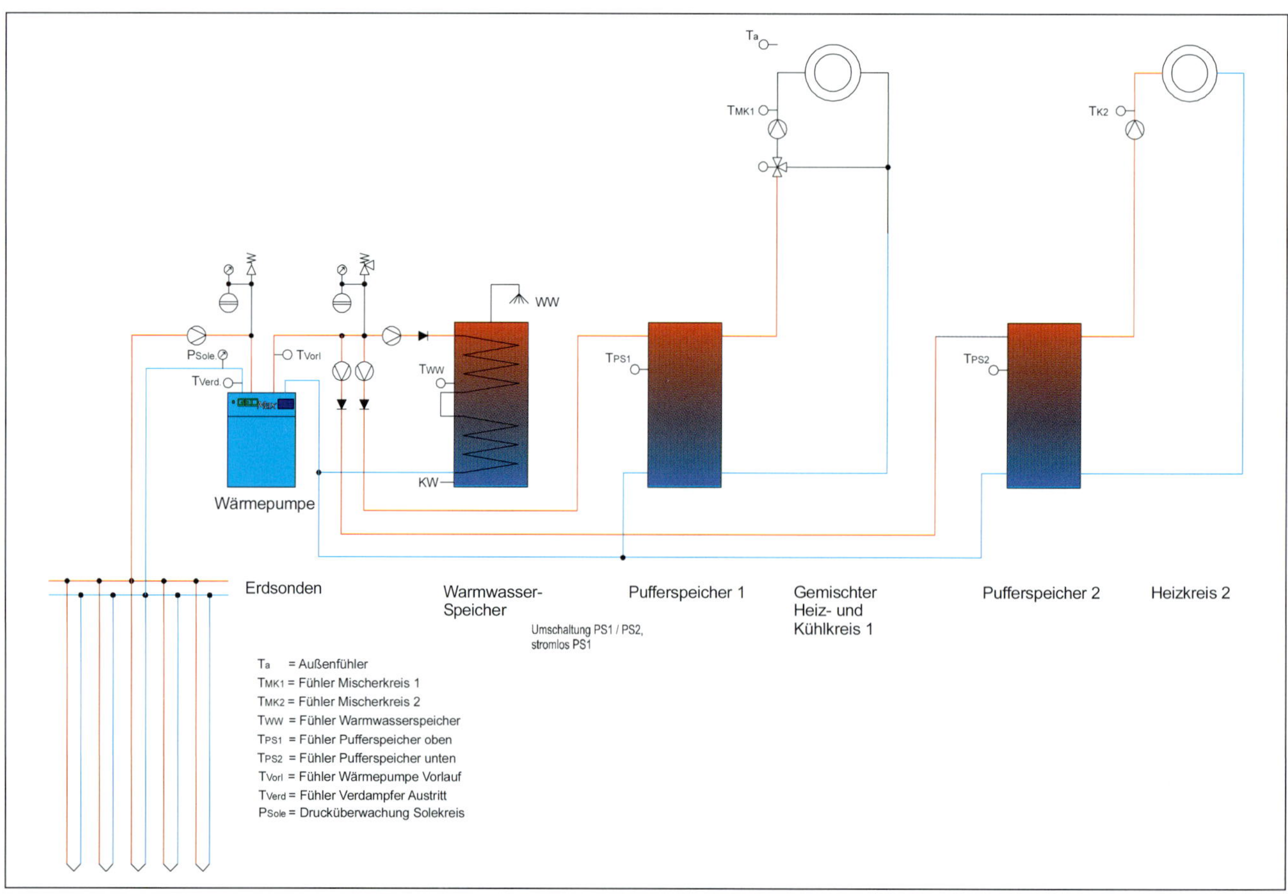

Bild 2.1.1.3.1: Wärmepumpenanlage mit zwei Pufferspeichern für unterschiedliche Vorlauftemperaturen
Quelle: J. Bonin, Umwelt & Technik

Einstellen des Absenkbetriebs 2.1.1.4

Die meisten Heizungsregler ermöglichen die Einstellung eines Absenkbetriebs, so auch der vieler Wärmepumpenregler. Diese Einstellmöglichkeit hat den Hintergrund, z. B. nachts die Raumtemperatur zu verringern, um so Wärmeverluste zu reduzieren. Das ist auch bei herkömmlichen Heizungsanlagen sinnvoll, kann sich aber bei Wärmepumpenanlagen fatal auswirken.

Betrachten wir ein Beispiel: Ein Kunde beanstandet, dass es im Winter nicht mehr ausreichend warm wird, obwohl die Heizungsanlage richtig und ausreichend dimensioniert ist. Bei der Überprüfung war festzustellen, dass am Regler tagsüber eine Raumtemperatur von 20 °C und nachts eine abgesenkte Temperatur von 18 °C programmiert war. Der Absenkbetrieb wurde von 20:00 bis 05:00 eingestellt.

Was passierte dann?

Tagsüber lief die Wärmepumpe, um eine Raumtemperatur von 20 °C zu erreichen bzw. zu halten. Ab 20:00 wechselte sie in den Absenkbetrieb. Weil die Räume noch relativ warm waren, schaltete die Wärmepumpe ab. Je besser ein Gebäude gedämmt ist, desto langsamer kühlt es ab. Bei Neubauten ist die Dämmung oftmals so gut, dass das Gebäude während der Absenkzeit nicht auf 18 °C abkühlt. Also schaltet die Wärmepumpe während des Absenkbetriebs auch nicht ein. Dann passiert Vergleichbares, wie zuvor diskutiert. Das Gebäude kühlt zwar langsam allmählich ab, aber die Wärmepumpe schaltet in der Zeit von 20:00 bis 05:00 nicht ein. Es fehlen also 9 h für die Gebäudebeheizung! Außerdem ist zu berücksichtigen, dass dann nachts, wenn die Wärmepumpe nicht läuft, das Gebäude stärker auskühlt als tagsüber. Kommen dazu noch die EVU-Sperrzeiten, dann ergibt sich statt des Normalbetriebs (vergl. „Nicht Berücksichtigung der EVU-Sperre") folgendes Bild:

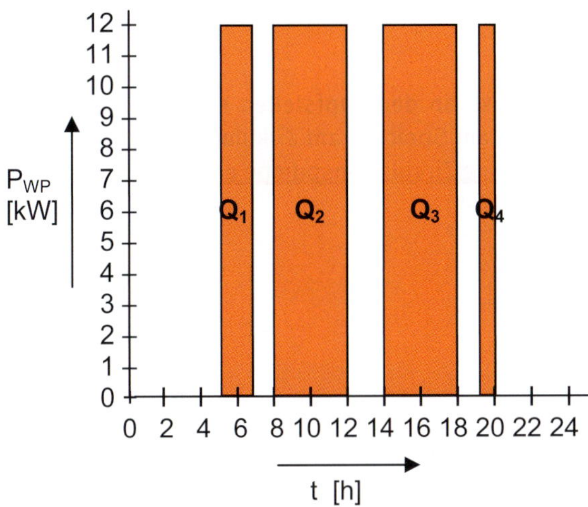

Bild 2.1.1.4.1: Heizarbeit bei Absenkbetrieb und EVU-Sperrzeiten
Quelle: J. Bonin, Umwelt & Technik

Diese Abbildung zeigt, dass die zur Verfügung stehende Heizzeit nicht mehr ausreichend ist.

Statt 24 h bzw. 20 h stehen so der Wärmepumpe nur 11 h für die Gebäudebeheizung zur Verfügung. Das ist eindeutig zu wenig. Selbst wenn in den frühen Morgenstunden die Wärmepumpe irgendwann einschaltet, reicht dann die erzeugte Wärmemenge nicht aus, um das Gebäude ausreichend zu beheizen!

Hinweis:

Um Heizkosten zu minimieren, kann es durchaus auch bei Wärmepumpe sinnvoll sein, den Absenkbetrieb einzustellen.

Dann, wenn es kalt wird, sollte die Wärmepumpe jedoch wieder auf Dauerbetrieb umgestellt werden, um einer zu großen Auskühlung des Gebäudes entgegenzuwirken.

2.1.1.5 Einige Räume werden nicht ausreichend warm

Solche Fälle kenne ich einmal bei Einbau einer Wärmepumpe im Gebäudebestand, aber auch bei Neuanlagen. In beiden Fällen ist dies sehr häufig ein hydraulisches Problem. Bei Untersuchungen mehrerer verschiedener Wärmepumpenanlagen war bei vielen Anlagen festzustellen, dass diese nicht richtig hydraulisch abgeglichen sind. Im Gegensatz zu Heizungsanlagen mit Heizkessel macht sich ein fehlender oder unvollständiger hydraulischer Abgleich bei Wärmepumpenanlagen oftmals deutlich bemerkbar.

Bei Neuanlagen dürfte dies nach hydraulischem Abgleich nicht der Fall sein. In einem Fall beklagten Bewohner, dass es im Sitzbereich, nahe einem größeren Wohnzimmerfenster, insbesondere im Winter zu kalt ist und es zieht. Die Ursache war schnell gefunden: In diesem Bereich war für die Fußbodenheizung wohl eine gesonderte Schleife, jedoch mit zu geringen Verlegeabständen eingebracht, denn auch ein höherer Durchfluss brachte keine Besserung. Um hier Abhilfe zu schaffen, müsste das gesamte Temperaturniveau für den Heizbetrieb deutlich angehoben werden. Das würde jedoch den Gesamtwirkungsgrad erheblich mindern.

Im Gebäudebestand sind oftmals die einzelnen Heizkreise unsachgemäß oder gar nicht richtig abgeglichen. Bei herkömmlichen Gas- oder Ölkesseln oder anderen feuerungstechnischen Anlagen macht sich dies in den vielen Fällen kaum wahrnehmbar bemerkbar, weil die gesamte Heizungsanlage mit relativ hohen Vorlauftemperaturen betrieben wird. Bei Betrieb mit einer neuen Wärmepumpe stellte man dann fest, dass einige Räume nicht ausreichend beheizt wurden, wohingegen andere ausreichend warm wurden. Nach einem erfolgten hydraulischen Abgleich ließen sich die Probleme meistens mit einem fachgerechten Abgleich beheben.

Es bleibt ggf. auch zu prüfen, ob die Wärmepumpenanlage generell richtig dimensioniert ist. Auch die Einstellungen und Betriebsweisen, z. B. Nachtabsenkung im Winterbetrieb, sind zu überprüfen.

2.1.1.6 Verluste durch Warmwasserzirkulation

Eine Warmwasserzirkulation hat den Nutzen, dass an den Zapfstellen sofort Warmwasser zur Verfügung steht. Die Zirkulationsleitung wird am Speicher am Zirkulationsanschluss angeschlossen. Für die Warmwasserzirkulation ist eine Zirkulationspumpe erforderlich.

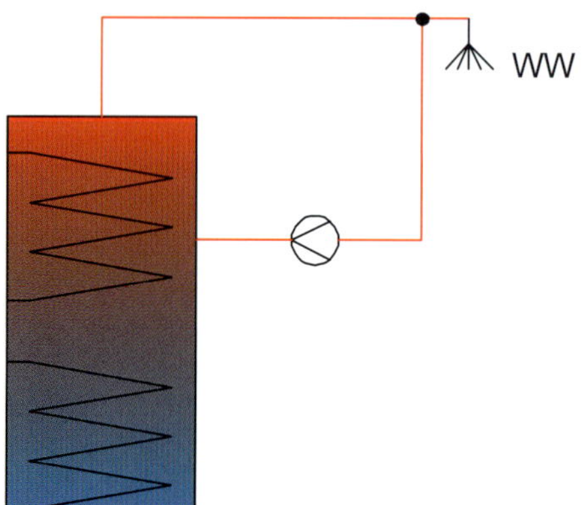

Bild 2.1.1.6.1: Warmwasserzirkulation
Quelle: J. Bonin, Umwelt & Technik

Generell sollte eine Zirkulationspumpe nicht dauerhaft durchlaufen. Das bedeutet Verluste, nämlich einmal der Stromverbrauch für die Zirkulationspumpe und die Wärmeverluste über die Zirkulationsleitungen. Um diese zu vermeiden, gibt es verschiedene Möglichkeiten:

1. Zirkulation über die Zeiteinstellung an der Zirkulationspumpe

   Es gibt Zirkulationspumpen mit einer einfachen Zeitschaltuhr. Daran können die Zeiten eingestellt werden, zu denen man Warmwasser an den Zapfstellen wünscht. Nachteilig ist, dass hier nicht zwischen Wochenbetrieb und Wochenendbetrieb differenziert wird.

2. Zirkulation über die Zeiteinstellung mit einer Wochenzeitschaltuhr

   Mit einer Wochenzeitschaltuhr ergibt sich die Möglichkeit, für jeden Tag die gewünschte Zirkulationszeit, d. h. die Zeiten, an denen man sofort Warmwasser an den Zapfstellen wünscht, zu programmieren.

3. Aktivierung der Zirkulation über Warmwasserfluss

   Hierbei ist ein Strömungsschalter eingebaut, der bei Erkennung eines Durchflusses für eine bestimmte Zeit die Zirkulationspumpe eingeschaltet halten kann. Dies funktioniert dann so, dass man kurz den Warmwasserhahn öffnet und wieder schließt. Die so eingeschaltete Zirkulationspumpe pumpt dann Warmwasser zur Zapfstelle.

   Diese Möglichkeit kann auch mit einer Wochenzeitschaltuhr kombiniert werden.

4. Selbstlernende Zirkulation

   Bei dieser Einrichtung wird eine Elektronik installiert, die anhand der Verbrauchsgewohnheiten „lernt", wann der Verbraucher Warmwasser braucht. Diese Zeiten werden gespeichert und die Elektronik aktiviert entsprechend die Zirkulationspumpe.

Zu beachten ist insbesondere auch bei Neubauten eine ausreichende Dämmung der Zirkulationsleitungen, um unnütze und unerwünschte Wärmeverluste zu vermeiden. Im Gebäudebestand können natürlich nur die zugänglichen Leitungen isoliert werden.

Heizleistung reicht nicht für erhöhten Wärmekomfort 2.1.1.7

Das Wärmeempfinden ist individuell sehr unterschiedlich. Normiert sind die Norm-Raumtemperaturen in DIN EN 12831. Nicht normiert ist aber das individuelle Temperaturempfinden. D. h. es gibt Menschen, denen es bei einer Norm-Raumtemperatur eines Wohnraumes von 20 °C zu kühl ist. Stattdessen wünschen sie eine Zimmertemperatur von 24 °C. Entsprechend höher ist die Temperaturdifferenz zwischen der Innen- und Außentemperatur.

Gem. DIN EN 12831 gelten für Wohnräume 20 °C, für Bäder 24 °C und für Nichtwohnräume 15 °C. Wenn ich mir diverse Heizlastberechnungen und die Grundrisspläne der Gebäude ansehe, stelle ich oftmals fest, dass für die Heizlastberechnungen Raumtemperaturen eingegeben werden, die nicht der Realität entsprechen. Beispiel: Eine zum Wohnraum offene Diele, deren Raumtemperatur mit 15 °C eingegeben wurde. Wenn zwischen den beiden Räumen keine räumliche Trennung vorhanden ist, wie sind dann in der Diele 15 °C und im Wohnraum 20 °C einzuhalten? Die Diele wird dann quasi vom Wohnraum aus mit beheizt, was die Heizlastberechnung entsprechend verfälscht. Anders sieht dies bei einer räumlichen Trennung aus. Dann ist zu prüfen, ob ein Temperaturunterschied von 5 °C realistisch ist. Je nach Mauerwerk kann das durchaus realistisch sein, bei einfachen Glaswänden ist das jedoch genauso unrealistisch wie bei offen angrenzenden Räumen.

Betrachten wir ein Gebäude, dessen Norm-Außentemperatur bei –10 °C liegt. Die Norm-Raumtemperatur beträgt 20 °C. Folglich ergibt sich eine Temperaturdifferenz zwischen der Innen- und Außentemperatur von 30 °C. Wird dagegen eine Zimmertemperatur von 24 °C gewünscht, erhöht sich die Temperaturdifferenz um 4 °C auf 34 °C. Das entspricht einer Temperaturerhöhung von etwas mehr als 13 %! Linear steigen damit auch die Wärmeverluste und die erforderliche Wärmemenge.

Bei einer gut und richtig dimensionierten Wärmepumpenanlage hat diese noch Leistungsreserven, die derartige Sonderwünsche in den meisten Fällen auffangen können. Ist eine Wärmepumpenanlage jedoch zu knapp dimensioniert, kann dies zu Engpässen führen. Dass kann für den Planer, meistens der Heizungsanlagenbauer, dann problematisch werden, wenn der Betreiber aus Unzufriedenheit ein Gutachten erstellen lässt und dieses Gutachten ergibt, dass die Heizleistung zu gering geplant ist. Dies zeigt umso mehr, dass eine Wärmepumpenanlage ausreichend dimensioniert werden sollte.

Unzureichende Heizleistung nach einer Erweiterung 2.1.1.8

Hier weiß ich von einem Betreiber zu berichten, der mit seiner Sole-Wasser-Wärmepumpenanlage einen Teil seines Betriebs beheizte. Er war zufrieden und sparte Heizkosten. Um noch mehr zu sparen, entschloss er sich, weitere Bereiche anzuschließen. Nach einiger Zeit schaltete die Wärmepumpe wegen einer Niederdruckstörung ab.

Was war passiert?

Aufgrund des höheren Wärmebedarfs verlängerte sich zwangsläufig die Laufzeit der Wärmepumpe. Aufgrund der deutlich längeren Laufzeit wurde dem Boden entsprechend mehr Wärme entzogen. Die Folge war, dass er stärker auskühlte. Und weil dann irgendwann nicht mehr ausreichend Wärme zur Verfügung stand, schaltete der Niederdruckschalter die Wärmepumpe zu ihrem Schutz ab.

Wie wäre dies vermeidbar gewesen?

Grundsätzlich sollte vor einer Projektierung einer Wärmepumpenanlage eine Heizlastberechnung gemacht werden. Anhand dieser Heizlastberechnung wird dann die Wärmepumpe ausgewählt. Wenn nun weitere Bereiche mit der Wärmepumpe beheizt werden sollen, ist auch für diese eine Heizlastberechnung erforderlich. Wenn sich dann herausstellt, dass die vorhandene Wärmepumpe, einschließlich Wärmequelle zu klein ist, muss dies beachtet werden.

Dies gilt grundsätzlich für alle Erweiterungen, auch für Anbauten und Vergrößerungen von Wohnhäusern.

2.1.1.9 Unzureichende Heizleistung und Warmwasserkomfort bei einem Passivhaus

Hier fragte man mich, ob bei einem Passivhaus mit einer errechneten Heizlast von 2,5 kW die installierte Wärmepumpe mit einer Heizleistung von 3,2 kW ausreichend sei. Das Haus ist für 5 Personen vorgesehen. In den beiden Bädern sind größere Regenwasserduschen installiert. Es können nicht mehr als 2 Personen hintereinander duschen, weil bereits die zweite Person beim Duschen schon kälteres Wasser bekommt. Außerdem sind EVU-Sperrzeiten von insgesamt 4 h zu berücksichtigen. Es wurden ein Puffer- und ein bivalenter Warmwasserspeicher mit jeweils 300 l installiert.

Es gab folgende Probleme:

1. Der Warmwasserbedarf ist unzureichend und
2. im Winter wurde es nicht ausreichend warm.

Bei genauerer Betrachtung sind die Ursachen recht schnell erkennbar. Offensichtlich ist die Leistung der Wärmepumpe und der Warmwasserspeicher zu klein.

Für das Passivhaus wurde eine Heizlast von 2,5 kW ermittelt. Dazu ist der Wärmebedarf für die Warmwasserbereitung mit zu addieren. Aufgrund der Schwallwasserduschen sind etwa 350 W/Personen zu berücksichtigen. Da ist bei 5 Personen eine zusätzliche Leistung von 1,75 kW erforderlich. Damit ergibt sich eine mindest erforderliche Heizleistung von

$$P_{\mathrm{H}} = P_{\mathrm{HL}} + P_{\mathrm{WW}} = 2{,}5\ \mathrm{kW} + 1{,}75\ \mathrm{kW} = 4{,}25\ \mathrm{kW}.$$

Bei Berücksichtigung der Sperrzeiten des EVUs mit 4 h, ergibt sich für die Wärmepumpe eine erforderliche Heizleistung von mindestens:

$$P_{\mathrm{WP}} \geq P_{\mathrm{H}} \cdot 24\ \mathrm{h}/(2\ \mathrm{h} - t_{\mathrm{EVU}}) = 4{,}25\ \mathrm{kW} \cdot 24\ \mathrm{h}/20\ \mathrm{h} = 5{,}1\ \mathrm{kW}$$

Damit ist die installierte Wärmepumpe mit einer Leistung von 3,2 kW um fast 60 % zu klein!

Duscht ein Bewohner etwa 6 Min. mit 45 °C warmem Wasser und liegt der mittlere Durchfluss bei einer Regenwasserdusche bei 25 l/Min., braucht er etwa 150 Liter Warmwasser.

> **Hinweis:**
> Hier gibt es eine große Bandbreite für den Warmwasserbedarf. Daher sind die Angaben des Herstellers der Duschen zu beachten.

Die aus dem Warmwasserspeicher entnommene Warmwassermenge berechnet sich zu:

$$V_{\mathrm{Sp}} = 150\ \mathrm{l} \cdot (45\ °\mathrm{C} - 10\ °\mathrm{C})/(55\ °\mathrm{C} - 10\ °\mathrm{C}) = 300\ \mathrm{l} \cdot 35\ °\mathrm{C}/45\ °\mathrm{C} = 116\ \mathrm{l}$$

Dieses Ergebnis zeigt sehr deutlich, dass das Warmwasservolumen nur für zwei zuvor beschriebene Duschbäder ausreicht. Duschen mehr als drei Personen, ist davon auszugehen, dass der dritten Person bereits nicht mehr genug Warmwasser zur Verfügung steht. Weil im Haus zwei Regenwasserduschen vorhanden sind, ist davon auszugehen, dass die zur Verfügung stehende Warmwassermenge nicht ausreicht. Es ist ein größerer Warmwasserspeicher erforderlich. Bei der Ermittlung der Größe des Warmwasserspeichers ist von dem maximal zu erwartenden Warmwasserbedarf auszugehen. Wenn alle 5 Bewohner nahezu zeitgleich duschen möchten, ergibt sich in Anlehnung an die obigen Betrachtungen ein Warmwasserbedarf von 5 × 150 l = 750 l. Das erforderliche Speichervolumen beträgt $V_{\mathrm{Sp}} = 5 \times 116\ \mathrm{l} = 580\ \mathrm{l}$.

Unter Berücksichtigung des Legionellenschutzes ist hier ein ausreichend bemessener Pufferspeicher mit Frischwasserbereitung zu empfehlen. Das dann erforderliche Speichervolumen berechnet sich, unter der Berücksichtigung, dass über den Wärmetauscher der Frischwasserstation 2 °C verloren gehen (deswegen T_{SP} = 55 °C – 2 °C = 52 °C), das erforderliche Speichervolumen zu:

$$V_{Sp} = V_{WW} \cdot (T_{WW} - T_{KW})/(T_{SP} - T_{KW})$$
$$= 750\,\mathrm{l} \cdot (45\,°\mathrm{C} - 10\,°\mathrm{C})/(53\,°\mathrm{C} - 10\,°\mathrm{C}) = 610\,\mathrm{l}$$

Zu wählen ist der nächstgrößere Pufferspeicher.

Wichtige Hinweise:

- Bei der Planung ist zu beachten, einen Pufferspeicher zu wählen, der eine möglichst geringe Durchmischung erfährt.
- Weiterhin ist hinsichtlich der Größe des Speichers zu empfehlen, das Verbraucherverhalten mit zu berücksichtigen. Wird eine Regenwasserdusche gewünscht, ist davon auszugehen, dass der Nutzer auch gerne mal länger zu duschen wünscht. Um den Wünschen gerecht zu werden, ist ein entsprechend größerer Speicher erforderlich.
- Generell stellt sich hier die Frage, ob eine Wärmepumpe hier, bei diesem Passivhaus, die optimale Lösung ist, weil ein sehr großer Teil der Wärmeleistung für die Warmwasserbereitung erforderlich ist. Weiterhin dürften die Verluste über einen großen Pufferspeicher schon fast für die Gebäudebeheizung ausreichen. Insgesamt ist aufgrund des hohen Wärmebedarfsanteils davon auszugehen, dass die JAZ für eine Wärmepumpenanlage deutlich geringer ist als im Vergleich zu einem nur nach EnEV gedämmten Gebäude.
- Zur Verbesserung des Gesamtwirkungsgrades ist insbesondere hier zu empfehlen, über eine Solaranlage für die Warmwasserbereitung nachzudenken.

Gegebenenfalls kann es bei Passivhäusern auch durchaus sinnvoll sein, über ein anderes Konzept nachzudenken. Z. B. über eine kontrollierte Wohnungsbe- und -entlüftungsanlage mit einer integrierten Luft-Luft-Wärmepumpe und einer Warmwasserbereitung über die Luft-Wärmepumpe. Doch wie die obigen Betrachtungen zeigen, gilt eine besondere Aufmerksamkeit der Warmwasserbereitung. Weiterhin zeigt dieses Beispiel, dass individuelle Kundenwünsche bei der Planung zu berücksichtigen sind.

Das Neubaugebäude lässt sich nicht trockenheizen 2.1.2

Nach der Installation und Inbetriebnahme einer neuen Wärmepumpenanlage erhielt ich einen Hilferuf, weil es mit der installierten Wärmepumpenanlage im späteren Herbst nicht möglich war, das Gebäude trocken zu heizen.

Warum ging das nicht?

Hier handelte es sich um ein Neubaugebäude mit erhöhter Dämmung über die Anforderungen EnEV (Energieeinsparverordnung) hinaus und einer zu beheizenden Wohnfläche von über 200 m^2. Die installierte Wärmepumpe hatte eine Heizleistung von (nur) 12,5 kW! Es waren ein Warmwasserspeicher und ein Pufferspeicher installiert. Die Trockenheizperiode startete zu einer kälteren Herbstzeit. Draußen war es bereits schon deutlich kühler. Zuvor wurden die Kalksandsteinwände verputzt und der Estrich eingebracht. Damit war viel Wasser im Gebäude, welches nun in kurzer Zeit trocken geheizt werden sollte, um mit dem weiteren Baufortschritt fortzusetzen. Die Wärmepumpe stieß damit dann schnell an ihre Grenzen.

Um dem zu begegnen, baute der Fachhandwerker eine größere Heizungsumwälzpumpe ein. Das brachte natürlich keinen Erfolg.

Warum blieb der gewünschte und erdachte Erfolg aus?

Es gilt wieder die Gleichung:

$$Q = m \cdot c \cdot \Delta T = P \cdot t$$

mit

Q = Wärmemenge [Wh]

m = Masse [kg]

c = spezifische Wärmemenge [Wh/(kg·K)]

ΔT = Temperaturdifferenz [K]

$$\Rightarrow \quad P = Q/t = m \cdot c \cdot \Delta T/t$$
$$= \dot{m} \cdot c \cdot \Delta T$$

mit

$\dot{m} = m/t$ = Massestrom [kg/h] oder [l/h]

Die Leistung der Wärmepumpe ist $P = 12{,}5$ kW und konstant. Vergrößert man den Massestrom $\dot{m}$ durch Einbau einer größeren Pumpe, verringert sich die Temperaturdifferenz ΔT über die Heizfläche (Fußbodenheizung), aber nicht die Leistung. Um die Feuchtigkeit vermeintlich besser wegzubekommen, wurden die Fenster geöffnet. Das führte dazu, dass wohl etwas Feuchtigkeit abgeführt wurde, die Räume aber kaum noch erwärmt wurden. Die Leistung der Wärmepumpe war zum Trockenheizen einfach zu klein. Eine größere Heizungsumwälzpumpe konnte also nicht die Lösung sein, um die zu geringe Leistung zum Trockenheizen zu kompensieren.

Warum reicht die Leistung nicht zum Trockenheizen?

Um das Wasser aus dem Putz und dem Estrich zu verdrängen, muss so viel Wärme zugeführt werden, dass das Wasser quasi allmählich verdampft, d. h. von der Luft aufgenommen wird. Das Wasser ändert dabei seinen Aggregatzustand. Und dafür muss entsprechend viel Wärmeenergie zugeführt werden.

Quintessenz:

Zum Trockenheizen musste ein Bautrockner hinzugezogen werden, anders war es hier nicht möglich. Hätte man das Gebäude nur mit der installierten Wärmepumpe trockenheizen wollen, wäre eine deutlich längere Zeit dafür erforderlich gewesen.

Hinweis:

Aufgrund der dichteren und besser gedämmten Gebäudehüllen verringert sich entsprechend die Heizleistung. Bei Wärmepumpenanlagen mit entsprechend kleineren Heizleistungen ist dann eine längere Trockenheizdauer oder ein Bautrockner einzukalkulieren.

2.1.3 Niederdruckstörung

Eine Niederdruckstörung entsteht dann, wenn die Wärmepumpe nicht ausreichend mit Umweltwärme versorgt wird oder wenn der Kältekreislauf undicht ist. Ersteres betrifft insbesondere Sole-Wasser-Wärmepumpen und Wasser-Wasser-Wärmepumpen.

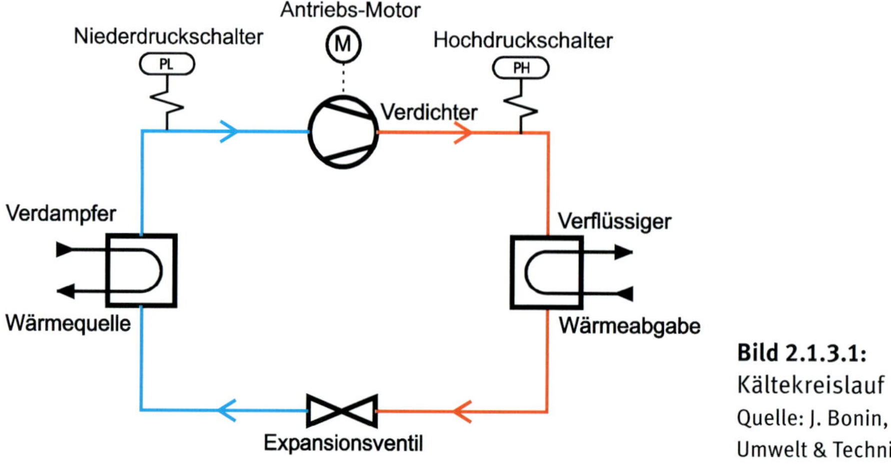

Bild 2.1.3.1: Kältekreislauf
Quelle: J. Bonin, Umwelt & Technik

Dies lässt sich an dem Kältekreislauf gut erklären, ohne detailliert auf den Kältekreislauf einzugehen – vergl. „Der technische Kältekreislauf und die Funktion der Wärmepumpe". Im Verdampfer soll das Kältemittel verdampfen. Dazu ist eine ausreichende Wärmezufuhr aus der Umwelt erforderlich. Ist diese nicht ausreichend, ist auch die Verdampfung unzureichend. Weil der Kompressor entsprechend „saugt", fällt dann der Druck ab. Dies führt dann zu der bekannten Niederdruckstörung. Eine weitere Möglichkeit, die zu einer Niederdruckstörung führen kann, ist ein Leck im Kältekreislauf.

Eine mögliche Niederdruckstörung lässt sich auch leicht feststellen, indem die Temperaturen am Verdampferein- und -austritt gemessen werden.

Bei einer Sole-Wasser-Wärmepumpe sollte die Soleeintrittstemperatur 0 °C und die Soleaustrittstemperatur –3 °C nicht unterschreiten. Bei Wasser-Wasser-Wärmepumpen liegen die Temperaturen etwa 10 °C höher, d. h. 10 °C und 7 °C. Weichen die gemessenen Temperaturen zu stark nach unten ab oder sind die Temperaturdifferenzen deutlich mehr als 3 °C liegt eine Unterversorgung der Wärmepumpe mit Umweltwärme vor. Die Temperaturspreizungen sind in DIN EN 14511-2:2018-05 vorgegeben.

Bei Luft-Wärmepumpen können folgende Störungen zu einer Niederdruckstörung führen: Entweder ist die Luftzuführung gestört, was einer unzureichenden Wärmequelle gleich kommt, oder der Kältekreislauf ist undicht. Die Luftzuführung kann gestört sein, wenn Hindernisse die Lüftströmung blockieren oder der Ventilator defekt ist.

Bei Sole-Wasser-Wärmepumpenanlagen ist oftmals festzustellen, dass die Wärmequelle, nämlich die Erdsonden, Erdkollektoren, Energiekörbe oder andere zu klein dimensioniert werden. Im diesen Fällen wird das Erdreich entsprechend stärker ausgekühlt als vorgesehen. Eine oftmals deutliche Unterschreitung der vorgesehenen Temperaturen ist die Folge. Das ist, bei vollem Heizbetrieb im Winter, an der Vereisung beider Soleleitungen erkennbar. In solchen Fällen ist die Wärmequelle nachzubessern.

Bei Sole- oder Wasser-Wasser-Wärmepumpenanlagen kann es auch sein, dass die Umwälz- oder Unterwasserpumpe zu knapp bemessen oder eingestellt ist. In diesen Fällen ist dann die Temperaturspreizung größer als 3 °C. Dies ist dadurch begründet, dass bei konstanter Entzugsleistung die Verweildauer im Verdampfer zu lange ist. Die Sole oder das Wasser erfährt eine zu starke Auskühlung.

Achtung!
Bei Wasser-Wasser-Wärmepumpenanlagen besteht ggf. Vereisungsgefahr, was zum Totalausfall der Wärmepumpe führen kann.

Hochdruckstörung 2.1.4

Eine Hochdruckstörung entsteht stets dann, wenn die von der Wärmepumpe erzeugte Wärmemenge nicht ausreichend abgenommen wird. Der Kompressor „pumpt" Kältemittel zum Verflüssiger. Dort muss das Kältemittel vom gasförmigen in den flüssigen Zustand übergehen – es muss kondensieren. Ist die Wärmeabnahme unzureichend, kann das Kältemittel nicht vollständig kondensieren. Es „staut" sich vor dem Verflüssiger, und es baut sich ein Druck auf. Durch den entstehenden Gegendruck strömt auch weniger Kältemittel durch den Kompressor. Dies mindert die erforderliche Kühlung desselben. Damit der Druck nicht unzureichend ansteigt oder der Kompressor keinen Schaden nimmt, muss der Hochdruckschalter die Wärmepumpe unverzögert abschalten.

Für eine ausreichende Durchströmung ist der Heizungswasserdurchfluss so einzustellen, dass die Temperaturspreizung über dem Verflüssiger gem. DIN EN 14511-2:2018-05 5 °C nicht überschreitet. Das erfordert einen deutlich höheren Durchfluss als bei üblichen Heizkesseln mit einer Feuerungstechnik.

Für Hochdruckstörungen gibt es verschiedene Ursachen:

- Die Heizungsladepumpe ist zu klein oder falsch eingestellt.
- Die Warmwassererzeugung ist falsch ausgelegt.
- Temperaturfühler defekt oder falsch platziert.

- Heizungsleitungen zu knapp dimensioniert oder verunreinigt.
- Kein Druck im Heizungskreislauf.
- Defektes Ausdehnungsgefäß.

Nachfolgend betrachten wir diese Fälle:

Die Heizungsladepumpe ist zu klein oder falsch eingestellt.

Eine zu kleine oder falsch eingestellte Heizungsladepumpe kann den Verflüssiger, oder auch Kondensator genannt, nicht ausreichend durchströmen. Das Heizungswasser hat eine zu lange Verweildauer im Verflüssiger. Es erwärmt sich stärker als vorgesehen. Dieser Fehler ist an einer zu hohen Temperaturspreizung leicht erkennbar. Die neu vorgeschriebenen Hocheffizienzpumpen bieten hier zusätzliche Möglichkeiten falscher Einstellungen. Diese sind:

- **Proportionaldruck**

  Mit zunehmendem Durchfluss steigt der Druck proportional an. Durchfluss und Förderhöhe (Druck) verhalten sich proportional. D. h. mit steigendem Durchfluss steigt auch der Druck.

  Durch die interne Pumpenregelung steigt der Differenzialdruck mit zunehmendem Durchfluss. Die gewünschte Regelkurve lässt sich in der Regel an der Pumpe einstellen.

  Diese Einstellung ist für die Ladepumpen für Wärmepumpen ungeeignet.

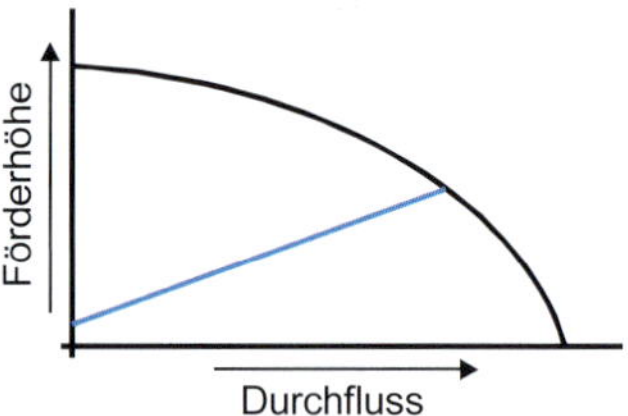

Bild 2.1.4.1: Proportionaldruck
Quelle: J. Bonin, Umwelt & Technik

- **Konstantdruck**

  Mit sich veränderndem Durchfluss bleibt der Differenzialdruck konstant. D. h., dass die Pumpe nur mit einem zuvor eingestellten konstanten Druck fördert.

  Der gewünschte Druck kann in der Regel voreingestellt werden.

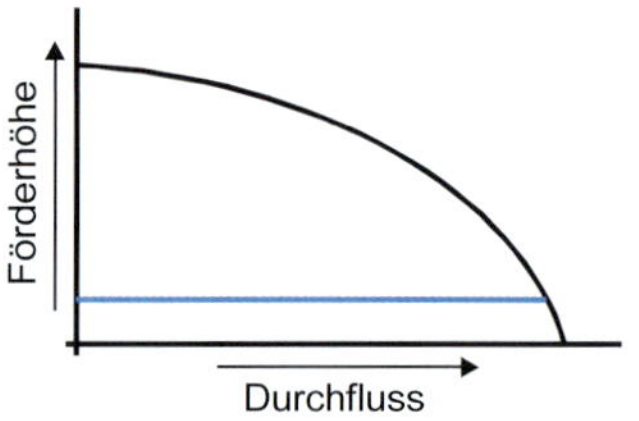

Bild 2.1.4.2: Konstantdruck
Quelle: J. Bonin, Umwelt & Technik

- **Konstantdrehzahl**

  In diesem Modus ist die interne Druckregelung der Pumpe deaktiviert. Die Drehzahl lässt sich so manuell einstellen.

  Diese Einstellmöglichkeiten eignen sich bei Heizungsanlagen mit konstanten Druckverhältnissen und damit auch für Heizungsladepumpen für Wärmepumpenanlagen.

  Diese Einstellung entspricht den früheren Einstellmöglichkeiten über einen 3-Stufen-Schalter.

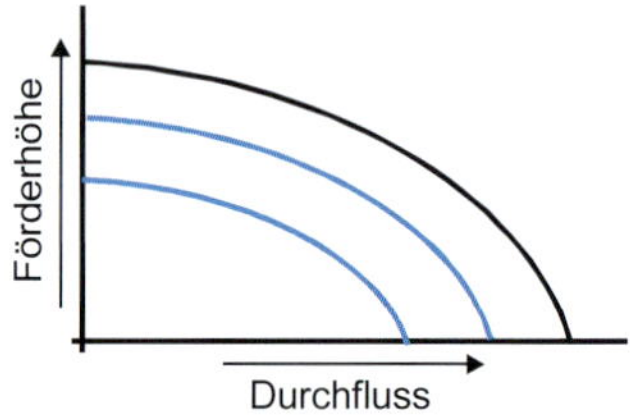

Bild 2.1.4.3: Konstantdrehzahl
Quelle: J. Bonin, Umwelt & Technik

Anmerkung des Autors:

Der vorgeschriebene Einsatz von Hocheffizienzpumpen bringt für die Speicherladung bei Wärmepumpenanlagen keinen zusätzlichen Nutzen, wohl aber höhere Kosten ohne die beabsichtigte Energieeinsparung.

Die Warmwassererzeugung ist falsch ausgelegt.

Bei der Projektierung für die geeignete Warmwassererzeugung gibt es viele Möglichkeiten. Sehr häufig werden aus der Solartechnik bekannte bivalente Warmwasserspeicher eingesetzt. Diese haben zwei Wärmetauscher, die in Reihe geschaltet eine größere Tauscherfläche bieten. Diese Tauscherfläche ist jedoch nicht für größere Wärmepumpen mit hohen Heizleistungen geeignet! Als Richtgröße ist zu empfehlen, bei Wärmepumpen mit höheren Heizleistungen als 12–13 kW statt bivalenter Warmwasserspeicher für Wärmepumpen geeignete Hochleistungsregisterspeicher oder Doppelwandwasserspeicher einzusetzen. Doch auch diese sind nur begrenzt einsetzbar. Bei Wärmepumpen mit Heizleistungen von mehr als etwa 30 kW ist ein Speicherladesystem die geeignete Lösung. Bei hohen Leistungen besteht aber auch die Möglichkeit einer Tandemanlage, d.h. eine Wärmepumpe mit zwei Kompressoren oder zwei Wärmepumpen, wobei bei der Warmwasserbereitung nur ein Kompressor in Betrieb ist.

Temperaturfühler defekt oder falsch platziert

Ein defekter Speicherfühler wird in der Regel vom Regler erkannt und angezeigt, eine falsche Platzierung jedoch nicht. Ist bei einem Speicher mit innenliegendem Rohrwärmetauscher der Speicherfühler zu tief installiert, wird der Speicher zu weit durchgeladen. Dadurch verringert sich quasi die effektive Tauscherfläche. Das wiederum verringert die Aufnahmeleistung der Wärmemenge im Warmwasserspeicher. Dies wird deutlich, wenn man sich vorstellt, wenn der Fühler T_{WW} im unteren Bereich installiert würde.

In einem anderen Fall wurde ich zu einer Wärmepumpenanlage gerufen, weil sie immer bei der Warmwasserbereitung in Störung ging. Dort hatte eine spielende Katze den Fühler aus der Fühlerhülse gezogen, was keinem auffiel.

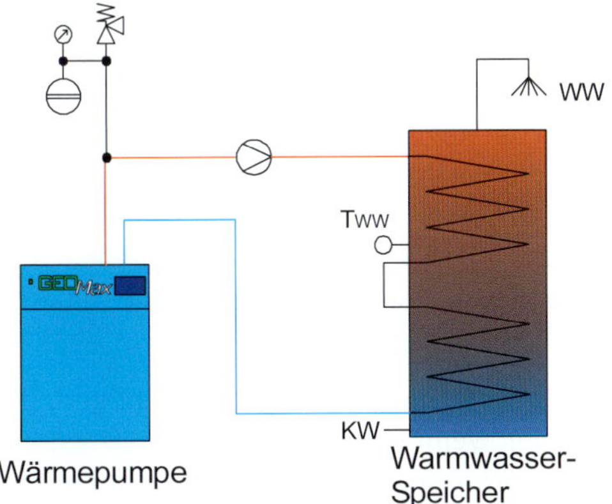

Bild 2.1.4.4: Warmwasserbereitung
Quelle: J. Bonin, Umwelt & Technik

Heizungsleitungen zu knapp dimensioniert oder verunreinigt

An diesen Fall, der bereits schon länger zurückliegt, kann ich mich gut erinnern. Es wurde eine neue, ganz gewöhnliche Sole-Wasser-Wärmepumpenanlage installiert. Die Wärmepumpe hatte eine Heizleistung von etwa 12 kW. Bereits bei der Inbetriebnahme schaltete diese ab, sobald sie auf die Warmwasserbereitung umschaltete. Wir fanden schnell heraus, dass bei der Warmwasserbereitung der Durchfluss nicht ausreichte. Zunächst vermuteten wir eine Verunreinigung in der Installation, weil das Erscheinungsbild dafür sprach. Also untersuchten wir die Installation Schritt für Schritt. Letztendlich fanden wir heraus, dass der untere Rohrwärmetauscher des neuen Warmwasserspeichers verstopft war. Er wurde durchspült und war dann frei. Dieses Beispiel zeigt, dass man bei einer Fehlersuche sukzessiv vorgehen muss und keine Möglichkeit ausschließen darf.

Kein Druck im System

Wärmepumpenanlagen sind sehr wartungsarm. Wenn sie einmal laufen, freut man sich über niedrige Energiekosten und eine behagliche Wärme. An eine Wartung denkt dann keiner mehr. Es ist zu empfehlen, gelegentlich die Anode des Warmwasserspeichers sowie den Heizungswasserdruck zu prüfen.

Ist die Opferanode verbraucht oder die Fremdstromanode defekt, wird der Warmwasserspeicher nicht mehr vor Korrosionen geschützt. Es ist damit zu rechnen, dass dieser dann undicht wird.

> **Hinweis:**
> Insbesondere bei Wärmepumpenanlagen ist eine Fremdstromanode zu empfehlen.

Ist der Heizungsanlagendruck zu klein, kann dies insbesondere bei Wärmepumpen, die z. B. im Dachgeschoss stehen, dazu führen, dass die Heizungsumwälzpumpe zum Teil auch Luft zieht und dann das Heizungswasser nicht mehr ausreichend pumpt. Ein zu geringer Durchfluss und eine daraus resultierende Hochdruckstörung sind die Folge.

Defektes Ausdehnungsgefäß

Ein defektes Ausdehnungsgefäß führt dazu, dass der Heizungsdruck zu stark schwankt. Es verhält sich ähnlich wie ein mangelnder Heizungswasserdruck. Deswegen sollte bei einer Wartung auch der Vordruck am Ausdehnungsgefäß geprüft werden.

2.1.5 Im Winter wird es nicht richtig warm

Hierfür gibt es zahlreiche Möglichkeiten, von denen hier die meisten diskutiert werden. Dabei ist zwischen verschiedenen Wärmepumpenarten zu differenzieren. Siehe Kapitel „Zu geringe Heizleistung – es wird nicht ausreichend warm".

Eine häufige Ursache ist die, dass die Heizleistung der Wärmepumpe einfach zu gering ist. Es kommt leider vor, dass Heizungsbauer sich nur an die erforderliche Heizleistung für die Gebäudebeheizung orientieren und die Warmwasserbereitung sowie Sperrzeiten gar nicht beachten. Hierzu sagte mir mal ein Heizungsbauer, dass dies für eine Wärmepumpe auch nicht relevant sei. Er begründete dies damit, dass die Außentemperatur tagsüber ja deutlich höher sei als nachts und die Warmwasserbereitung in der Regel eher tagsüber erfolgt. Das ist falsch! Insbesondere ist in den vergangenen Jahren die Heizleistung aufgrund zunehmender Dämmmaßnahmen immer weiter reduziert worden. Das hat zur Folge, dass die anteilige Leistung für die Warmwasserbereitung immer größer wird. Sie darf auf keinen Fall unbeachtet bleiben! Die nach DIN 12831 festgelegten Normaußentemperaturen sind keine unteren Grenztemperaturen, sondern Mittelwerte.

Weiterhin sind die Sperrzeiten vom Energieversorger (EVU-Sperren) zu berücksichtigen, die ebenfalls tagsüber angesetzt sind. Es ist also ein Fehler, wenn allein die Gebäudeheizlast berücksichtigt wird. Es ist auch die Leistung für die Warmwasserbereitung zu berücksichtigen – siehe hierzu „Vernachlässigung der Warmwasserbereitung". Weiterhin sind auch unbedingt die Sperrzeiten zu berücksichtigen, wie in „Nicht Berücksichtigung der EVU-Sperre" beschrieben ist.

Manches Mal wird auch der Fehler gemacht, dass nicht beheizte Räume bei der Ermittlung der Heizlast nicht berücksichtigt werden, obwohl diese innerhalb der gedämmten Gebäudehülle sind. Dazu zählen häufig auch der Heizungsraum, Abstellraum etc. Wenn diese Räume innerhalb der gedämmten Gebäudehülle sind, werden sie unvermeidlich mit beheizt, insbesondere der Heizungsraum. Die dafür erforderliche Heizleistung ist deswegen selbstverständlich mit zu berücksichtigen.

Eine weitere, oftmals anzutreffende Fehlerursache ist eine zu klein ausgelegte Wärmequelle, insbesondere Erdkollektoren und Erdsonden. Dies führt dann bei starkem Heizbetrieb im Winter dazu, dass das Erdreich zu stark abkühlt. In extremen Fällen kann dies zu starken Vereisungen des Bodens und Veränderungen im Gelände führen. Bei entsprechend starker Auskühlung und Unterschreitung der Quellentemperatur kann dies zur Abschaltung der Wärmepumpe führen. Entweder über eine Niederdruckstörung oder Unterschreitung der Minimalbegrenzung der Quellentemperatur. Die Temperatur für die Minimalbegrenzung wird am Auslauf hinter dem Verdampfer gemessen.

An vielen Reglern kann auch eine Nachtabsenkung programmiert werden. Das mag für konventionelle Heizungsanlagen und Altbauten sinnvoll sein. Für Wärmepumpenanlagen kann dies natürlich fatale Auswirkungen haben. Was dann passiert, wird im Kapitel „Einstellen des Absenkbetriebe" diskutiert.

Betrachten wir ein Beispiel eines Neubaus mit einer Heizleistung von 12 kW und einer effektiven Betriebsdauer von 20 h (ohne Nachtabsenkung), dann steht für die Gebäudebeheizung folgende Wärmemenge zur Verfügung:

$$Q = P_{\mathrm{HWP}} \cdot t_{\mathrm{H}}$$

mit

Q = Wärmemenge

P_{HWP} = Heizleistung Wärmepumpe

t_H = Heizdauer

$Q = 12\ kW \cdot 20\ h = 240\ kWh$

Wird die Betriebsdauer durch die Nachtabsenkung, wie oben genannt um 8 h (21:00 bis 05:00) reduziert, ist $T_H = 12$ h und

$Q = 12\ kW \cdot 12\ h = 144\ kWh$

Die effektiv zur Verfügung stehende Wärmemenge reduziert sich damit um 40 %! Das ist natürlich in der kalten Jahreszeit eindeutig zu wenig. Es spricht jedoch nichts dagegen, in den Übergangszeiten den Absenkbetrieb einzuschalten. Das setzt natürlich voraus, dass im Winter wieder umgeschaltet wird.

Nichtbeachtung der Montageanleitungen 2.1.6

In vielen Fällen zeigt sich auch, dass die Montage- und Bedienungsanleitung der Hersteller unzureichend beachtet werden. Das kann fatale und teure Auswirkungen haben, was ich an einem nachfolgenden Beispiel, welches zum Schmunzeln ist, zeige.

Es sollte schnellstmöglich eine Sole-Wasser-Wärmepumpe installiert und in Betrieb genommen werden, weil der Einzugstermin bereits feststand. Der Fachunternehmer stand unter erheblichem Termindruck. Beim Installieren der Wärmepumpe wurden die Sole- und Heizungsleitungen, einschl. Vor- und Rücklauf verwechselt, obwohl dies aus der Montageanleitung zu entnehmen ist. Der Monteur verzichtete darauf, in die Anleitung zu sehen und diese zu studieren. Um eine schnelle Antwort erhalten zu können, hätte er auch beim Hersteller anfragen können. So montierte er die Wärmepumpe. Vor der Inbetriebnahme stellte der zur Inbetriebnahme bestellte Fachmann dann fest, dass die Wärmepumpe falsch angeschlossen ist. Wegen des Termindrucks schlug er vor, die erforderlichen Teile beim Großhändler zu besorgen, damit in der Zwischenzeit die Umbauarbeiten beginnen konnten. Zunächst galt es, die gefüllte und entlüftete Heizungsanlage zu entleeren. Das Wasser wurde in den Pumpensumpf im Keller eingeleitet. Die Schmutzwasserpumpe wurde aktiviert und tat ihren Dienst. Weil das Abwasser aber noch nicht angeschlossen war, drückte die Schmutzwasserpumpe das Wasser über die Abwasserleitungen ins Haus. Weil die Förderleistungen von Schmutzwasserpumpen recht hoch sind, verteilte sich das Wasser schnell im ganzen Haus. Das Wasser trat aus etlichen Abwasseranschlüssen aus. Hier konnte im wahrsten Sinne von einem schwimmenden Estrich geredet werden. Anschließend war erst mal eine aufwändige Bautrocknung angesagt. Die Inbetriebnahme musste erst mal abgebrochen werden.

Das wäre vermeidbar gewesen, hätte der Monteur sich vor Beginn der Arbeiten informiert und der Chef diesen entsprechend eingewiesen.

Warmwasserspeicher zu klein und falsches Speicherladekonzept 2.1.7

Unlängst wurde ich damit beauftragt, ein Gutachten für eine Sole-Wasser-Wärmepumpenanlage für die Nachrüstung in einem Gebäudebestand, ein Mehrfamilienhaus, zu erstellen. Die Betreiber beanstandeten insbesondere den Warmwasserkomfort und den schlechten Wirkungsgrad bzw. die Jahresarbeitszahl, der bei Weitem den zuvor zugesagten Wert unterschreitet. Installiert wurde zunächst eine Sole-Wasser-Wärmepumpe mit einer Heizleistung von 28,5 kW (S0W35) bzw. 25,5 kW (S0W55) mit einem Pufferspeicher und einem bivalenten Warmwasserspeicher. Nach der Inbetriebnahme stellte man fest, dass die Wärmepumpe immer wieder wegen Hochdruckstörung abschaltete.

Wie kam es zu den regelmäßigen Hochdruckstörungen?

Bivalente Warmwasserspeicher haben für Wärmepumpen über 12 kW eine zu kleine Wärmetauscherfläche. Oftmals werden noch etwas größere Wärmepumpen mit bivalenten Warmwasserspeichern „vergewaltigt". Doch bei einer Heizleistung von 25–28 kW ist dies nicht möglich. Der bivalente Warmwasserspeicher wurde demontiert.

Es wurde ein neues Konzept erstellt, nämlich ein sogenanntes Speicherladesystem. Es wurden ein Edelstahlspeicher mit seitlichen Anschlüssen (!) und ein Speicherladesystem installiert. Die Speicherladepumpe hatte dieselbe Förderleistung wie die Umwälzpumpe von der Wärmepumpe zum Wärmetauscher. Sobald morgens zum Duschen eine größere Warmwassermenge benötigt wurde, kam aus den Duschen nach kurzer Zeit immer kälteres Wasser, was anschließend dann wieder etwas wärmer wurde.

Bild 2.1.7.1: Sole-Wasser-Wärmepumpenanlage mit Speicherladesystem
Quelle: J. Bonin, Umwelt & Technik

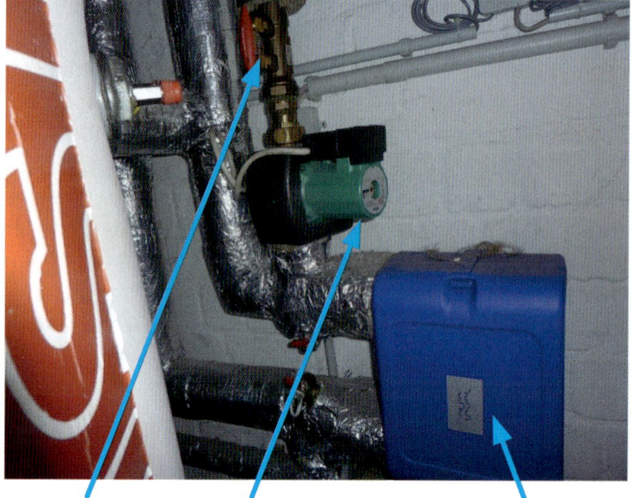

Bild 2.1.7.2: Warmwasserbereitung mittels Speicherladesystem
Quelle: J. Bonin, Umwelt & Technik

Das ist für ein Mehrfamilienhaus erst recht ein unzumutbarer Warmwasserkomfort! Um dem zu begegnen, wurde dann ein Elektroheizstab installiert, der dann zulasten des Strombedarfes die Defizite kompensieren sollte.

Wie kam es zu dem unbefriedigenden Warmwasserkomfort?

Zur nachfolgenden Betrachtung und Diskussion dient folgende Skizze (Bild 2.1.7.3).

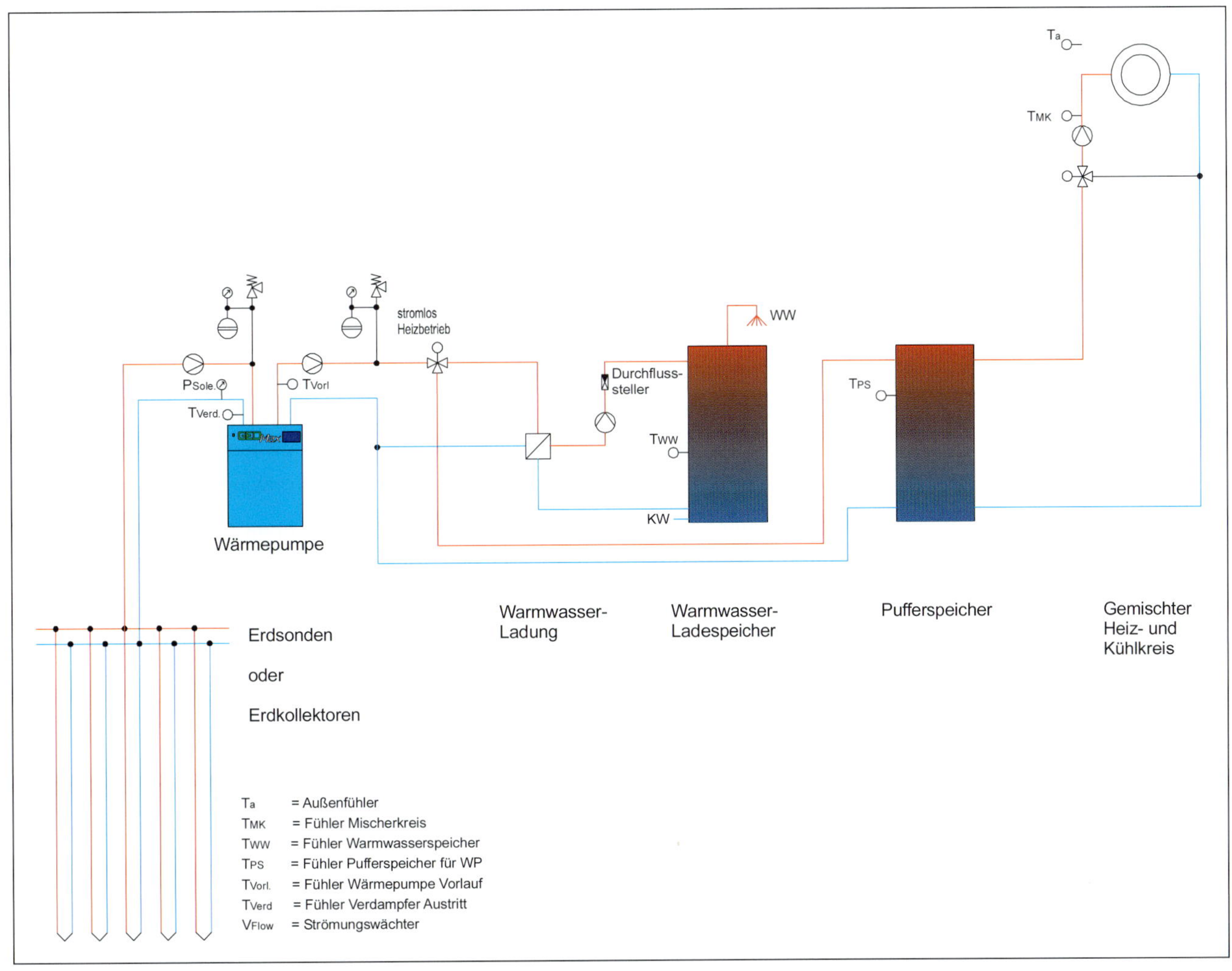

Bild 2.1.7.3: Sole-Wasser-Wärmepumpenanlage mit einem Pufferspeicher und Speicherladesystem
Quelle: J. Bonin, Umwelt & Technik

Es gilt wieder die bekannte Formel:

$$Q = m \cdot c \cdot \Delta T$$

mit

Q = Wärmemenge [kWh] od. [Wh]

m = Masse [kg]

c = spezifische Wärmekapazität – von Wasser = 1,163 Wh/(kg·K)

ΔT = Temperaturdifferenz [K]

bzw.

$$P = \dot{m} \cdot c \cdot \Delta T$$

mit

P = Leistung [kW] od. [W]

$\dot{m}$ = Massestrom [kg/h]

und

$$\Delta T = T_{Vl} - T_{Rl}$$

mit

T_{Vl} = Vorlauftemperatur [K]

T_{Rl} = Rücklauftemperatur [K]

Weil die Leistung vor und hinter dem Ladewärmetauscher gleich sein muss, gilt:

$$P_{wp} = P_{ww}$$

mit

P_{wp} = Leistung von der Wärmepumpe zum Ladewärmetauscher [kWh]

Q_{ww} = Leistung vom Ladewärmetauscher zum Warmwasserladespeicher [kWh]

$$\Rightarrow \dot{m}_{wp} \cdot c \cdot \Delta T_{wp} = \dot{m}_{ww} \cdot c \cdot \Delta T_{ww}$$

$$\Rightarrow \dot{m}_{wp} \cdot \Delta T_{wp} = \dot{m}_{ww} \cdot \Delta T_{ww}$$

$$\Rightarrow \dot{m}_{wp} \cdot (T_{vlwp} - T_{rlwp}) = \dot{m}_{ww} \cdot (T_{vlww} - T_{rlww})$$

mit

T_{vlwp} = Vorlauftemperatur aus der Wärmepumpe [K]

T_{rlwp} = Rücklauftemperatur zur Wärmepumpe [K]

T_{vlww} = Vorlauftemperatur aus dem Wärmetauscher zum Warmwasserladespeicher [K]

T_{rlww} = Rücklauftemperatur zum Wärmetauscher aus dem Warmwasserladespeicher [K]

Die Temperaturdifferenz über die Wärmepumpe sollte nominal etwa 5 K (= 5 °C) betragen. Dagegen kann die Temperaturdifferenz über den Warmwasserladespeicher deutlich höher sein. Geht man von einer nominalen Warmwassertemperatur von 55 °C und einer möglichen Austrittstemperatur nach einer längeren Standzeit von ca. 20 °C aus, beträgt die Temperaturdifferenz 35 K.

Stellt man obige Gleichung zum Massestrom Speicherladung um, gilt:

$$\dot{m}_{ww} = \dot{m}_{wp} \cdot \Delta T_{wp} / T_{ww}$$

Der Massestrom über die Wärmepumpe berechnet sich bei der Warmwasserbereitung zu:

$$\begin{aligned} \dot{m}_{wp} &= P_{wp}/(c \cdot \Delta T_{wp}) \\ &= 25\,500\ \mathrm{W}/[1{,}163\ \mathrm{Wh}/(\mathrm{kg{\cdot}K}) \cdot 5\ \mathrm{K}] \\ &= 4\,385\ \mathrm{kg/h} = 4{,}4\ \mathrm{m^3/h} \end{aligned}$$

was dem Nenndurchfluss der Wärmepumpe entspricht.

Folglich berechnet sich der Massedurchfluss auf der sekundären Ladeseite des Wärmetauschers bei den o. g. Temperaturen zu:

$$\begin{aligned} \dot{m}_{ww} &= \dot{m}_{wp} \cdot \Delta T_{wp} / T_{ww} \\ &= 4{,}4\ \mathrm{m^3/h} \cdot 5\ \mathrm{K}/35\ \mathrm{K} = 0{,}63\ \mathrm{m^3/h} \end{aligned}$$

Die Förderleistung der Speicherladepumpe muss also deutlich geringer sein als die der Umwälzpumpe aus der Wärmepumpe! Das war hier nicht der Fall.

Dies sind jedoch lediglich nur theoretische Betrachtungen. Der optimale Durchfluss muss anhand von diversen Einstellversuchen bei unterschiedlichen Betriebszuständen herausgefunden werden.

Doch was passierte bei der falschen Einstellung. Gehen wir davon aus, dass der Warmwasserspeicher auf etwa 50–55 °C aufgeladen ist und im unteren Bereich nach längerer Standzeit eine Temperatur von etwa 20 °C hat. Das kann auch etwas mehr oder weniger sein. Wenn dann z. B. durch Duschen Warmwasser gezapft wird, strömt etwa 10-grädiges Leitungswasser unten in den Ladespeicher. Schaltet dann die Wärmepumpe nach entsprechend langer Zapfzeit ein, strömt etwa 10-grädiges Wasser in den Ladewärmetauscher. Auf der Primärseite strömt dann kaltes Wasser in die Wärmepumpe, welches diese um etwa 5 °C erwärmt. Die Vorlauftemperatur beträgt dann etwa 15 °C. Dieses kalte Wasser strömt dann in dem Warmwasserladespeicher im oberen Bereich ein. Kein Wunder, dass man dann beim Duschen erst mal tief Luft holte. Das kann so nicht funktionieren! Bei der anschließenden Warmwasserladung wurde das Wasser in dem eingesetzten Speicher erst mal gründlich durchmischt, um dann, wie beim Pufferspeicher, allmählich erwärmt zu werden. Um dem zu begegnen, wurde von der installierenden Firma ein Elektroheizstab installiert, der den Warmwasserkomfort retten sollte. Das schlug sich in einem entsprechend hohen Stromverbrauch nieder.

Dazu kommt, dass ein Speicher mit seitlichen Anschlüssen als Ladespeicher ungeeignet ist. Um möglichst eine schichtende Ladung zu erzielen, ist ein entsprechender Ladespeicher erforderlich, wie ihn Abbildung 2.1.7.4 zeigt. Hier strömt beim Ladevorgang das Wasser oberhalb unter dem Klöpperboden ein und verteilt sich so gleichmäßig. Ebenso strömt das Wasser im unteren Bereich gleichmäßig aus. So ist eine optimale Schichtung möglich.

Optimaler wäre in diesem Fall ein entsprechend dimensionierter Hochleistungsregisterspeicher, der speziell für Wärmepumpen mit hohen Leistungen entwickelt wurde. Diese haben eine besonders große Wärmetauscherfläche und sind damit auch für größere Leistungen bis etwa 40 kW einsetzbar.

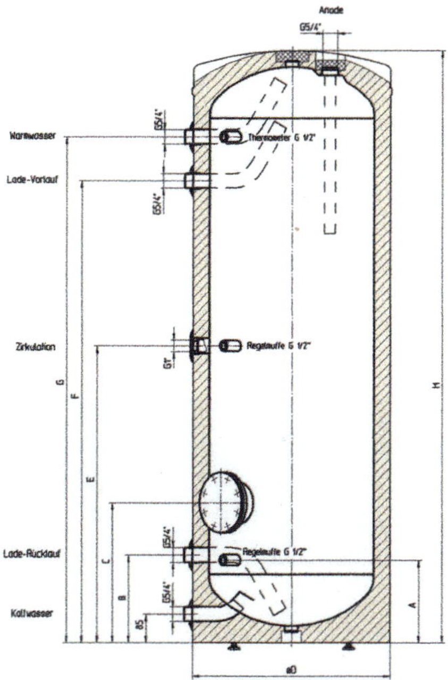

Bild 2.1.7.4: Ladespeicher
Quelle: Austria Email AG

Bild 2.1.7.5: Hochleistungsregisterspeicher
Quelle: Austria Email AG

Wie wäre der Fehler vermeidbar gewesen?

Es steht die Vermutung im Raum, dass der Handwerker vermutlich die Anlage selber plante, ohne zu berücksichtigen, dass ein bivalenter Speicher für die Warmwasserbereitung mit einer so großen Wärmepumpe ungeeignet ist. Wenn dann derartige Probleme auftreten, ist dem Handwerker grundsätzlich zu empfehlen, sich an den Hersteller zu wenden und sich von ihm die Anlage auslegen zu lassen. Bei Unsicherheiten oder Zweifel ist ein Handwerker gut beraten, wenn er sich mit dem Hersteller berät – auch bei geringem Zweifel. Wie dieses Beispiel zeigt, ist es aufwändig, zuvor gemachte Planungsfehler zu beheben. Das ist oftmals mit erheblichen Mehrkosten für notwendige Nachbesserungen verbunden.

Fast geplatzter und zu kleiner Warmwasserspeicher 2.1.8

In diesem Fall wandten sich Betreiber an einen Sachverständigen für Solarthermie, der sich wegen der Wärmepumpe an mich wandte. Wir erstellten das Gutachten in Kooperation. Die Betreiber wandten sich mit folgenden Problemen an uns:

- Einige Heizkörper wurden nicht richtig warm, andere mehr als erforderlich,
- die Warmwassertemperatur ist mit ca. 45 °C relativ niedrig und
- eine geplatzte PE-Rohrleitung als Warmwasserleitung.

Ergänzend stellten wir zusätzlich folgende gravierende Mängel fest:

- fast geplatzter und falscher Warmwasserspeicher,
- kein Sicherheitsventil sowie
- kein Verbrühungsschutz und
- im Außenbereich die UV-beständigen Kabel unsachgemäß verlegt.

Installiert war eine Luft-Wasser-Wärmepumpe mit einer Leistung von 17,5 kW für die Außenaufstellung mit einem bivalenten Warmwasserspeicher, 400 l sowie einem Pufferspeicher mit Solarregister, 700 l und eine thermische Solaranlage mit einer Kollektorfläche von etwa 12 m^2. Beide Speicher waren an die Solaranlage angeschlossen. Die Wärmepumpen- und Solaranlage wurden in dem Gebäude aus den 70er-Jahren mit Heizkörpern, zum Teil in Eigenleistung installiert.

Warum wurden einige Heizkörper nicht ausreichend warm und ein anderer zu warm?

Das klingt zunächst nach einem ungenügenden hydraulischen Abgleich. Doch auf unsere Nachfrage sandte uns die Firma, die den hydraulischen Abgleich vornahm, uns ihr Protokoll zu. Dieses war soweit in Ordnung. Es stellte sich heraus, dass die Heizkörper in den Räumen, in denen es nicht richtig warm wurde, für die Wärmepumpenanlage nicht ausreichten.

Warum ließ sich das Wasser nicht mehr als auf 45 °C erwärmen?

Generell ist auch hier ein bivalenter Speicher für eine Wärmepumpe mit einer Heizleistung von 17,5 kW ungeeignet. Hier kam nun noch hinzu, dass an dem unteren Wärmetauscher die Solaranlage angeschlossen war und dieser nicht für die Wärmepumpe zur Verfügung stand, wie das üblicherweise der Fall ist. Damit war die zur Verfügung stehende Wärmetauscherfläche erst recht zu klein. Um Hochdruckstörungen zu vermeiden, wurde der Sollwert für die Warmwassertemperatur so weit reduziert, dass die Wärmepumpe den Warmwasserspeicher nur noch bis 45 °C auflud. An sonnigen Tagen war dann die Warmwassertemperatur deutlich höher.

Bei der Besichtigung der Wärmepumpenanlage sahen wir dann auch den Warmwasserspeicher – und wir staunten nicht schlecht.

Was wurde hier falsch gemacht? Warum dehnte sich der Warmwasserspeicher und warum platzte die PE-Leitung?

Obwohl die Wärmepumpenanlage von einem Heizungsbauer installiert wurde, waren einige gravierende fachliche Fehler zu erkennen.

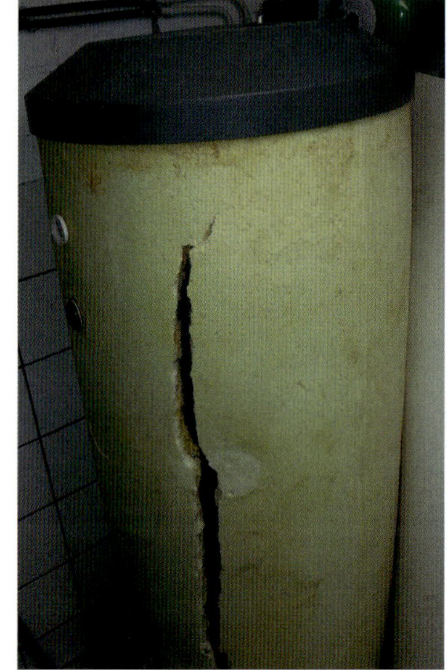

Bild 2.1.8.1: Bivalenter Warmwasserspeicher, 400 l
Quelle: J. Bonin, Umwelt & Technik

1. Von der Einspeisung zum Warmwasserspeicher waren in der nachfolgend genannten Reihenfolge bis zum Speicher ein Ausdehnungsgefäß und anschließend ein Rückschlagventil installiert. Vom Warmwasserspeicher aus waren die Leitungen zu den Zapfstellen verlegt. Zum Teil wurden auch ungeeignete PE-Rohre verlegt!

2. Es fehlte ein vorgeschriebenes Sicherheitsventil.

   Beim Erwärmen des Wassers, insbesondere bei solarer Einstrahlung, wurde das Wasser erwärmt und dehnte sich aus. Bei geschlossenen Zapfstellen konnte sich das Wasser nicht in diese Richtung ausdehnen. Ein Ausdehnen über die Warmwasserleitung war auch nicht möglich, weil dort ein Rückschlagventil eingebaut war. Das Foto dokumentiert deutlich, dass sich ein viel zu hoher Druck aufbaute.

   Ein vorgeschriebenes Sicherheitsventil hätte dies verhindert. Das schwächste Glied, die PE-Leitung, die ohnehin nicht für Warmwasser geeignet ist, gab zunächst nach und platzte! – Wahrscheinlich bei guter Solareinstrahlung. Wenn der Speicher geplatzt wäre, wären erhebliche Personenschäden durchaus möglich gewesen! – Das war schon grob fahrlässig!

3. Für Solaranlagen ist ein Verbrühungsschutz vorzusehen.

   Bei entsprechender solarer Einstrahlung ist es durchaus möglich, dass die Warmwassertemperatur deutlich über 60 °C ansteigen kann. Um Verbrühungen zu vermeiden, ist ein Verbrühungsschutz erforderlich, der durch Zumischen von Kaltwasser das Wasser auf die eingestellte Temperatur mischt.

Die Luft-Wasser-Wärmepumpe war als außen aufgestellt. Für die Elektroanschlüsse wurden nicht UV-beständige Kabel ohne Kabelkanal verwendet. Somit musste auch hier nachgebessert werden.

Fehler bei der Installation 2.1.9

Leider werden bei der Installation recht häufig diverse Fehler gemacht, weil nicht bedacht wird, was passiert, wenn bestimmte Teile eingebaut werden. In anderen Fällen hat man z. B. eine vermeintlich gute Idee, deren Umsetzung sich dann aber nicht als sinnvoll erweist.

Diese Bilder zeigen ungenügende Befestigungen der Heizungswasserrohre. Da braucht nur mal jemand daranstoßen. Außerdem fehlt hier eine fachgerechte Isolierung der Heizungsrohre. Das wäre sicher auch etwas eng. Bei derselben Heizungsanlage lösten sich an vielen Stellen die Klebestreifen der Isolierung (Bild 2.1.9.2).

Bild 2.1.9.1: Mangelhafte Verrohrung Heizungswasser
Quelle: J. Bonin, Umwelt & Technik

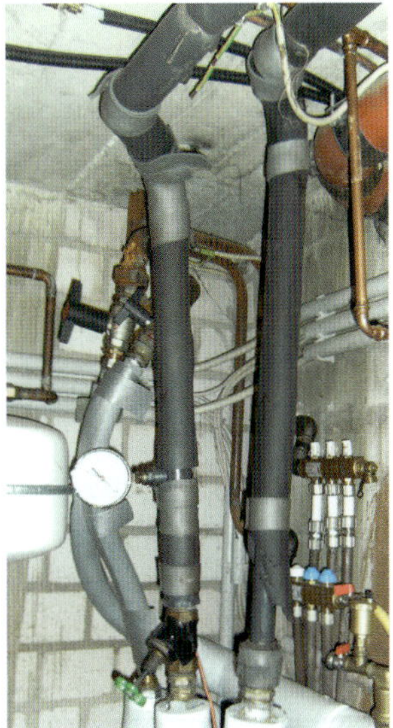

Bild 2.1.9.2: Sich lösende Verklebungen
Quelle: J. Bonin, Umwelt & Technik

Zu kleines Ausdehnungsgefäß 2.1.9.1

Zu einer guten Wärmepumpenanlage gehört auch ein ausreichend bemessener Pufferspeicher. Damit vergrößert sich folglich auch zwangsläufig erheblich das Heizungswasservolumen. Für die Dimensionierung eines Ausdehnungsgefäßes gilt EN 12828. Darin ist das gesamte Heizungswasservolumen zu berücksichtigen. Wird das Volumen des Pufferspeichers nicht berücksichtigt, ist das Ausdehnungsgefäß oftmals deutlich zu klein.

Als Beispiel nehmen wir ein EFH mit einer Wohnfläche von etwa 200 m^3 mit einer Wärmepumpe mit einer Heizleistung von 12 kW mit einem Pufferspeicher, dessen Inhalt 300 l beträgt. Die Fußbodenheizung, einschließlich Anschlussleitungen hat einen Wasserinhalt von 180 l Das Systemvolumen beträgt damit 480 l Dann errechnet sich das Ausdehnungsvolumen zu:

$$V_e = e \cdot V_{System}/100$$

mit

V_e = Ausdehnungsvolumen

e = Wasserausdehnung in % aus Tabelle EN 12828 anhand der max. Überschingtemperatur

V_{System} = Systemvolumen

und

$$V_{System} = 180\ l + 300\ l = 480\ l$$

$$\Rightarrow\ V_e = 1{,}71 \times 480\ l/100 = 8{,}21\ l$$

Als Nächstes ist der Nutzungsfaktor des Ausdehnungsgefäßes zu ermitteln, weil dieses ja mit Gas unter einem bestimmten eingestellten Vordruck (z. B. 1,5 bar) gefüllt ist. Für den Systemdruck legen wir 2,5 bar zugrunde.

$$f_N = (p_e + 1\ bar)/(p_e - p_0)$$

mit

f_N = Nutzungsfaktor

p_e = Auslegungsenddruck [bar]

p_0 = Vordruck [bar]

$$\Rightarrow\ f_N = (2{,}5\ bar + 1\ bar)/(2{,}5\ bar - 1{,}5\ bar) = 3{,}5$$

Damit errechnet sich das minimale Nennvolumen des Ausdehnungsgefäßes zu:

$$V_{exp.min} = V_e \cdot f_N/(1 - 0{,}2 \cdot f_N)$$

mit

$V_{exp.min}$ = Mindestvolumen des Ausdehnungsgefäßes

Weil $V_e > 15\ l \cdot (1 - 0{,}2 \cdot f_N)/f_N = 15\ l\ (1 - 0{,}2 \cdot 3{,}5)/3{,}5 = 1{,}28\ l$ ist, errechnet sich das Mindestvolumen des Ausdehnungsgefäßes zu:

$$V_{exp.min} = (V_e + V_{WR}) \cdot f_N$$

mit

$V_{WR} = V_{System} \cdot 0{,}005$

V_{WR} = Wasservorlage

$$\Rightarrow\ V_{WR} = 480\ l \cdot 0{,}005 = 2{,}4\ l$$

$$\Rightarrow\ V_{exp.min} = (8{,}21\ l + 2{,}4\ l) \cdot 3{,}5 = 37\ l$$

Damit ist das nächstgrößere Ausdehnungsgefäß zu wählen.

2.1.9.2 Zu hohe Druckverluste durch Pressfittinge

Wegen der schnellen und einfachen Verarbeitung werden häufig und gerne Pressfittinge verwendet. Es gibt jedoch Pressfittinge für Kunststoffrohre, die ein inneres Stützrohr haben, auf die das Kunststoffrohr geschoben wird, um es anschließend mit dem Pressfitting zu pressen. Diese haben den Nachteil, dass die Querschnitte der Pressfittinge deutlich geringer sind als die Rohre. Werden entsprechend viele Pressfittinge verwendet, kann das zu erheblichen Druckverlusten führen. Im ungünstigsten Fall stellt sich dann heraus, dass die Umwälzpumpen zu klein sind. Deswegen ist es wichtig, diese Druckverluste über die Pressfittinge zu berücksichtigen oder auf andere Systeme auszuweichen.

2.1.9.3 Falsche Einstellungen der Pumpen

Seit 2013 sind in Deutschland nur noch Hocheffizienzpumpen zugelassen. Dabei ist es natürlich wichtig, dass diese richtig programmiert werden. Dies gilt insbesondere für die Ladepumpe(n) von der Wärmepumpe zu den Speichern. – Siehe hierzu „Hochdruckstörung“.

2.1.9.4 Nichtbeachtung von Gegebenheiten im Gebäudebestand – Sauerstoffdiffusion

Im Gebäudebestand haben Eigentümer oftmals den Wunsch, mit einer Wärmepumpe Energie und Kosten zu sparen. Hier bietet der Markt spezielle Wärmepumpen für den Gebäudebestand mit hohen Vorlauftemperaturen an. Vorsicht! Denn auch bei diesen Wärmepumpen gilt die Physik. Das bedeutet, dass hohe Vorlauftemperaturen technisch realisierbar sind, was aber klar zulasten des Wirkungsgrades geht. Deswegen sollte die zum Heizen erforderliche Vorlauftemperatur unbedingt bei der Planung und Auslegung beachtet werden! Sie sollte auf keinen Fall zu hoch sein. Wichtig ist dabei auch die Differenz zwischen der Quellentemperatur

(Wasser, Sole, Luft) und der Vorlauftemperatur zum Heizen, vergl. Grundlagen zur Wärmepumpentechnik. Ist die Temperaturdifferenz zwischen Wärmequelle und Vorlauftemperatur zu groß, führt das zu schlechten Wirkungsgraden und damit zur oftmals zur Enttäuschung und Unzufriedenheit des Betreibers.

Doch es gibt auch weitere Punkte zu beachten. In einem relativ neuen Fall weiß ich von folgendem Problem zu berichten. Hier hatte der Betreiber bereits eine Wärmepumpe, die nach Jahren wegen eines Defektes ausfiel. Diese Wärmepumpe wurde durch eine neue ersetzt. Doch nach geraumer Zeit fiel sie wegen einer Niederdruckstörung aus. Bei einer Überprüfung wurde festgestellt, dass der Verflüssiger defekt war.

Was war passiert?

Zunächst entwich das unter Druck stehende Kältemittel in den Heizungswasserkreislauf. Der Wärmetauscher wurde vom Hersteller ausgetauscht und die Wärmepumpe repariert. Doch wie konnte dies passieren? Das Gebäude war aus den 80-er Jahren und mit einer Fußbodenheizung sowie Steigleitungen aus Stahl ausgestattet. Die ersten Fußbodenheizungsrohre waren bekanntlich alles andere als sauerstoffdiffusionsdicht. Folglich drang erheblich Sauerstoff ein und die Stahlsteigleitungen korrodierten. Die Korrosionsrückstände lagerten sich auf die Edelstahlplatten ab. Das führte letztendlich zu einer galvanischen Korrosion. Der Wärmetauscher wurde undicht.

Eine anschließende Wasseranalyse zeigte, dass das Heizungswasser mit einem Eisengehalt von 4 mg/l sehr stark eisenhaltig war. Die Leitfähigkeit betrug 240 µS/cm. Wenn sich bei diesem Wasser Eisenpartikel am Edelstahl ablagern, kann dies zu einer elektrolytischen Korrosion im Wärmetauscher führen. Weiterhin wurde festgestellt, dass alle paar Monate regelmäßig Heizungswasser nachgefüllt werden muss. Das deutet auf eine Undichtigkeit des Heizkreises hin. Durch das regelmäßige Nachfüllen gelangt immer wieder neu zusätzlicher Sauerstoff in die Heizungsanlage.

Wie hätte dies vermieden werden können?

Zur Ausbildung eines Heizungsbaumeisters gehören auch die Materialkunde verschiedener Metalle und deren Verträglichkeit untereinander. Bekanntlich bilden sich galvanische Elemente, wenn zwei verschiedene Metalle mit einer leitfähigen Flüssigkeit (Wasser) zusammenkommen. Und genau das war hier geschehen.

Der Fachhandwerker ist hier in eine böse Falle getappt. Er ging davon aus, dass die alte Wärmepumpe mit dem Heizungswasser keine Probleme hatte und folgerte daraus, dass die neue ebenfalls keine Probleme damit haben würde. Doch das war hier nicht der Fall.

Dies kann insbesondere dann problematisch werden, wenn dazu noch ein Pufferspeicher, in der Regel aus einfachem Stahl, eingesetzt wird. Der eindiffundierende Sauerstoff findet dann reichlich Stahl, den er angreifen kann. Das führt oftmals auch zu erheblichen Verschlammungen.

Um dem entgegenzuwirken, hilft eine Systemtrennung zwischen Wärmepumpe mit oder ohne Pufferspeicher und der Fußbodenheizung. Es können aber auch Korrosionsschutzanlagen oder ggf. Inhibitoren eingesetzt werden. Auf jeden Fall sollte es vermieden werden, dass eindiffundierender Sauerstoff an Stahlrohren oder Stahlbehälter zu Korrosionen führen kann.

Bei der Begutachtung der Heizungsanlage galt es dann, auch noch weitere Punkte zu beurteilen. Ein auffälliger Mangel waren die nicht diffusionsdicht isolierten Wasserleitungen für das Brunnenwasser. Das führt beim Betrieb der Wärmepumpe zu einer Schwitzwasserbildung und tropfendem Wasser. Das verstärkte die im Keller ohnehin vorhandene Feuchtigkeitsproblematik.

Um die Drücke des Brunnenwassers vor dem Wärmetauscher messen zu können, waren Manometer installiert. Nur die Messbereiche lagen bei einer Wärmepumpe bei 10 bar und bei der anderen bei 16 bar. Mit diesem Messbereich war eine reale Messung nicht möglich. Der Messbereich ist viel zu groß. Ein Messbereich von 1,6 bar wäre angemessen gewesen. Hier wurden offensichtlich irgendwelche Manometer eingebaut, nach dem Motto: Hauptsache, da ist eins drin.

2.1.10 Falsch angeschlossener Pufferspeicher

Derzeit betreue ich eine Wärmepumpenanlage, bei der etliche Probleme bestehen. Es handelt sich dabei um eine Wasser-Wasser-Wärmepumpenanlage mit einer Heizleistung von etwa 16 kW. Ein Problem mit einer besonderen Herausforderung waren immer wiederkehrende Hochdruckstörungen. Es wurde mir immer wieder geschildert, dass anfangs die Wärmepumpe störungsfrei lief, bis irgendwann die Hochdruckstörungen immer wieder auftraten. Dabei war keine Regelmäßigkeit festzustellen. Messungen zeigten wohl eine recht hohe Temperaturspreizung auf der Heizungsseite der Wärmepumpe. Sie betrug zwischen 8 und 13 °C. Das ist natürlich zu viel. Nominal sollte die Spreizung etwa 5 °C betragen. Hier ist sie zum Teil mehr als doppelt so groß. Das erklärt die Hochdruckstörungen. Irritierend ist jedoch, dass es immer wieder hieß, dass dies anfangs nicht so war. Als ich mir die Wärmepumpenanlage und deren Hydraulik ansah, staunte ich nicht schlecht. Die Heizungsumwälzpumpe ist in der Wärmepumpe integriert. Von dort aus drückt sie das Heizungswasser in einen Pufferspeicher mit einem Inhalt von 500 l und von dort aus direkt in die Heizkreise. Pufferspeicher und Heizkreise sind also in Serie installiert, so wie es meine Skizze zeigt.

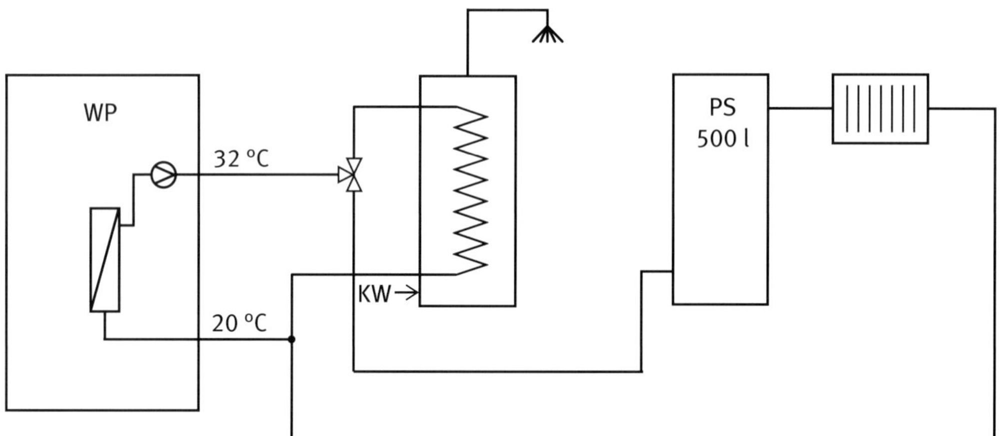

Bild 2.1.10.1: Einbindung eines Pufferspeichers in Serie zu den Heizkreisen
Quelle: J. Bonin, Umwelt & Technik

Der Pufferspeicher dient hier lediglich als Speicher. Eine wesentliche Aufgabe eines Pufferspeichers, nämlich als hydraulische Weiche zu dienen, ist hier nicht gegeben. Infolgedessen muss die Heizungsumwälzpumpe einen hohen Strömungswiderstand überwinden. Dieser setzt sich zusammen aus dem Strömungswiderstand über die Leitungen von der Wärmepumpe zum Pufferspeicher, über diesen selber (wobei der Widerstand über den Pufferspeicher vernachlässigbar ist) und weiter über die gesamten Heizkreise. Höhere Strömungswiderstände bedeutet auch, dass die dauerhaft durchlaufende Heizungsumwälzpumpe erheblich mehr Strom braucht. Wird der Pufferspeicher auch als hydraulische Weiche genutzt und so eingebaut, läuft die größere Ladepumpe nur sporadisch; nur die kleine Heizungsumwälzpumpe hinter dem Pufferspeicher läuft während der Heizperiode durch. Mich beschäftigte nach wie vor die Frage, warum anfangs keine Hochdruckstörungen auftraten, später aber mit gleichbleibender Regelmäßigkeit. Angeblich wurde nichts geändert. Ob die Hochdruckstörung bei der Warmwasserbereitung oder im Heizbetrieb vermehrt auftrat, ließ sich nicht feststellen. Es zeichnete sich wohl aber ab, dass die Hochdruckstörungen bei wärmerer Witterung mehr auftraten als bei kalter Witterung. Folglich schloss ich daraus, dass es etwas mit den Heizkreisen zu tun habe. Folglich bat ich den Hersteller um die technischen Daten der Umwälzpumpe. Die integrierte Umwälzpumpe verfügt über eine ausreichende Leistung. Bei weiterem Nachfragen stellte sich heraus, dass anfangs Strömungsgeräusche störten und beanstandet wurden. Dazu berichtete man mir, dass anschließend der Handwerker da war und Einstellungen an der Wärmepumpe änderte. Die Strömungsgeräusche waren weg, aber nun gab es regelmäßig Hochdruckstörungen. Die Folgerung ist, die Leistung der Umwälzpumpe wieder etwas zu erhöhen. Warum war das so? Weil bei steigenden Außentemperaturen nach und nach die Ventile einiger Heizkreise schlossen. Das hatte einmal zur Folge, dass der Strömungswiderstand stieg, und zum anderen, dass weniger Wärme abgegeben wurde. Ist eine Wärmeabgabe zu gering, kommt es zu einer Hochdruckstörung. Außerdem steigt durch die Minderung des Durchflusses die Temperaturdifferenz an der Wärmepumpe, was wiederum die JAZ und damit den Wirkungsgrad mindert und die Stromkosten steigen.

Bei Durchsicht der technischen Unterlagen des Herstellers gab er zwei hydraulische Montagemöglichkeiten vor: Die oben skizzierte und die, bei der der Pufferspeicher auch als hydraulische Weiche dient. Dabei lädt die Ladepumpe entweder in den Pufferspeicher oder in den Warmwasserspeicher. Eine weitere Heizungsumwälzpumpe sorgt dann für die Versorgung der Heizkreise aus dem Pufferspeicher. Das ist aus meiner Sicht immer die sinnvollste Lösung. Die Begründung liegt darin, dass in der Regel für die Wärmepumpe stets ein höherer Durchfluss erforderlich als für die Heizkreise. Das ist nur mit einem Pufferspeicher als hydraulische Weiche möglich. Vergl. dazu Bild 1.7.1.1.

Hydraulischer Abgleich 2.1.11

Für den Betrieb von effizienten Heizungsanlagen ist ein korrekter hydraulischer Abgleich erforderlich. Dies gilt insbesondere für Wärmepumpenanlagen. Weil dies so wichtig ist und immer wieder zu Problemen führt, ist es mir ein Anliegen, dies gesondert zu diskutieren.

Bei einer Wärmepumpenanlage gibt es verschiedene hydraulische Bereiche, auf deren korrekte Einstellung zu achten ist:

1. Der Primärkreis bei Sole-Wasser-Wärmepumpen ist der Kreis, durch den die Sole zirkuliert, und bei Wasser-Wasser-Wärmepumpen das geförderte Brunnenwasser, welches anschließend einem Schluckbrunnen zugeführt wird. Dabei ist in der Regel der Wasserdurchfluss so zu dimensionieren, dass die Temperaturdifferenz max. 3 °C betragen sollte. Bei Wasser-Wasser-Wärmepumpen wird dies von den Kommunen zum Teil auch so vorgegeben. Eine Temperaturdifferenz von 3 °C ist in der Regel für den Nennbetriebspunkt mit einem optimalen Wirkungsgrad gegeben.

   Insbesondere bei Sole-Wasser-Wärmepumpen ist oftmals festzustellen, dass die Temperaturdifferenz deutlich größer als 3 °C ist. Das verringert den Wirkungsgrad der Wärmepumpe.

2. Der Sekundärkreis ist bei Wärmepumpen der Kreis, in dem das Heizungswasser erwärmt wird. Dieses erwärmte Heizungswasser dient in der Regel zur Gebäudebeheizung und Warmwasserbereitung. Nachdem nun teure Hocheffizienzpumpen vorgeschrieben sind, wird in der Regel nur eine Hocheffizienzpumpe mit einem Umschaltventil eingesetzt. Über das Umschaltventil erfolgt wahlweise die Wärmezufuhr zur Gebäudebeheizung oder Warmwasserbereitung. Für den optimalen Wirkungsgrad wäre eine Temperaturdifferenz von 5 °C anzustreben. Problematisch ist, dass der Druckverlust über die Heizkreise – Heizen oder Warmwasserbereitung – unterschiedlich ist.

   Die Hocheffizienzpumpen haben in der Regel verschiedene Einstellmöglichkeiten, wie Proportionaldruckregelung, Konstantdruckregelung oder feste Drehzahlen. Optimal wäre natürlich eine Einstellung für einen konstanten Durchfluss, was jedoch technisch aufwändiger wäre.

   Hier muss man bei der Inbetriebnahme eine Einstellung finden, die den beiden Betriebszuständen Heizbetrieb und Warmwasserbereitung gerecht wird. Dabei ist zu beachten, dass die Wärmepumpe für normal gedämmte Gebäude überwiegend für den Heizbetrieb arbeitet.

3. Letztendlich sind auch die einzelnen Heizkreise hydraulisch richtig abzugleichen. Dabei sind die Heizkreise so abzugleichen, dass für die einzelnen Räume die Normtemperaturen bei möglichst niedriger Vorlauftemperatur erreicht werden. – Dem Handbuch „Wärmepumpen" ist den Diagrammen für die Leistungszahl zu entnehmen, dass aufgrund der größeren Steilheit bei niedrigeren Vorlauftemperaturen sich der Wirkungsgrad stärker ändert als bei höheren Vorlauftemperaturen.

Das zeige ich anhand der Gleichung für den Carnot'schen Kreisprozess, die ich mit dem Faktor 0,5 an reale Wärmepumpen angleiche. Dann gilt für eine Sole-Wasser-Wärmepumpe:

$$\varepsilon \approx 0{,}5 \cdot T_H / (T_H - T_U)$$

mit

ε = Leistungszahl

T_H = Vorlauftemperatur

T_U = Quellentemperatur = 0 °C = 273 K

Damit betrachten wir nun die Leistungszahlen bei den Vorlauftemperaturen 50 °C, 47 °C, 35 °C und 32 °C, um festzustellen, wie sich die Leistungszahlen bei einer Vorlauftemperaturminderung von 3 °C einmal von 50 °C auf 47 °C und einmal von 35 °C auf 32 °C verhalten. Das Ergebnis:

$$\varepsilon_{50/47} = \varepsilon_{47} = \varepsilon_{50} = 3{,}404 - 3{,}23 = 0{,}17$$

Das entspricht bei einer Vorlauftemperatursenkung von 50 °C auf 47 °C 5,2 %.

$$\varepsilon_{35/32} = \varepsilon_{32} = \varepsilon_{35} = 4{,}766 - 4{,}4 = 0{,}37$$

Das entspricht bei einer Vorlauftemperatursenkung von 35 °C auf 32 °C 8,4 %.

Daher ist der hydraulische Abgleich der einzelnen Heizkreise insbesondere bei Wärmepumpenanlagen von großer Bedeutung. Gleichzeitig zeigt diese Betrachtung auch, dass der Wirkungsgrad einer Wärmepumpe sehr stark von der Vorlauftemperatur abhängt. Diese sollte so niedrig wie möglich sein. – Weitergehende Betrachtungen finden Sie im „Handbuch Wärmepumpen“.

Leider ist festzustellen, dass es Hersteller von Fußbodenheizungen gibt, die es dem Handwerker nicht immer einfach machen. In der Regel sollte der Hersteller dem Heizungsbauer die Daten für die korrekten Voreinstellungen der Ventile nennen. Es ist dem Handwerker zu empfehlen, anhand von Vorlauf- und Rücklauf-Temperaturmessungen an den einzelnen Heizkreisen die Einstellungen zu prüfen. Dazu müssen die einzelnen Kreise natürlich geöffnet sein.

2.1.12 Zu laute Wärmepumpen

Hierzu hatte ich einen sehr interessanten Fall. Es wandte sich ein renommierter Bauunternehmer an mich, weil in einem Bauvorhaben mehrere Wasser-Wasser-Wärmepumpenanlagen installiert wurden. Es handelte sich dabei um mehrere Wohnhäuser, in denen hochwertige Wohnungen zu vermieten waren. Alle Wohnhäuser werden mit einem „kalten Nahwärmenetz“ versorgt. Dazu dienen Förderbrunnen zur Einspeisung in das Wassernetz, um die Wärmepumpen über einen Trenn-Wärmetauscher mit Wärme zu versorgen. Dabei stellte man nach der Installation fest, dass in den Nebenräumen gegenüber dem Heizungsraum ein leises Brummen zu hören war. Weil es sich um sehr hochwertige Wohnanlagen handelt, wurde dies von Kunden beanstandet. Damit dies nicht passieren sollte, suchte man sich auf dem Markt die angeblich leisesten Wärmepumpen heraus. Der Hersteller warb damit, dass seine Wärmepumpen einen Schalldruckpegel von 31 bzw. 32 dB (A) einhalten. Der Bauunternehmer beauftragte mich mit einem Gutachten, um zu prüfen, ob die Wärmepumpen die zugesagten Schalldruckpegel einhalten.

Vor Ort sah ich mir zunächst die Wärmepumpenanlagen an. Die Wärmepumpen wurden über einen oberhalb installierten Trenn-Wärmetauscher mit Sole gespeist.

Bild 2.1.12.1: Die Heizungsanlage
Quelle: J. Bonin

Auffällig ist die sauber ausgeführte Installation der Gesamtanlage. Um eine bessere Schallentkopplung zu bekommen, baute der Installationsbetrieb zusätzliche Schallentkopplungsmatten ein. Diese führten jedoch nicht zu dem gewünschten Ergebnis.

Nun ging es an die Messungen. Zunächst nahm ich die Schallmessungen im Heizungsraum, mit einem Abstand von etwa 1 m von der Wärmepumpe mit folgenden Ergebnissen vor.

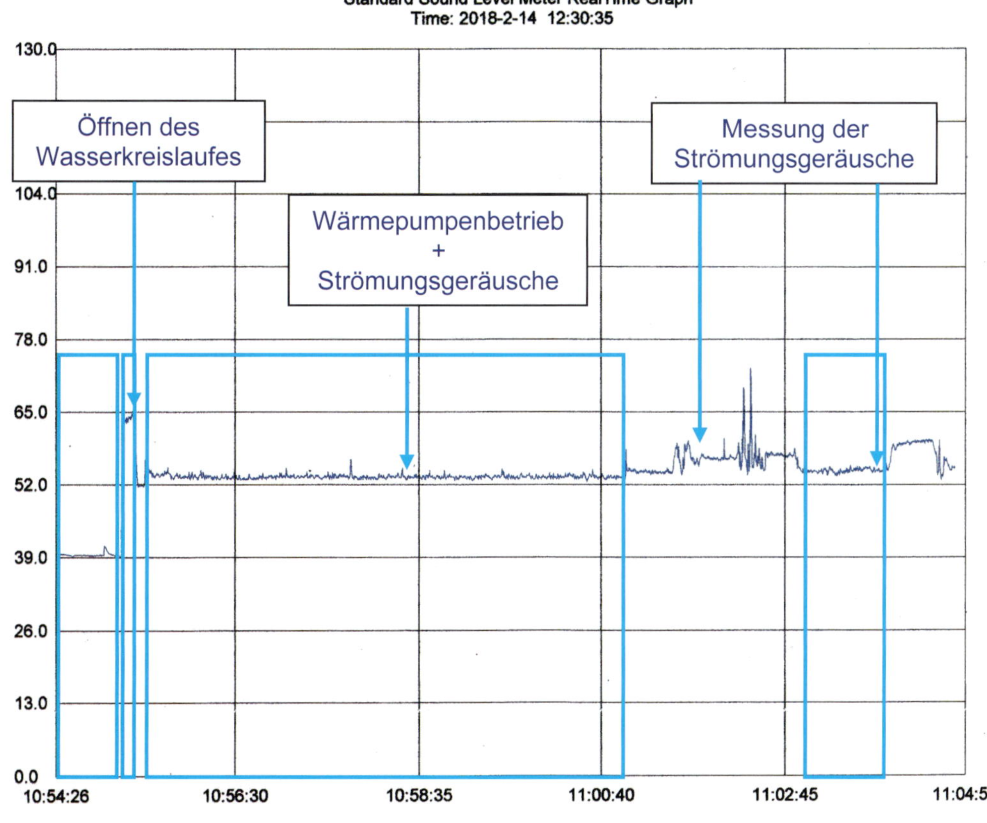

Bild 2.1.12.2: Schalldruckmessungen im Heizungsraum
Quelle: J. Bonin

Zunächst war auffällig, dass bereits im Ruhezustand bei nicht laufender Wärmepumpe ein mittlerer Schalldruckpegel von 39,2 dB (A) messbar war. Vor dem Einschalten der Wärmepumpe öffnete der Wasserkreislauf (Brunnenwasser) mit einem mittleren Schalldruckpegel von 64 dB (A). Nachdem die Wärmeversorgung gewährleistet war, schaltete die Wärmepumpe ein. Die sich einstellenden Strömungsgeräusche vor dem Einschalten der Wärmepumpe betrugen 51,9 dB (A). Beim Betrieb der Wärmepumpe betrug der mittlere Schalldruckpegel 53,5 dB (A). Während des Betriebs der Wärmepumpe waren die Strömungsgeräusche nicht mehr wahrnehmbar, weil die Geräusche der Wärmepumpe größer waren.

Eine anschließende Messung zeigt die Strömungsgeräusche mit einem mittleren Schalldruckpegel von 49,4 dB (A) (Bild 2.1.12.3).

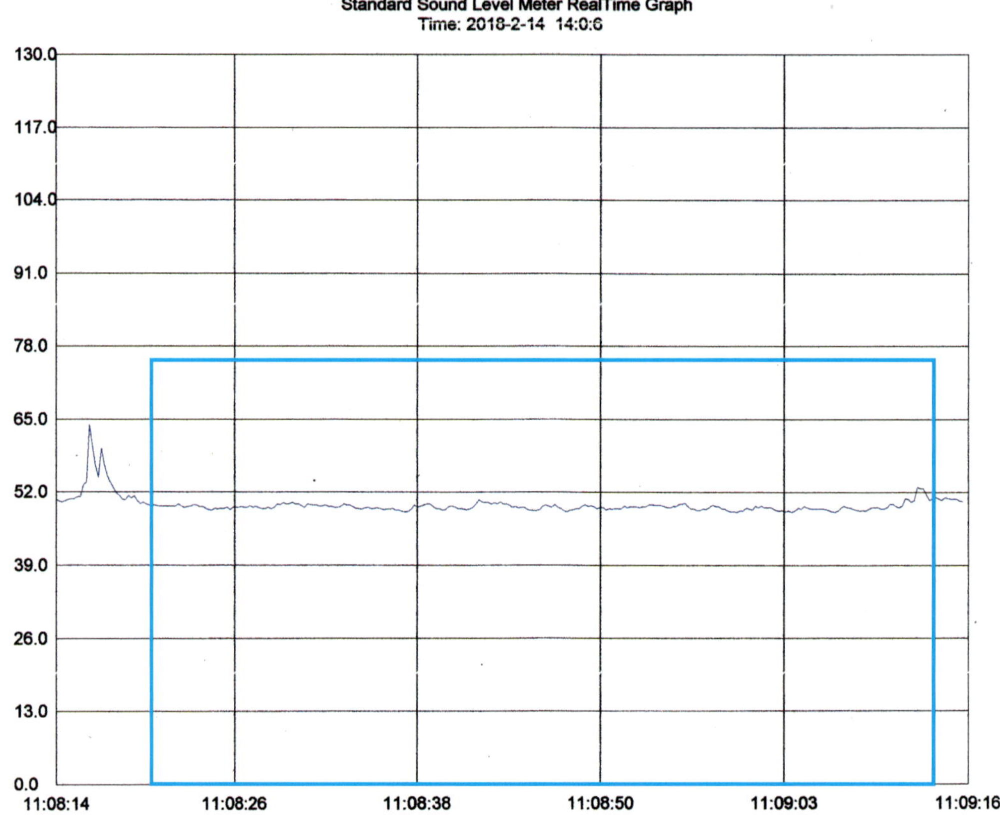

Bild 2.1.12.3: Schalldruckmessungen der Strömungsgeräusche
Quelle: J. Bonin

Anschließend habe ich dann noch die Schalldruckpegel im Raum gegenüber dem Heizungsraum gemessen. Bei offenen Türen habe ich einen mittleren Schalldruckpegel von 41,1 dB (A) in der Raummitte gemessen. Bei geschlossenen Türen reduzierte sich der mittlere Schalldruckpegel auf 34,4 dB (A). Damit ist der vom Hersteller zugesagte Schalldruckpegel nicht eingehalten.

Nachfolgend noch ein paar Informationen zu Schalldruckpegelmessungen. Zunächst muss man wissen, dass Schalldruckpegel logarithmisch dargestellt und gemessen werden. D. h., dass sich alle 10 dB (A) die Lautstärke verdoppelt. Nachfolgende Tabelle zeigt verschiedene Größenordnungen von Lautstärken.

Tabelle 2.1.12.1: Schalldruckpegel verschiedener Geräusche
Quelle: J. Bonin, Umwelt & Technik

Schallquelle	Entfernung/Messort	Schalldruckpegel
Sehr ruhiges Zimmer	am Ohr	20–30 dB
Ruhig sprechender Mensch	1 m	40–60 dB
Fernseher Zimmerlautstärke	1 m	≈ 60 dB
Presslufthammer	1 m	100 dB

Ich wohne in einem sehr ruhigen Nebenort außerhalb der Stadt und habe hier noch nie einen Schalldruckpegel unter 34 dB (A) gemessen.

Hier wird sehr schnell klar, dass ein Schalldruckpegel von 31 oder 32 dB (A) mit einer sich im Betrieb befindlichen Wärmepumpe nicht einzuhalten ist.

Verunreinigtes Heizungswasser 2.1.13

In diesem Fall wurde ich beauftragt, ein Gutachten zu erstellen, weil eine Sole-Wasser-Wärmepumpenanlage folgende gravierende Mängel aufwies:

- zu kleine Wärmepumpe,
- zu kleiner Erdkollektor,
- undichter Solekreis,
- verunreinigtes Heizungswasser und
- zu geringe Temperaturen in einem Wohnraum.

Nachfolgend betrachte ich nur die letzten beiden Punkte, um Wiederholungen zu vermeiden.

Aber es gibt einen weiteren interessanten Aspekt. Der Bauherr wünschte den Einbau einer Wärmepumpenanlage sowie einer Wandflächenheizung zum Heizen und Kühlen. Da ist natürlich eine Wandflächenheizung besser geeignet als eine Fußbodenheizung. Der Anbieter für die Wärmepumpenanlage wollte jedoch keine Wandflächenheizung anbieten und verwies auf einen anderen Handwerker, der die Wandflächenheizung installierte. Damit gab es zwei getrennte Gewerke. Das wird dann spannend, wenn Probleme auftreten – und so war es hier.

In einigen Räumen wurde es nicht richtig warm. Der Handwerker, der die Wärmepumpe einbaute, verwies auf den Handwerker, der die Wandflächenheizung installierte. Er vertrat die Ansicht, dass die Wandflächenheizung hydraulisch nicht richtig abgeglichen sei. Dieser Verdacht ist bei der ungleichen Wärmeversorgung der Räume sogar naheliegend. Doch es war nicht nachzuweisen, dass der hydraulische Abgleich nicht korrekt vorgenommen wurde. Also musste die Ursache eine andere sein. Bei der Ortsbesichtigung sah ich mir die gesamte Heizungsanlage an und habe auch die Raumtemperaturen in etwa ein Meter Höhe gemessen.

Bild 2.1.13.1: Dämmung oberhalb der Decke
Quelle: J. Bonin

Dabei waren die Raumtemperaturen in einem Teilbereich, nämlich in einem schmalen, länglichen Nebengebäude, merklich kühler. Diese Räume waren auch deutlich höher als die anderen Räume. Also habe ich die Temperaturen unterhalb der Decke gemessen, insbesondere an den Außenwänden. Auch dort war es deutlich kühler. Oben an den Außenwänden konnte man Temperaturen von etwa 15 °C messen. Normalerweise steigt Wärme nach oben, was zur Folge hat, dass die Temperaturen in den höheren Bereichen wärmer sind. Das war in diesem Fall jedoch umgekehrt. Daraus folgerte ich, dass in den oberen Bereichen Wärme verloren geht. Nachdem wir die Dämmung im Dachbereich geprüft hatten, hatte ich keine Zweifel mehr. Eine ungenügende Dämmung verursachte erhöhte Wärmeverluste. Das hatte zur Folge, dass die Räume unterschiedlich beheizt wurden. Aus diesem Grund nahm der Installateur der Wärmepumpe irrtümlich an, dass der hydraulische Abgleich nicht korrekt wäre.

Bild 2.1.13.2: Verunreinigte Durchflussstelle
Quelle: J. Bonin

Und nun zum verunreinigten Heizungswasser: Aufgrund des verunreinigten Heizungswassers war das Ablesen der Durchflüsse nicht mehr möglich. Ich erkannte, dass Korrosionsrückstände, d. h. Eisenoxyde bzw. Magnetit, den Durchfluss verhinderten. Diese Korrosionsrückstände können Schäden an den Heizungsumwälzpumpen verursachen und dazu führen, dass die Wandflächenheizung und insbesondere der Kondensator (Wärmetauscher in der Wärmepumpe) verschlammen. Beides mindert den Wirkungsgrad und führt langfristig zu Störungen und Defekten. Zur Klärung der Ursache prüfte ich das Membranausdehnungsgefäß mit einem Volumen von 35 l.

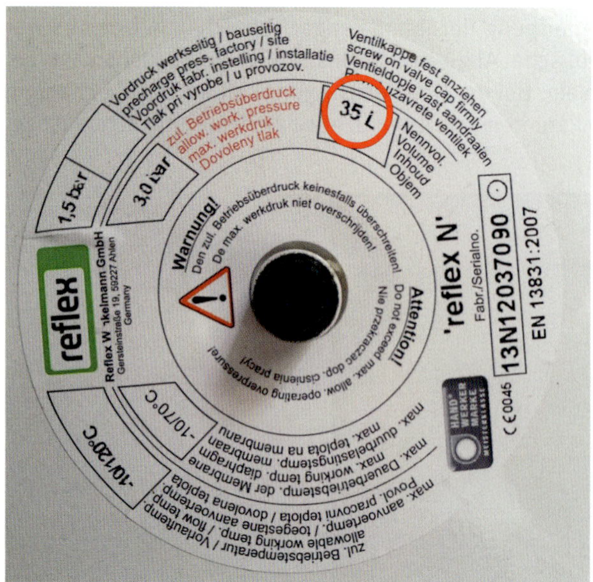

Bild 2.1.13.3: Zu kleines Membranausdehnungsgefäß
Quelle: J. Bonin

Ein Membranausdehnungsgefäß ist gem. DIN 12828 zu dimensionieren. Dazu ist zunächst das Systemvolumen zu ermitteln:

$$V_{System} = V_{spez} \cdot P_{WP} + V_{PS}$$

mit

V_{spez} = spezifisches Volumen

P_{WP} = Leistung Wärmeerzeuger = Wärmepumpe

V_{PS} = Volumen Pufferspeicher

$\Rightarrow$ V_{System} = 20 l/kW · 17,5 kW + 500 l = 850 l

Im nächsten Schritt ist das Ausdehnungsvolumen zu berechnen:

$$V_e = e \cdot V_{System} / 100$$

mit

e = prozentuale Ausdehnung des Wassers in Abhängigkeit der max. Überschwingtemperatur bzw. Temperaturdifferenz im Heizungssystem gem. eine Tabelle aus DIN 12828.

$\Rightarrow$ V_e = 0,93 % · 850 l / 100 = 7,905 l bei einer Überschwingtemperatur von 40 °C.

Im weiteren Schritt ist der Nutzungsfaktor zu bestimmen:

$$f_N = (p_e + 1 \text{ bar}) / (p_e - p_o)$$

mit

p_e = Auslegungsenddruck

p_o = Vordruck des Membranausdehnungsgefäßes

$\Rightarrow$ f_N = (2,2 bar + 1 bar) / 2,2 bar – 1,5 bar)
= 4,57

Und wenn 15 l · (1 – 0,2 · f_N) / f_N = 15 l · (1 – 0,2 · 4,57) / 4,57 = 0,28 l < V_e = 7,9 l

ist, dann gilt:

$$W_{WR} = V_{System} \cdot 0{,}005 = 850 \text{ l} \cdot 0{,}005 = 4{,}25 \text{ l}$$

und

$$V_{MAGmin} = (V_e + W_{WR}) \cdot f_N = (7{,}905 \text{ l} + 4{,}25 \text{ l}) \cdot 4{,}57 = 55{,}5 \text{ l}$$

Das Mindestvolumen des Membranausdehnungsgefäßes muss also 55,5 Liter betragen. Das installierte Membranausdehnungsgefäß hat jedoch nur 35 l. Sein Volumen ist somit zu klein.

Heizungswasser erfährt bei Erwärmung eine Volumenvergrößerung und bei Abkühlung eine Volumenverringerung. Die Betriebsweise zum Heizungs- oder Warmwasserbetrieb und auch witterungsbedingte Temperaturschwankungen führen zu entsprechenden Volumenänderungen des Heizungswassers. Aufgrund der hier vorgesehenen und realisierten Kühlung ist sogar von größeren Temperaturschwankungen auszugehen, was ein entsprechend größeres Ausdehnungsgefäß erfordert. Diese Volumenschwankungen muss das heizungsseitige Membranausdehnungsgefäß aufnehmen können. Ist ein Membranausdehnungsgefäß zu klein, kann dies bei einer stärkeren Erwärmung des Heizungswassers zu einem Überdruck führen. Zur Vermeidung eines unzulässigen Überdrucks dient ein Überdruckventil, durch welches Heizungswasser im Falle eines Überdrucks entweichen kann. Bei einer entsprechenden Abkühlung kann sich das Volumen des Heizungswassers so weit reduzieren, dass bei einem zu kleinen Membranausdehnungsgefäß ein Unterdruck entsteht. Dann können größere Mengen Sauerstoff durch das Flächenheizungsrohr sowie auch über Verschraubungen eindiffundieren. Der eingedrungene Sauerstoff reagiert mit dem Schwarzstahl im Pufferspeicher, was dann zu erheblichen Korrosionen und Verschlammungen führt.

Für die Wandflächenheizung wurde zudem nur ein einfaches hochvernetztes Rohr verwendet. Dieses Rohr ist zwar nach DIN 4726 sauerstoffdicht; d. h., dass die Sauerstoffdurchlässigkeit bei bestimmungsgemäßem Gebrauch < 0,10 g/(m^3d) ist. Aber es kann immer noch Sauerstoff eindringen, nämlich bis zu 0,1 Gramm pro m^3 Heizungswasservolumen und pro Tag.

Weiterhin ist festzustellen, dass nun fast alle Hersteller von Wärmeerzeugern – und dazu gehören auch Wärmepumpen – vorschreiben, dass die Heizungsanlage mit vollentsalztem Wasser gem. VDI 2035 zu befüllen ist. Aus dem Schriftverkehr ist zu entnehmen, dass der Installateur betonte, dass er die Heizungsanlage mit enthärtetem Wasser nach VDI 2035 befüllte. Jedoch ist das enthärtete Wasser nicht mit vollentsalztem Wasser gleichzusetzen. Bei einer Enthärtung strömt das Wasser durch ein Kationentauscherharz. Dabei werden Kalzium- und Magnesiumionen gegen Natriumionen ausgetauscht. Die Leitfähigkeit kann sich somit nicht nennenswert verändern. Die Anzahl der Ladungsträger bleibt unverändert; lediglich die Mobilität der Ladungsträger kann sich ändern, was eine leichte Änderung der Leitfähigkeit mit sich bringen kann. Ganz anders sieht es bei einer Vollentsalzung aus. Dabei wird die Anzahl der Ladungsträger, also aller Ionen, erheblich reduziert. Die Regeneration einer Enthärtung ist wesentlich einfacher auszuführen und damit kostengünstiger als ein sogenannter Mischbettfilter, dessen Regeneration deutlich aufwendiger und teurer ist.

Hier erlaube ich mir anzumerken, dass ich bei meiner Heizungsanlage statt eines hochvernetzten Fußbodenheizungsrohrs ein Mehrschichtverbundrohr installierte. Ein Mehrschichtverbundrohr ist absolut sauerstoffdicht. Bei meiner Wärmepumpe verzichtete ich darauf, mein Heizungswasser gemäß VDI 2035 aufzubereiten. Ich befüllte meine Heizungsanlage, einschließlich Pufferspeicher aus Schwarzstahl, mit einfachem Trinkwasser aus der Leitung – und habe nach über 20 Jahren immer noch korrosionsfreies Heizungswasser, weil ich mich für ein absolut diffusionsdichtes Fußbodenheizungsrohr, nämlich ein Mehrschichtverbundrohr, entschied. Ich empfehle jedoch ausdrücklich nicht, dies nachzuahmen, weil bei Abweichungen oder einer Missachtung der Vorgaben der Hersteller dies in einem Streitfall zu Problemen führen kann.

2.1.14 Zu hohe Heizkosten bei einer Neuanlage

Eigentümer eines Mehrfamilienhauses mit 8 Wohneinheiten bemängelten zu hohe Heizkosten. Die Wärmepumpenanlage bestand aus Erdsonden, einer Sole-Wasser-Wärmepumpe eines namhaften Herstellers sowie einem Kombipufferspeicher (1 000 l), zwei vom Hersteller bezeichneten ELO-Blöcken für die Resterwärmung des Warmwassers und einer zusätzlichen externen Elektroheizung. Als Wärmequelle dienen 4 Erdsonden mit einer Tiefe von jeweils 120 m. Die Wärmepumpe hat eine Heizleistung von 30,9 kW bei B0W35 und 28,3 kW bei B0W55.

Die Eigentümer suchten zunächst das Gespräch mit dem Verwalter und dem Handwerker, um mit ihm die Ursache zu finden. Weil dies jedoch nicht zum Erfolg führte, wandten sie sich am mich.

Zum Gesamtverbrauch übermittelte man mir folgende Daten:

Tabelle 2.1.14.1: Verbrauchsdaten
Quelle: J. Bonin, Umwelt & Technik

Zeitraum	Jährlicher Verbrauch	Durchschnittl. Monatsverbrauch	Jährliche Kosten
Aug. bis Ende Dez. 2016	18 690 kWh/a	4 672 kWh/m	3 925 €/a*
2017	47 655 kWh/a	3 972 kWh/m	10 008 €/a*
2018	41 790 kWh/a	3 483 kWh/m	8 776 €/a*
* bei reinen Stromkosten von 0,21 €/kWh, Niedertarif, ohne Grundkosten für Zähler.			

Das sind durchschnittlich 1 174 €/a für eine Wohneinheit in einem Mehrfamilienhaus. Das ist in der Tat eindeutig zu viel!

Zunächst sah ich mir die Auslegung und Projektierung der Wärmepumpenanlage an, konnte hier aber erst einmal keine Ursache finden. Auch Messungen vor Ort, insbesondere die Soletemperaturen nach einer Heizperiode, ergaben keine Hinweise. Nachdem sich die Wärmepumpe einschaltete, sank die Soletemperatur in 16 Min. von 11 °C auf 5 °C. Das deutet darauf hin, dass die Sole-Wasser-Wärmepumpe einschließlich der Erdsonden ausreichend dimensioniert ist. Auffallend ist, dass die Soletemperatur am Ende der Heizperiode mit 5 °C immer noch erstaunlich hoch war. Also waren weitere Untersuchungen zur Sole-Wasser-Wärmepumpenanlage erforderlich.

Ich bat den Heizungsbauer, mir seinen Schemaplan zu übermitteln. Der Schemaplan von der Wärmepumpenanlage ist folgender:

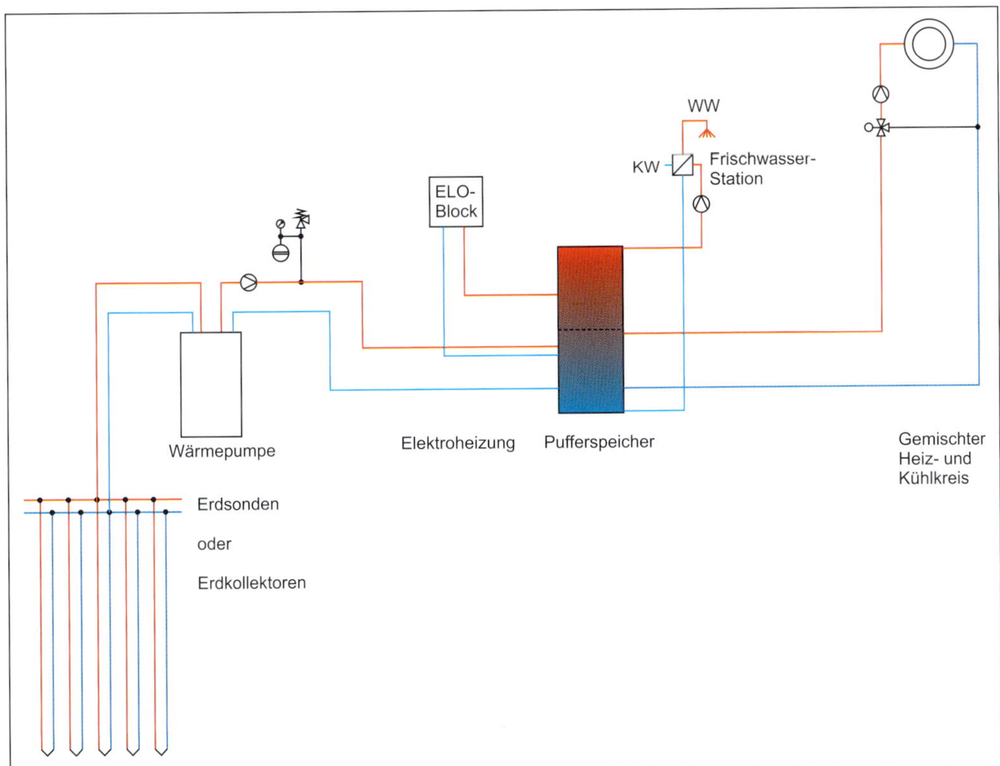

Bild 2.1.14.1: Sole-Wasser-Wärmepumpenanlage mit einem Kombi-Pufferspeicher und einem elo-Block
Quelle: J. Bonin

Nach Einsicht in den originalen Schemaplan des Herstellers (den ich hier nachzeichnete) erkannte ich, dass hier zur Warmwasserbereitung mehr mit dem elo-Block als mit der Wärmepumpe geheizt wurde. Jetzt hatte ich die Ursache gefunden. Zu Beginn der Heizperiode, Ende September, vereinbarten wir einen weiteren Ortstermin. Dort durchgeführte Messungen ergaben, dass die Temperatur in der unteren Hälfte des Pufferspeichers 50 °C betrug und in der oberen Hälfte des Pufferspeichers 53 °C. An diesem Tag hatten wir noch behagliche Außentemperaturen, sodass ein Heizbetrieb eigentlich nicht erforderlich war. Der Pufferspeicher wurde außerdem nicht von der Wärmepumpe aufgeheizt, sondern von einem elo-Block. Was hier genau passierte, ist an dem von mir erstellten Schemaplan deutlich zu erkennen. Beim Warmwasserverbrauch über die Frischwasserstation kühlt der obere Bereich des Kombi-Pufferspeichers aus, bis sich der elo-Block einschaltet.

Bild 2.1.14.2: elo-Block heizt mit 2 kW
Quelle: J. Bonin

Offensichtlich ist angedacht, dass die Wärmepumpe nur die untere Hälfte des Pufferspeichers zum Heizbetrieb erwärmen soll. Der obere Bereich des Pufferspeichers sollte wohl durch Wärmeleitung von der Wärmepumpe vorerwärmt werden. Das von der Frischwasserstation kommende kalte Wasser strömt unten in den Kombispeicher ein und drückt wärmeres Wasser über das Trennblech nach oben in den Kombispeicher. Weil diese Heiztemperaturen nicht für die Warmwasserbereitung ausreichen, soll der elo-Block die obere Hälfte des Pufferspeichers erwärmen. Dazu speist er warmes Wasser mittig in die obere Hälfte des Pufferspeichers ein, wobei der Rücklauf aus der oberen Hälfte des Pufferspeichers entnommen wird. Das verursacht eine Durchmischung im Pufferspeicher, was nicht sein darf. Weitere Temperaturmessungen bestätigten dies. Dies war ein Fehler des Herstellers, der den falschen Schemaplan herausgab. Die Regelung des elo-Blocks sorgt für eine konstant hohe Temperatur in der oberen Hälfte des Pufferspeichers. Aufgrund der Durchmischung wird die untere Hälfte des Pufferspeichers erheblich miterwärmt. Der Regler der Wärmepumpe erkennt, dass die Temperatur über dem Sollwert ist. Das hat zur Folge, dass die Wärmepumpe sich nicht einschaltet.

Für die Warmwasserbereitung sind hier zwei elo-Blöcke (auch Frischwassererwärmer genannt) installiert, die zur Sicherstellung des Legionellenschutzes das Warmwasser auf mindestens 65 °C erwärmen. Wird nun Warmwasser gezapft, entziehen die Umwälzpumpen der Frischwasserstationen warmes Wasser aus dem Pufferspeicher und erwärmen das Trinkwasser. Dabei vollziehen sich zwei Vorgänge parallel:

1. Das aus der Frischwasserstation rücklaufende warme Wasser strömt im unteren Bereich in den Pufferspeicher ein. Dadurch erfährt das Wasser im Pufferspeicher eine Durchmischung. Das wiederum hat zur Folge, dass bei gemessenen Speicher-Temperaturen > 50 °C die Wärmepumpe nahezu überhaupt nicht anspringt. Das Warmwasser wird so fast ausschließlich elektrisch erwärmt. Weil es sich hier um ein Mehrfamilienhaus mit 8 Wohneinheiten handelt, läuft die Zirkulationspumpe bis auf wenige Nachtstunden dauerhaft, erhebliche Zirkulationsverluste sind die Folge. Diese haben zur Folge, dass in regelmäßigen Zeitabständen Warmwasser aus dem Pufferspeicher entzogen wird, was eine dauerhafte Durchmischung im Pufferspeicher verursacht.
2. Die Temperatur in der oberen Hälfte des Pufferspeichers verringert sich. Bei Unterschreitung des Sollwertes für Warmwasser schalten sich die beiden elo-Blöcke ein. Diese entziehen aus der unteren Hälfte des Pufferspeichers Wasser, um es elektrisch zu erwärmen. Gleichzeitig strömt aus dem oberen Bereich des Pufferspeichers Wasser in die untere Hälfte, was ebenfalls zur Durchmischung führt.

Hauptursächlich ist die Durchmischung durch den Rücklauf aus der Frischwasserstation.

Nun hatte ich auch eine Erklärung für die hohen Soletemperaturen: Die Tatsache, dass die Wärmepumpe zu selten zum Einsatz kam, erklärt die gemessenen hohen Soletemperaturen am Ende der Heizperiode. Weil sich die Wärmepumpe zu selten einschaltete, wurde das Erdreich um die Erdsonden nur wenig abgekühlt. Damit war die Erklärung für die relativ komfortablen Soletemperaturen von 5 °C gegeben.

Hinzu kommt, dass die Wärmepumpe auch für den Heizbetrieb mit hohen Vorlauftemperaturen arbeitete. Erst an den Mischern wurde die hohe Vorlauftemperatur für die Heizkreise wieder gemindert. Das wiederum verschlechterte erheblich den Wirkungsgrad der Wärmepumpe, weil diese trotz der niedrigen Vorlauftemperaturen das Heizungswasser mit hohen Vorlauftemperaturen aufheizte.

Um dieses Problem zu beheben, gab ich vor, die Heizungsseite von der Warmwasserseite vollständig hydraulisch zu trennen. Dazu empfahl ich die Installation eines weiteren Pufferspeichers, sodass die Wärmepumpe optimal für die Gebäudebeheizung arbeiten und für die Warmwasserbereitung den zweiten Pufferspeicher auf eine höhere Temperatur erwärmen kann. Aus dem Pufferspeicher können die elo-Blöcke das vorerwärmte Wasser entnehmen und auf die zum Legionellenschutz geforderte Temperatur zusätzlich erwärmen. Das so erwärmte Wasser fließt dann zur Frischwasserstation. Der Rücklauf erfolgt dann in den unteren Bereich des Pufferspeichers für die Warmwasserbereitung.

Eine effektivere Variante wäre mit einer Hochtemperaturwärmepumpe möglich, die ohne die elo-Blöcke die höheren Temperaturen erreicht. Allerdings sollte es unbedingt bei der hydraulischen Trennung bleiben.

Eine zweite Variante wären elektronisch geregelte Durchlauferhitzer pro Wohneinheit. Beide Varianten hätten zum Zeitpunkt der Vorplanung berücksichtigt werden müssen.

Bei dem Ortstermin im September verringerte der Heizungsbauer die Sollwerte in den elo-Blöcken. Und etwa ein gutes halbes Jahr nach der oben genannten Feststellung meldeten sich die Mieter mit der Feststellung, dass nun die Heizkosten merklich gesunken sind. Sie führten dies auf die Nachjustierung durch den Heizungsbauer zurück. Das war jedoch nicht zutreffend. Ich zeigte ihnen anhand der Wetterdatensätze, dass es im vorherigen Winter deutlich kälter war als in dem nachfolgenden. Die geringeren Heizkosten sind also den verringerten Sollwerten an den elo-Blöcken, aber insbesondere auch den deutlich höheren Außentemperaturen während der zweiten Heizperiode geschuldet – dank der globalen Klimaerwärmung. Etwas später erfuhr ich dann, dass der Heizungsbauer die Sole-Wasser-Wärmepumpenanlage gemäß meinen Empfehlungen änderte.

Fehler bei der Warmwasserbereitung 2.2

In den letzten Jahren gab es vermehrt Probleme bei der Warmwasserbereitung. Da stellte ich mir die Frage: Gab es denn früher weniger Probleme mit der Warmwasserbereitung? Lag das daran, dass weniger Wärmepumpenanlagen installiert wurden? Ich denke nicht.

Früher galt der Klassiker: Wärmepumpe, Pufferspeicher und Warmwasserspeicher. Da gab es in der Tat weniger Probleme. Dann kam der Trend auf, immer häufiger auf einen Pufferspeicher zu verzichten. Doch führt dieser Verzicht auch nicht zur optimalen Lösung. Eine neuere Kombination ist die, anstatt eines Warmwasser- und Pufferspeichers einen Kombispeicher zu installieren. Damit häuften sich die Probleme unterschiedlicher Art, wie Sie nachfolgend lesen können.

Vernachlässigung der Warmwasserbereitung 2.2.1

In der Vergangenheit wurde die Heizleistung für die Warmwasserbereitung, wenn überhaupt, nur wenig oder oftmals gar nicht berücksichtigt. Durch die Weiterentwicklung des Wärmeschutzes und der damit verbundenen zunehmenden Dämmung verringerte sich die Gebäudeheizlast immer mehr. Der Warmwasserbedarf reduzierte sich jedoch nicht. Dieser kann sich ggf. noch erhöhen, wenn z. B. mehr Warmwasser für Schwallduschen oder Warmwasser für Spül- und Waschmaschine genutzt wird. Damit steigt der prozentuale Anteil der Heizleistung für die Warmwasserbereitung.

Hier verhält es sich genau so wie bei den EVU-Sperrzeiten. Das zeigen nachfolgende Diagramme zwei gleich großer Gebäude mit unterschiedlichen Dämmungen. Die Dämmung des ersten Gebäudes entspricht einem weniger gut gedämmten Hauses mit geringerem Wärmeschutz und die des zweiten Gebäudes eines gut gedämmten Hauses. In die Gesamtheizlast ist auch die Warmwasserbereitung mit berücksichtigt. Die Wärmemenge für die Gebäudebeheizung stellen die orange Flächen dar und die der Warmwasserbereitung die blauen Flächen.

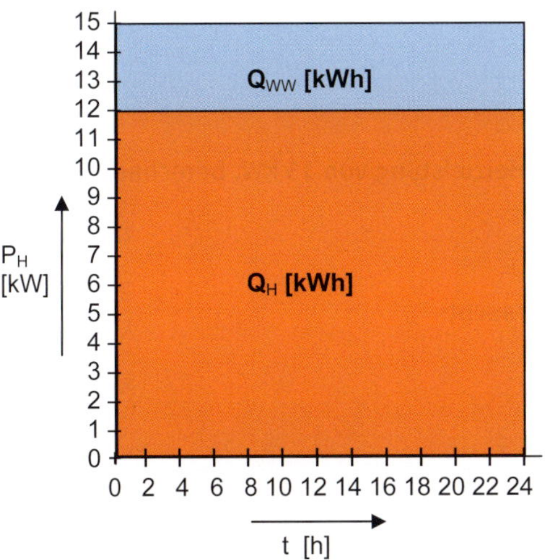

Bild 2.2.1.1: Heizarbeit mit Warmwasserbereitung im Gebäudebestand
Quelle: J. Bonin, Umwelt & Technik

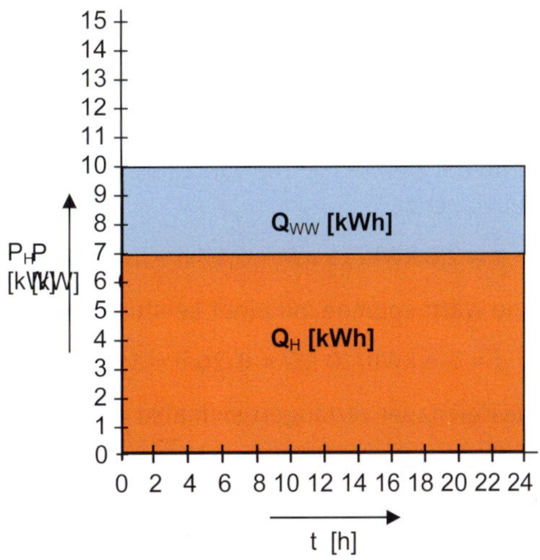

Bild 2.2.1.2: Heizarbeit mit WW-Bereitung bei Neubauten
Quelle: J. Bonin, Umwelt & Technik

Die beiden Bilder zeigen sehr deutlich, dass der Anteil der Heizlast für die Gebäudebeheizung deutlich reduziert ist. Bei dem weniger gut gedämmten Gebäude beträgt die Gebäudeheizlast 12 kW, während sie bei dem Beispiel für das besser gedämmte Gebäude um mehr als 40 % reduziert ist. Die Heizlast für die Warmwasserbereitung ist jedoch geblieben, weil sich der Warmwasserbedarf nicht reduziert. Er kann sogar je nach Gebäudeausstattung und Nutzung sogar steigen! Bei der Auslegung einer herkömmlichen Heizungsanlage mit einem Öl- oder Gaskessel waren und sind die Leistungssprünge relativ hoch. Da ist in der Regel der nächstgrößere Heizkessel für die Gebäudebeheizung und Warmwasserbereitung völlig ausreichend. Die Leistungsstufen für Wärmepumpen dagegen sind relativ klein gestaffelt. Da ist die Leistung für die Warmwasserbereitung unbedingt mit zu berücksichtigen! Dazu kommt, dass die Wärmepumpen aufgrund der zunehmenden Dämmung immer kleiner werden und somit für die Warmwasserbereitung eine längere Laufzeit haben. Dazu gilt die Gleichung:

$$Q = m \cdot c \cdot \Delta T = P \cdot t$$

mit

Q = Wärmemenge [kWh]

m = zu beheizende Masse [kg]

c = spezifische Wärmekapazität, für Wasser: 1,163 Wh/(kg·K)

ΔT = Temperaturdifferenz, um die Masse zu erwärmen [K]

P = Heizleistung [kW]

t = Heizdauer [h]

Stellt man obige Gleichung um, gilt für die Heizdauer:

$$t = Q/P$$

Verringert sich bei gleich bleibender Wärmemenge (Warmwasser) die Heizleistung der Wärmepumpe, verlängert sich die Heizdauer zur Erwärmung des Warmwassers. Diese Zeit fehlt dann zu Gebäudebeheizung, äquivalent wie zur EVU-Sperre.

Wie lange ist denn die Heizdauer zur Erwärmung für 50 Liter Wasser von 10 °C auf 55 °C?

Die Wärmemenge berechnet sich zu:

$$Q = m \cdot c \cdot \Delta T$$

mit

Q = Wärmemenge [kWh] od. [Wh]

m = Massestrom [kg/h]

c = spezifische Wärmekapazität – von Wasser = 1,163 Wh/(kg·K)

ΔT = Temperaturdifferenz [K]

$$\Delta T = 55\ °C - 10\ °C = 45\ °C = 45\ K$$

$$\Rightarrow Q = 50\ kg \cdot 1{,}163\ Wh/(kg{\cdot}K) \cdot 45\ K = 2\,616{,}75\ Wh = 2{,}6\ kWh$$

Hätte der Heizkessel für das ältere Gebäude eine Heizleistung von 15 kW, berechnet sich die Heizdauer zu:

$$t = 2{,}6\ kWh/15\ kW = 0{,}17\ h = 10{,}\ 4\ Min.$$

Eine Wärmepumpe mit einer Leistung von 10 kW braucht:

$$t = 2{,}6\ kWh/10\ kW = 0{,}26\ h = 15{,}6\ Min.$$

Die Heizdauer verlängert sich also um etwa 50 %!

Hinweis:

Um die Heizleistung für die Warmwasserbereitung zu berücksichtigen, empfiehlt es sich, diese mit etwa 200–300 W/Pers. zu berücksichtigen.

Weiterhin ist es nicht abwegig, das mit der Wärmepumpe erwärmte Warmwasser für die Waschmaschine sowie Spülmaschine zu nutzen, denn die direkte Warmwasserbereitung in der Wasch- bzw. Spülmaschine ist teurer als über die Wärmepumpe. Das erhöht jedoch dann auch den Warmwasserbedarf. Die direkte Einspeisung des Warmwassers in die Spül- und ggf. Waschmaschine ist sinnvoll. Der COP für die Wärmepumpe liegt stets höher als der COP einer Elektroheizung in eine Spül- oder Waschmaschine.

Hinweis:
Waschmaschinen sollten dann einen Kaltwasser- und einen Warmwasseranschluss haben, um die für das Waschprogramm erforderlichen Temperaturen einregeln zu können.

Vor wenigen Tagen hatte ich ein Gespräch mit einer Kundin, die eine Wasser-Wasser-Wärmepumpe mit einer Heizleistung von 22 kW betreibt. Sie berichtete, dass ihr Nachbar, ein Bauunternehmer, ihr sagte, dass eine Wärmepumpe mit einer Leistung von 5 kW völlig ausreichend wäre. Das ist natürlich grober Unsinn, insbesondere weil es sich hier um einen Baubestand handelt!

Aber betrachten wir dies einmal umgekehrt, d. h. wenn eine Wärmepumpe mit einer Heizleistung von 5 kW genommen wird. Bei einer hiesigen EVU-Sperrzeit von 4 h am Tag steht bei einer solchen Wärmepumpe nur noch eine effektive Heizleistung von:

$$P_{\mathrm{eff}} = P_{\mathrm{WP}} \cdot 20\ \mathrm{h}/24\ \mathrm{h}$$

mit

P_{eff} = effektive Heizleistung

P_{WP} = Heizleistung der Wärmepumpe

$$\Rightarrow\ P_{\mathrm{eff}} = 5\ \mathrm{kW} \cdot 20\ \mathrm{h}/24\ \mathrm{h} = 4{,}16\ \mathrm{kW}$$

Für eine Kleinfamilie mit 3 Personen ist für die Warmwasserbereitung knapp gerechnet folgende Leistung anzusetzen:

$$P_{\mathrm{WW}} = 200\ \mathrm{W/Pers.} \cdot 3\ \mathrm{Pers.} = 600\ \mathrm{W} = 0{,}6\ \mathrm{kW}$$

mit

P_{WW} = Leistungsbedarf für die Warmwasserbereitung

Nach Abzug der Leistung P_{WW} für die Warmwasserbereitung bleibt noch eine effektive Heizleistung von:

$$P_{\mathrm{Heff}} = P_{\mathrm{eff}} - P_{\mathrm{WW}}$$

mit

P_{Heff} = effektive Heizleistung

Diese berechnet sich dann zu:

$$P_{\mathrm{Heff}} = 4{,}16\ \mathrm{kW} - 0{,}6\ \mathrm{kW} = 3{,}56\ \mathrm{kW}$$

Nun gilt es, die flächenspezifische Heizleistung zu ermitteln:

$$p_{\mathrm{FL}} = P_{\mathrm{Heff}}/F_{\mathrm{Wfl}}$$

mit

p_{FL} = flächenspezifischen Heizleistung

F_{Wfl} = zu beheizende Wohnfläche (innerhalb der isolierten Gebäudehülle)

Bei einer recht knapp angesetzten Wohnfläche von z. B. 140 m^2 ergibt sich eine flächenspezifischen Heizleistung von:

$$p_{\mathrm{FL}} = 3\,560\ \mathrm{W}/140\ \mathrm{m}^3 = 25{,}4\ \mathrm{W/m}^2.$$

Das ist erheblich weniger, als das derzeit gültige Gebäudeenergiegesetz (GEG) vorgibt und setzt eine entsprechend deutlich stärkere Dämmung als üblich voraus.

Dies ist leider nicht selten und damit Realität. Hier werden gleich zwei Fehler gemacht:

1. Die EVU-Sperrzeiten werden nicht berücksichtigt und
2. Die Warmwasserleistung wird nicht beachtet.

Wenn es hier zu Streitigkeiten kommen würde, hätte der Bauträger ein großes Problem. Darauf sollte er sich besser nicht einlassen.

Oftmals werden von Bauträgern auch gerne Luft-Wasser-Wärmepumpen eingesetzt, deren Leistung im Winter dann besonders knapp werden kann. Und schaltet eine Elektroheizstab zur Unterstützung der Wärmepumpe entsprechend häufig ein, ist der Spareffekt schnell dahin.

Ein weiterer Aspekt ist die Verrohrung. Oftmals werden zu kleine Rohrdurchmesser gewählt. Bei zu kleinen Rohrdurchmessern sind die Temperaturschwankungen aufgrund höherer Druckverluste bei Warmwasserentnahme an anderen Stellen größer. Das beeinflusst insbesondere den Warmwasserkomfort beim Duschen. Bei größeren Rohrdurchmessern verringern sich die die Druckverluste und damit auch die Temperaturschwankungen. Mit zunehmendem Durchmesser erhöht sich deutlich der Gesamtdurchmesser einschließlich Dämmung.

2.2.2 Wärmepumpe geht bei Warmwasserbereitung in Hochdruckstörung

Auch hier gibt es verschiedene Möglichkeiten. Wie im vorausgehenden Kapitel beschrieben, kann es sein, dass der Warmwasserspeicher bzw. dessen Wärmetauscher zu klein ist. Eine weitere Möglichkeit besteht darin, dass der Fühler für die Warmwasserbereitung falsch platziert ist, was ebenfalls im vorausgegangenen Kapitel betrachtet wird.

Nun kann es auch sein, dass die Speicherladepumpe zu klein ist oder dass der Druckverlust in den Leitungen zu groß ist. Das wirkt sich in der Regel eher bei der Warmwasserbereitung aus als im Heizbetrieb, weil bei der Warmwasserbereitung die Vorlauftemperaturen in der Regel höher sind als im Heizbetrieb. Folglich stößt die Wärmepumpe hier auch eher an ihre Grenzen. Dies lässt sich wieder relativ einfach durch Messung der Vor- und Rücklauftemperatur feststellen. Diese Differenz sollte gem. DIN EN 14511-2 nicht kleiner als 5 °C sein. Eine leichte Überschreitung führt in der Regel jedoch noch nicht zu massiven Störungen.

Manche Heizungsbauer stellen dann die Warmwassertemperatur gerne etwas niedriger ein, um so das Problem zu umgehen. Das ist jedoch nicht die richtige Vorgehensweise, weil der Wirkungsgrad der Wärmepumpe so nicht optimal ist. Das geht dann zulasten der Stromkosten.

2.2.3 Probleme mit unzureichender Warmwasserbereitung

Ein zunächst scheinbar einfacher Fall gestaltete sich doch etwas komplizierter. Ein Betreiber rief mich, weil er einen zu geringen Warmwasserkomfort für die 4 Bewohner beklagte. Er schilderte, dass das warme Wasser gerade Mal für maximal zwei Duschbäder reiche. Nur wenn die Sonne scheint, ist ausreichend Warmwasser vorhanden. Der Sollwert ließ sich auf max. ca. 50 °C einstellen und im Winter hatte der Kunde eine Soleaustrittstemperatur aus der Wärmepumpe von –9 °C gemessen. Es handelte sich um eine Sole-Wasser-Wärmepumpe mit einer Heizleistung von ca. 5,7 kW bei B0W35. Als Energiequelle dienten drei Energiekörbe mit einem oberen Durchmesser von ca. 2 m und einem unteren von ca. 1 m und einer Einbautiefe von etwa 1,2 m. Die Energiekörbe werden lt. Hersteller in Reihe angeschlossen. Für die Warmwasserbereitung war ein Solarspeicher für Wärmepumpen mit einem Gesamtvolumen von 500 l sowie eine Solaranlage installiert. Weiterhin gab der Kunde für eine Betriebszeit von 5 Jahren eine Gesamtlaufzeit von 9 400 h an, wobei etwas mehr als die Hälfte der Laufzeit für die Warmwasserbereitung erfasst wurde. Weiterhin beanstandete der Betreiber zu hohe Energiekosten von etwa 120 €/Monat. Für meine Überprüfungen sandte er mir technische Unterlagen zu. Die Aufgabenstellung war herauszufinden, warum bei ausbleibender Solareinstrahlung die Warmwasserbereitung so unbefriedigend war, ob die Gesamtanlage richtig dimensioniert ist und ob sie effektiv arbeitet. Abschließend sollten Lösungsmöglichkeiten erarbeitet werden. Zur weiteren Überprüfung fragte ich Planungsunterlagen, wie Heizlastberechnung, Auslegungs-/Planungsunterlagen zu den Energiekörben sowie zur Wärmepumpenanlage an. Diese konnten mir nicht ausgehändigt werden, weil sie nicht vorlagen. Dabei stellte sich dann noch heraus, dass für die Wärmequelle keine rechtliche Erlaubnis bei der Unteren Wasserbehörde beantragt wurde.

Nun galt es zunächst zu prüfen, wo denn das Problem bei der Warmwasserbereitung liegen könnte. Eine Laufzeit von 9 400 h auf 5 Jahre ergibt eine Jahreslaufzeit von gut 1 900 h/a. Das ist deutlich zu viel. Nun betrachtete ich mir den bivalenten Warmwasserspeicher für Wärmepumpen und rechnete:

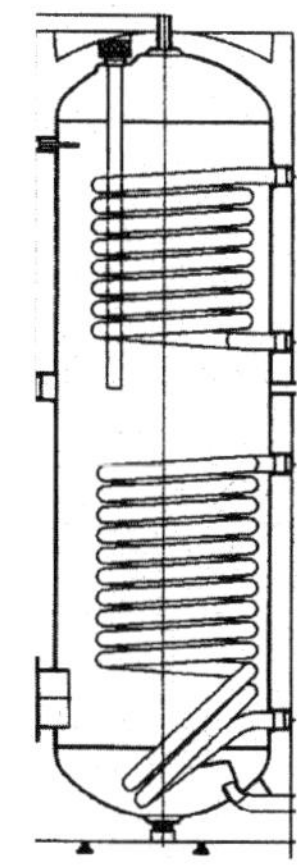

Bild 2.2.3.1:
Beispiel bivalenter Warmwasserspeicher
Quelle: Austria Email AG

Nebenstehende Abbildung zeigt ein Beispiel eines bivalenten Speichers zur Verdeutlichung. Bei der Betrachtung des Warmwasserspeichers fällt zunächst auf, dass die Wärmepumpe nur knapp die obere Hälfte, d. h. etwa 4/5 der oberen Hälfte, des Speichers erwärmen kann. Aus den beim Nutzer vorliegenden Unterlagen war die Positionierung des Fühlers nicht zu entnehmen, denn nur bis dahin kann die Wärmepumpe das Warmwasser bis zum Sollwert (am Fühler) erwärmen. Ich vermutete die Positionierung etwa mittig in der oberen Hälfte des Speichers. Dann kann man davon ausgehen, dass nur etwa ¾ des oberen Speichervolumens erwärmt werden. Daraus berechnet sich dann ein von der Wärmepumpe zur Verfügung stehendes Volumen von Warmwasser V_{WWWP} zu:

$$V_{\mathrm{WWWP}} = 1/2 \cdot 4/5 \cdot 3/4 \cdot 500\ \mathrm{l} = 150\ \mathrm{l}$$

Für die Warmwasserbereitung ist ein Sollwert von 50 °C eingegeben. Die Kaltwassertemperatur beträgt in der Regel etwa 10 °C. Die mittlere Warmwassertemperatur zum Duschen wird mit 40 °C zugrunde gelegt.

Für die Wärmemenge gilt:

$$Q = m \cdot c \cdot \Delta T$$

mit

Q = Wärmemenge [kWh]

m = Masse [kg]

c = spez. Wärmekapazität Wasser = 1,163 Wh/(kg·K)

ΔT = Temperaturdifferenz [K]

Weiterhin gilt:

$$Q_{\mathrm{WP}} = Q_{\mathrm{WW}} = m_{\mathrm{WP}} \cdot c \cdot \Delta T_{\mathrm{WP}} = m_{\mathrm{WW}} \cdot c \cdot \Delta T_{\mathrm{WW}}$$

mit

m_{WW} = Menge des zur Bereitschaftsvolumens Warmwasser

m_{WP} = Menge des Wassers, welches die Wärmepumpe erwärmt

ΔT_{WP} = Temperaturdifferenz, die die Wärmepumpe überbrücken muss (50 °C – 10 °C)

ΔT_{WW} = Temperaturdifferenz des Duschwassers (40 °C – 10 °C)

$$\Rightarrow\ m_{\mathrm{WW}} = m_{\mathrm{WP}} \cdot c \cdot \Delta T_{\mathrm{WP}} / (c \cdot \Delta T_{\mathrm{WW}}) = m_{\mathrm{WP}} \cdot \Delta T_{\mathrm{WP}} / \Delta T_{\mathrm{WW}}$$
$$= 150\ \mathrm{l} \cdot 40\ \mathrm{K} / 30\ \mathrm{K}$$
$$= 200\ \mathrm{l}$$

Das entspricht in etwa der mit 40 °C zur Verfügung stehenden Warmwassermenge.

Würde die Sollwerttemperatur Warmwasser um 5 °C erhöht, steht entsprechend mehr Warmwasser zum Duschen zur Verfügung:

$$\Rightarrow\ m_{\mathrm{WW}} = m_{\mathrm{WP}} \cdot c \cdot \Delta T_{\mathrm{WP}} / (c \cdot \Delta T_{\mathrm{WW}}) = m_{\mathrm{WP}} \cdot \Delta T_{\mathrm{WP}} / \Delta T_{\mathrm{WW}}$$
$$= 150\ \mathrm{l} \cdot 45\ \mathrm{K} / 30\ \mathrm{K}$$
$$= 225\ \mathrm{l}$$

Wird beim Duschen eine Zapfleistung von 1 m^3/h angenommen, ist nach etwa 15 Min. der Warmwasservorrat erschöpft. Dadurch, dass vielleicht nach 5 Min. die Wärmepumpe zum Nachladen einschaltet, erhöht sich der Warmwasservorrat etwas. Die Wärmepumpe hat dann eine Laufzeit von etwa 10 Min. = 0,167 h. Es gilt:

$$Q = P \cdot t = 5\ \mathrm{kW} \cdot 0{,}167\ \mathrm{h} = 0{,}8\ \mathrm{kWh}$$

Dann gilt:

$$m = Q / (c \cdot \Delta T) = 800\ \mathrm{Wh} / (1{,}163\ \mathrm{Wh/(kg{\cdot}K)} \cdot 30\ \mathrm{K} = 23\ \mathrm{kg} = 23\ \mathrm{l}$$

Das ist nicht viel und für einen 4-Personenhaushalt zu wenig.

Das Warmwasserbereitschaftsvolumen in dem Solarspeicher ist, insbesondere für die Wärmepumpe mit der kleinen Leistung eindeutig zu klein. Nur bei ausreichender Solareinstrahlung stand ausreichend Warmwasser zur Verfügung. Richtig wäre also ein Speicher mit einem entsprechend großen Warmwasserbereitschaftsvolumen, insbesondere für die kleine Wärmepumpe.

Bei einer nachfolgenden Ortsbesichtigung ergab sich dann ein neues Bild: Ursprünglich war es geplant und zunächst auch so ausgeführt, dass die Warmwasserbereitung mit einer Boilerwärmepumpe erfolgen sollte. Als Wärmequelle diente die Fortluft aus der Lüftungsanlage mit einem Wärmerückgewinnungsgerät. Dieser erste Boiler hatte ebenfalls nur ein kleines Speichervolumen von etwa 200 l. Wie die obige Betrachtung zeigt, war schon damals das Speichervolumen zu klein. Nach drei Jahren wurde dann die Anlage umgerüstet. Ein großer bivalenter Warmwasserspeicher für Wärmepumpen und eine Solaranlage sollten Abhilfe schaffen. Die Wärmequelle, d. h. die drei Energiekörbe, blieb unverändert. Damit stellte sich heraus, dass die zuvor genannte Laufzeit für die Warmwasserbereitung sich auf einen Zeitraum von 2 statt 5 Jahren bezog. Auffallend ist die daraus resultierende lange Laufzeit der Wärmepumpe für die Warmwasserbereitung mit 4 600 h über zwei Jahre, d. h. etwa 2 300 h/a. Das zeigt, dass die Sole-Wasser-Wärmepumpe für die Gebäudebeheizung **und** Warmwasserbereitung deutlich zu klein ist. – Betrachtet man die zunächst oben ermittelte Laufzeit von 1 900 h/a, kann daraus abgeleitet werden, dass die Sole-Wasser-Wärmepumpe für die Gebäudebeheizung allein völlig ausreichend ist. Es handelt sich um ein sehr gut gedämmtes Haus.

Diese Informationen lassen bei gleichbleibendem Warmwasserbedarf über das Jahr folgenden Rückschluss zu: Die Wärmepumpe läuft pro Tag etwa 2 300 h/a / 365 d/a = 6,3 h/d. Das ist nicht ungewöhnlich.

Betrachtet man nun zur Laufzeit der Wärmepumpe für die Warmwasserbereitung die gemessenen Soleaustrittstemperaturen, liegt die Antwort recht nahe. Die Wärmequelle ist für die Gebäudebeheizung und Warmwasserbereitung eindeutig zu klein. Das erklärt auch die sehr niedrigen Soleaustrittstemperaturen von –9 °C.

Nun galt es noch herauszufinden, ob die Wärmepumpenanlage ansonsten richtig dimensioniert ist. Mangelhaft ist hier, dass dem Inhaber nicht die Auslegungsdaten ausgehändigt wurden bzw. dass es gar keine Auslegung der Wärmepumpenanlage gibt. Sie wurde einfach nach „Gefühl und Gutdünken" ausgelegt. – Das ist allerdings nichts Ungewöhnliches und sehr häufig der Fall. Hier kann ich allen Bauherren nur empfehlen, die Auslegungsunterlagen einzufordern. Insbesondere die rechtliche Erlaubnis der Unteren Wasserbehörde muss dem Inhaber ausgehändigt werden. Diese ist für den Eigentümer! Das wurde hier ebenfalls versäumt. – Hier in diesem Fall liegen weiterhin noch zwei Fehler hinsichtlich der Planung und Ausführung vor:

1. Die Wärmequelle, d. h. die drei Energiekörbe, wurde nicht den neuen Anforderungen angepasst. Die Soleaustrittstemperatur ist mit –9 °C, statt nominal –3 °C eindeutig zu klein.
2. Die Energiekörbe sind in Reihe angeschlossen, was den Regeln der Technik widerspricht. Richtig angeschlossen wären sie nach Tichelmann.

Die vom Betreiber genannten Energiekosten für den „Wärmepumpenzähler" von 120 €/Monat sind bei erster Betrachtung erschreckend hoch, insbesondere weil es sich hier um ein sehr gut gedämmtes Haus handelt. Das sind 1 440 €/a. Nur zum Vergleich: Ich bezahle für meine Wärmepumpe (Wasser-Wasser) mit etwa 12,5 kW etwas mehr als die Hälfte, einschließlich freier Kühlung im Sommer.

Bei der Ortsbesichtigung regte der Handwerker an, mal zu überprüfen, welche Verbraucher über den „Wärmepumpenzähler" erfasst werden. Dabei stellte sich heraus, dass folgende Verbraucher über den Wärmepumpenzähler angeschlossen waren: Die Lüftungsanlage mit zwei Lüftermotoren mit je max. 83 W sowie sämtliche Heizungsumwälzpumpen und Stellglieder. Das ist natürlich falsch!

Aus den technischen Unterlagen zum Wärmerückgewinnungsgerät (Lüftungsanlage) ist zu entnehmen, dass die Lüftermotoren bei der 2. Stufe einen Energieverbrauch von 70 % haben, das sind dann je Lüftermotor noch etwa 58 W. Damit errechnet sich der jährliche Stromverbrauch in etwa zu:

$$Q = 2 \cdot P_{\mathrm{LM}} \cdot 24\ \mathrm{h/d} \cdot 365\ \mathrm{d/a} = 2 \cdot 58\ \mathrm{W} \cdot 24\ \mathrm{h/d} \cdot 365\ \mathrm{d/a} = 1\,016\,160\ \mathrm{W/a} = 1\,016\ \mathrm{kW\ h/a}$$

Dazu kommen dann noch die zusätzlichen Verbraucher wie Heizungsumwälzpumpen und Stellglieder.

Um die Probleme möglichst wirtschaftlich zu lösen, empfahl ich folgende Schritte:

1. Für die Warmwasserbereitung ist für ein größeres Warmwasservorratsvolumen zu sorgen. Dazu könnte der vorhandene Warmwasserspeicher weiter genutzt werden. Es sollten dann jedoch beider Wärmeregister an die Wärmepumpe angeschlossen werden.

   Weil die Wärmequelle (Energiekörbe) für die Gebäudebeheizung und Warmwasserbereitung zu klein ist, empfiehlt es sich, für die Warmwasserbereitung eine externe Luft-Wasser-Wärmepumpe einzusetzen. Dabei kann entweder die Außenluft oder auch die Fortluft aus der Lüftungsanlage als Wärmequelle genutzt werden.

   Um die vorhandene Solaranlage zusätzlich zu nutzen, kann diese dann nach dem Low-Flow-Prinzip angeschlossen werden.
2. Für die Wärmequelle, hier die Energiekörbe, ist eine rechtliche Erlaubnis bei der Unteren Wasserbehörde zu beantragen.
3. Die Elektroanschlüsse sind derart zu ändern, dass über den „Wärmepumpenzähler“ allein nur die Wärmepumpe erfasst wird.

Dieses Beispiel zeigt sehr deutlich, dass mit zunehmender Gebäudedämmung die Projektierung der Warmwasserbereitung umso sorgfältiger zu planen ist. Eine Planung nach „Gefühl und Erfahrung“ ist fehl am Platz. Ich gehe davon aus, dass die Warmwasserbereitung, insbesondere von Kompaktwärmepumpenanlagen mit kleinen Leistungen und integrierten Speichern zunehmend mehr zu Problemen führen dürfte.

Warmwasserbereitung funktioniert nicht 2.2.4

Dazu erinnere ich mich an eine Inbetriebnahme, bei der wir feststellten, dass, sobald die Wärmepumpe auf Warmwasserbereitung umschaltete, diese wegen Hochdruckstörung abschaltete. Installiert war eine kleine Sole-Wasser-Wärmepumpenanlage mit einem bivalenten Warmwasser- und Pufferspeicher. Die Speicherladung erfolgte über eine Speicherladepumpe und ein 3-Wege-Umschaltventil gem. nachfolgendem Hydraulikplan:

Weil die Wärmepumpe für den Heizbetrieb problemlos lief, ließ sich ein Fehler an der Wärmepumpe sowie an der Ladepumpe ausschließen. Sobald der Regler auf Warmwasserbetrieb umschaltete, konnte man hören, dass die Wärmepumpe lauter wurde, was eindeutig darauf hinwies, dass der Druck in der Wärmepumpe anstieg. Das konnte man auch am Servicebesteck deutlich sehen. Also schaltete offensichtlich auch das Umschaltventil um. Doch es fehlte eine ausreichende Heizungswasserumwälzung. Das bestätigten auch der schnelle Temperaturanstieg und die starke Spreizung am heizungsseitigen Wärmepumpenausgang. Ich sagte dem Heizungsbauer, dass irgendetwas den Durchfluss hinderte. Ich bat den Heizungsbauer, nach und nach die Leitungen zu öffnen, um zu prüfen, ob und wo gegebenenfalls etwas in der Leitung war, was den Durchfluss hinderte. Dann stellte sich letztendlich heraus, dass der untere Wärmetauscher des Warmwasserspeichers mit feinem schwarzem Sand zusaß. Das war die Ursache. Vermutlich wurden bei der Herstellung die Rohrwärmetauscher vor dem Biegen mit Sand gefüllt, um die runde Form zu erhalten, und nach dem Biegen nicht ausreichend gereinigt.

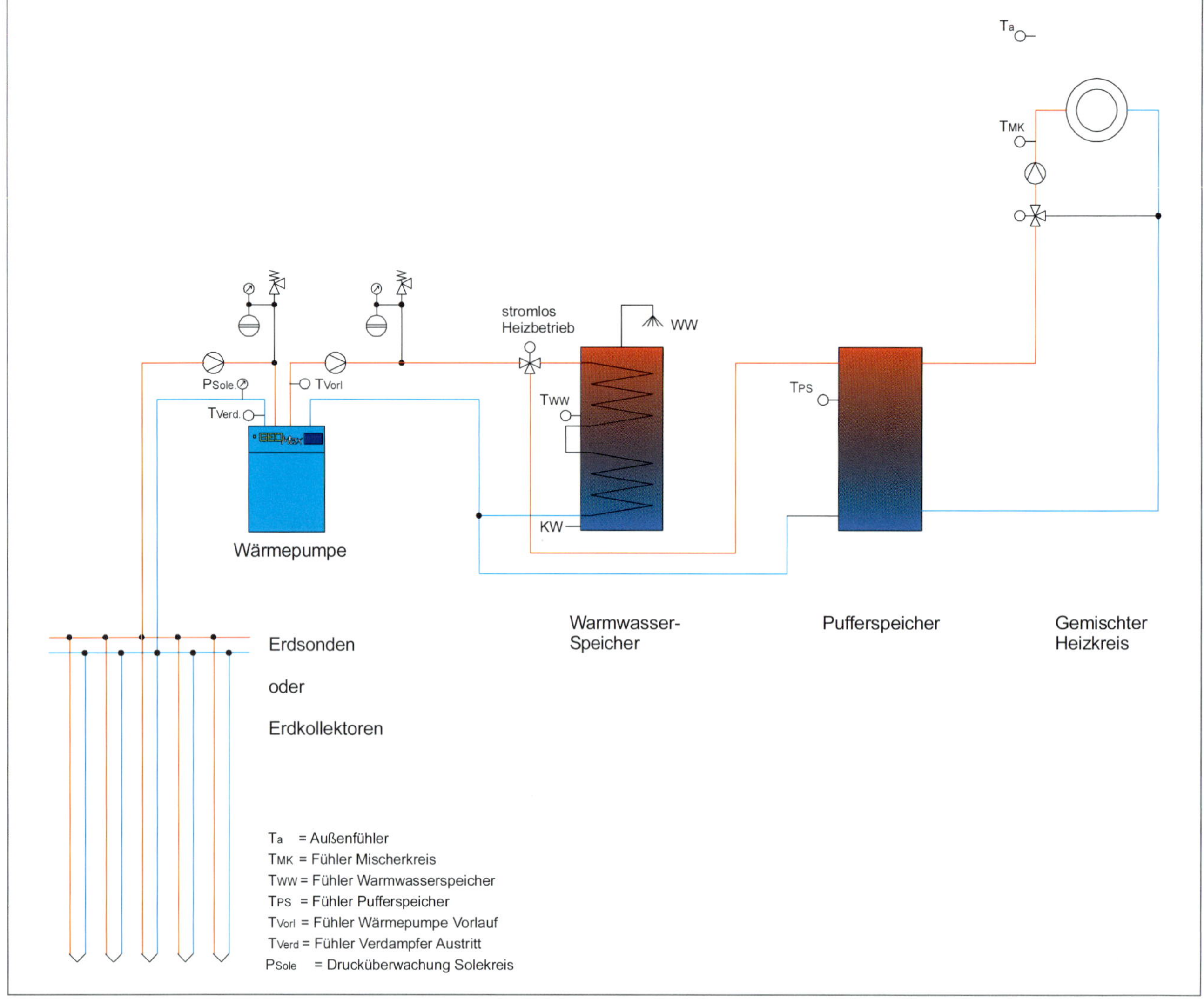

Bild 2.2.4.1: Sole-Wasser-Wärmepumpenanlage mit einem Umschaltventil zum Warmwasser- bzw. Pufferspeicher
Quelle: J. Bonin, Umwelt & Technik

Hinweis:
Zwischenzeitlich wurden oftmals statt einer Umwälzpumpe und eines Umschaltventils zwei Ladepumpen eingesetzt. Aufgrund dessen, dass seit 2013 elektronisch geregelte Hocheffizienzpumpen vorgeschrieben sind, werden aus wirtschaftlicher Sicht wieder des Öfteren eine Ladepumpe und ein Umschaltventil eingesetzt. Dabei ist es zu empfehlen, bei der Wahl des Umschaltventils auf dessen Druckverlust zu achten. Einfache Umschaltventile mit einer Umschaltklappe haben in der Regel einen recht hohen Druckverlust.

2.2.5 Zweifel bei der Warmwasserbereitung

Es handelt sich um ein großes Einfamilienhaus für sieben Personen mit einer zu beheizenden Wohnfläche von 450 m^2. In zwei Bädern sind Regenduschen installiert und zwei Bäder haben reguläre Duschen. Eine Wärmepumpe sollte die erforderliche Wärme ins Haus bringen. Die Normheizlast für die Gebäudebeheizung betrug 16 kW. Ich wurde beauftragt, zu prüfen, inwieweit die Heizungsanlage optimierbar ist. Bei der Ortsbesichtigung fand ich eine Heizungsanlage mit einer Sole-Wasser-Wärmepumpe für die Gebäudebeheizung und einen Gasbrennwertkessel für die Warmwasserbereitung vor.

Für die Warmwasserbereitung gibt es keine Standardlösung. Der Planer entschloss sich für die Lösung mit einem Gasbrennwertkessel. Dies ist jedoch energetisch und wirtschaftlich keine gute Lösung:

1. Die Warmwasserbereitung mit einer Wärmepumpe ist immer wirtschaftlicher als die mit einem Gasbrennwertkessel und
2. für den Gasbrennwertkessel ist ein Gasanschluss erforderlich.

Den gesamten Wärmebedarf, einschließlich Warmwasserbereitung, mit einer Wärmepumpe abzudecken, ist durchaus möglich und zudem wirtschaftlicher. Dazu wäre zunächst eine Berechnung für den Warmwasserbedarf nach DIN 4708-2 erforderlich, insbesondere, weil hier von einem deutlich größeren Warmwasserbedarf als üblich auszugehen ist. Ein Warmwasserspeicher mit innen liegenden Wärmetauschern, auch als Hochleistungsregisterspeicher, wäre hier unzureichend. Um die Warmwasserbereitung sicherzustellen, wäre ein ausreichend groß bemessener Pufferspeicher mit einer externen und geregelten Frischwasserstation erforderlich. Damit wäre eine ausreichend komfortable und wirtschaftliche Warmwasserbereitung realisierbar.

Eine nachträgliche Änderung stellte sich als nicht sinnvoll heraus. Dies wäre weder wirtschaftlich noch ökologisch vertretbar. Es müssten vorhandene und relativ neue Teile ersetzt werden. Die vorhandene Wärmepumpe müsste, da sie zu klein ausgelegt ist, ausgetauscht werden und auch die Erdsonden wären zu erweitern.

Die Möglichkeit der freien Kühlung hatte ich bereits beschrieben. Diese wäre hier besonders gut realisierbar gewesen, weil die für die Warmwasserbereitung entzogene Wärme, also die Auskühlung des Erdreiches der freien Kühlung, über die Erdsonden zugutekäme.

Unzureichende Warmwasserbereitung 2.2.6

In diesem Fall habe ich folgende Daten zur Wärmepumpenanlage angefordert:

1. Heizlastberechnung gem. DIN EN 12831,
2. Grundrisspläne des Hauses,
3. Auftragsbestätigung oder Angebot,
4. Schemaplan der Wärmepumpenanlage und
5. Montage- und Bedienungsanleitungen zur Wärmepumpenanlage.

Installiert sind eine Luft-Wasser-Wärmepumpe, sowie eine Abluftwärmepumpe und ein Kompakt-Innengerät mit einem Warmwasserspeicher mit einem Inhalt von 180 Liter für einen 5-Personen-Haushalt. Die beiden Wärmepumpen sind an die Kompakt-Inneneinheit angeschlossen.

Zur Abluftwärmepumpe verweise ich auf das Kapitel „Probleme mit einer Abluftwärmepumpe“. Das Prinzip ist hier nahezu dasselbe.

Die Nutzer beanstandeten zunächst einen unzureichenden Warmwasserkomfort und zu hohe Heizkosten. Nach einer größeren Warmwasserentnahme dauert es zu lange, bis wieder genügend Warmwasser zur Verfügung steht. Nachdem ich mich in die Unterlagen eingearbeitet und so die Wärmepumpenanlage kennengelernt hatte, kam ich zu folgendem Ergebnis:

1. Die Heizlastberechnung wies eine Normheizlast von 10,3 kW aus.
2. Dem Grundrissplan ist zu entnehmen, dass 2 Bäder mit Rainshower-Duschköpfen, ein Bad mit Badewanne und ein Gäste-WC vorhanden sind.
3. Die Normaußentemperatur war mit −9,5 °C angegeben.
4. Die Luft-Wasser-Wärmepumpe hatte eine Heizleistung von PH1 (A-7/W35) = 7,35 kW.
5. Die Abluftwärmepumpe hatte eine Heizleistung von PH1 (A20/W35) = 1,42 kW.
6. Der Stromverbrauch im Vorjahr betrug 13 720 kWh.

Diese Abluftwärmepumpe nutzt die warme Luft aus dem Gebäude als Wärmequelle, entzieht daraus die Wärme und bläst die kalte Luft als Fortluft nach draußen. Zum Ausgleich sind Überströmöffnungen an einigen Fenstern installiert, über die kalte Außenluft einströmt, was die Betreiber als unangenehm empfinden und ebenfalls bemängeln. Deswegen schließen sie im Winter oftmals die Überströmöffnungen.

Erahnen Sie bereits das Dilemma? Fangen wir an zu rechnen. Um den gesamten Wärmebedarf abdecken zu können, müsste die Wärmepumpe folgende Leistung bei der Normaußentemperatur von –9,5 °C abgeben können:

Normheizlast zur Gebäudebeheizung:	10,3 kW
Leistung für die Warmwasserbereitung: 5 × 350 W	= 1,8 kW*
Summe:	12,1 kW

* Zur genauen Leistungsberechnung wäre DIN 4708-2 anzuwenden.

Die Wärmepumpe bringt aber bei –7 °C nur noch eine Heizleistung von 7,35 kW + 1,42 kW = 8,77 kW. Weiterhin ist zu beachten, dass die Luft-Wasser-Wärmepumpe bei –9,5 °C eine noch geringere Heizleistung hat. Damit sind die Wärmepumpen in der Summe um rund 30 % zu klein ausgelegt.

Und wenn ich den Stromverbrauch von 13 720 kWh/a betrachte, stellt sich mir ein erschreckendes Bild dar. Die Betreiber dieser Wärmepumpenanlage nutzen keinen Wärmepumpentarif – weswegen auch keine Sperrzeiten zu berücksichtigen sind. Bei einem Stromtarif von 32 Cent/kWh ergeben sich damit Heizkosten in Höhe von 4 390,40 € pro Jahr. Wenn ich dies mit den Stromkosten meiner Wärmepumpe zum Heizen und Kühlen meines Hauses vergleiche, zahlen die Betreiber ihrer Wärmepumpenanlage fast das Dreifache.

Mit diesen Daten vereinbarte ich einen Ortstermin, um eine Schlichtung zu erzielen. Der Handwerker brachte dazu einen Werkskundendienst mit. Natürlich versuchte der Handwerker, seine von ihm geplante und installierte Wärmepumpenanlage zu verteidigen, und erhielt zunächst vom Werkskundendienst Unterstützung. Das ist normal und legitim. Als ich die beiden mit den Stromkosten konfrontierte, wurden sie zurückhaltender.

Also sahen wir uns gemeinsam die Wärmepumpenanlage an und lasen einige Werte aus dem Regler aus:

1. Eingestellte Normaußentemperatur: –9 °C
2. Bivalenztemperatur für die Warmwasserbereitung: 5 °C
3. Aus dem Regler abgelesene Gesamtbetriebsstunden für das Vorjahr: 5 480 h/a, davon 4 450 h/a zum Heizen und 1 030 h/a zur Warmwasserbereitung.

Das ist eindeutig zu viel! Die Betriebsstunden für eine korrekt ausgelegte Wärmepumpe für sehr gut gedämmte Gebäude sollten weniger als 2 000 h/a betragen. Dies ist ein eindeutiges Indiz dafür, dass die Wärmepumpe viel zu klein ausgelegt ist. Aus einer zu klein ausgelegten Wärmepumpe resultieren deutlich längere Laufzeiten, also mehr Betriebsstunden, wie das hier der Fall ist. Das verstanden auch der Fachhandwerker und der Werkskundendienst.

Weiterhin stellte sich heraus, dass der Warmwasserspeicher in dem Kompakt-Innenteil mit 180 l erheblich zu klein ist. Daraus resultiert der mangelhafte Warmwasserkomfort.

Bei der Ortsbesichtigung sah ich im Wohnzimmer einen Kamin. Ich fragte sofort nach, ob ein vorgeschriebener Unterdruckwächter installiert sei, was man mir bestätigte. Allerdings spricht dieser bei geschlossenen Überströmöffnungen an und schaltet die Abluftwärmepumpe aus. Dadurch schaltet sich die Abluftwärmepumpe ab. Das verringert die Wärmepumpenleistung um 1,42 kW, was das Defizit vergrößert.

In meinem Gutachten komme ich zu dem Ergebnis, dass eine deutlich größere Wärmepumpe und ein größerer Warmwasserspeicher zu installieren sind. Da ist es verständlich, dass der Fachhandwerker nicht gerade glücklich ist und versucht, seinen Schaden zu minimieren. Da kann ich allerdings nur zur Vorsicht mahnen, denn das sollte man sich nicht gefallen lassen.

2.2.7 Unzureichende Warmwasserbereitung trotz großer Wärmepumpe

Dazu erhielt ich einen wahrlich interessanten Gerichtsauftrag und las zunächst mit Spannung die Gerichtsakte. Es ging um eine Sole-Wasser-Wärmepumpenanlage mit Warmwasserbereitung für ein Haus mit 6 Personen, zuzüglich sind ein Gästezimmer und zwei Bäder mit Rainshower-Duschköpfen und ein WC zu berücksichtigen.

Zunächst prüfe ich stets, ob die Wärmepumpe ausreichend dimensioniert ist. Danach untersuchte ich die gesamte Wärmepumpenanlage, bestehend aus:

3 Erdsonden,

1 Sole-Wasser-Wärmepumpe und

1 Kombispeicher mit Frischwasserstation.

Die Erdsonden und die Wärmepumpe waren korrekt ausgelegt. Dennoch beklagten die Nutzer einen mangelhaften Warmwasserkomfort. Beim Durchlesen der Gerichtsakte sah ich, dass der Inhalt des Pufferspeichers nur 500 Liter betrug, davon etwa 1/3 als Puffervolumen und 2/3 für die Warmwasserbereitung. Auch ohne eine Berechnung erkannte ich, dass dieses Volumen zu klein war. Weiterhin vermutete ich bei der Neuladung für Warmwasser eine Vermischung im Speicher, was sich bei der Ortsbesichtigung anhand von Messungen bestätigte. Wenn also die Wärmepumpe zur Warmwasserbereitung einschaltet, sinkt die Temperatur im Pufferspeicher erst einmal ab und steigt anschließend wieder langsam an. Die Leistung ist für die Warmwasserbereitung für 6 Personen eindeutig zu gering!

Bei der Ortsbesichtigung waren zwei Servicetechniker zugegen. Einer von ihnen meinte, zur Behebung des Problems könnte der Anwender ja die „Booster-Funktion“ aktivieren. „Booster“ klingt gut nach Power. Ich erkundigte mich: „Und was passiert dann?“ „Dann sorgt der Elektroheizstab für eine schnelle Aufheizung.“ Ich entgegnete darauf, dass dies ja nicht konform mit der technischen Regel DIN EN 15450 ist. Diese beinhaltet sinngemäß zwei wesentliche Regeln:

1. Eine Wärmepumpenanlage ist so zu planen, dass sie optimal arbeitet und
2. ein Elektroheizstab maximal 5 % der Wärme zuheizen darf.

Beide Regeln werden hier nicht beachtet.

Zur ersten Regel: Weil es sich hier um eine Sole-Wasser-Wärmepumpenanlage mit einer einigermaßen konstanten Quellentemperatur handelt, ist es technisch ohne großen Aufwand möglich, den gesamten Wärmebedarf zu 100 % allein über die Wärmepumpe einzuspeisen. Man spricht von einem monovalenten Betrieb.

Zur zweiten Regel: Wenn man regelmäßig nach einer größeren Warmwasserentnahme die „Booster-Funktion“ einschaltet, wird mehr als 5 % der erforderlichen Wärme über den Elektroheizstab eingespeist. Das erhöht die Stromkosten erheblich. Die Nutzer lehnten diese Funktion verständlicherweise ab.

Weil das Haus über eine Fotovoltaikanlage verfügte, argumentierte der Handwerker, sei dies nicht so schlimm, der Strom sei ohnehin kostenlos, da er aus der Fotovoltaikanlage komme. Es ist jedoch davon auszugehen, dass die Bewohner ihre Fotovoltaikanlage sicher nicht zur Stromversorgung der „Booster-Funktion“ installieren ließen. Allerdings gilt, dass bei einer Nutzung erneuerbarer Energie für den Zuheizer diese Forderung nicht zwingend anzuwenden ist – so sagt es die Norm. Dies halte ich nicht für richtig, weil dann ja die Fotovoltaikanlage größer ausfallen müsste. Weiterhin ist zu beachten, dass an kalten und gräulichen Wintertagen, also genau dann, wenn man Wärme benötigt, eine Fotovoltaikanlage in einer Größenordnung von 10 kWp noch nicht mal mehr 1 kWh pro Tag liefert. Dann nützt auch keine erneuerbare Energie aus einer Fotovoltaikanlage, weil sie kaum vorhanden ist. Also kauft der Betreiber diese dann teuer von seinem Netzbetreiber ein. Deswegen erachte ich diese Ausnahme als nicht sinnvoll. Das teilte ich dem Normenausschuss bereits mit.

Auch dieses Beispiel zeigt, dass die Kombination, ein Pufferspeicher zur Gebäudebeheizung und zur Warmwasserbereitung mit Frischwasserfunktion, keine gute Lösung ist. Der einzige Vorteil von solchen Kombispeichern ist ein geringerer Platzbedarf und eventuell auch ein geringerer Montageaufwand, mehr nicht.

Einbußen beim Warmwasserkomfort 2.2.8

Häufig wird der Warmwasserkomfort beanstandet, weil die meisten Betreiber gewohnt sind, ausreichend Warmwasser mit einer höheren Warmwassertemperatur am Zapfhahn zu haben. Dies gilt insbesondere für die Zapfstellen in der Küche sowie auch unter der Dusche. In der Küche wird meistens bemängelt, dass das Wasser nicht warm genug ist, und in der Dusche, dass, wenn an einer zweiten Zapfstelle Wasser entnommen wird, das Wasser aus der Dusche plötzlich kälter wird oder der Warmwasserfluss nachlässt, d. h., dass dann weniger Wasser kommt.

Warum ist das so?

Bei verbrennungstechnischen Heizungsanlagen (Öl, Gas, Holz oder Pellets) wird das Wasser in der Regel auf mindestens 60 °C oder mehr erwärmt. Entsprechend hoch ist die zur Verfügung stehende Warmwasser-Wärmemenge.

Bei Wärmepumpenanlagen dagegen wird das Wasser in der Regel bis 55 °C oder etwas weniger erwärmt. Das verringert natürlich die zur Verfügung stehende Warmwassermenge. An den Zapfstellen steht dann nur Warmwasser bis max. mit dieser Temperatur zur Verfügung. Das erschwert auch das Abwaschen von Fett – obschon Fett ohnehin nicht ins Abwasser entsorgt werden sollte. Temperaturen unter 55 °C und ältere Speicher bieten Legionellen allerdings einen guten Nährboden. Sind sie erst in ausreichend großer Zahl im Wasser vorhanden, können sie zur Gefahr werden. Daher sollten größere Wärmepumpenanlagen über eine Legionellenschaltung verfügen, die das Wasser für eine entsprechende Zeit auf höhere Temperaturen erhitzt.

Hinweis:

Fett sollte nach Möglichkeit nicht ins Abwasser, weil gerade Fett immer wieder zur Verstopfung von Abwasserleitungen führt. Fett kann mit einem Küchentuch aus der Pfanne ausgewischt und im Hausmüll entsorgt werden. Öl kann einfach in ein Glas gefüllt und separat entsorgt oder recycelt werden. Das schont das Abwassersystem!

Unter der Dusche kann dies schon mal gravierender sein. Dies gilt insbesondere im Gebäudebestand, wenn die vorhandene Warmwasserleitung nicht mehr gegen eine größere ausgetauscht werden kann. Dazu ein Beispiel:

Im Warmwasserspeicher befindet sich 65 °C warmes Wasser. Das Kaltwasser hat eine durchschnittliche Temperatur von 10 °C. In der Dusche wird 40 °C warmes Wasser gewünscht. Wie groß ist der prozentuale Anteil an 65 °C warmem Warmwasser?

Es gilt die Richmann'sche Mischungsregel, ausgehend von der Gleichung:

$$Q = m \cdot c \cdot \Delta T$$

$$\Rightarrow Q_{ab} = Q_{auf}$$

mit

Q_{ab} = abgegebene Wärmemenge [Wh, kWh]

Q_{auf} = aufgenommene Wärmemenge

Die abgegebene Wärmemenge entspricht der, die das Warmwasser an das Mischwasser abgibt, und die aufgenommene Wärmemenge entspricht der, um die das Kaltwasser erwärmt wird. Damit gilt bei der Mischung mit 65 °C warmem Wasser aus dem Warmwasserspeicher:

$$m_{ab} \cdot c \cdot \Delta T_{ab} = m_{auf} \cdot c \cdot \Delta T_{auf}$$

$$\Rightarrow m_{ab} \cdot \Delta T_{ab} = m_{auf} \cdot \Delta T_{auf} T$$

$$\Rightarrow m_{ab} \cdot \Delta T_{WW} - T_{m}) = m_{auf} \cdot (T_{m} - T_{KW})$$

mit

T_{WW} = Temperatur Warmwasser

T_{KW} = Temperatur Kaltwasser

T_{m} = Temperatur Mischwasser

$$\Rightarrow m_{auf}/m_{ab} = \Delta T_{WW} - T_{m})/(T_{m} - T_{KW})$$

$$= (65\ °C - 40\ °C)/(40\ °C - 10\ °C)$$

$$= 25\ °C/30\ °C$$

$$= 0{,}83$$

$$\Rightarrow m_{auf} = m_{ab} \cdot 0{,}83$$

Ist nun:

$m_{auf} + m_{ab} = m_m = 100\ \%$, dann ist:

$m_{ab} \cdot 0{,}83 + m_{ab} = 100\ \%$

$m_{ab} \cdot (0{,}83 + 1) = 100\ \%$

$m_{ab} \cdot 1{,}83 = 100\ \%$

$\Rightarrow\ m_{ab} = 55\ \%$

Ist das Wasser im Warmwasserspeicher jedoch nur 50 °C warm, kommt man zu folgendem Ergebnis:

$m_{ab} = 75\ \%$

D. h., dass der Anteil aus dem Warmwasserspeicher von 55 % auf 75 % steigen muss. Mit dem steigenden Durchfluss vergrößern sich auch die Druckverluste in den Leitungen. Daher muss bei Neuanlagen der Warmwasserspeicher ausreichend groß bemessen und der Rohrquerschnitt der Warmwasserleitung entsprechend größer sein. Im Gebäudebestand lässt sich die Warmwasserleitung jedoch in der Regel nicht so einfach austauschen.

Hinweis:

Um einer zu starken Verminderung der Temperatur des Duschwassers entgegenzuwirken ist eine Mischbatterie mit einstellbaren Thermostaten zu empfehlen. Diese ist in der Lage, plötzliche Temperaturschwankungen gut zu kompensieren.

Will man zufriedene Kunden, ist es ratsam, sie beim Beratungsgespräch bzw. beim Verkauf einer Wärmepumpenanlage im Gebäudebestand darauf hinzuweisen.

Aufgrund der zunehmenden Dämmung verringert sich die Gebäudeheizlast entsprechend. Anders verhält es sich beim gewünschten Warmwasserkomfort, der z. B. durch Schwallduschen zunimmt. Kleinere Wärmepumpen verleiten oft dazu, auch kleinere Warmwasserspeicher einzusetzen. Das führt schnell zu einem unbefriedigenden Warmwasserkomfort und Beanstandungen desselben. Wird dann zur Verbesserung des Warmwasserkomforts ein Elektroheizstab eingesetzt, verschlechtern sich die JAZ und damit der Gesamtwirkungsgrad erheblich, zumal sich aufgrund der zunehmenden Dämmung die JAZ ohnehin verschlechtert. Ist der Warmwasserspeicher zu klein, ist der Warmwasservorrat unzureichend. Dazu kommt, dass eine kleine Wärmepumpe entsprechend länger braucht, um einen Warmwasserspeicher nachzuladen. Deswegen ist es erforderlich, bei kleinen Wärmepumpen ein ausreichendes Warmwasservolumen zu berücksichtigen. Ist das Warmwasserbereitschaftsvolumen zu gering, kann es sein, dass bereits schon beim zweiten Duschgang der Warmwasserkomfort derart gemindert wird, dass dann nur noch lauwarmes Wasser zur Verfügung steht.

Hinweis:

Für Dimensionierung eines Warmwasserspeichers gilt DIN 4708-2:1994-04.

Ein Beispiel ist eine kleine Wärmepumpe mit einer Leistung von 5 kW (was ohnehin schon recht knapp ist) für ein kleines Einfamilienhaus für 4 Personen mit einer Wohnfläche von 120 m^2 mit einem Warmwasserspeicher von 180 l. Die durchschnittliche Duschdauer beträgt etwa 5–6 Min. Der durchschnittliche Wasserverbrauch einer Dusche liegt bei ca. 15 l/Min. Duscht ein Bewohner etwa 6 Min. mit 45 °C warmem Wasser, braucht er 90 Liter Warmwasser. Bei einer Warmwassertemperatur im Speicher von 55 °C errechnet sich die aus dem Speicher gezapfte Warmwassermenge zu:

$V_{Sp} = V_{WW} \cdot (T_{WW} - T_{KW})/(T_{SP} - T_{KW})$

mit

V_{Sp} = Zapfmenge Warmwasserspeicher

V_{WW} = Zapfmenge Warmwasser – hier 165 l

T_{WW} = Warmwassertemperatur

T_{KW} = Kaltwassertemperatur

T_{SP} = Temperatur im Warmwasserspeicher

Damit berechnet sich die aus dem Warmwasserspeicher, bei einem Duschvorgang, entnommene Zapfmenge zu:

$$V_{Sp} = 90\,\text{l} \cdot (45\,°\text{C} - 10\,°\text{C}) / (55\,°\text{C} - 10\,°\text{C}) = 165\,\text{l} \cdot 35\,°\text{C} / 45\,°\text{C} = 70\,\text{l}$$

Duscht noch eine dritte Person, ist schnell erkennbar, dass die zur Verfügung stehende Warmwassermenge nicht ausreicht. Nachfolgende Berechnung zeigt die Zeit, die die kleine Wärmepumpe braucht, um den Warmwasserspeicher zu laden:

$$P \cdot t = m \cdot c \cdot \Delta T$$

mit

P = Leistung der Wärmepumpe [W]

t = Aufheizzeit der Wärmepumpe [h]

m = Masse [kg]

c = spezifische Wärmekapazität = 1,163 Wh/(kg·K)

ΔT = Spreizung [K]

Stellt man die Formel zur Aufheizzeit für eine vollständige Warmwasserladung von 10 °C auf 55 °C um, gilt:

$$t = m \cdot c \cdot \Delta T / P$$
$$= 180\,\text{kg} \cdot 1{,}163\,\text{Wh/(kg·K)} \cdot 45\,\text{K} / 5\,000\,\text{W}$$
$$= 1{,}9\,\text{h}$$

Das sind fast 2 h! Die Wärmepumpe und der Wasserspeicher sind zu klein ausgelegt. Die Wärmepumpe lädt den Warmwasserspeicher nicht schnell genug nach und der Speicher stellt nicht genügend Warmwasser zur Verfügung.

2.2.9 Starke Korrosionen in Neuanlagen für Mehrfamilienhäuser

Zu diesem Fall wurde ich mit ganz neuen Problemen konfrontiert. Zunächst wandte sich der Bauträger an mich, weil es in zwei neuen Mehrfamilienhäusern immer wieder zu Korrosionsproblemen kam und er meinte, dass er dies nicht zu vertreten habe. Außerdem waren im Haus 2 zu hohe Heizkosten festzustellen. Dies begründete er damit, dass vor einem Jahr der Servicevertrag gekündigt wurde. Doch zunächst der Reihe nach.

In beiden Häusern sind jeweils zwei Luft-Wasser-Wärmepumpen für die Gebäudebeheizung und Warmwasserbereitung installiert. Dazu sind im Keller jeweils zwei Pufferspeicher installiert. Ein Pufferspeicher dient dabei zur Wärmeversorgung für die Gebäudebeheizung, der andere zur Warmwasserbereitung. Zudem ist eine Zirkulationsleitung verlegt, sodass die Warmwasserbereitung über Übergabestationen in den jeweiligen Wohnungen erfolgt. Zunächst stellte man fest, dass die Edelstahlplattenwärmetauscher nach und nach durchkorrodierten. Nach einer Untersuchung durch den Hersteller der Wärmetauscher wurden diese durch korrosionsbeständigere, nickelgelötete Wärmetauscher ersetzt.

Bild 2.2.9.1 und **Bild 2.2.9.2:** Die Mehrfamilienhäuser
Quelle: J. Bonin, Umwelt & Technik

Die von mir veranlassten Wasseranalysen lieferten folgende Ergebnisse:

1. Haus:

	Messwert	Grenzwerte: Cu-gel. WT	Ni-gel. WT
pH-Wert:	8,19	7,0–9,0	6,0–10
Eisen (Fe):	**5,58** mg/l	< 0,2 mg/l	< 0,2 mg/l
Carbonathärte*:	2,7 °dH	–	–
Gesamthärte:	2,7 °dH	6,0–15 °dH	6,0–15 °dH
Leitfähigkeit:	1 147 µS/cm	10–500 µS/cm	–

2. Haus:

	Messwert	Grenzwerte: Cu-gel. WT	Ni-gel. WT
pH-Wert:	7,83	7,0–9,0	6,0–10
Eisen (Fe):	**0,46** mg/l	< 0,2 mg/l	< 0,2 mg/l
Gesamthärte:	2,0 °dH	6,0–15 °dH	6,0–15 °dH
Leitfähigkeit:	495 µS/cm	10–500 µS/cm	–

Das Analyseergebnis des ersten Hauses war erschreckend. Die Analyse ergab einen extrem hohen Eisenwert und eine extrem hohe Leitfähigkeit. Das Analyseergebnis des zweiten Hauses lässt erahnen, dass dieser Wärmepumpenanlage Ähnliches widerfahren wird, auch wenn hier der Eisenwert nur etwas erhöht ist. Die Analysen zeigen eindeutig, dass das Heizungswasser nicht den Anforderungen gem. VDI 2035 entspricht. Der pH-Wert sollte > 8,2 und die Leitfähigkeit < 100 µS/cm sein. Und Eisen bzw. Eisenoxide dürfen nicht vorhanden sein! Somit entspricht das Heizungswasser nicht den Regeln der Technik und es muss mit Korrosionen gerechnet werden. Die hohen Werte für Eisen bestätigen diese Korrosionen. Die Frage, wo der hohe Eisengehalt herrührt, ist einfach zu beantworten: aus den verzinkten Heizungsrohren und insbesondere aus den Pufferspeichern. Beide sind aus Stahl gefertigt.

Der erste Eindruck von den Wärmepumpenanlagen bei der Begutachtung vor Ort zeugte von einer ordentlichen Installation. Doch bei näherem Hinsehen stellte ich am Ablauf des Überdruckventils fest, dass das Edelstahlrohr auf der Innenseite deutlich hellbraun gefärbt war. Diese Verfärbung bestätigt eindeutig hohe Eisenwerte. Und diese treten trotz einer vorgeschalteten Wasseraufbereitungsanlage zur Vollentsalzung auf. Also mal genauer hinsehen:

Bild 2.2.9.3: Eisenablagerungen, erkennbar an der typisch hellbraunen Verfärbung
Quelle: J. Bonin, Umwelt & Technik

Da stellt sich die Frage, wie es dazu kommen konnte?

Bild 2.2.9.4: Vollentsalzungsanlage
Quelle: J. Bonin, Umwelt & Technik

Bei genauerer Überprüfung war festzustellen, dass bei beiden Häusern am Überlauf des Überdruckventils Wasser heraustropfte. Ursache hierfür konnte jedoch nicht die Vollentsalzung sein, weil dort alle drei Kugelhähne zugedreht waren. Also musste die Quelle für das tropfende Wasser woanders liegen. Jedoch gab es keine anderen Wasseranschlüsse.

Folglich können nur noch die Übergabestationen in den Wohnungen der Auslöser sein. In diesen wird das kalte Trinkwasser über den Plattenwärmetauscher erwärmt. Das war die einzige Möglichkeit, wie Wasser ins Heizungswasser gelangen konnte. Dies bedeutet, dass mindestens ein Plattenwärmetauscher in jedem Haus undicht war. Über diese Undichtigkeiten strömte wohl etwas enthärtetes, aber ansonsten unbehandeltes Trinkwasser nach. In den Häusern waren auch Enthärtungsanlagen installiert. Damit gelangte auch stetig sauerstoffhaltiges Wasser in die Heizungsanlage, was die Korrosionen insbesondere in den Pufferspeichern verursachte.

Bild 2.2.9.5: Übergabestationen
Quelle: J. Bonin

Die Korrosionen wiederum erzeugen Eisenoxide, die sich in allen Teilen der Wärmepumpenanlage ablagern, also auch im Wärmetauscher, dem Kondensator, der Wärmepumpe. Aufgrund dieser Korrosionen ist die gesamte Wärmepumpenanlage auszutauschen, weil ein dauerhaft störungsfreier Betrieb so nicht mehr gewährleistet werden kann.

Bild 2.2.9.6 zeigt deutlich hellbraune Eisenoxidablagerungen in den Fußbodenheizungsrohren. Diese sind durch Spülen zu reinigen.

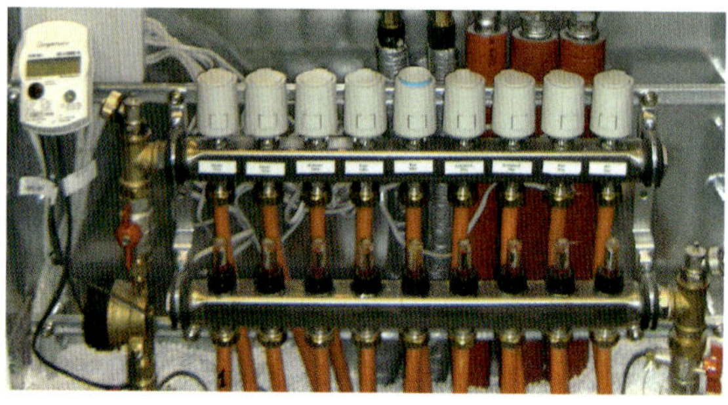

Bild 2.2.9.6: Hellbraune Eisenoxidablagerungen in den Fußbodenheizungsrohren
Quelle: J. Bonin

Im Haus 2 stellte ich weiterhin fest, dass im Pufferspeicher für den Heizbetrieb drei Elektroheizstäbe zur Heizungsunterstützung installiert sind. Das ist rekordverdächtig! Da braucht man sich über zu hohe Heizkosten nicht zu wundern. DIN EN 15450 und weitere Regeln der Technik wurden bei dieser Wärmepumpenanlage in keiner Weise beachtet.

In diesem Fall versuchte ich, eine Streitschlichtung beim Ortstermin zu erwirken, was jedoch daran scheiterte, dass der Heizungsbauer sich nicht einsichtig zeigte. Er wies jeden Fehler von sich, obschon die Mängel offensichtlich waren. Die Folge war, dass ich ein Gutachten für einen gerichtlich zu klärenden Streit verfasste – schade, denn damit sind weitere Kosten verbunden.

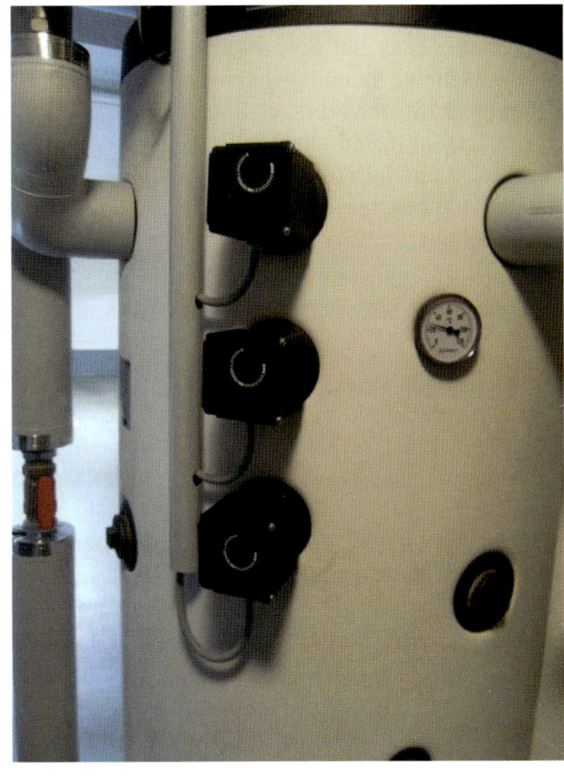

Bild 2.2.9.7: Heizungspufferspeicher mit drei Elektroheizstäben
Quelle: J. Bonin

Ein unendlicher Rechtsstreit 2.2.10

Vor einem Jahr erhielt ich einen Auftrag zu einem Rechtsstreit, der bereits über 8 Jahre lief.

Die Mandanten hatten bereits in ihrem Haus in Süddeutschland mit ihrer Sole-Wasser-Wärmepumpe gute Erfahrungen gemacht. Dann entschlossen sie sich zu einem Neustart in Norddeutschland. Da war es naheliegend, ihr neues Haus ebenfalls mit einer Wärmepumpe zu beheizen. Sie errichteten ein neues Haus als Mehrfamilienhaus mit drei Wohneinheiten und einer Arztpraxis mit einer Sole-Wasser-Wärmepumpenanlage – wie bereits zuvor.

Kurz nach Fertigstellung der Wärmepumpenanlage stellten die Betreiber fest, dass die Heizkosten bei dieser Wärmepumpenanlage trotz besserer Gebäudedämmung deutlich höher waren als bei ihrer vorherigen Wärmepumpe im alten Haus. Nachdem mit dem Handwerksbetrieb keine Einigung erzielt werden konnte, wandten sie sich an das zuständige Landgericht. Das Landgericht beauftragte einen öffentlich bestellten und vereidigten Sachverständigen mit der Erstellung eines Gutachtens. Dieses war jedoch nicht verwertbar. Daher bestellte das Landgericht einen neuen öffentlich bestellten und vereidigten Sachverständigen. Aber auch die Begutachtung des neuen Sachverständigen war nicht viel besser. In der Zwischenzeit sind bereits drei Jahre vergangen. Hier sind ein paar Beispiele aus seinen Ausführungen:

- Das Volumen des Pufferspeichers muss zwei Stunden Abschaltzeit durch den Stromversorger ermöglichen.

  Diese Aussage ist falsch, weil die heutigen Gebäude bereits so gut gedämmt sind, dass eine Abschaltzeit von zwei Stunden sich mit oder ohne einen Pufferspeicher nicht bemerkbar macht. Das ist nicht die Aufgabe eines Pufferspeichers, insbesondere nicht bei gut gedämmten Gebäuden.

  In der Berechnung ging er von einem falschen Volumen des Pufferspeichers aus – von nahezu 3 000 l. Das tatsächliche Volumen betrug knapp 2 000 l. In seinem Gutachten kam der Sachverständige zu dem Ergebnis, dass unter Berücksichtigung der Sperrzeiten ein Pufferspeicher von 300 l bis 500 l genügen würde. Er übersah allerdings, dass der Pufferspeicher auch als Kombispeicher zur Warmwasserbereitung über einen externen Wärmetauscher diente. Damit sind alle von ihm durchgeführten Berechnungen nicht nur rechnerisch, sondern auch fachlich falsch.

- Zu der Beweisfrage, ob die Wärmepumpe wirtschaftlich arbeitete, zitiert der Kollege in seinem Gutachten aus allgemeiner Literatur, dass bei Sole-Wasser-Wärmepumpenanlagen wie bei dieser sehr gute Jahresarbeitszahlen zu erzielen seien. Er führte jedoch keine Messungen durch, noch nahm er Daten zum Stromverbrauch und zu den Laufzeiten der Wärmepumpe auf. Er bezog sich in seinem Gutachten allein auf pauschale Aussage aus einem alten, nicht mehr aktuellen Fachbuch und leitete daraus ab, dass die Wärmepumpenanlage korrekt arbeitet. Die entscheidenden Kriterien zur Analyse und Bewertung der Wärmepumpenanlage blieben unberücksichtigt.
- In den Gutachten meines Kollegen vermisste ich Hinweise auf Regeln der Technik wie Normen und Richtlinien. Diese sind zu nennen, was natürlich voraussetzt, dass man sie kennt und richtig interpretieren kann.
- In dem Gutachten wies er auch darauf hin, dass durch zu häufiges Takten die Lebensdauer der Wärmepumpe verkürzt wird. Zur Warmwasserbereitung sei aus diesem Grund im Regler eine Schalthysterese von 15 K hinterlegt. Er folgerte daraus, dass, wenn ein Sollwert für Warmwasser von 40 °C programmiert ist, die Warmwasserbereitung bei 32,5 °C einschaltet und bei 47,5 °C ausschaltet. Die Wiedereinschaltverzögerung, die in allen gängigen Reglern von Wärmepumpen einstellbar ist, war dem Gutachter offenbar nicht bekannt. So gelangte er zu grundlegenden Fehleinschätzungen. Eine solche Wiedereinschaltverzögerung verhindert in Verbindung mit einem ausreichend bemessenen Pufferspeicher ein zu häufiges Takten der Wärmepumpe.
- Zu dem von den Bauherren zu Recht bemängelten Warmwasserkomfort bot der Gutachter folgende Lösung an: Der Sollwert für das Warmwasser könne auf z. B. 50 °C erhöht werden. Dann würde die Abschaltung erst bei 57,5 °C erfolgen. Dass die Wärmepumpe jedoch mit einem Kältemittel R 407C befüllt war und daher bereits bei 55 °C abschaltet, um eine Hochdruckstörung zu vermeiden, war dem Sachverständigen offensichtlich nicht bekannt. Allein nur mit Hochtemperaturwärmepumpen sind solch hohe Temperaturen ohne Unterstützung eines Elektroheizstabes erreichbar, und eine solche ist hier nicht installiert.
- Es wurde ein neuer Ortstermin mit dem bisherigen Sachverständigen und mir anberaumt. Zu diesem Ortstermin sah ich mir auch die Wärmepumpenanlage genauer an, um ein weiteres Gutachten für meine Mandanten zu verfassen.

  Wie bereits erwähnt, bemängeln die Bauherren zu Recht den unzureichenden Warmwasserkomfort. Um zu zeigen, dass dies so nicht der Fall ist, wollte der Sachverständige eine Prüfung zur Einhaltung der 3-Liter-Regel durchführen. Dazu war ein neuer Ortstermin anberaumt, zu dem ich auch eingeladen war. Dies wünschten meine Mandanten ausdrücklich. Doch ich berichte der Reihe nach, weil ich mir zu diesem Ortstermin auch die Wärmepumpenanlage genauer ansehen wollte, um mein Gutachten zu verfassen.

  Für das von mir zu erstellende Gutachten wollte ich zu Beginn des Ortstermins Temperaturmessungen am Pufferspeicher in einem ungestörten Zustand machen. Dazu bat ich den Kollegen, dies tun zu dürfen, bevor er Warmwasser für seine Messungen zur 3-Liter-Regel entnehmen würde. Er stimmte dem zu. Also machte ich meine Messungen, die erste Temperaturmessung am oberen Stutzen mit 49 °C mit meinem elektronischen Temperaturmessgerät von Greisinger electronic. Der Kollege nahm sein Infrarotmesser und hatte aus größerer Entfernung eine Temperatur von 32 °C gemessen. Er fragte mich dann, wann denn mein Temperaturmesser das letzte Mal geeicht wurde; sein Messgerät wurde vor nur wenigen Monaten geeicht. Ich antwortete: „Das weiß ich nicht. Das war noch vor dem Kauf meines Messgerätes. Das habe ich bereits etliche Jahre, weiß aber nicht, wie lange.“ Ob dann also meine Messung stimmen könnte? Nun war bei dem Ortstermin ausnahmsweise auch der vorsitzende Richter dabei. Das ist schon wirklich selten der Fall. Den bat ich dann doch mal ganz unparteiisch, den Stutzen vorsichtig anzufassen und uns mitzuteilen, was er fühlt. „Oh, ganz schön warm. Den will ich nicht lange festhalten.“ – Peinlich für den Kollegen, denn 32 °C würde man nicht als unangenehm warm empfinden!

  Und nun zur 3-Liter-Regel: Diese gilt zur Einhaltung des Legionellenschutzes. Der Kollege wollte nun seine Messungen zur 3-Liter-Regel machen. Dazu nahm er im Kellerraum einen Messbecher, um zu prüfen, wie viel Wasser denn fließt, bis warmes Wasser aus dem Hahn kommt. Er wollte so zeigen, dass es doch kein Problem mit der Warmwasserbereitung gebe. Dabei übersah er zwei wesentliche Punkte:

1. Die 3-Liter Regel gilt nur für Ein- und Zweifamilienhäuser – also nicht für dieses Gebäude, ein Mehrfamiliengebäude mit Arztpraxis.
2. Zur Messung der 3-Liter-Regel muss man den am weitesten entfernten Zapfhahn nehmen und nicht den im Keller, nahe der Wärmepumpe. Die entfernteste Zapfstelle wäre 3 Stockwerke höher gewesen.

Das waren wieder mal zwei eklatante Fehler des Kollegen.

Der Sachverständige befüllte immer wieder seinen Messbecher – doch Warmwasser kam nicht an, auch nicht nach drei mal drei Litern und mehr. Dann suchte man mit dem Servicetechniker des Herstellers der Wärmepumpe nach der Ursache. Es dauerte eine gewisse Zeit, bis man zu dem Ergebnis kam, dass entweder die Zirkulationspumpe defekt sein könnte oder zu klein ist oder die Zirkulationsleitung eventuell abgequetscht sein könnte. Man blickte in ratlose Augen. In einem zuvor verfassten Gutachten schilderte der Kollege, dass die 3-Liter-Regel eingehalten würde.

Nach dem offiziellen Ortstermin bat ich den Servicetechniker um das Auslesen einiger Einstellungen am Regler. Ich begann mit der Aufnahme meiner Messungen, Daten und Fotos. Zunächst galt es festzustellen, ob die Wärmepumpe nach den Regeln der Technik ausgelegt ist. Dazu forderte ich die Heizlastberechnung gemäß DIN EN 12831 beim Handwerker an, die ich jedoch nicht erhielt. Diese ist jedoch die grundlegende Voraussetzung für die Planung einer Wärmepumpenanlage.

Dasselbe gilt für die Auslegung der Warmwasserbereitung gemäß DIN 4708-2. Also nahm ich die erforderlichen Daten auf: Für den Kompressor lasen wir nach 8 ½ Jahren 18 310 h und für den Elektroheizstab 4 670 h Betriebsstunden aus. Daraus ergeben sich für den Kompressor der Wärmepumpe eine mittlere Jahreslaufzeit von 2 154 h/a und für den Elektroheizstab der Wärmepumpe 549 h/a. Das sind in der Summe 2 702 h/a.

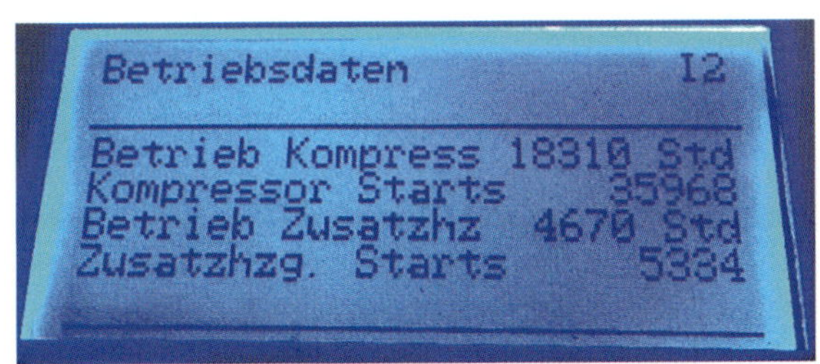

Bild 2.2.10.1: Betriebsdaten aus dem Regler
Quelle: J. Bonin

Für ein gut gedämmtes Haus kann man von durchschnittlichen Laufzeiten von etwa 2 000 h/a und weniger ausgehen. Dies liegt darin begründet, dass hausinterne Wärmequellen wie z. B. Herd, Waschmaschinen, Kühlschränke, Lampen, Computer etc. bei guter Dämmung dafür sorgen, dass diese quasi „heizungsunterstützend" mitwirken. Dadurch verringern sich die Laufzeiten bei gut gedämmten Gebäuden beachtlich. Gemäß der alten VDI 4640 (Juni 2008) zur Projektierung von Wärmequellen für Wärmepumpen ging man noch von bis zu 2 400 h/a für die Gebäudebeheizung einschließlich Warmwasserbereitung aus (ohne Warmwasserbereitung von 2 000 h/a). Selbst gemäß dieser Richtlinie sind die Laufzeiten zu groß. Zum Zeitpunkt der Planung der Wärmepumpe galt diese inzwischen zurückgezogene VDI-Richtlinie. Also gilt:

2 702 h/a / 2 400 h/a = 1,1258

Die Gesamtlaufzeit ist daher um 13 % zu hoch!

Weil es sich hier um eine Sole-Wasser-Wärmepumpe handelt, dürfte sich der Elektroheizstab nicht zuschalten. Gem. DIN EN 15450 ist eine Wärmepumpenanlage so zu planen, dass sie optimal wirtschaftlich arbeitet. Also ist ein Elektroheizstab hier unzulässig!

Weiterhin gilt gemäß DIN EN 15450, dass ein zugeschalteter Elektroheizstab nicht mehr als 5 % der Heizarbeit einspeisen darf. Installiert ist eine Sole-Wasser-Wärmepumpe, Fabrikat Vaillant, Typ: VWS 171/3 mit einer Heizleistung bei B0/W35 von 17,4 kW. Für die Warmwasserbereitung hat sie bei B0/W55 eine Heizleistung von 16,3 kW. Bei einem prozentualen Anteil für die Warmwasserbereitung von etwa 20 % ergibt sich eine mittlere Heizleistung von 17,2 kW. Bei einer fachgerecht ausgelegten Sole-Wasser-Wärmepumpe erzielt man problemlos eine JAZ (Jahresarbeitszahl) von mehr als 4,5. Damit berechnet sich der mittlere Stromverbrauch (Arbeit) aus dem Stromnetz Q_{elm} bei der o. g. Heizleistung zu:

$$Q_{elm} = Q_H / JAZ$$

mit

Q_{elm} = mittlerer Jahres-Stromverbrauch

Q_{Hm} = mittlere Jahres-Heizarbeit der Wärmepumpe

Die mittlere Jahres-Heizarbeit der Wärmepumpe errechnet sich aus der mittleren Jahresbetriebsdauer für den Kompressor, die mit 2 154 h/a festgestellt wurde. Damit berechnet sich die Jahresheizarbeit zu:

$$Q_{Hm} = P_{Hm} \cdot t_K$$

mit

P_{Hm} = mittlere Heizleistung = 17,2 kW

t_K = mittlere Jahreslaufzeit Kompressor = 2 154 h

$\Rightarrow Q_{Hm} = 17{,}2\ \text{kW} \cdot 2\,154\ \text{h} = 37\,049\ \text{kWh}$

Die Elektrozusatzheizung hat eine Leistung von 6 kW. Daraus errechnet sich die mittlere jährliche elektrische zusätzliche Heizarbeit zu:

$$Q_{HStm} = P_{St} \cdot t_{St}$$

mit

Q_{HStm} = mittlere jährliche elektrische Heizarbeit Elektroheizung

P_{St} = Leistung Elektroheizung = 6 kW

t_{St} = mittlere Betriebszeit Elektrozusatzheizung = 549 h

$\Rightarrow Q_{HStm} = 6\ \text{kW} \cdot 549\ \text{h} = 3\,294\ \text{kWh}$

Damit beträgt der prozentuale Anteil der elektrischen Zusatzheizung fast 9 %. Zulässig sind gem. DIN EN 15450 jedoch nur maximal 5 %. Damit überschreitet die anteilige Jahresheizarbeit der Elektrozusatzheizung um das 1,8-Fache den zulässigen Grenzwert. Somit arbeitet diese Sole-Wasser-Wärmepumpe unwirtschaftlich und belastet letztendlich so auch die Umwelt mit einem zu hohen Energieverbrauch. Wie zuvor erwähnt, sollte bei einer Sole-Wasser-Wärmepumpenanlage der Elektroheizstab sich gar nicht einschalten, was bei einer ordentlichen Projektierung problemlos möglich ist.

Bild 2.2.10.2: Bivalenzpunkt aus dem Regler ausgelesen
Quelle: J. Bonin

Weiterhin war festzustellen, dass der Bivalenzpunkt hier bei -8 °C eingestellt war. Dies bedeutet, dass bei Außentemperaturen unter –8 °C die Elektroheizung zuschaltet. Für den Ort galt zum Zeitpunkt der Planung und Ausführung dieser Wärmepumpenanlage gemäß DIN EN 12831 eine Normaußentemperatur von –12 °C. Das bedeutet, dass die Elektrozusatzheizung viel zu früh zuschaltet.

Hinsichtlich des Stromverbrauches für 8 ½ Jahre nahm ich 114 138 kWh auf. Folglich beträgt der jährlich durchschnittliche Stromverbrauch für diese Wärmepumpe 13 428 kWh/a. Darin nicht enthalten sind die Stromverbräuche für die Umwälzpumpen und weiteren Aggregate der Heizungsanlage. Auch dies ist ein deutlicher Hinweis darauf, dass der Elektroheizstab zu häufig zugeschaltet wird, was den Betrieb dieser Sole-Wasser-Wärmepumpe unwirtschaftlich macht. Gemäß DIN EN 15450 ist eine Wärmepumpenanlage so zu dimensionieren, dass sie optimal wirtschaftlich arbeitet. Dies ist bei einer Sole-Wasser-Wärmepumpenanlage nur dann möglich, wenn diese vollständig und allein, also monovalent arbeitet, also ohne Zuschalten

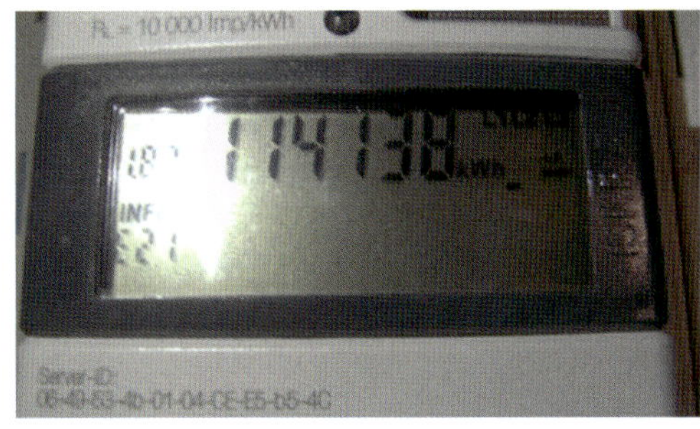

Bild 2.2.10.3: Stromverbrauch
Quelle: J. Bonin

eines Elektroheizstabes. In DIN EN 15450 steht an anderer Stelle, dass ein Elektroheizstab nicht mehr als 5 % der Gesamtheizarbeit übernehmen darf. Diese Ausnahme von der Regel ist für Luft-Wasser-Wärmepumpenanlagen vorgesehen, weil deren Leistung mit sinkender Außentemperatur ebenfalls abnimmt. Bei Wasser-Wasser- und Sole-Wasser-Wärmepumpen ist dies nicht der Fall. Daher ist der Stromverbrauch erheblich zu hoch und stellt einen erheblichen Mangel dar.

Die Jahresarbeitszahl (JAZ) berechnet sich für diese Wärmepumpe wie folgt: Der durchschnittliche jährliche Stromverbrauch beträgt 13 428 kWh. Die jährliche Heizarbeit des Kompressors der Wärmepumpe beträgt 37 049 kWh und die der Elektrozusatzheizung 3 294 kWh. Das sind in Summe: 40 343 kWh. Damit berechnet sich die JAZ wie folgt:

JAZ = 40 343 kWh / 13 428 kWh = 3,0

Gemäß Förderbedingung der BAFA (Bundesamt für Wirtschaft und Ausfuhrkontrolle) muss folgende Bedingung erfüllt sein:

JAZ > 4,5

Auch diese Bedingung ist hier nicht erfüllt. Diese Sole-Wasser-Wärmepumpenanlage arbeitet keineswegs wirtschaftlich und umweltfreundlich. Bei Annahme der Zuwendungen des Bundes bestünde der Verdacht des Subventionsbetruges, was rechtlich zu klären wäre.

Bei dieser Begutachtung komme ich zu dem Ergebnis, dass diese Sole-Wasser-Wärmepumpenanlage absolut nicht fachgerecht geplant und ausgeführt war. Sie ist definitiv falsch projektiert und montiert. Der Stromverbrauch ist erheblich zu hoch. Die Warmwasserversorgung ist mangelhaft und der Legionellenschutz entspricht nicht den Vorgaben der TrinkwV (Trinkwasserverordnung).

Zum Ärgernis meiner Mandanten sind die Schlussfolgerungen aus den Gutachten meines Kollegen falsch. Sie basieren auf Pauschalannahmen aus allgemeiner Literatur und teilweise auf Rechenfehlern. Zudem wurden die Ergebnisse falsch interpretiert. Es erfolgten keine eigenen Messungen und Aufzeichnungen. Zur Aufgabe eines Sachverständigen gehört es, selber Messungen und Aufnahmen vorzunehmen, Berechnungen zu erstellen, diese auszuwerten und darauf basierend Schlussfolgerungen zu ziehen und sein Gutachten zu verfassen. In meinem Gutachten zeige ich anhand mehrerer Berechnungen und Betrachtungen, dass die Wärmepumpenanlage falsch und nicht fachgerecht dimensioniert ist. Allgemeine Verweise auf Literatur sollten lediglich als vergleichender Maßstab dienen, um die generell geltenden Werte der zu begutachtenden Wärmepumpe zu untermauern. In diesem Fall bleibt zu hoffen, dass mein Gutachten dazu führt, dass das Gericht einen weiteren Gutachter mit einem abschließenden Gutachten beauftragt und der Prozess so zu einem guten Ende geführt wird.

Einen ähnlichen Fall hatte ich auch am Niederrhein. Der Mandant klagte seit 2006. Ich ermunterte ihn immer wieder, nicht aufzugeben, denn mir war bewusst, dass er im Recht war. Im Jahr 2021 stimmte er dann einem bedingten Vergleich zu. Das zuständige Landgericht wies dem Verfahren immer wieder neue Richter zu, die sich neu in die Akte einlesen mussten. Dies ist eine der Ursachen für sehr lange andauernde Prozesse. Dies war auch im zuvor geschilderten Prozess der Fall.

Dennoch möchte ich an dieser Stelle ausdrücklich betonen, dass dies keine Regelfälle sind. Ich habe bisher feststellen können, dass die Gerichte als auch die von ihnen beauftragten Sachverständigen im Regelfall eine hervorragende Arbeit leisten. Aber es gibt halt auch Ausnahmen. Prüfen Sie Ihre Möglichkeiten, wenn Sie in einen solchen jahrelangen Rechtsstreit verwickelt sind. Lassen Sie sich nicht entmutigen, überlegen Sie sich z. B., einen Sachverständigen zu suchen und mit ihm eine Streitschlichtung anzustreben. Ist eine Streitschlichtung erfolglos, kann ein Schiedsgericht oder ein ordentliches Gericht bemüht werden.

2.3 Fehler bei Wasser-Wasser-Wärmepumpenanlagen

Aufgrund der Ölkrise wurden in den 80er-Jahren zum ersten Mal Wärmepumpen populär und viele Wasser-Wasser-Wärmepumpen installiert. Dabei machte man aus Unwissenheit, fehlender Erfahrung und falschem Geschäftssinn verschiedene Fehler. Ein fataler Fehler war und ist es, das Brunnenwasser nicht auf seine Eignung für Wärmepumpen zu prüfen. Grundsätzlich sollte das Brunnenwasser zunächst hinsichtlich Eisen und Mangan untersucht werden. Nur eisen- und manganfreies Brunnenwasser, zumindest im Sinne der TrinkwV (Trinkwasserverordnung), ist für den Betrieb von Wasser-Wasser-Wärmepumpen geeignet. Eisen- und/ oder manganhaltige Wässer sind für den Betrieb von Wärmepumpen generell ungeeignet. Es besteht die Gefahr, dass der Schluckbrunnen überläuft und sich der Verdampfer zusetzt. Werden dabei einige Bereiche nicht mehr ausreichend durchströmt, besteht die Gefahr der örtlichen Vereisung im Verdampfer. Er friert dann dort auf und geht defekt. Ein Totalausfall ist die Folge, was eine kostspielige Reparatur erforderlich macht. Weiterhin ist das Wasser hinsichtlich seiner Aggressivität zu überprüfen. Um spätere Störungen zu vermeiden, ist eine Wasseruntersuchung auf die relevanten Parameter empfohlen; siehe hierzu auch Tabelle 1.5.1.1. Aggressive Wässer können im Laufe der Betriebszeit dazu führen, dass der Verdampfer korrodiert und undicht wird. Auch in diesem Fall ist eine kostspielige Reparatur die Folge.

Brunnenbauer argumentierten gerne, ein paar Meter tiefer zu bohren, um sicherzustellen, dass für die Wärmepumpe stets ausreichend Wasser zur Verfügung steht. Das ist vielleicht gut gemeint, zumal jeder Meter Geld bringt, aber je tiefer gebohrt wird, desto größer ist in vielen Gegenden, geogen bedingt, die Wahrscheinlichkeit, dass das Brunnenwasser Eisen und/oder Mangan enthält.

Hinweis:

Für Wasser-Wasser-Wärmepumpen gilt: Es sollte nur so tief wie nötig, nicht wie möglich gebohrt werden.

Grundsätzlich ist anhand einer Wasseranalyse zu entscheiden, ob das Wasser tauglich ist und welcher Wärmetauscher einzusetzen ist. Je nach Wasserqualität ist als Verdampfer ein geeigneter, korrosionsbeständiger Wärmetauscher einzusetzen. Entweder ist ein nickelgelöteter Edelstahlwärmetauscher oder ein Edelstahlwärmetauscher komplett aus Edelstahl oder eine Systemtrennung zu wählen. Diese bietet natürlich den optimalen Schutz für die Wärmepumpe. Auch für die Systemtrennung sind für den Wärmetauscher entsprechende Werkstoffe zu wählen. Oftmals wird zur Systemtrennung ein nickelgelöteter oder edelstahlgeschweißter oder geschraubter Plattenwärmetauscher eingesetzt.

Die Tabelle im Kapitel „Wasser-Wasser-Wärmepumpen" zeigt, wann ein kupfergelöteter oder ein nickelgelöteter Wärmetauscher eingesetzt werden kann.

Aber Achtung!

Eine Systemtrennung ist keine Lösung bei eisen- und/oder manganhaltigen Wässern!

Er schützt dann wohl die Wärmepumpe, aber nicht den Schluckbrunnen. Die Probleme bleiben.

2.3.1 Eisen und/oder Mangan im Brunnenwasser

Eisen- oder manganhaltige Brunnenwässer sind für den Betrieb von Wasser-Wasser-Wärmepumpenanlagen ungeeignet. Die Problematik von eisenhaltigem Wasser soll nachfolgendes Beispiel zeigen: Ein normales Einfamilienhaus, in dem eine Wärmepumpe zur Gebäudebeheizung und Warmwasserbereitung dient, mit einer Heizleistung von 15 kW. Der nominale Brunnenwasserdurchfluss beträgt 3,5 m^3/h. Im Nachhinein stellt sich heraus, dass das

Brunnenwasser 0,5 mg/l Eisen enthält. Das klingt zunächst nicht viel. Die nominale jährliche Betriebsdauer der Wärmepumpe beträgt 2 400 h. Folglich errechnet sich der jährliche Durchfluss zu:

$$V = t \cdot Q = 2\,400\ \text{h} \cdot 3{,}5\ \text{m}^3/\text{h} = 8\,400\ \text{m}^3 = 8\,400\,000\ \text{l}$$

Bei dem o. g. Eisengehalt fällt jährlich folgende Eisenmenge an:

$$m = V \cdot m_{\text{Fe}} = 8\,800\,000 \cdot 0{,}5\ \text{mg/l} = 4\,200\,000\ \text{mg} = 4{,}2\ \text{kg}$$

Dieses Eisen oxidiert mit Sauerstoff zu jährlich etwa 6,8 kg Eisenoxidhydrat. Bei einer spezifischen Dichte von $\zeta = 4{,}09\ \text{g/cm}^3$ ergibt sich folgendes Volumen:

$$V_{\text{FeO}} = m_{\text{FeO}}/\zeta = 6{,}8\ \text{kg}/4{,}09\ \text{kg/l} = 1{,}7\ \text{l Eisenoxidhydrat.}$$

Das klingt zunächst nicht sehr dramatisch. Aber in nur fünf Jahren fallen etwa 8 l Eisenoxidhydrat an. Dieses setzt dann allmählich die wasserführenden Poren des Schluckbrunnens um dessen Brunnenfilterbereich zu. Das kann dann, je nach Ausbau des Schluckbrunnens nach einigen Jahren zum Überlaufen des Schluckbrunnens führen. Mit etwas Glück kann dann der Schluckbrunnen noch mal regeneriert werden. Doch ein regenerierter Brunnen ist dann nicht neuwertig.

Bild 2.3.1.1:
Defekter Wärmetauscher
Quelle: Gea WTT

Problematisch ist auch, dass sich Eisenoxidhydrat im Verdampfer anlagert. Dadurch wird die Durchströmung des Verdampfers vermindert, was dann zu einer örtlichen Vereisung im Verdampfer führen kann. Eine Vereisung führt zum Auffrieren und letztendlich zum Durchbruch und Defekt des Wärmetauschers. Bild 2.3.1.1 zeigt einen defekten Wärmetauscher. Deutlich zu erkennen sind die ausgewölbten Kanäle durch das Auffrieren des Brunnenwassers.

Dieses Auffrieren kann nicht zuverlässig verhindert werden, indem die Austrittstemperatur des Verdampfers begrenzt wird. Die durchschnittliche Austrittstemperatur kann durchaus über dem Gefrierpunkt sein, obwohl die Temperatur in einzelnen Kanälen durch Verringerung des Durchflusses den Gefrierpunkt bereits unterschreitet.

Aus meiner Praxis kann ich von verschiedenen Fällen berichten, die ich nachfolgend etwas zusammenfasse, um Wiederholungen zu vermeiden.

Eine traurige Geschichte 2.3.1.1

In einem Fall wurde die in Bild 2.3.1.1.1 dargestellte Wasser-Wasser-Wärmepumpenanlage mit freier Kühlung gewünscht und installiert, obschon zuvor bekannt war, dass die Werte für Eisen und Mangan zu hoch waren.

Eine zuvor erstellte Analyse wies einen erhöhten Wert für Mangan aus. Obwohl dies dem Kunden mitgeteilt und eine weitere, umfangreiche Analyse angefordert wurde, wurde der Auftrag zur Lieferung der Wärmepumpe erteilt. Auch der installierende Betrieb wurde vom Hersteller auf diese Problematik hingewiesen.

Die Anlage wurde geliefert, installiert und arbeitete ein paar Jahre, bis dann die ersten Probleme auftraten. Der Handwerker reinigte dann regelmäßig den Wärmetauscher zur Kühlung, nicht aber den Verdampfer in der Wärmepumpe. Das war natürlich grob nachlässig. Die Folge war, dass der Verdampfer zunehmend verunreinigte. Um dem zu begegnen,

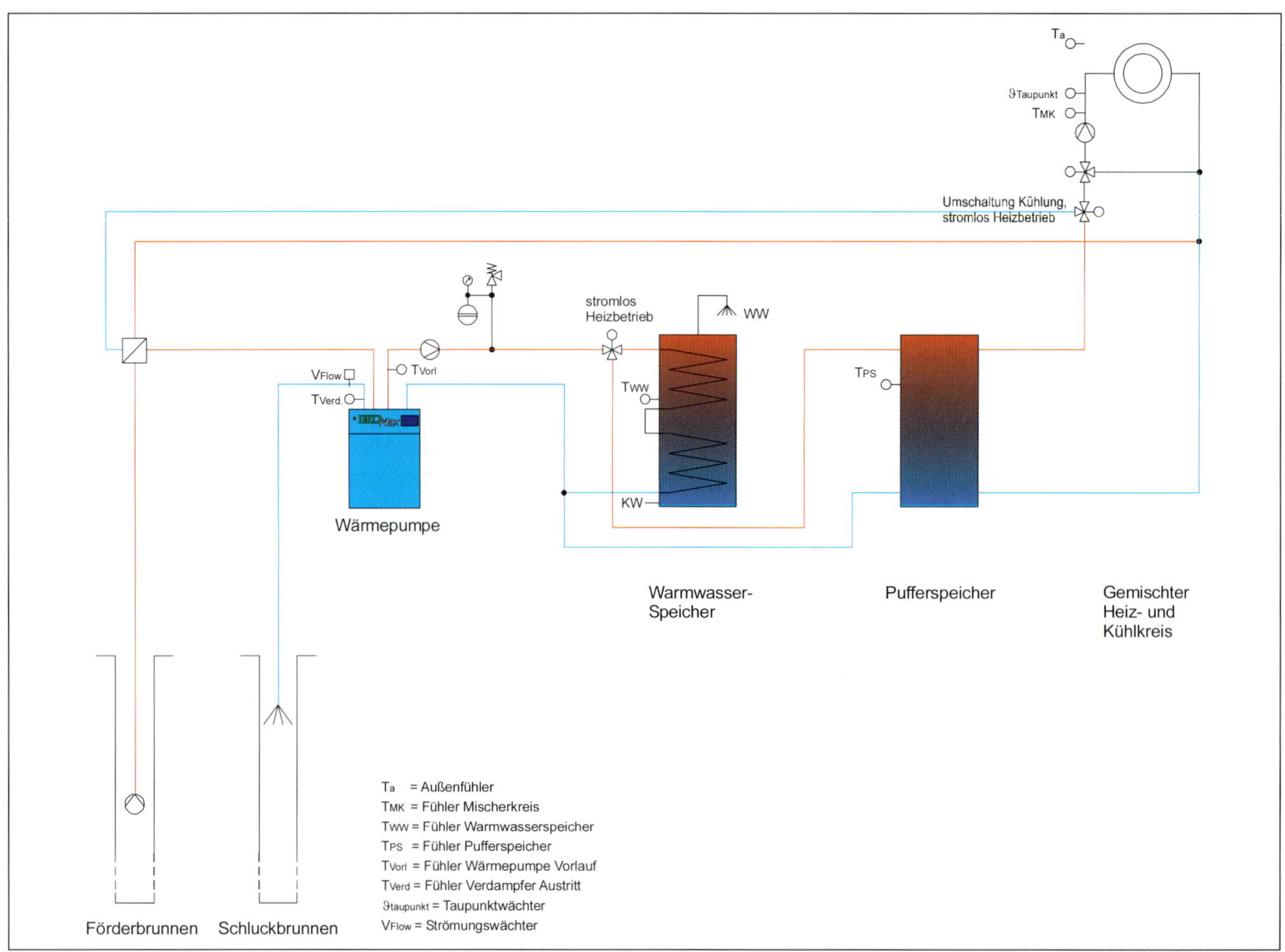

Bild 2.3.1.1.1: Wasser-Wasser-Wärmepumpenanlage mit freier Kühlung – mit Kühlung über Fußbodenheizkreis
Quelle: J. Bonin, Umwelt & Technik

installierte der (Fach-)Handwerker einen Rückspülfilter. Dabei ist unbedingt zu beachten, dass dieser zum Rückspülen einen ordentlichen Durchfluss und Druck braucht. Weiterhin hat ein Rückspülfilter eine recht kleine Filterfläche, was oftmals dazu führt, dass er schnell verunreinigt ist und zusetzt. So war dies auch hier. Das verringerte natürlich den Durchfluss, was dazu führte, dass die Wärmepumpe ggf. unzureichend mit Wasser versorgt wird. Weil angeblich der Strömungswächter nicht richtig funktionierte, wurde dieser ausgebaut. Damit fehlte ein wesentliches Sicherheitselement zur Überwachung. Die Folge war, dass sich einige Kanäle des Wärmetauschers zusetzten und vereisten. Das führte dazu, dass der Verdampfer defekt ging, obwohl hinter dem Verdampfer ein Fühler installiert war, der die Austrittstemperatur des Wassers aus dem Verdampfer gemessen hat. Dies ist eine weitere Sicherheitsüberwachung, die bei Unterschreiten der Austrittstemperatur die Wärmepumpe abschalten soll. Weil dieser jedoch nur die mittlere Temperatur des austretenden Wassers hinter dem Verdampfer misst, wurde das Unterschreiten der Mindesttemperatur in einzelnen Kanälen des Verdampfers durch Verunreinigungen nicht erfasst. Somit war der Defekt langfristig nicht vermeidbar. Aufgrund des entwichenen Kältemittels schaltete die Wärmepumpe wegen einer Niederdruckstörung im Kältekreislauf ab. Bei einem weiteren „Reparatur-Versuch" überbrückte der Handwerker dann noch den Niederdruckschalter. Die Wärmepumpe schaltete ein und der Kompressor zog Wasser an. Das Wasser gelangte in den Kompressor und verursachte einen Kurzschluss. Diese völlig unsachgemäße Vorgehensweise führte so zu einem Totalschaden der Wärmepumpe. Der Verdampfer und der Kompressor waren nun defekt – ein sehr hoher Sachschaden!

Wie wäre die richtige Vorgehensweise gewesen?

Zunächst wäre es sinnvoll gewesen, zu überprüfen, ob nicht ein Brunnen mit einer anderen Tiefe gebohrt werden könnte, um aus einer anderen Schicht eisen- und manganarmes oder -freies Wasser zu bekommen. Doch wenn dann schon die Wasser-Wasser-Wärmepumpe mit eisen- und manganhaltigem Wasser betrieben werden sollte, wäre entweder eine Spülvorrichtung zur Reinigung der Wärmetauscher (Kühlung und Verdampfer) oder eine Systemtrennung sinnvoll gewesen. Dann wäre die Wärmepumpe sicher besser geschützt gewesen. Es bliebe dann jedoch immer noch das Problem, dass irgendwann der Schluckbrunnen verockert und das Wasser nicht mehr aufnimmt.

Eine andere Möglichkeit wäre die, das Brunnenwasser subterrestrisch (unterirdisch) aufzubereiten. Dabei wird das Wasser bereits im Aquifer (Grundwasserleiter) aufbereitet und kann dann unverändert wieder dem Erdreich zurückgeführt werden. Platz genug wäre auf dem Grundstück gewesen.

Die sicherste Möglichkeit wäre in diesem Fall eine Sole-Wasser-Wärmepumpenanlage mit einem geschlossenen System gewesen.

Nun, aber wenn schon derartige Probleme auftreten, hätte man mit etwas mehr Systematik sicher die größten Schäden vermeiden können. Dieses Beispiel zeigt, dass leider viel zu häufig Fachhandwerker unsachgemäß versuchen, Probleme zu beheben, anstatt den Hersteller oder andere Fachleute zu Rate zu rufen. Insbesondere wäre es wichtiger gewesen, den Verdampfer mit zu reinigen und nicht nur den Wärmetauscher zur Kühlung. Und als Wasserfilter gehört vor Wärmepumpen ein großflächiger Filter eingebaut. Ein Rückspülfilter hat eine viel zu kleine Filterfläche. – In einem anderen Fall fand ich für eine Wärmepumpenanlage mit zwei Wärmepumpen sogar nur einen viel zu kleinen Schmutzfänger vor!

Und warum war der Fall besonders traurig?

Der Kunde versprach sich für sein neues Haus eine Wärmepumpenanlage mit Kühlung, die außerdem möglichst effizient arbeiten sollte. Das wäre mit einer Wasser-Wasser-Wärmepumpenanlage sicher möglich gewesen. Doch hätte man hier unbedingt die Wasserqualität und die Hinweise des Herstellers beachten sollen.

Nun, als die ersten Probleme mit der Wärmepumpe auftraten, meldete der Handwerker Insolvenz an. Das war für den Betreiber dann besonders traurig, weil er allein die Kosten tragen muss und nun eine defekte Wärmepumpe hat. Um eine funktionierende Wärmepumpenanlage zu bekommen, müsste er eine teure Reparatur bezahlen und zudem immer noch das Problem mit dem Wasser lösen.

Dieses Beispiel zeigt aber auch, dass es hilfreich ist, die Arbeiten eines Fachhandwerkers ruhig mal zu überprüfen – soweit dies möglich ist – und zu hinterfragen, was und warum der Fachhandwerker diverse Arbeiten vornimmt.

Eine schwierige Angelegenheit 2.3.1.2

Ein weiterer Fall ist ein Kunde aus der Bonner Gegend. Dort wurde eine Wasser-Wasser-Wärmepumpenanlage mit zwei Wärmepumpen, je etwa 13 kW in Kaskade installiert, ohne die Wasserqualität zuvor zu untersuchen. Außerdem wurde eine zu kleine Unterwasserpumpe mit einer max. Förderleistung von 4 m³/h (im Leerlauf) installiert. Auch hier ließen die Probleme nicht all zu lange auf sich warten, wie die Bilder des Betreibers zeigen:

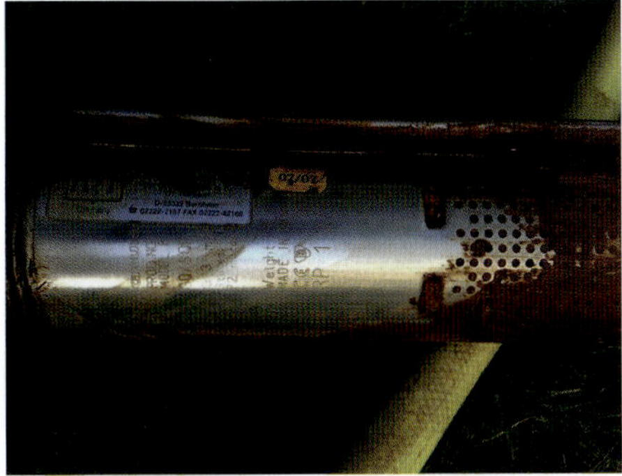

Bild 2.3.1.2.1: Unterwasserpumpe mit Eisenablagerungen
Quelle: D. Keskin/J. Bonin, Umwelt & Technik

Bild 2.3.1.2.2: Förderbrunnen mit Eisenablagerungen
Quelle: J. Bonin, Umwelt & Technik

Bild 2.3.1.2.3: Schluckbrunnen mit Eisenablagerungen
Quelle: J. Bonin, Umwelt & Technik

Diese Bilder zeigen deutlich, dass hier massive Probleme mit Eisen und Mangan da waren. Nachdem die erste Wärmepumpe ausfiel und defekt ging, wurde eine Systemtrennung mit einem geschraubten Edelstahlplattenwärmetauscher eingebaut.

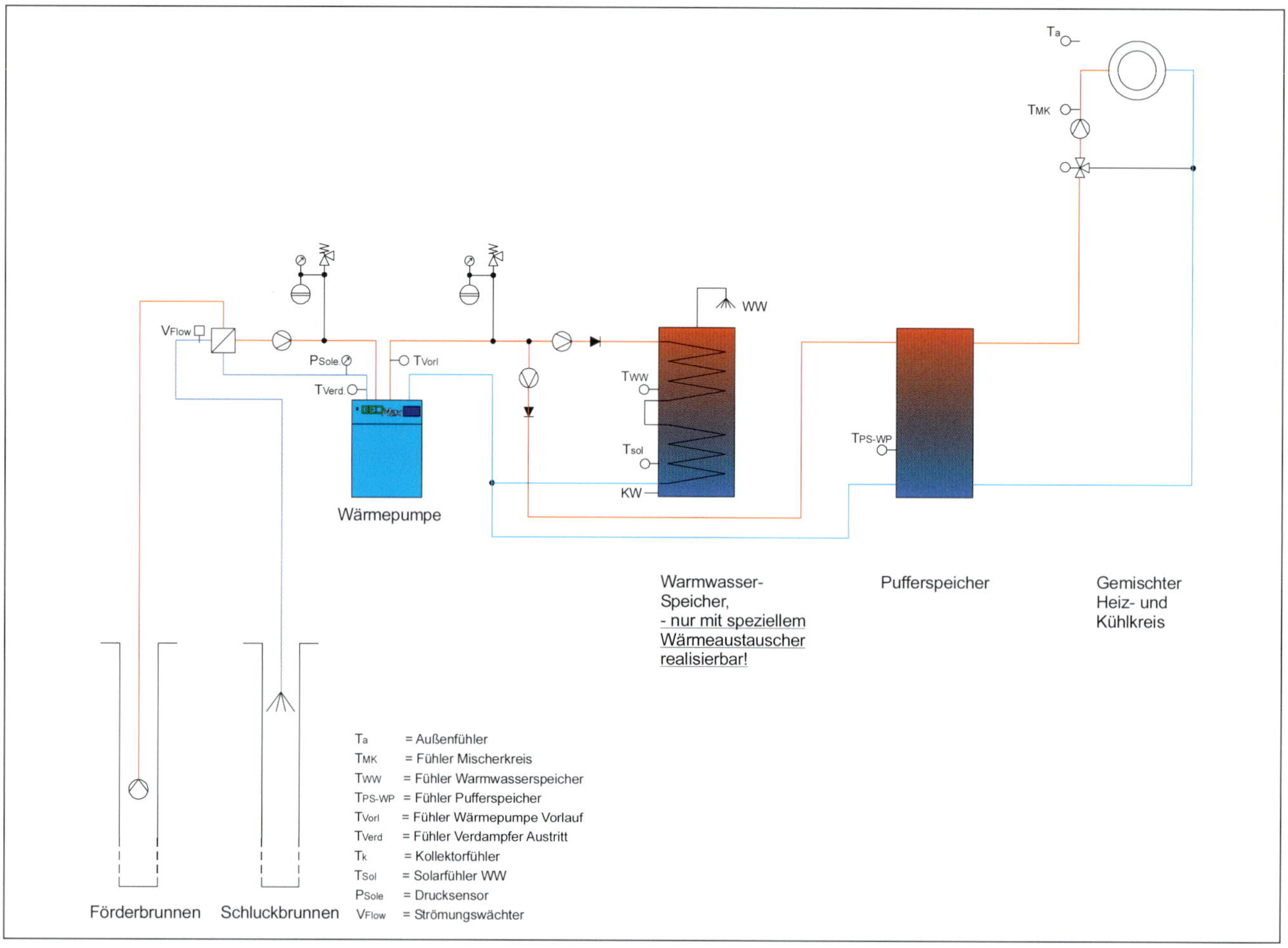

T_a, T_{MK}, V_{Flow}, P_{Sole}, T_{Verd}, T_{Vorl}, T_{WW}, T_{sol}, KW, WW, $T_{PS\text{-}WP}$

Wärmepumpe

Warmwasser-Speicher,
- nur mit speziellem Wärmeaustauscher realisierbar!

Pufferspeicher

Gemischter Heiz- und Kühlkreis

Förderbrunnen

Schluckbrunnen

T_a	= Außenfühler
T_{MK}	= Fühler Mischerkreis
T_{WW}	= Fühler Warmwasserspeicher
$T_{PS\text{-}WP}$	= Fühler Pufferspeicher
T_{Vorl}	= Fühler Wärmepumpe Vorlauf
T_{Verd}	= Fühler Verdampfer Austritt
T_k	= Kollektorfühler
T_{Sol}	= Solarfühler WW
P_{Sole}	= Drucksensor
V_{Flow}	= Strömungswächter

Bild 2.3.1.2.4: Wasser-Wasser-Wärmepumpenanlage mit Systemtrennung
Quelle: J. Bonin, Umwelt & Technik

Bild 2.3.1.2.5: Trennwärmetauscher
Quelle: D. Keskin/J. Bonin

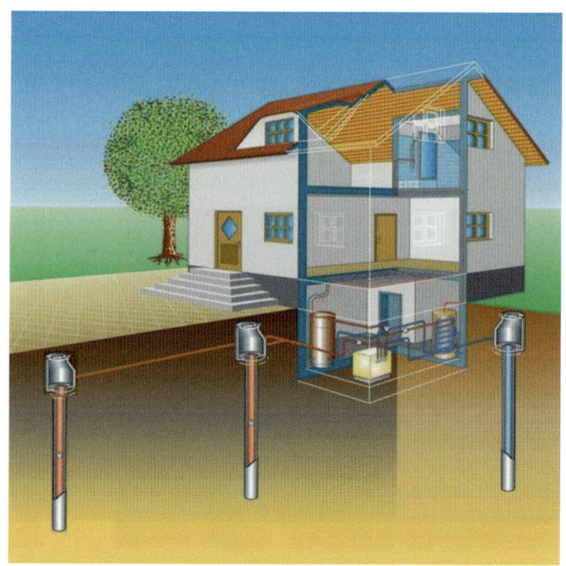

Bild 2.3.1.2.6: Wasser-Wasser-Wärmepumpen-anlage mit subterrestrischer Wasseraufbereitung
Quelle: Energieagentur NRW & J. Bonin, Umwelt & Technik

Eine Systemtrennung schützt hierbei den Verdampfer der Wärmepumpe vor Eisen- und Manganablagerungen. Der Schluckbrunnen kann so jedoch nicht geschützt werden. Auch der Trennwärmetauscher für die Systemtrennung setzt sich mit Eisen- und Manganablagerungen zu und wäre regelmäßig zu reinigen. Dazu wurden Manometer eingebaut, die vor dem Trennwärmetauscher den Druck messen. Bei zu starkem Druckanstieg ist dann eine Reinigung des Trennwärmetauschers erforderlich.

Um das Problem in den Griff zu bekommen, wandte sich der Betreiber an den Autor mit der Nachfrage, das Wasser subterrestrisch (unterirdisch) aufzubereiten, damit die Wärmepumpe mit eisen- und manganfreiem Wasser gem. der TrinkwV betrieben werden kann. Dies ist denkbar, aber erfordert einen weiteren Förderbrunnen, einschließlich Unterwasserpumpe sowie eine entsprechende Aufbereitungsanlage. Das ist technisch aufwändig und war hinsichtlich der Platzverhältnisse nicht ganz unproblematisch. Dies ist sicher eine gute Lösung, wenn auch etwas teuer. Zudem ist eine weitere Anlage vorhanden, die überwacht und gewartet werden muss. Daher sollte zunächst untersucht werden, ob es denn nicht eine andere Lösung gibt.

Eine Wasseranalyse des Brunnenwassers aus dem Förderbrunnen wies zu hohe Eisen- und Manganwerte aus und ergab, dass das Brunnenwasser zudem auch noch aggressiv war. Es wurden folgende Werte gemessen: Eisen: 0,24 mg/l, Mangan: 0,13 mg/l, pH-Wert: 6,2. Das sieht zunächst erst mal gar nicht so dramatisch aus. Doch die Auswirkungen sind an den Fotos deutlich zu erkennen. Der pH-Wert ist wohl für kupfergelötete Wärmetauscher ein Problem, aber nicht mehr für den installierten geschraubten Edelstahlplattenwärmetauscher.

Ich fragte den Kunden nach einem Gartenberegnungsbrunnen. Er bestätigte mir, dass er dafür einen separaten Brunnen hätte. Auf meine Nachfrage, ob denn dieser Brunnen eisen- oder manganhaltiges Wasser fördert, teilte mir der Betreiber mit, dass das Wasser keine Verfärbungen hinterlässt. Eine anschließende Wasseranalyse zeigte, dass das Wasser eisen- und manganfrei war. Also war es naheliegend, dieses Wasser für die Wärmepumpe zu empfehlen. Weil jedoch der vorhandene Schluckbrunnen zu nah an diesem Brunnen war und außerdem dieser durch Eisen und Mangan sicher vorbelastet war, empfahl ich bei einer Besichtigung vor Ort, einen neuen Schluckbrunnen an einer anderen geeigneten Stelle bohren zu lassen. Doch ganz so einfach sah die Sache gar nicht aus.

Folgende Tatsache machte die Angelegenheit etwas ungewöhnlich und schwierig: Nämlich, dass alle Brunnen, d. h. Förder- und Schluckbrunnen für die Wärmepumpe **und** der Brunnen für die Gartenberegnung gleich tief und alle gleich ausgebaut waren, aber die Wasserqualitäten der jeweiligen Brunnen deutlich voneinander abwichen.

Bild 2.3.1.2.7: Wärmepumpenanlage mit zwei Wärmepumpen von Stiebel-Eltron und dem Trennwärmetauscher
Quelle: D. Kesin & J. Bonin, Umwelt & Technik

Das ist sehr ungewöhnlich und nur mit starken Inhomogenitäten im gewachsenen Boden erklärbar.

Bei einer Ortsbesichtigung stellte sich heraus, dass relativ früh die erste Wärmepumpe ausfiel, weil der Verdampfer defekt ging. Nun wandte sich der Fachhandwerker an den Hersteller der Wärmepumpen. Der Hersteller lieferte auf Kulanz eine neue Wärmepumpe und empfahl eine Systemtrennung zum Schutz der Wärmepumpen, was positiv zu erwähnen ist. Wegen des aggressiven Wassers wurde nun ein geschraubter Plattenwärmetauscher aus Edelstahl installiert, sodass hier keine Probleme mehr für die Wärmepumpen zu erwarten sind.

Nun galt es noch, die passende Unterwasserpumpe einbauen zu lassen. Aufgrund meiner Empfehlung hat der Betreiber nach Umsetzung eine gut funktionierende Wärmepumpenanlage und viel Geld gespart.

Hinsichtlich der erforderlichen Wassermenge kann man als Faustregel davon ausgehen, dass pro 10 kW Heizleistung mindestens 2,3 m^3/h erforderlich sind. Bei der Gesamtheizleistung von 26 kW wären also mindestens 6 m^3/h erforderlich gewesen. Dies gilt als unterstes Mindestmaß für die Förderleistung und Aufnahmeleistung der Brunnen sowie für die Unterwasserpumpe. Für die Brunnen sollten entsprechende Reserven berücksichtigt werden, um die allmähliche Leistungsminderung durch Alterung zu berücksichtigen.

Auffallend ist auch die ungewöhnliche und sicher nicht fachgerechte Verrohrung im Förderbrunnen. Die vielen Bögen kosten Geld und führen zu unnützen Druckverlusten. Einfacher und kostengünstiger wäre eine direkte, gerade Rohrführung mit einer Verschraubung gewesen.

Wie hätten diese Probleme vermieden werden können?

Eine direkt nach dem Bohren erstellte Wasseranalyse hätte gezeigt, dass das Wasser zu viel Eisen und Mangan enthält und außerdem noch aggressiv ist. Die zu kleine Unterwasserpumpe ist darauf zurückzuführen, dass der Brunnenbauer sich am falsch erstellten Genehmigungsantrag orientierte, in dem eine zu geringe Wassermenge angegeben war. Besser wäre es gewesen, wenn der Brunnenbauer technisch überprüft hätte, ob seine Leistungen zu der geplanten Wärmepumpenanlage passen. Hinsichtlich der Wasserqualität wäre es hilfreich gewesen, auch die der anderen Brunnen zu prüfen.

2.3.1.3 Die Wasserqualität änderte sich – Eisen und Mangan nahmen zu

Ein weiterer mir bekannter Fall zeigte, dass das anfängliche Brunnenwasser gem. vorliegenden Wasseranalysen hinsichtlich Eisen und Mangan gut für eine Wasser-Wasser-Wärmepumpe geeignet war. Im Laufe der Betriebszeit stieg der Wert jedoch an, was zu den bekannten Störungen führte. Das ist recht ungewöhnlich und selten, aber nicht immer auszuschließen.

Wie ist das erklärbar?

Das ist in der Tat schwer zu erklären. Zunächst kann man davon ausgehen, dass sich um einen Brunnen ein Absenktrichter bildet – vergl. Abbildung im Kapitel „Förderleistung und Aufnahmekapazität von Brunnenwasser“. Somit wird überwiegend oberflächennahes Wasser angesaugt, welches in der Regel gegenüber dem ursprünglichen Brunnenwasser weniger Eisen/Mangan enthält. Steigende Eisen-/Manganwerte lassen sich aus meiner Sicht nur so erklären, dass nach einer längeren Betriebszeit eisen-/manganhaltiges Wasser aus entfernter liegenden Grundwasserschichten angezogen wird oder dass durch sich ändernde Wasserqualität die Eisen-/Manganlöslichkeit zugenommen hat. Diese Änderungen sind meistens relativ gering, können aber zu Störungen führen.

Zum Schutz der teuren Wärmepumpe ist auch in solchen Fällen unbedingt eine Spülvorrichtung zur regelmäßigen Reinigung des Verdampfers oder, was noch sicherer ist, eine Systemtrennung zu empfehlen. Optimal, aber teurer ist es natürlich, das Wasser unterirdisch aufzubereiten.

In einem ganz anderen Fall war zuviel Mangan im Wasser. Über ein paar Jahre setzte sich der Schluckbrunnen zu und lief im Winter über. Das führte dazu, dass die Straße, über die das Wasser floss, vereiste. Um das Manganproblem zu beheben, wurde ein neuer Brunnen mit einer deutlich geringeren Tiefe angedacht. Um diese Option zu prüfen, wurde aus einem bestehenden Gartenberegnungsbrunnen das Wasser analysiert. Es war eisen- und manganfrei.

Daraus wurde gefolgert, dass es sinnvoll ist, einen neuen Brunnen mit einer möglichst geringen Tiefe zu bohren. So wurde dann der neue Förderbrunnen gebohrt. Das Wasser des neuen Brunnens war dann eisen- und manganfrei. Doch nach etwa zwei Jahren war wieder etwas Mangan im Wasser feststellbar. Es wurden Werte von etwa 0,1 mg/l gemessen. Dies war so nicht vorhersehbar, zumal ein seit Jahren in Betrieb befindlicher Gartenberegnungsbrunnen eisen- und manganfreies Wasser liefert. Sollte sich nun herausstellen, dass sich der Manganwert wieder erhöht, bleibt nur zu empfehlen, die Wasser-Wasser-Wärmepumpenanlage auf eine Sole-Wasser-Wärmepumpenanlage umzustellen oder das Wasser entsprechend aufzubereiten.

So gibt es viele Fälle bei Wasser-Wasser-Wärmepumpenanlagen, wo die Wasserqualität nicht ausreichend berücksichtigt wurde. Nachfolgend kann ich von einem traurigen Fall aus eigener Praxis berichten:

Nutzung der Brunnen zur Grundwasserabsenkung mit fatalen Folgen 2.3.1.4

Bei der Errichtung eines großen Mehrfamilienhauses war eine Serie von Pannen zu verzeichnen. Geplant war ein Mehrfamilienhaus mit 15 Eigentumswohnungen für bis zu 45 Personen, einer Tiefgarage und einer Wärmepumpenanlage. Zur Erstellung des Kellergeschosses war eine Grundwasserabsenkung erforderlich. Nach Fertigstellung des Kellers wurde diese nicht mehr benötigt. Da war es naheliegend, zwei der Brunnen als Förder- und Schluckbrunnen zu verwenden. Nach einer gewissen Zeit lief der Schluckbrunnen jedoch über. Er wurde zunächst erst mal regeneriert. Nach einem knappen weiteren Jahr fiel die Wärmepumpe völlig aus. Weil zunächst keine Lösung für das Problem erkennbar war, wurde für die Gebäudebeheizung zusätzlich eine Elektroheizung installiert. Daraufhin beauftragte man mich, die Ursache zu suchen und ein Gutachten zu verfassen. Ich ließ mir diverse Unterlagen zum Objekt zusenden, um mir ein Bild von der Situation zu machen. Zum Zeitpunkt der Ortsbesichtigung hatte ich eine Vermutung, worin das Problem bestehen könnte.

Die Wärmepumpenanlage im Keller:

Bild 2.3.1.4.1: Wasser-Wasser-Wärmepumpenanlage
Quelle: J. Bonin

Die Frischwasserstation zur Warmwasserbereitung an der Wand:

Bild 2.3.1.4.2: Übergabestation und Wärmetauscher für die Warmwasserbereitung
Quelle: J. Bonin

Vor Ort nahm ich eine Wasserprobe und untersuchte diese. Das Ergebnis:

Die Bestimmung des Eisenwertes:

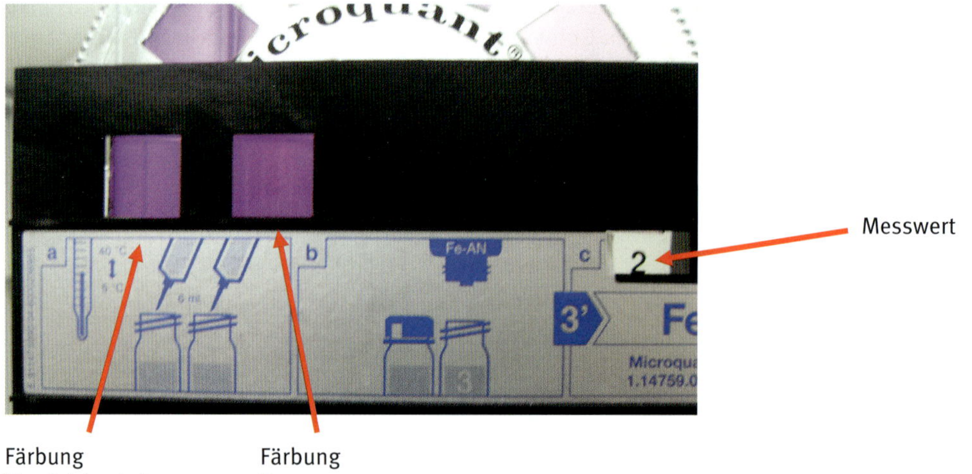

Bild 2.3.1.4.3: Messung des Eisenwertes
Quelle: J. Bonin

Die lila Färbung des Brunnenwassers ist etwas dunkler als die der Vergleichsskala. Das bedeutet, dass der Eisengehalt etwas größer als 2 mg/l ist. Der Grenzwert der TrinkwV (Trinkwasserverordnung) ist mit 0,2 mg/l angegeben. Damit liegt der tatsächliche Wert um mehr als das 10-Fache zu hoch.

Bei der Bestimmung des Mangangehaltes sind ebenfalls zwei Reagenzgläser mit dem Brunnenwasser zu füllen. In einem werden gemäß Vorgabe drei verschiedene Chemikalien zugegeben. Das Brunnenwasser verfärbt sich auch hier in Abhängigkeit vom Mangangehalt. Nach fünf Minuten stellte sich eine so starke Färbung ein, dass der Messbereich überschritten wurde. Daher musste das Wasser um 50 % verdünnt werden. Anschließend erfolgte die Messung (siehe Bild 2.3.1.4.4).

Der Mangangehalt betrug 0,4 mg/l. Aufgrund der Verdünnung ist er um den Faktor 2 größer, also 0,8 mg/l. Der Grenzwert gem. TrinkwV (Trinkwasserverordnung) ist mit 0,05 mg/l angegeben. Der tatsächliche Wert ist um das 16-Fache zu hoch!

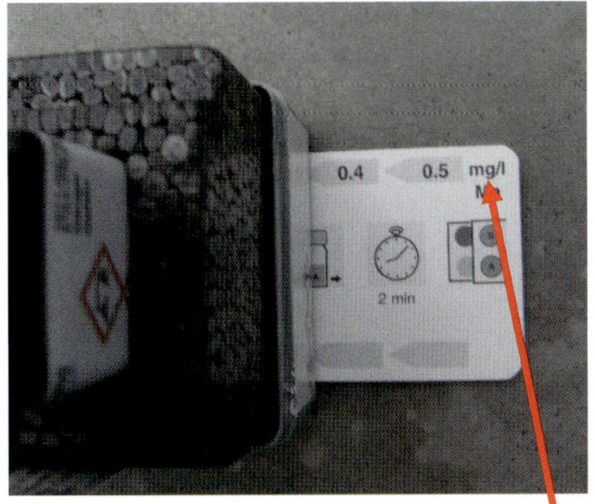

Bild 2.3.1.4.4: Messung des Manganwertes
Quelle: J. Bonin

> **Hinweis:**
> Für Wärmepumpen gelten für Eisen und Mangan mindestens dieselben Grenzwerte wie bei der TrinkwV.

Somit komme ich zu dem Ergebnis, dass diese Wasser-Wasser-Wärmepumpenanlage mit diesem Brunnenwasser nicht betrieben werden kann. Wäre das Brunnenwasser gleich zu Anfang untersucht worden, wäre ein immenser Schaden vermeidbar gewesen.

Nun galt es zu überlegen, wie die Funktionstüchtigkeit hergestellt werden kann. Ich empfahl die Installation von Erdsonden, sodass die bestehenden Komponenten weiter genutzt werden könnten. Aufgrund der Kosten für die Installation der Erdsonden entschloss sich der Bauträger zum Einbau von günstigeren Luft-Wasser-Wärmepumpen. Das kann ich nachvollziehen, denn dem Bauträger ging es um eine finanzierbare Schadensbegrenzung. Also wurden zwei neue Luft-Wasser-Wärmepumpen installiert und man hoffte, damit die Probleme beseitigt zu haben:

Bild 2.3.1.4.5: Die beiden Luft-Wasser-Wärmepumpen
Quelle: J. Bonin

Es wurden zwei Luft-Wasser-Wärmepumpen mit einer Heizleistung von jeweils PH (A-7/W35) = 13,5 kW installiert.

Drei Jahre nach Fertigstellung des Gebäudes wurde eine Heizlastberechnung durchgeführt. Diese wies eine Normheizlast für das Mehrfamilienhaus von 22 000 W = 22 kW aus. Ob dies für ein derart großes Haus ausreicht, halte ich für fraglich. Die Heizlastberechnung selbst habe ich nicht erhalten. Mein früheres Gutachten basierte auf einer Normheizlast von 28 000 W = 28 kW, die der Betreiber mir nannte. Aufgrund dieser Unsicherheiten empfahl ich der Eigentümergemeinschaft, eine unabhängige Normheizlastberechnung von einem TGA-Planer erstellen zu lassen.

Eine Leistungsberechnung zur Warmwasserbereitung gem. DIN 4708 wurde nie erstellt. In Verbindung mit den Unstimmigkeiten bei der Normheizlast erkenne ich hier eine sehr unprofessionelle Vorgehensweise. Eine überschlägige Berechnung mit 250 W/Person ergibt eine für die Warmwasserbereitung erforderliche Heizleistung von: 11,25 kW. Selbst wenn ich die niedrigere, jedoch unwahrscheinliche Normheizlast zugrunde lege, komme ich auf eine erforderliche Heizleistung für die Wärmepumpe von:

$$P_{\mathrm{H}} = P_{\mathrm{NH}} + P_{\mathrm{WW}} = 22\ \mathrm{kW} + 11{,}3\ \mathrm{kW} = 33{,}3\ \mathrm{kW}.$$

Lege ich die wahrscheinlichere Normheizlast von 28 kW zugrunde, ergibt sich daraus:

$$P_{\mathrm{H}} = P_{\mathrm{NH}} + P_{\mathrm{WW}} = 28\ \mathrm{kW} + 11{,}3\ \mathrm{kW} = 39{,}3\ \mathrm{kW}.$$

Die alte Wasser-Wasser-Wärmepumpe hatte eine Heizleitung von 30,1 kW und war bereits zu klein dimensioniert. Diesen Mangel stellte ich in meinem ersten Gutachten fest. Die Installation von noch kleineren Wärmepumpen ist nicht nachvollziehbar. Da die Eigentümergemeinschaft ihrem Bauträger und dem Installateur nicht vertrauten, baten sie mich, die Abnahme zu begleiten und die neue Wärmepumpenanlage zu prüfen.

Nachdem ich auch die Heizleistung der installierten Luft-Wasser-Wärmepumpen beanstandet hatte, erhielt ich nachträglich eine neue Heizlastberechnung, die eine Normheizlast von nur noch 22 019 W auswies. Es ist erstaunlich, dass die erste Heizlastberechnung zunächst mit angeblich 28 502 W der ersten Wasser-Wasser-Wärmepumpenanlage angepasst wurde. Weil im Nachgang erkannt wurde, dass diese Heizlast nicht auf die neuen Luft-Wasser-Wärmepumpen passte, hat man die neue Heizlastberechnung schlicht den neuen Luft-Wasser-Wärmepumpen angepasst. Dies entspricht nun einer Flächenheizlast von nur noch 18 W/m^2, also schon annähernd einem Passivhausstandard. Die Anpassung einer Heizlastberechnung an eine Wärmepumpenanlage ist mir ganz neu, weil eigentlich etwas anderes gelehrt wird. Dahinter steckt entweder ein verzweifelter Versuch, den Streit schnell zu beenden, oder eine missbräuchliche Energie, um die Mängel mit einer Urkundenfälschung zu vertuschen. Das wird noch spannend!

Vor dem Ortstermin zur Abnahme bemängelten die Eigentümer die nicht richtig funktionierende Warmwasserbereitung, die darauf zurückzuführen ist, dass der Antrieb des 3-Wege-Umschaltventils nicht korrekt angeschlossen war.

Bild 2.3.1.4.6: Nicht fachgerecht montierter, lose hängender Antrieb für das 3-Wege-Umschaltventil
Quelle: J. Bonin

Als die Wärmepumpe im Herbst in Betrieb genommen wurde, fotografierte die Eigentümergemeinschaft folgenden Zählerstand: 116 932 kWh.

Bild 2.3.1.4.7: Anfänglicher Zählerstand
Quelle: Eigentümergemeinschaft

Und 3 ½ Monate später fotografierte ich unten stehenden Zählerstand: 130 854 kWh.

Bild 2.3.1.4.8: Zählerstand bei der Ortsbesichtigung
Quelle: J. Bonin

Das ist eine Differenz von 13 922 kWh. Bei einem Stromtarif von 30 Cent/kWh sind das 4.176,60 €. Ich sah mir dazu mal die Temperaturen für diesen Zeitraum an:

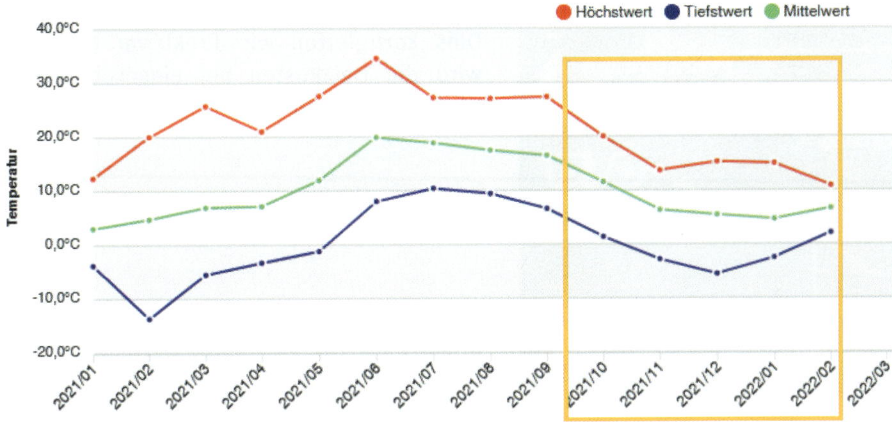

Bild 2.3.1.4.9: Wetterdaten
Quelle: Wetterkontor

Die mittlere Temperatur betrug in diesem Zeitfenster etwa 8 °C. Damit sind pro Eigentumswohnung für diesen kurzen und milden Zeitraum etwa 280 € anzusetzen, obwohl der Elektroheizstab in dieser Zeit noch nicht zuschaltete, weil dieser erst bei 5 °C freigeschaltet wird. Bei Temperaturen unter 5 °C wird es dann entsprechend teurer, weil dann mit dem elektrischen Heizstab zugeheizt wird.

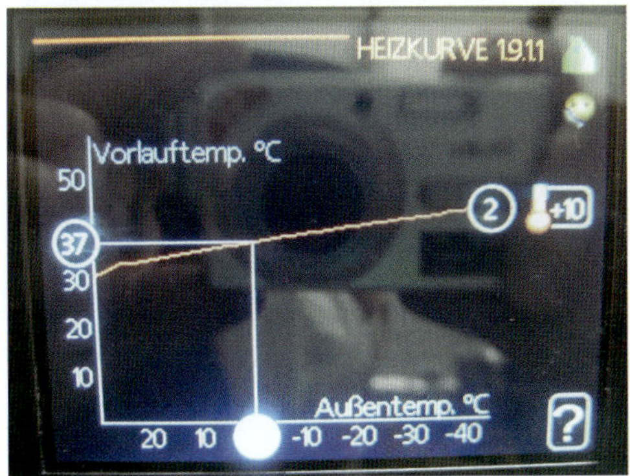

Bild 2.3.1.4.10: Falsch eingestellte Heizkurve
Quelle: J. Bonin

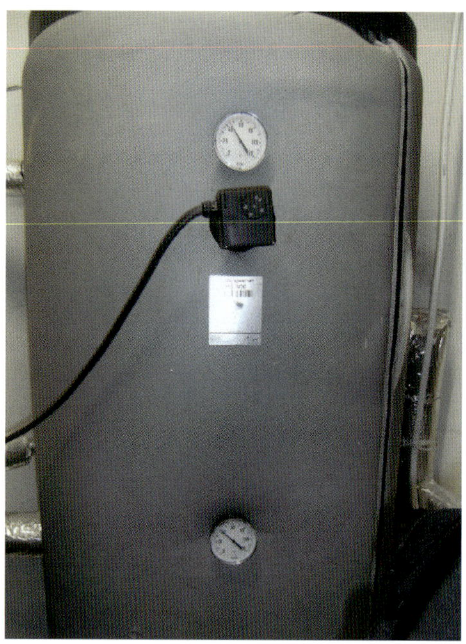

Bild 2.3.1.4.11: Pufferspeicher zur Warmwasserbereitung mit zusätzlichem Elektroheizstab
Quelle: J. Bonin

Als ich die Heizkurve betrachtete, war ich doch überrascht. Bei einer Außentemperatur von 17 °C ist eine Vorlauftemperatur von 35 °C viel zu hoch. Bei einer Normaußentemperatur von −8 °C sollte die Vorlauftemperatur etwa 35 °C betragen und nicht 40 °C. Bei solch hohen Vorlauftemperaturen verschlechtert sich der Wirkungsgrad der Wärmepumpe erheblich.

Dies korrigierten wir direkt vor Ort; das wird die Heizkosten bei einem besseren Wirkungsgrad senken.

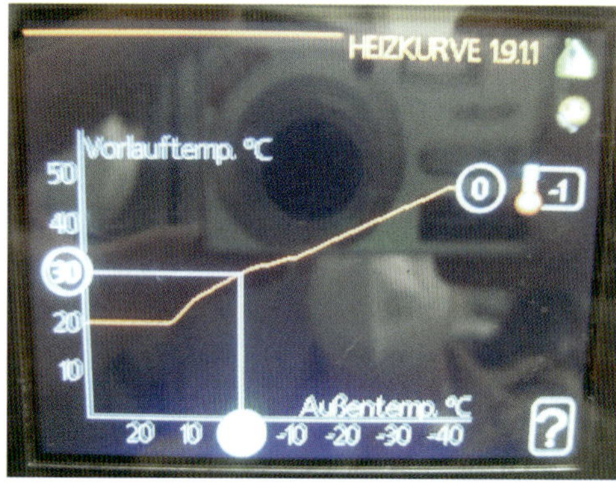

Bild 2.3.1.4.12: Korrigierte Heizkurve
Quelle: J. Bonin

Nach einem Kälteeinbruch im Februar sandten mir die Eigentümer folgendes Foto zu einer Störmeldung:

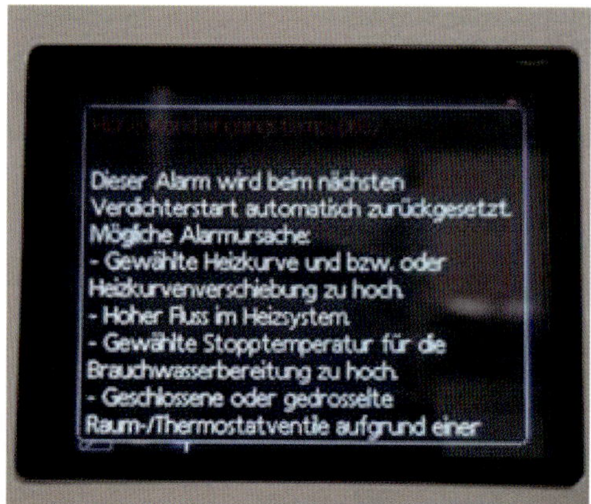

Bild 2.3.1.4.13: Fehlermeldung
Quelle: Eigentümergemeinschaft

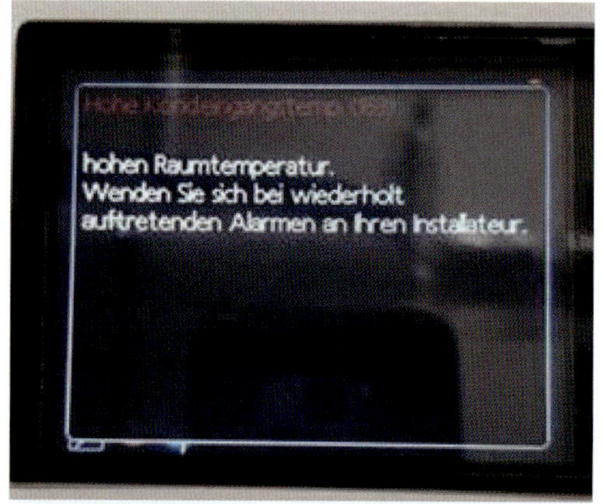

Bild 2.3.1.4.14: Fehlermeldung
Quelle: Eigentümergemeinschaft

Das ist eine klassische Hochdruckstörung und im Display werden die möglichen Ursachen genannt. Eine Hochdruckstörung tritt immer dann auf, wenn senkenseitig, also heizungsseitig nicht genügend Wärme abgegeben werden kann. Das passiert meistens bei der Warmwasserbereitung, weil dazu die Temperaturen deutlich höher sind als beim normalen Heizbetrieb.

Daraufhin erbat ich die Vorlauf- und Rücklauftemperaturen:

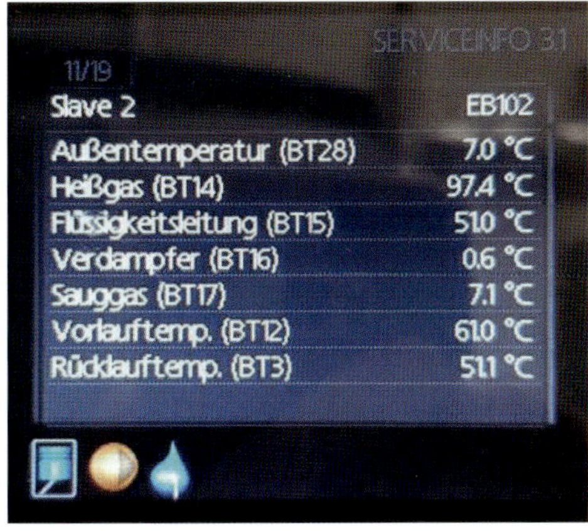

Bild 2.3.1.4.15: Vor- und Rücklauftemperaturen
Quelle: Eigentümergemeinschaft

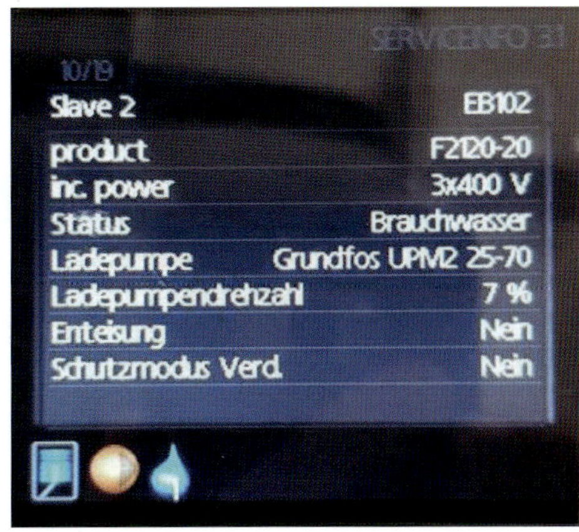

Bild 2.3.1.4.16: Pumpendrehzahl
Quelle: Eigentümergemeinschaft

Zunächst stellte ich fest, dass die Temperaturdifferenz zwischen Vor- und Rücklauftemperatur 9,9 °C betrug, was eindeutig zu hoch ist. So hohe Temperaturdifferenzen entstehen dann, wenn der Durchfluss zu gering ist. Die Ursache war die, dass die Ladepumpe mit einer Ladepumpendrehzahl von 7 % viel zu klein eingestellt war.

Derart falsche Einstellungen weisen darauf hin, dass hier der Heizungsfachmann nur mangelhafte Kenntnisse über Wärmepumpen verfügt.

Bild 2.3.1.4.17 zeigt eine nicht fachgerechte Verdrahtung und Anschluss der Regelung für die Warmwasserbereitung.

Ein Riss in der Isolierung des Speichermantels entsteht häufig, wenn die Isolierung um den kalten Speicher gelegt und dann mit Gewalt am Reißverschluss gezogen wird. Erst wenn Speicher und Isolierung warm sind, sollte die Ummantelung geschlossen werden. Interessant ist auch das frei schwebende Rohr, welches mich eher an moderne Kunst erinnert.

Bild 2.3.1.4.17: Warmwasserregelung
Quelle: J. Bonin

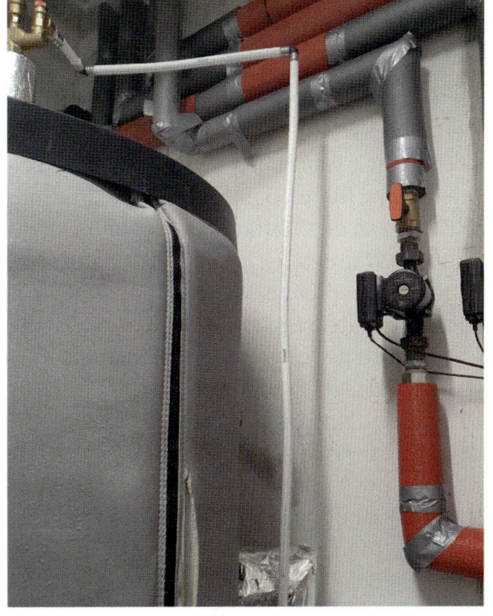

Bild 2.3.1.4.18: Aufgerissene Isolierung Pufferspeicher
Quelle: J. Bonin

Weiterhin sah ich mir die außenstehenden Wärmepumpen an:

Bild 2.3.1.4.19 und **Bild 2.3.1.4.20:** Luft-Wasser-Wärmepumpen
Quelle: J. Bonin

Das saure Kondensatwasser lief hier frei aus den Kondensatwasseranschlüssen auf die Betonsockel und löste diese bereits zum Teil auf.

Dabei stellte ich dann zudem fest, dass der Außenfühler im Schacht für die Rohrleitungen der Wärmepumpen zum Heizungskeller hing! Eine Außentemperatur im Kellerschacht zu messen war hier eine einfache und billige Lösung, jedoch fachlich absolut falsch und nicht haltbar. Ein Außenfühler gehört an eine möglichst nördlich ausgerichtete Außenwand unter einen Dachvorstand, um so die Außentemperatur möglichst real zu messen. Dazu war hier ein Gerüst zu erstellen, was dem Unternehmer zu aufwendig war.

2.3.2 Aggressives Brunnenwasser

In einem anderen Fall war das Wasser eisen- und manganfrei, doch nach ein paar Jahren war der Verdampfer defekt. Eine anschließende kostspielige Reparatur war die Folge. Nach ein paar weiteren Jahren passierte dasselbe wieder. Spätestens beim ersten Ausfall wäre eine Wasseranalyse fällig gewesen, um festzustellen, dass das Wasser aggressiv war. Dies geschah erst nach dem zweiten Ausfall.

Was war passiert?

Eingebaut war ein normaler kupfergelöteter Wärmetauscher als Verdampfer. Bei einem pH-Wert von etwa 6,5 ist das Wasser gegenüber dem Kupfer (Grenzwert 7) aggressiv. Auch die Leitfähigkeit war zu hoch, was zu einer elektrolytischen Korrosion und zusätzlichem Abbau von Kupfer führe. Das Kupferlot wurde allmählich aufgelöst, was dann letztendlich dazu führte, dass der Wärmetauscher undicht wurde. Nun klingt es erst gar nicht so dramatisch, wenn ein Wärmetauscher auszutauschen ist. Handelt es sich dabei jedoch um den Verdampfer in der Wärmepumpe, wird es teuer. Es ist nicht mit einem einfachen Austausch getan, weil auch der Kältekreislauf betroffen ist. Zunächst ist zu prüfen, wie viel Wasser in den Kältekreislauf eingedrungen ist. Von einem Fall weiß ich zu berichten, wo der Handwerker offensichtlich in seiner Verzweiflung mehrfach versuchte, die Wärmepumpe einfach wieder in Gang zu setzen, ohne den Schaden zu beachten. Die Folge war dann, dass so viel Wasser eindrang, dass Wasser in den Kompressor gelangte und dort einen Kurzschluss verursachte. Folglich war nun auch der Kompressor defekt. Die richtige Vorgehensweise wäre, die Wärmepumpe sofort spannungsfrei zu schalten und eine Reparatur zu veranlassen. Im Zuge der Reparatur ist der Verdampfer auszutauschen. Wie oben erwähnt, ist bei der Auswahl des Verdampfers unbedingt die Wasserqualität zu beachten. In den meisten Fällen genügt kein kupfergelöteter

Wärmetauscher! Doch damit nicht genug. Im Kältekreislauf sind zumindest der Trockner und das Schauglas auszutauschen. Zuvor ist zu prüfen, ob der Kompressor Schaden genommen hat und ob genug Öl im Kältekreislauf vorhanden ist. Sind die Voraussetzungen für die Reparatur erfüllt, sind Verdampfer, Trockner und Schauglas und im ungünstigsten Fall auch der Kompressor auszutauschen. Nach dem Austausch ist der Kältekreislauf zu evakuieren und anschließend wieder mit dem richtigen Kältemittel aufzufüllen.

Wie hätten die teuren Reparaturen vermieden werden können?

Indem man vor Auftragserteilung bzw. Auftragsannahme zur Lieferung der Sole-Wasser-Wärmepumpenanlage eine aussagekräftige Wasseranalyse veranlasst hätte. Dann hätte man einen korrosionsbeständigeren nickelgelöteten Wärmetauscher oder einen edelstahlgeschweißten Edelstahlwärmetauscher (komplett aus Edelstahl) oder eine Systemtrennung mit einem geschraubten Plattenwärmetauscher aus Edelstahl einsetzen können.

Zur Prüfung auf Eignung des Brunnenwassers hinsichtlich seiner Wasserqualität dient die Tabelle im Kapitel „Wasser-Wasser-Wärmepumpen".

Brunnenwässer können auch bei anderen Materialien zu Störungen führen. Oftmals werden für den Anschluss des PE-Rohres an die Unterwasserpumpe Messing- oder Rotgussverschraubungen verwendet. Dabei besteht die Gefahr, dass bei entsprechend aggressivem Wasser die Verschraubung durchkorrodiert und defekt geht. Diese Störung führt erst mal dazu, dass die Wärmepumpe nicht mehr ausreichend oder gar nicht mehr mit Wasser versorgt wird. Eine üblicherweise eingebaute Strömungsüberwachung schaltet den Kompressor ab und schützt so den Verdampfer in der Wärmepumpe vor Frostschäden. In der Regel wird dies als eine Störung von Durchfluss oder Wasserversorgung angezeigt. Zur Reparatur ist die Unterwasserpumpe auszubauen und die schadhafte Verschraubung zu ersetzen.

Hinweis:

Statt einer teuren Messing- oder Rotgussverschraubung ist hier eine PE-Kunststoffverschraubung, insbesondere bei aggressiven Wässern besser geeignet.

Dabei ist zu beachten, dass die Unterwasserpumpe mit einem Stahl- oder ausreichend festem Kunststoffseil gesichert wird. Unlängst stellte ich bei einer Überprüfung fest, dass die Unterwasserpumpe mit einer Wäscheleine mit Stahlseele gesichert wurde. Beim Herausziehen der Unterwasserpumpe war festzustellen, dass die Stahlseele der Wäscheleitung an der Unterwasserpumpe durchgerostet war. Die Sicherung war nicht mehr gegeben.

Förderleistung und Aufnahmekapazität von Brunnenwasser 2.3.3

Bei der Planung ist unbedingt darauf zu achten, dass die erforderliche Mindestwassermenge lt. Herstellerangaben dauerhaft der Wärmepumpe zugeführt und vom Schluckbrunnen wieder aufgenommen wird. Gut geeignet sind sandige, kiesige Böden. Dabei bildet sich um jeden Förderbrunnen ein sogenannter Absenktrichter. Aus dem Frankfurter Raum ist mir ein Fall bekannt, dass der obere Grundwasserleiter nur etwa 8 m mächtig ist und erst ab etwa 3 m Wasser steht. Es stehen also nur 5 m Wassersäule zur Verfügung. Unter Berücksichtigung der witterungsbedingten Schwankungen des Grundwasserspiegels sowie die Wasserabsenkung im Brunnen bei Förderung musste eine entsprechende Reduzierung berücksichtigt werden, in dem bekannten Fall von mindestens 1 m. Also bleiben nur noch 4 m. Weil die Unterwasserpumpe im Strömungsprofil oberhalb der Filterstrecke im Brunnen eingebaut werden sollte und eine Wassersäule von mindestens 1 m oberhalb der Pumpe stehen sollte, bleiben für die Filterstrecke nur noch 2 m. Das ist, je nach erforderlicher Förderleistung schon recht knapp, aber bei entsprechendem Ausbau der Brunnen möglich.

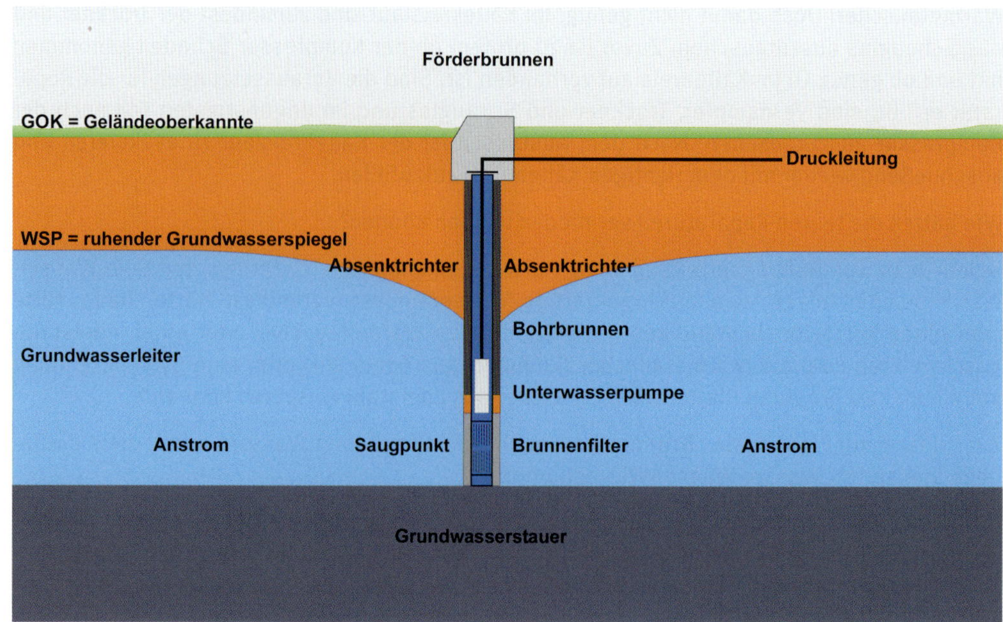

Bild 2.3.3.1: Absenktrichter um einen Förderbrunnen
Quelle: J. Bonin, Umwelt & Technik

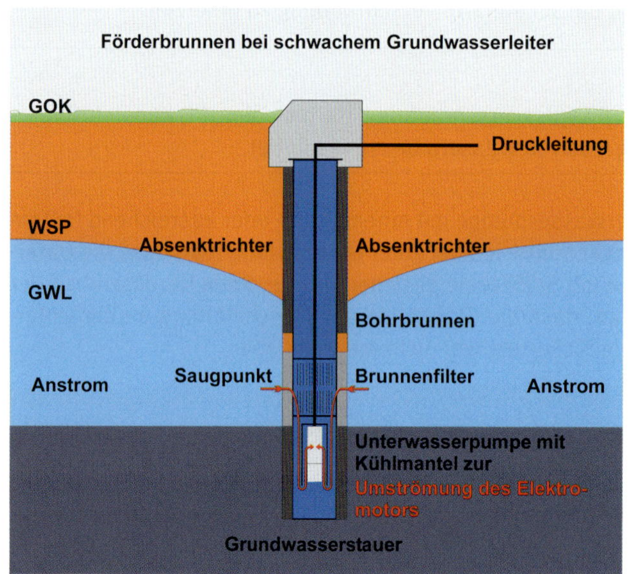

Bild 2.3.3.2: Förderbrunnen mit Unterwasserpumpe mit Kühlmantel unterhalb des Brunnenfilters
Quelle: J. Bonin, Umwelt & Technik

Wenn es ganz knapp wird, besteht auch die Möglichkeit, die Unterwasserpumpe unterhalb der Filterstrecke einzubauen. Dabei ist jedoch unbedingt zu beachten, dass die Unterwasserpumpe mit einem Kühlmantel montiert wird. Das ist erforderlich, damit der Elektromotor der Unterwasserpumpe ausreichend gekühlt wird. Bei normalem Betrieb einer Unterwasserpumpe strömt das Wasser von unten kommend an dem Elektromotor vorbei und gewährleistet so eine ausreichende Kühlung. Ist die Filterstrecke des Brunnens jedoch oberhalb der Unterwasserpumpe, ist ohne Kühlmantel keine effektive Kühlung möglich.

Am Niederrhein, den ich gut kenne, gibt es dagegen Gegenden mit sehr hohen Grundwasserständen. Da ist es entsprechend wichtig, darauf zu achten, dass das aus der Wärmepumpe kommende Wasser dauerhaft vollständig aufgenommen werden kann. Beim Schluckbrunnen bildet sich anstatt eines Absenktrichters eine Grundwasseranhebung aus. Bei hohen Grundwasserständen besteht daher die Gefahr, dass der Schluckbrunnen überläuft.

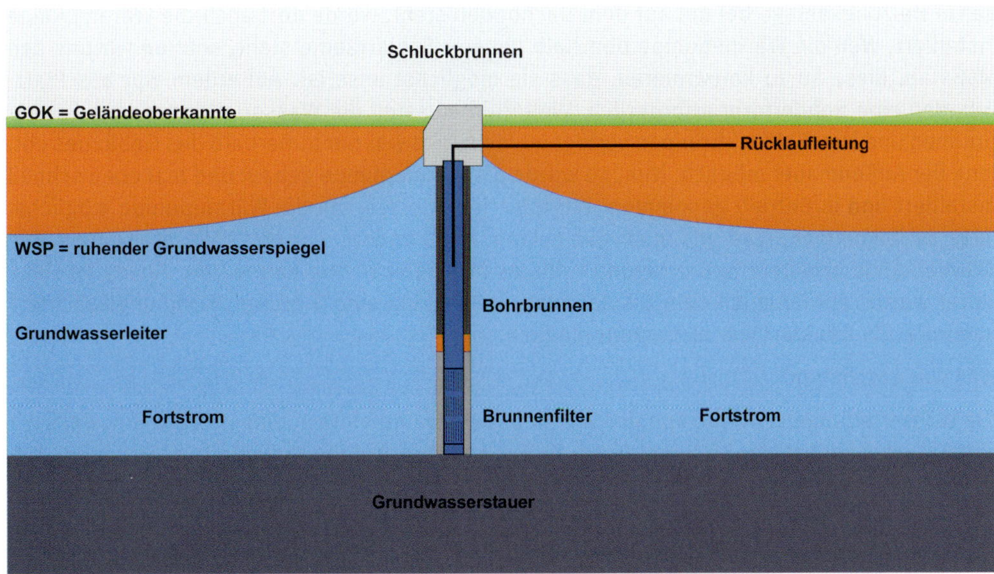

Bild 2.3.3.3: Aufstauendes Grundwasser um den Schluckbrunnen
Quelle: J. Bonin, Umwelt & Technik

> **Hinweis:**
> Weil generell mehr oder weniger die Gefahr eines Überlaufens des Schluckbrunnens gegeben ist, sollte er so angelegt werden, dass ggf. überlaufendes Wasser nicht in Räume, Keller etc. einlaufen kann.

Hierzu weiß ich auch aus eigener Praxis von einem Fall zu berichten. Es sollte eine größere Wasser-Wasser-Wärmepumpe mit einer Heizleistung von 50 kW installiert werden. Dazu bat ich einen namenhaften Brunnenbauer, die vorhandenen Brunnen zu prüfen. Es sollte zum einen die Förderleistung und weil der Grundwasserstand recht hoch war auch die Aufnahmeleistung überprüft werden. Ggf. sollten neue Brunnen angeboten werden. Weil der Kunde seine Wärmepumpe auch bald einschalten wollte, verblieb wenig Zeit hierfür. Es wurde dem Brunnenbauer mitgeteilt, dass wenn er sich nicht zeitnahe darum kümmern könnte ggf. auch ein anderer Brunnenbauer angefragt würde. Vermutlich, um den Auftrag nicht zu verlieren, bot er statt eines neuen Schluckbrunnens Rigolen an. Der Begriff „Rigole" ist französisch und bedeutet so viel wie Rinne oder Graben. Rigolen sind unterirdische Kiesspeicher, in denen Wasser zwischengespeichert wird. Die Versickerung wird damit verlangsamt. Wir lieferten die Wärmepumpe. Nach einer relativ kurzen Betriebszeit stellte sich heraus, dass die Rigolen das Wasser nicht vollständig aufnahmen und überliefen. Bei einer Wärmepumpe mit einer Heizleistung von 50 kW war ein Wasserdurchfluss von etwa 12 m^3/h erforderlich. Das war für die hydrologischen Gegebenheiten zu viel. Überlaufendes Wasser lief in einen naheliegenden Technikraum für das Schwimmbad und verursachte dort einen hohen Schaden. Folglich kam es dann zu einem Rechtsstreit, den der Brunnenbauer verlor.

Dies hätte vermieden werden können, wenn der Brunnenbauer die Rigole größer ausgelegt bzw. von vornherein einen ordentlichen Schluckbrunnen angeboten und gebohrt hätte.

2.3.4 Eingefrorene Speisewasserleitung

Hier weiß ich von einem eigenen Fehler zu berichten. Als wir bauten, wurde bei mir ein Gasbrennwertkessel mit einer Solaranlage, einschließlich Pufferspeicher und bivalentem Warmwasserspeicher installiert. Zu diesem Zeitpunkt hatte ich eine Vertretung für Gasbrennwertkessel und Solarthermische Anlagen. Somit bekam ich meine Heizungsanlage entsprechend günstig. Etwas später übernahm ich dann eine Vertretung für Wärmepumpen. Von nun an wuchs meine Begeisterung für Wärmepumpen. Nachdem wir entsprechende Erfahrungen sammelten, entschloss ich mich zur Fertigung eigener Wärmepumpen. Also war ein Prototyp angesagt, der dann bei mir installiert wurde. Unsere Wärmepumpe sollte eine Wasser-Wasser-Wärmepumpe sein, da ich Brunnenwasser mit idealer Wasserqualität habe. Weil die ganze Heizungsanlage bei mir auf dem Dachboden steht, wurde dort auch die Wärmepumpe installiert. Weil die Wärmepumpe oberhalb unserer Schlafräume steht, setzten wir uns den Maßstab, diese so zu konstruieren, dass sie möglichst leise ist. Außerdem war aus Platzgründen eine Sonderform erforderlich. Weiterhin mussten die Wasserleitungen vom Förderbrunnen und zum Schluckbrunnen verlegt werden. Dies war nur außerhalb des Gebäudes entlang der Außenmauer möglich. Nun, so wurde die Wärmepumpe gebaut und mal eben schnell installiert und in Betrieb genommen. Wir experimentierten, um die Wärmepumpe möglichst leise zu bekommen, was uns auch gut gelang. Alles andere war erst mal zweitrangig. Die Wärmepumpe arbeitete hervorragend – bis es im Winter richtig kalt wurde. Als es im Haus kälter wurde, entnahm ich dem Display, dass es sich um eine Störung „Strömungswächter" handelte. Ein Neustart war nicht mehr möglich.

Was war geschehen?

Die Wasserleitungen zur und von der Wärmepumpe waren einfach eingefroren. Gut, dass wir einen Gaskessel hatten. So konnten wir in Ruhe warten, bis die Außenleitungen wieder auftauten.

Wie hätte dies verhindert werden können?

Indem wir gleich zu Beginn die Wasserleitungen isoliert und eine thermostatisch gesteuerte Begleitheizung installiert hätten. Das holten wir natürlich dann schnell nach und bauten um die Leitungen noch eine Abkastung. Das sieht besser aus und verhindert, dass Tiere die Isolierung beschädigen können – fertig.

2.3.5 Dumm gelaufen

Vor ein paar Jahren wollte ein Handwerker eine Wasser-Wasser-Wärmepumpe in Betrieb nehmen. Dabei löste der Strömungswächter aus und schaltete die Wärmepumpe ab. Er bekam einen Schreck und dachte, der Kompressor sei defekt. Um dies zu überprüfen, drückte er den Leistungsschalter (Schütz) des Kompressors, der dann sofort einschaltete und mit einer Kälteleistung von etwa 12 kW den Verdampfer auskühlte. Der fror natürlich recht schnell ein, was zu Vereisung und einem Defekt führte. Da kann man wirklich sagen: „Dumm gelaufen."

Man sollte niemals Pumpen oder Kompressoren ohne aktiv wirksame Sicherheitseinrichtungen einschalten! Vor allem sollte man sich stets überlegen, was passiert, wenn ...

2.3.6 Falsch dimensionierte und defekte Unterwasserpumpen

In der Regel werden bei Wasser-Wasser-Wärmepumpen Unterwasserpumpen in den Förderbrunnen eingebaut. Diese sind anhand des erforderlichen Durchflusses der Wärmepumpe sowie der Druckverluste über die Wasserführung vom Förderbrunnen bis zum Schluckbrunnen und eventuell vorhandener Filter auszulegen. Die Förderhöhe dagegen ist bei höheren Grundwasserspiegeln vernachlässigbar. Das setzt voraus, dass das Fallrohr im Schluckbrunnen bis ins Grundwasser verlegt wird. Dann verhalten sich die PE-Rohre vergleichbar mit kommunizierenden Röhren, weil in dem Fallrohr das rückfließende, fallende Wasser eine saugende Wirkung hat.

Ist die Förderpumpe zu klein, kühlt das Wasser zu stark aus. Von vielen Unteren Wasserbehörden wird die Auskühlung auf max. 3 K vorgeschrieben. Dies entspricht außerdem auch den Vorgaben gem. DIN EN 14511-2. Bei einer zu kleinen Pumpe kann diese Vorgabe nicht eingehalten werden. Außerdem besteht bei einer zu großen Auskühlung eine Vereisungsgefahr im Verdampfer der Wärmepumpe. Das würde ein Totalschaden der Wärmepumpe zur Folge haben.

Aktuell besah ich mir eine Wasser-Wasser-Wärmepumpenanlage mit einer Heizleistung von 11 kW. Es lag eine Störmeldung „Durchfluss" vor. Obwohl der Leistungsschalter (Schütz) einschaltete, floss kein Wasser. Auch der Motorschutz löste nicht aus. Ich baute die Unterwasserpumpe aus. Da lag dann vor mir eine Unterwasserpumpe, Fabrikat Grundfos, Typ SP 3A-12! Diese Unterwasserpumpe hat einem Nenndurchfluss von 3 m^3/h. Ich klemmte die Unterwasserpumpe wieder an und schaltete sie ein. Der Motor drehte sich, aber nicht die Welle. Die Kupplung zwischen Motor und Welle war defekt. Außerdem war diese Unterwasserpumpe für eine Wärmepumpe mit einer Heizleistung von 11 kW mit einem Wasserdurchfluss von 2,2 m^3/h viel zu groß und damit falsch dimensioniert.

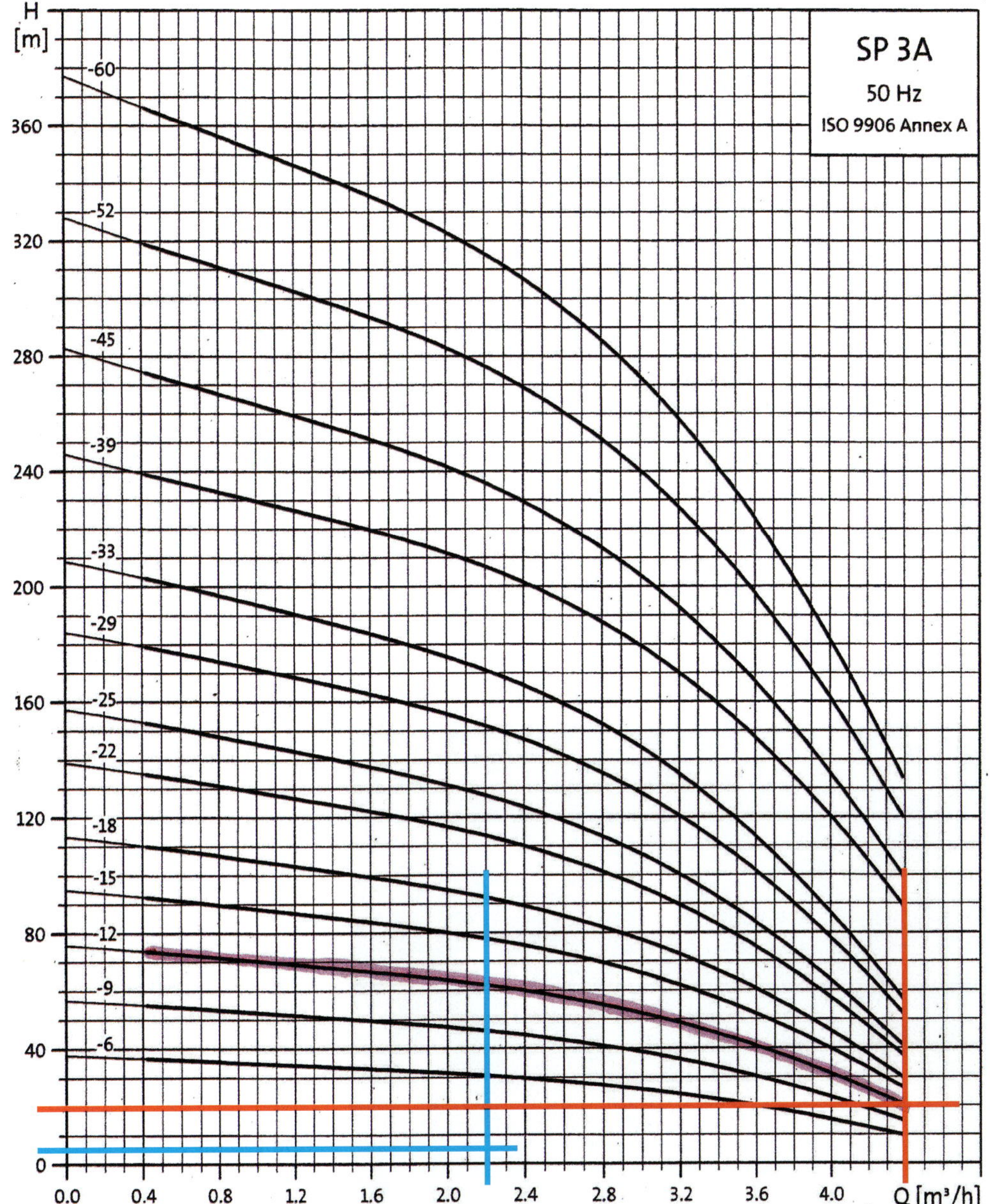

Bild 2.3.6.1: Kennlinienfeld Unterwasserpumpen
Quelle: Grundfos GmbH & J. Bonin

Die roten Linien zeigen den Arbeitspunkt der zu groß ausgelegten Unterwasserpumpe. Die blauen Linien zeigen den anzustrebenden Arbeitspunkt für die Unterwasserpumpe. Diese Förderleistung wäre nur halb so hoch wie der im Leerlauf betriebenen zu großen Unterwasserpumpe.

Die Druckverluste über die PE-Rohre, einschließlich Wärmepumpe und Formteile errechneten sich bei einem Durchfluss von nominal 2,2 m^3/h und einer Gesamtlänge für die PE-Rohre, DN 32, einschließlich Steig- und Fallrohr zu 5 mWs (Förderhöhe)! Bei einem doppelt so hohen Durchfluss von 4,4 m^3/h erhöht sich der Druckverlust auf etwa 20 mWs. Aus dem Diagramm ist erkennbar, dass die Unterwasserpumpe, Typ: SP 3A-12, viel zu groß dimensioniert war und nahezu komplett im Leerlauf lief. Der Arbeitspunkt der zu großen Unterwasserpumpe lag völlig außerhalb des Nennbetriebs.

Dazu kommt, dass der Betreiber hohe Stromkosten beklagte und diese Unterwasserpumpe aufgrund des Leerlaufbetriebs einen ungünstigen Wirkungsgrad η (Eta) hatte, $\eta = 35\,\%$. Diese Unterwasserpumpe war eindeutig zu groß dimensioniert! Sie hat eine elektrische Nennleistung von 0,75 kW. Aufgrund der relativ geringen Druckverluste ist davon auszugehen, dass die Unterwasserpumpe im Leerlauf lief und nahezu doppelt so viel Wasser förderte als erforderlich. Das erhöht natürlich auch deutlich den Stromverbrauch! Weil die Unterwasserpumpe ohnehin defekt und die Reparatur recht teuer wäre, empfahl ich eine neue Unterwasserpumpe, Grundfos, Typ SP 2A-6. Diese Unterwasserpumpe hat einen Nenndurchfluss von 2 m^3/h bei einer Leistungsabgabe an der Welle von nur noch 0,37 kW; das ist nur noch knapp die Hälfte!

Bei einer Jahreslaufzeit von etwa 2 400 h (mit Warmwasserbereitung) errechnet sich der zu erwartende eingesparte Jahresstromverbrauch grob zu:

$$Q = (P_{alt} - P_{neu}) \cdot t = (0{,}75\text{ kW} - 0{,}37\text{ kW}) \cdot 2\,400\text{ h} = 912\text{ kWh}$$

Bei einem Preis von 0,2 €/kWh beträgt die zu erwartende jährliche Stromeinsparung zu:

$$912\text{ kWh/a} \cdot 0{,}2\text{ €/kWh} = 182{,}40\text{ €/a}.$$

Da lohnt sich eine neue Unterwasserpumpe auf jeden Fall. Eine Reparatur wäre wirtschaftlich nicht sinnvoll gewesen.

Nachdem die neue Unterwasserpumpe eingebaut und die Wärmepumpe wieder in Betrieb genommen wurde, kam erneut die Störmeldung „Durchfluss"! Was nun? Ich prüfte den Filter, einen kleinen engmaschigen Schmutzfänger, der jedoch keine Verunreinigungen aufwies. Es blieb nur noch der Strömungswächter (Durchflussschalter), den ich dann ausbaute – siehe Abbildung. Von der Blende des Strömungswächters war nicht mehr viel übrig geblieben. Nach dem Einbau eines neueren Strömungswächters arbeitete die Wärmepumpe wieder störungsfrei.

Bild 2.3.6.2:
Defekter Strömungswächter
Quelle: J. Bonin

> **Hinweis:**
>
> Ich sehe des Öfteren einen Schmutzfänger mit einem kleinen Siebeinsatz. Das ist bei dem hohen Wasserdurchfluss bei einer Wasser-Wasser-Wärmepumpe nicht richtig. Zu empfehlen ist ein Wasserfilter mit einer großen Filterfläche.

Was war geschehen?

Dass die zu groß dimensionierte Unterwasserpumpe nach nur 8 Jahren Betriebsdauer defekt ging, ist ungewöhnlich. Von einem Fachberater von Grundfos erhielt ich die Antwort: Wenn eine Unterwasserpumpe nahezu im Leerlauf läuft, schwimmt der Pumpenteil mit den Schaufelrädern auf. Es entstehen an der Pumpenkupplung wechselweise Zug- und Druckkräfte. Dafür ist die Kupplung nicht ausgelegt. Das führt dann letztendlich zum Defekt der Kupplung. Dann läuft der Motor vollständig im Leerlauf. Durch die Reibung der Motorwelle mit der Pumpenwelle gehen beide Wellen defekt. Ein Austausch des Motors und der Welle ist wirtschaftlich nicht sinnvoll. Eine richtige Auswahl der Unterwasserpumpe ist daher unbedingt zu beachten.

Zudem führte hier der zu hohe Durchfluss zu einem Defekt des Strömungswächters. Aufgrund des überdimensionierten Durchflusses schaltete der Strömungswächter bei Betrieb der großen Unterwasserpumpe noch, sodass dieser Defekt zu dem Zeitpunkt nicht erkennbar war. Nachdem jedoch die kleinere Unterwasserpumpe eingebaut wurde, reichte der Durchfluss nicht mehr aus, um diesen zu schalten.

Bei einem Besuch eines Kollegen berichtete er von einer neuen Wasser-Wasser-Wärmepumpenanlage, bei der der Schluckbrunnen beanstandet wurde, weil er überlief. Er konnte sich dies erst gar nicht erklären, weil der Förder- und Schluckbrunnen jeweils neu gebohrt wurde. Bei einer weiteren Prüfung stellte sich dann heraus, dass die installierte Unterwasserpumpe viel zu groß war. Der Schluckbrunnen konnte die daraus resultierende Wassermenge nicht aufnehmen.

Vor wenigen Tagen rief mich ein Handwerker an und fragte nach einer subterrestrischen (unterirdischen) Wasseraufbereitung zur Entfernung von Eisen für den Betrieb einer Wasser-Wasser-Wärmepumpe. (Dies ist ein weiteres Betätigungsfeld von mir.) Demselben Handwerker verkaufte ich vor fünf Jahren eine Wasseraufbereitung, um das Brunnenwasser hinsichtlich Nitrat zu Trinkwasser aufzubereiten. Er bat mich zur Prüfung dieser Eigenwasserversorgung, weil das Trinkwasser sich änderte und nicht mehr der TrinkwV (Trinkwasserverordnung) entsprach. Ich fuhr dort hin und ging zunächst von einer Routinewartung aus. Vor Ort stellte ich dann fest, dass das Rohwasser stark eisenhaltig war. Das erkannte ich an den starken Eisenablagerungen in der Entnitratisierungsanlage und an der braunen Färbung des Wassers. Weiterhin berichteten die Kunden, dass sie eine neue Wasser-Wasser-Wärmepumpe mit einer Leistung von etwa 20 kW erhielten. Nun wurde mir klar, warum der Handwerker nach einer Wasseraufbereitung zur Entfernung von Eisen fragte. Ich habe vor Ort den Nitratwert sowie auch die Werte für Eisen und Mangan gemessen. Ich habe Eisenwerte von 3,5 und 4 mg/l gemessen. Das ist für den Betrieb einer Wasser-Wasser-Wärmepumpe viel zu hoch! Da kann man davon ausgehen, dass nach kurzer Zeit der Schluckbrunnen überlaufen wird und der Trennwärmetauscher mit Eisen so weit verunreinigt wird, dass er die Wärme nicht mehr richtig übertragen kann. Außerdem wurde zudem noch viel Sand mit gefördert. Das ist problematisch für die Unterwasserpumpe und den Wärmetauscher und im Trinkwasser schon gar nicht hinnehmbar.

Was ist passiert?

Über viele Jahre diente der vorhandene Brunnen nur als Trinkwasserbrunnen mit einem leicht erhöhten Nitratwert von ca. 60 mg/l. Deswegen lieferte ich hier auch eine Entnitratisierungsanlage, die über viele Jahre gut arbeitete. Für die Wärmepumpe wurde eine zusätzliche Unterwasserpumpe eingebaut. Bei einer Heizleistung von 20 kW beträgt die notwendige Förderleistung mindestens ca. 4 m^3/h. Auszuwählen ist eine Unterwasserpumpe, die diese Förderleistung erfüllt, also die nächstgrößere. Das wäre eine Unterwasserpumpe von Grundfos, Typ SP 5A-XX mit einer nominalen Nennleistung von 5 m^3/h. Diese kann je nach Betriebspunkt auch deutlich mehr fördern. Damit ist die Förderleistung des Brunnens überschritten. Offensichtlich wird bei diesem hohen Durchfluss deutlich mehr Wasser aus den unteren Wasserleitern gefördert, welches dann stark eisenhaltig ist. Der Anteil des nitrathaltigen Wassers sinkt dann entsprechend. In diesem Fall reduzierte sich der Nitratwert von 60 mg/l auf etwa 10 mg/l. Aufgrund der überhöhten Förderleistung wurde dann auch noch Sand mit ausgespült.

Was ist zu tun?

Für die Wasser-Wasser-Wärmepumpe muss unbedingt ein neuer Brunnen gebohrt werden, der möglichst eisenarmes Oberflächenwasser fördert. Der Trinkwasserbrunnen sollte wieder wie ursprünglich genutzt werden, in der Hoffnung, dass sich der vorherige Zustand wieder einpendelt. Ansonsten muss auch dieser neu gebohrt werden.

Hinweis:
Es ist sicher nicht verwerflich, einen Brunnen für die Trinkwassergewinnung und Speisung einer Wärmepumpe zu nutzen. Dabei ist jedoch zu beachten, dass die erforderlichen Förderleistungen der Pumpen zur Förderleistung des Brunnens passen. In diesem Falle wurde der Brunnen eindeutig überlastet mit der Folge, dass er möglicherweise dadurch Schaden genommen hat.

2.3.7 Fehler bei der Verrohrung

Recht häufig anzutreffende Fehler sind ungenügende Isolierungen der Rohrleitungen bei Wasser-Wasser-Wärmepumpenanlagen. Beim Betrieb bildet sich dann Schwitzwasser. Je nach Gegebenheiten bilden sich entsprechende Wasserpfützen. Das Schwitzwasser hat oftmals eine geringe Viskosität. Es ist also entsprechend dünnflüssig und dringt so umso besser ins Mauerwerk. Das führt letztendlich zu Feuchtigkeitsschäden.

Außerdem sind hier die Leitungen nicht gerade fachgerecht verlegt und befestigt.

Bild 2.3.7.1:
Mangelhafte Verrohrung
Quelle: J. Bonin

2.3.8 Druckschläge und andere Probleme bei einer größeren Wasser-Wasser-Wärmepumpenanlage

Ein Betreiber einer Wärmepumpenanlage und sein Planungsbüro wandten sich an mich, weil es bei einer größeren Wasser-Wasser-Wärmepumpenanlage folgende erhebliche Probleme gab:

1. Abriss der Wassersäule nach Abschalten der Unterwasserpumpe
2. Fehlende Wasseranalyse
3. Fehlende Wartungsmöglichkeiten an den geschraubten Plattenwärmetauschern
4. Ein defekter Wärmetauscher
5. Eine falsch dimensionierte Unterwasserpumpe
6. Eine nicht funktionierende Regelung der Unterwasserpumpe
7. Ein falscher Plattenwärmetauscher zwischen Brunnenwasser- und Solekreislauf
8. Mangelhafter Bodenablauf
9. Zu kleine Membranausdehnungsgefäße
10. Ein undichter Solekreislauf
11. Nichtbeachtung der Vorgaben der Unteren Wasserbehörde
12. Eine mangelhafte Dokumentation
13. Laufende Heizungsumwälzpumpen bei abgeschalteter Wärmepumpe

14. Fehlende Ableseinstrumente
15. Ein fehlender Strömungswächter für Brunnenwasser
16. Durchlaufende Soleumwälzpumpen

Hierbei handelt es sich um eine vierstufige Wasser-Wasser-Wärmepumpenanlage mit einer Heizleistung von 350 kW und einer freien Kühlung für ein großes Bürogebäude. Zur Brunnenwasserförderung diente eine Unterwasserpumpe mit einer Nennförderleistung von 95 m^3/h. Es waren zwei Kreisläufe, einer zum Kühlen und einer zum Heizen, vorhanden. Das Brunnenwasser strömte zunächst durch einen geschraubten Plattenwärmetauscher zum Kühlen und anschließend durch einen weiteren zum Heizen. Zwischen dem Wärmetauscher zum Heizen und der Wärmepumpe war zur Systemtrennung ein Solekreislauf installiert. Beim Einschalten der Unterwasserpumpen entstanden jedes Mal extreme Druckstöße. Diese führten zwischenzeitlich zum Defekt am Wärmetauscher zum Kühlen und möglicherweise zur Vorschädigung des zweiten Wärmetauschers zum Heizen.

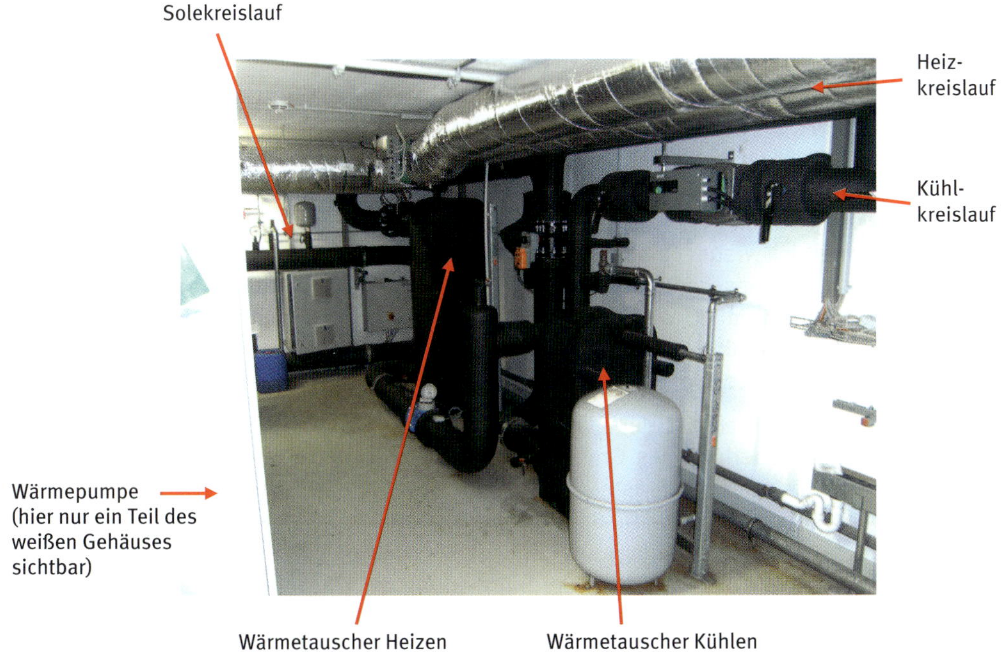

Bild 2.3.8.1: Die Wasser-Wasser-Wärmepumpenanlage
Quelle: J. Bonin

Die Wärmepumpe:

Bild 2.3.8.2: Die Wärmepumpe
Quelle: J. Bonin

Es bestanden zahlreiche weitere Mängel, die ich im Rahmen der Begutachtung feststellte. Doch nun der Reihe nach:

1. Abriss der Wassersäule nach Abschalten der Unterwasserpumpe

   Das hauptursächliche Problem bestand in den Druckstößen beim Einschalten der Unterwasserpumpe. Der Schluckbrunnen hatte eine Tiefe von –19,5 m und einen Grundwasserstand von –14,4 m. Die Wärmepumpe stand im Kellergeschoss. Der Abgang zum Schluckbrunnen geht kurz unterhalb der Kellerdecke ab (siehe Bild 2.3.8.1).

   Die Unterwasserpumpe wurde über einen Frequenzumrichter angesteuert. Beim Anfahren der Unterwasserpumpe gab es immer wieder starke Druckschläge. Um diesen entgegenzuwirken, hat der Erbauer folgende Gegenmaßnahmen getroffen:

   - Einbau eines Drosselventils und eines Regelkugelhahns in die Saugleitung und
   - Verlegung der Saugleitung mit einem steten Gefälle.

   Doch diese Maßnahmen brachten nicht den gewünschten Erfolg.

   Bei weiteren Recherchen stellte sich heraus, dass die Heizungsanlage, bestehend aus der Wärmepumpe, den Wärmetauschern zum Heizen und Kühlen, dem Pufferspeicher, Verteiler etc., alle auf einem Niveau von etwa 12 m über dem Grundwasserspiegel installiert waren. Die abgehende Leitung zum Schluckbrunnen lag 2 m höher, also etwa 14 m über dem Grundwasserspeigel. Und darin lag das Problem! Spätestens sobald die Unterwasserpumpe abschaltete, riss die Wassersäule zum Schluckbrunnen ab. Damit entstand ein physikalisch bedingtes Vakuum in der Leitung zum Schluckbrunnen. Sobald die Unterwasserpumpe sich wieder einschaltete, prallten größere Wassermengen auf das stehende Grundwasser. Das geschah auch dann, wenn die Unterwasserpumpe über den Frequenzumrichter langsam anlief. Weil Wasser inkompressibel ist, entstehen, wenn Wasser auf Wasser prallt, kurzzeitig sehr hohe Drücke. Die Entstehung eines solchen Vakuums ist deswegen unbedingt zu vermeiden.

   Um dies zu vermeiden, ist der Einbau eines Druckhalteventils in der Steigleitung im Schluckbrunnen oberhalb des Grundwasserspiegels oder am Ende der Steigleitung erforderlich. So lässt sich die Entstehung des Vakuums wirksam verhindern. Ein geeignetes einstellbares Druckhalteventil im Schluckbrunnen ist die optimale Lösung. Dabei wird der Druck saugseitig und somit im gesamten Brunnenwassersystem gehalten. Das bedeutet, dass das Druckhalteventil am Ende der Saugleitung die Wassersäule hält. Erst wenn die Unterwasserpumpe sich einschaltet und Wasser nachdrückt, öffnet sich das Druckhalteventil. Diese Wirkung ist mit der eines Überströmventils vergleichbar. Allerdings ist dabei zu beachten, dass dadurch der Gesamtdruckverlust steigt, und somit ist zu prüfen, ob die gewählte Unterwasserpumpe dafür geeignet ist.

   Denkbar wäre auch eine Belüftung der Saugleitung. Die Belüftung ermöglicht, dass nach dem Abschalten der Unterwasserpumpe Luft in die Saugleitung strömt. Dadurch wird die Bildung eines Vakuums verhindert, es entsteht ein Luftpolster. Dieses wird beim Einschalten der Unterwasserpumpe komprimiert und am Fuße der Steigleitung im Schluckbrunnen herausgedrückt. Diese Lösung hätte den Vorteil, dass beim Einschalten der Unterwasserpumpe erst mal ein Gegendruck durch die Luftblase entsteht, der nach dem Verschwinden der Luftblase nachlässt. Der Gesamtdruckverlust ist damit geringer, weshalb die aufzuwendende Energie auch etwas geringer wäre. Allerdings würde in den Schluckbrunnen regelmäßig Luft aus der Steigleitung gedrückt. Dies ist für den Brunnen nicht optimal, insbesondere hinsichtlich der Bildung von Eisenoxiden.

   Beim Einsatz eines Druckhalteventils entsteht weder ein Vakuum noch ein Luftpolster. Daher ist dies die sicherste Lösung.

2. Fehlende Wasseranalyse

   Zu meiner großen Überraschung zu dieser Wasser-Wasser-Wärmepumpenanlage erhielt ich weder vom Hersteller der Wärmetauscher Daten zur Wasserqualität, noch lag eine Wasseranalyse des Brunnenwassers vor. Wie bereits in den vorherigen Kapiteln erwähnt, ist eine Wasseranalyse bei Wasser-Wasser-Wärmepumpen, insbesondere hinsichtlich des Eisen-, Mangananteils elementar wichtig. Dieses Versäumnis stellt einen eklatanten Mangel dar.

Besonders Eisen und Mangan ist zur Beurteilung von Verockerungen wichtig. Der Grenzwert für Eisen sollte je nach Größe der Anlage 0,1 mg/l bis 0,2 mg/l und für Mangan 0,02 mg/l bis 0,05 mg/l nicht überschreiten. Insbesondere bei Großanlagen wie hier sind die Werte einzuhalten, denn je mehr Wasser gefördert wird, desto mehr Oxide durch Eisen und Mangan entstehen; der Brunnen verockert. Wie oben erwähnt, hat die Unterwasserpumpe eine Förderleistung von 95 m^3/h. Betrachten wir dazu einfach mal folgende Berechnung für ein Jahr:

Zur Berechnung der Jahresförderleistung ist die Jahresbetriebsdauer zu ermitteln. Bei der reinen Heizleistung kann von einer mittleren Jahresheizdauer von etwa 1 900 h/a ausgegangen werden. Eine detaillierte Berechnung hierzu lag mir nicht vor, sodass ich von diesem Schätzwert ausgehe. Dasselbe gilt für die Kühlung. Bei der Kühlung verhält es sich jedoch anders als beim Heizbetrieb. Beim Heizbetrieb wird die Unterwasserpumpe nahezu parallel zur Wärmepumpe eingeschaltet. Bei der Kühlung läuft diese oftmals nahezu 24 h durch. Je nach Sommer – und die Sommer werden auch in unseren Breitengraden wärmer – kann man von etwa 1 bis 2 Monaten Kühlbetrieb ausgehen. Das sind bei 1,5 Monaten Kühlbetrieb im Jahr 1 080 h/a. Somit arbeitet die Unterwasserpumpe etwa 2 980 h/a, also rund 3 000 h/a. Nun lassen sich die anfallenden Eisen- und Manganmengen wie folgt ermitteln:

$$m_{\mathrm{Fe}} = t_{\mathrm{UP}} \cdot Q_{\mathrm{UP}} \cdot \rho_{\mathrm{Fe}}$$

mit

m_{Fe} = Masse des geförderten Eisens [kg]

t_{UP} = Betriebsdauer der Unterwasserpumpe [h]

Q_{UP} = Förderleistung der Unterwasserpumpe [m^3/h]

ρ_{Fe} = Massenkonzentration Eisen [mg/l], [g/m^3]

Ich setze den Eisenwert bewusst klein, also halb so hoch wie von der Trinkwasserverordnung vorgegeben, an. Nämlich 0,1 mg/l. Dabei entspricht 0,1 mg/l = 0,1 g/m^3. Und damit die Einheiten passen, gilt ρ_{Fe} = 0,1 mg/l = 0,1 g/m^3 = 0,0001 kg/m^3. Damit lässt sich nun die jährlich anfallende Eisenmasse berechnen:

$$m_{\mathrm{Fe}} = 3\,000 \text{ h/a} \cdot 95 \text{ m}^3\text{/h} \cdot 0{,}0001 \text{ kg/m}^3 = 28{,}5 \text{ kg/a}.$$

Es fallen also jährlich 28,5 kg Eisen an. Dieses Eisen reagiert mit dem Sauerstoff. Es entstehen dann 46,9 kg Eisenoxidhydrat pro Jahr. Bei einer spezifischen Dichte von ζ = 4,09 g/cm^3 ergeben sich 11,5 l/a. Diese lagern sich im Schluckbrunnen sowie im Brunnenringraum außerhalb des Brunnens ab. Das führt im Laufe der Jahre zu weiteren Ablagerungen, bis hin zur Verockerung des Brunnens.

Äquivalent verhält es sich mit Mangan.

Oftmals vertritt man die Ansicht, dass nichts passieren kann, wenn das Brunnenwasser führende System sauerstoffdicht installiert wird. Das ist ein Trugschluss, denn das Brunnenwasser enthält auch Sauerstoff. Dieser Sauerstoff wird bei Verwirbelungen freigesetzt, vergleichbar mit dem Öffnen und Schütteln einer Mineralwasserflasche. So wird beim Verwirbeln des Brunnenwassers Sauerstoff freigesetzt. Das passiert beim Einströmen des Brunnenwassers durch die Filterschlitze des Brunnenrohrs, dann in der Unterwasserpumpe sowie auch in den Wärmetauschern und letztendlich auch wieder im Schluckbrunnen. In den Wärmetauschern der Wärmepumpe kann dies zum Defekt bis hin zum Totalschaden führen. Ablagerungen im Schluckbrunnen führen zum Verockern und letztendlich zum Überlaufen desselben.

Würden die Grenzwerte um das Mehrfache überschritten, wäre die anfallende Menge an Eisenoxidhydrat und Manganoxid entsprechend größer. Das bedeutet, dass insbesondere bei größeren Wasser-Wasser-Wärmepumpenanlagen die Werte für Eisen und Mangan eine existenzielle Bedeutung für die Gesamtanlage haben.

3. Fehlende Wartungsmöglichkeiten an den geschraubten Plattenwärmetauschern

   Bei Prüfung der Installation der Wärmetauscher musste ich feststellen, dass diese aus folgenden Gründen nicht fachgerecht installiert worden sind:

   3.1 Der Hersteller der Wärmetauscher schreibt vor, dass Druckstöße und Spannungen zu Beschädigungen der Wärmetauscher führen können. Weil ich die Analyse der Druckstöße bereits beschrieben habe, beschränke ich mich hier auf die Montage der Wärmetauscher.

   Um mechanische Spannungen zu vermeiden, schreibt der Hersteller flexible Anschlüsse vor. Es war jedoch festzustellen, dass die Wärmetauscher starr angeflanscht waren. Dies führt bei Temperaturschwankungen zwangsläufig zu Längenausdehnungen und damit zu unzulässigen mechanischen Spannungen.

   3.2 Ein weiterer Grund zur Beanstandung lag in der fehlenden Möglichkeit, die von den Herstellern vorgegebenen Wartungen durchzuführen. Es fehlen die entsprechenden Wartungsanschlüsse und -armaturen zum Spülen.

   3.3 Wenn zu Wartungs- oder Reparaturarbeiten ein Wärmetauscher zu demontieren ist, ist dies nur möglich, wenn die gesamte Wärmepumpenanlage außer Betrieb genommen wird. Dazu wären hier Bypässe erforderlich, die nicht vorhanden sind. Die erforderlichen Wartungs- und Instandsetzungsarbeiten sind damit ohne ein Abschalten der gesamten Wärmepumpenanlage nicht möglich.

   3.4 Zur Vorfiltration ist ein einfacher Schmutzfänger, bekannt aus der Heizungstechnik, mit einer Maschenweite von 1 mm installiert. Weil der Hersteller der Wärmetauscher jedoch eine Maschenweite von 0,5 mm vorgibt, entspricht der installierte Schmutzfänger nicht den Vorgaben des Herstellers. Der Filter ist daher zu ersetzen.

4. Defekter Plattenwärmetauscher Kühlen

   Im Zuge von Änderungsarbeiten am Kühlkreislauf wurde beim entleerten Kühlkreislauf stets einen Unterdruck festgestellt. Untersuchungen zur Ursache des Unterdrucks führten zum Ergebnis, dass der Unterdruck nahe dem Plattenwärmetauscher „Kühlen“ feststellbar war. Daraus folgerten wir, dass dieser Plattenwärmetauscher undicht sein musste. Das war auch plausibel mit der abreißenden Wassersäule zu erklären. Wenn diese abriss, entstand ein Vakuum oder zumindest ein starker Unterdruck. Über eine Undichtigkeit saugte dieses Vakuum dann Luft aus dem Kühlkreis. Das führte dann zu einem Unterdruck in demselben.

5. Falsch dimensionierte Unterwasserpumpe

   Der Nenndurchfluss der Unterwasserpumpe schien mir mit 95 m^3/h zu groß, sodass ich diesen ebenfalls prüfte. Dazu habe ich folgende Berechnung angestellt:

   Gemäß der vorliegenden wasserrechtlichen Erlaubnis war die Einlauftemperatur mit einem Temperaturfenster von 5 °C bis 18 °C erlaubt. In der Regel kann man von einer Grundwassertemperatur von ± 10 °C ausgehen. Demnach lässt sich der maximale Durchfluss wie folgt berechnen: Die Wärmepumpe hat eine Heizleistung von 350 kW und eine Kälteleistung von 278 kW. Somit kann man die erforderliche Förderleistung der Unterwasserpumpe wie folgt bestimmen:

   $$Q = m \cdot c \cdot (\vartheta_2 - \vartheta_1),$$

   mit

   Q = Wärmeleistung [W]

   m = Massestrom [kg/h]

   ϑ_2 = Eintrittstemperatur [K]

   ϑ_1 = Austrittstemperatur [K]

   c = spez. Wärmekapazität Wasser = 1,163 Wh/(kg·K)

   Stellt man die Formel nach dem Massestrom um, ergibt sich:

   $$\begin{aligned} m &= Q / [c \cdot (\vartheta_2 - \vartheta_1)] \\ &= 278\,000\ \text{W} / [1{,}163\ \text{Wh/(kg·K)} \cdot (10\ °\text{C} - 6\ °\text{C})] \\ &= 278\,000\ \text{W} / [1{,}163\ \text{Wh/(kg·K)} \cdot 4\ °\text{C})] \\ &= 59\,759\ \text{kg/h} = 59{,}8\ \text{t/h} = 59{,}8\ \text{m}^3/\text{h} \end{aligned}$$

Das entspricht einem Mindestdurchfluss unter Berücksichtigung des vorgegebenen Temperaturfensters von m = 59,8 m^3/h. Demnach ist die installierte Unterwasserpumpe mit einem Nenndurchfluss von 95 m^3/h um fast 37 % zu groß dimensioniert. Richtig wäre eine Unterwasserpumpe mit einem Nenndurchfluss von etwa 60 m^3/h. Um die erforderliche Förderhöhe (Druck) festlegen zu können, ist zuvor eine Rohrnetzberechnung für das Brunnenwassersystem erforderlich. Erst danach ist der Arbeitspunkt der Pumpe zu ermitteln. Anhand dessen ist die geeignete Unterwasserpumpe zu wählen.

Ebenso ist auch der Durchfluss für die Kühlung anhand der zu errechnenden Kühllast bzw. Kühlleistung zu errechnen. Auch diese Berechnung ergab einen erforderlichen Durchfluss von knapp 60 m^3/h.

Weiterhin war der Frequenzumrichter auf 100 % eingestellt, d. h., dass die Unterwasserpumpe den vollen Volumenstrom von 95 m^3/h fördert; sie arbeitete mit 100 %. In die Rücklaufleitung zum Brunnen war eine Handdrosselklappe eingebaut. Um den Volumenstrom zu verringern, hatte der Installateur nach Gefühl die Absperrklappe relativ weit zugedreht.

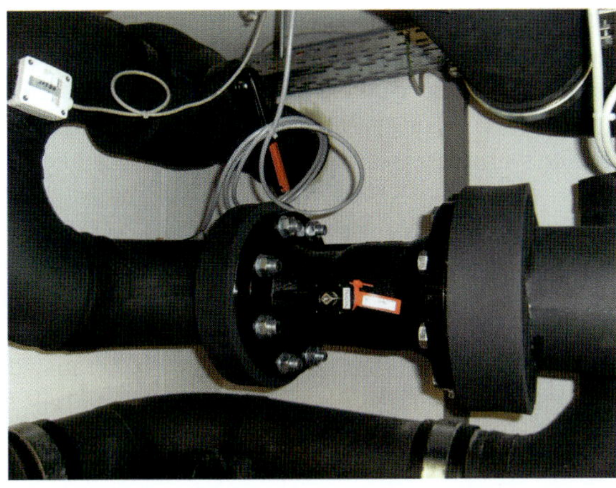

Bild 2.3.8.3: Drosselklappe in die Leitung zum Schluckbrunnen
Quelle: J. Bonin

So besteht allerdings Vereisungsgefahr im Wärmetauscher Heizen. Denn wenn der Brunnenwasserdurchfluss zu sehr gemindert wird, wird das Wasser bei gleichbleibender Kälteleistung kontinuierlich ausgekühlt, das kann bis zur Vereisung und einem Totalschaden führen.

Bei dieser Gelegenheit fiel auch auf, dass Anzeigeinstrumente wie Thermometer und Manometer fehlten. Diese gehören zur Grundausstattung einer solchen Anlage.

6. <u>Keine richtige Regelung der Unterwasserpumpe</u>

Installiert war weiterhin ein Frequenzumrichter zur Regelung der Unterwasserpumpe. Damit kann der Durchfluss bis zu etwa 50 % heruntergeregelt werden. Die Berechnung zum Nenndurchfluss ergab, dass ein maximaler Durchfluss von 60 m^3/h erforderlich ist. Die installierte Unterwasserpumpe hat jedoch einen Nenndurchfluss von 95 m^3/h. Wird diese um 50 % heruntergeregelt, hat sie immer noch einen Durchfluss von etwa 45 m^3/h. Das entspricht jedoch nur einem Regelfenster von 25 %, also von 45 m^3/h bis 60 m^3/h. Mit einer korrekt ausgelegten Unterwasserpumpe mit einem Nenndurchfluss von 60 m^3/h gäbe es ein Regelfenster von 30 m^3/h bis 60 m^3/h.

Die Wärmepumpe hat 4 Leistungsstufen, nämlich 87,5 kW, 175 kW, 262 kW und 350 kW. Abgesehen von der kleinsten Leistungsstufe kann mit der korrekt dimensionierten Unterwasserpumpe für jede Leistung der optimale Wasserdurchfluss gewählt werden. Das spart Energie. Mit der zu groß dimensionierten Unterwasserpumpe lässt sich der Durchfluss nur für die beiden Stufen 262 kW und 350 kW anpassen.

7. <u>Falscher Plattenwärmetauscher zwischen Brunnenwasser- und Solekreislauf</u>

Es wurde eine Systemtrennung, d. h. ein Solekreislauf zwischen dem Brunnenwasserkreislauf und der Wärmepumpe installiert. Damit im Falle eines Defektes keine Sole respektive Glykol ins Grundwasser gelangen kann, ist ein Sicherheitswärmetauscher vorzusehen. Solche Sicherheitswärmetauscher sind so aufgebaut, dass zwischen der

Primär- und Sekundärseite eine zu überwachende Trennung installiert ist. Diese Trennung verhindert, dass Glykol vom Sekundärkreislauf in den Primärkreislauf in das Brunnenwasser gelangen kann.

Glykol gehört zur WGK 1 (Wassergefährdungsklasse 1) und damit nicht ins Grundwasser. Der Begriff WGK ist in der Verwaltungsvorschrift wassergefährdende Stoffe (VwVwS) definiert. Gemäß WHG (Wasserhaushaltsgesetz), § 5, ist jede Person verpflichtet, nachhaltige Veränderungen der Gewässereigenschaften zu verhindern. Gem. WasgefStAnlV (Verordnung über Anlagen zum Umgang mit wassergefährdenden Stoffen) und § 62 WHG (Wasserhaushaltsgesetz) steht sowohl der Betreiber als auch der Erbauer in der Verantwortung. Der Erbauer ist für die Einhaltung der Regeln der Technik und der Betreiber für den ordnungsgemäßen Betrieb der Anlagen verantwortlich.

Für die Erfüllung der VAwS (Anlagenverordnung wassergefährdende Stoffe) § 3 (Grundsatzanforderungen) stehen Hersteller sowie Erbauer und Betreiber in der Verantwortung. Darin heißt es: „Anlagen sind so zu erstellen und zu betreiben, dass keine wassergefährdenden Stoffe austreten können. Mögliche Leckagen, insbesondere die der Erdsonden oder Erdkollektoren, müssen schnell und zuverlässig erkannt werden. Im Falle einer Leckage sind austretende wassergefährdende Stoffe schnell und zuverlässig zurückzuhalten und/oder ordnungsgemäß und schadlos zu verwerten oder zu beseitigen." Es ist außerdem eine Betriebsanweisung mit Überwachungs-, Instandhaltungs- und Alarmplan zu erstellen und einzuhalten. Auch hier stehen Hersteller, Erbauer und Betreiber in der Verantwortung.

8. Mangelhafter Bodenablauf

   Bei Wartungs- und Revisionsarbeiten, insbesondere an der Brunnenwasserleitung sowie an den Plattenwärmetauschern, können große Wassermengen frei werden. Dazu ist ein Bodenablauf installiert. Bei entsprechenden Arbeiten stellte sich jedoch heraus, dass dieser Überlauf nur geringe Wassermengen aufnehmen kann. Das Wasser verteilt sich quasi über große Flächen des Heizungsraumes sowie unterhalb der Wärmepumpe. Das führt zu Korrosionen.

9. Zu kleine Membranausdehnungsgefäße

   Für den Heiz- und Kühlkreis waren Membranausdehnungsgefäße mit den Größen 140 L, 400 L und 600 L installiert. Membranausdehnungsgefäße sind gemäß DIN EN 12828 auszulegen. Die hier installierten Membranausdehnungsgefäße waren jedoch völlig unterdimensioniert. Außerdem hatten die im Keller stehenden Wärmetauscher für das 5-stöckige Gebäude einen Vordruck von 1,5 bar. Dieser Wert ist für ein 5-stöckiges Bürogebäude viel zu gering!

   Dagegen war im Solekreislauf zur Systemtrennung ein viel zu kleines Membranausdehnungsgefäß installiert. Zudem ist dieses nicht glykolbeständig.

10. Undichter Solekreislauf

    Es stellte sich weiterhin heraus, dass der Solekreislauf an mehreren Stellen undicht war. Dies war nachzubessern.

Bild 2.3.8.4: Soleaustritt
Quelle: J. Bonin

11. Nichtbeachtung der Vorgaben der Unteren Wasserbehörde

    Von der Unteren Wasserbehörde war ein Temperaturfenster von mind. 5 °C bis max. 18 °C für die Einleittemperatur vorgegeben. Dazu wären in der Steuer- und Regelungstechnik entsprechende Grenzwerte zu programmieren, zu überwachen und einzuhalten. Es stellte sich jedoch heraus, dass diese in der Steuer- und Regelungstechnik nicht berücksichtigt wurden. Lediglich im Regler der Wärmepumpe ist eine Solemindesttemperaturüberwachung integriert. Diese dient in erster Linie dem Schutz der Wärmepumpe, ist aber nicht zur Einhaltung der Einleittemperatur geeignet. Eine Überwachung der Maximaltemperatur fehlte gänzlich.

12. Mangelhafte Dokumentation

    Einige Nachbesserungen waren zum Zeitpunkt der Ortsbesichtigung zwar bereits im Gange, jedoch noch nicht abgeschlossen. Allerdings wurden die Anpassungen an der Anlage nicht in die Pläne eingetragen. Die Dokumentation war somit unvollständig. Zur Dokumentation einer solchen Großanlage zählen:

    1. Schemapläne der gesamten Wärmepumpenanlage:
       - ein Übersichtsplan der gesamten Wärmepumpenanlage und
       - diverse Detailpläne
    2. die Schichtenverzeichnisse und Ausbaupläne beider Brunnen
    3. eine Wasseranalyse des Brunnenwassers
    4. die Genehmigungsunterlagen der Unteren Wasserbehörde
    5. eine Heizlastberechnung des Gebäudes und ggf. eine Kühllastberechnung
    6. Montage- und Bedienungsanleitungen der Aggregate, dazu gehören:
       - die Wärmepumpe
       - der Wärmetauscher einschließlich deren Auslegungsdaten (Übertragungsleistungen, Medien sowie Temperaturen und Durchflüsse der Medien)
       - die Unterwasserpumpe
       - der Frequenzumrichter
       - die Umwälzpumpen
       - der Pufferspeicher
       - die Membranausdehnungsgefäße
       - die Fußbodenbeheizung
    7. ein Nachweis des hydraulischen Abgleichs der Fußbodenheizungskreise und der Kühlkreise
    8. die Betriebshandbücher, in denen die Wartungen dokumentiert sind

    Eine solche Dokumentation sollte so verfasst sein, dass die Bedienung von eingewiesenem Personal vorgenommen werden kann.

13. Laufende Heizungsumwälzpumpen bei abgeschalteter Wärmepumpe

    Mehr oder weniger zufällig stellten wir fest, dass bei andauernd warmem Wetter die Heizungsumwälzpumpen dauerhaft in Betrieb waren. Üblicherweise sind Heizungsumwälzpumpen im Sommer abgeschaltet. Damit sie über eine längere Standzeit nicht festsetzen, werden sie regelmäßig mit einem kleinen Impuls angesteuert, sodass sie für eine kurze Zeit aktiv sind.

14. Fehlende Ableseinstrumente

    In sehr vielen Anlagenbereichen fehlen Ableseinstrumente wie Manometer, Thermometer etc. Diese sind für die Überwachung durch das örtliche Personal sowie auch für Service- und Wartungsarbeiten wichtig.

15. Fehlender Strömungswächter für Brunnenwasser

    Um sicherzustellen, dass beim Heizbetrieb die Wärmepumpe ausreichend mit Wasser versorgt wird, ist eine Strömungsüberwachung erforderlich. Bei ausbleibender Mindestströmung schaltet sich die Wärmepumpe automatisch ab. Bei einer zu geringen Wasserversorgung besteht Vereisungsgefahr für den Plattenwärmetauscher „Heizen“.

16. Reihenfolge der Wärmetauscher

Beim Verfassen des Gutachtens beschäftige ich mich auch mit der Frage, ob die Reihenfolge der Wärmetauscher optimal angelegt ist. Vom Förderbrunnen aus wird zuerst der Wärmetauscher zum Kühlen und anschließend der zum Heizen durchströmt. Bei dieser Wärmepumpenanlage bestehen je nach Witterung Betriebsfälle, bei denen gleichzeitig zu heizen und zu kühlen ist. Beim Kühlbetrieb wird die Vorlauftemperatur des Brunnenwassers zur Wärmepumpe erwärmt. Das bedeutet für die Wärmepumpe, dass damit auch die Quellentemperatur für die Wärmepumpe entsprechend ansteigt. Durch die höhere Quellentemperatur verbessert sich der Wirkungsgrad der Wärmepumpe.

Bei einer umgekehrten Reihenfolge, wenn der Plattenwärmetauscher „Heizen" dem Plattenwärmetauscher „Kühlen" vorgeschaltet ist, wird zuerst die Wärmepumpe über den Zwischenkreislauf (Systemtrennung) mit dem 10-gradigen Brunnenwasser versorgt. Das Brunnenwasser wird im Wärmetauscher um etwa 4 °C bis 5 °C ausgekühlt. Das kühlere Wasser durchströmt dann den Plattenwärmetauscher zum Kühlen, was der Kühlung zugutekommt. Die Kühlung ist natürlich an besonders warmen Tagen gefordert. Dann ist allerdings davon auszugehen, dass keine Heizungsanforderung besteht, sodass dieser Effekt nicht oder nur bedingt gegeben ist. Somit ist die Reihenfolge der Wärmetauscher nicht zu beanstanden, die gegebene Reihenfolge ist optimal.

17. Durchlaufende Soleumwälzpumpen

Während meiner gutachterlichen Tätigkeit erhielt ich vor einiger Zeit einen Alarmanruf: „Der Solekreislauf hat sich auf weit über 80 °C erhitzt!" Ich empfahl, die Wärmepumpe sofort abzuschalten. Die Frage nach der Ursache und den Folgen stand im Raum. Hat die Wärmepumpe Schaden genommen? Vor Ort stellte ich fest, dass die Soleumwälzpumpen trotz abgeschalteter Wärmepumpe in Betrieb waren. Das ist unüblich, denn die Soleumwälzpumpen sowie auch die Unterwasserpumpe werden üblicherweise vom Regler der Wärmepumpe nahezu gleichzeitig ein- und ausgeschaltet. Im Regelbetrieb werden beide Pumpen vor dem Einschalten des Kompressors der Wärmepumpe eingeschaltet, damit die Wärmezufuhr sichergestellt ist. Vergleichbares gilt auch für die Ladepumpe zum Pufferspeicher, sodass gewährleistet ist, dass die von der Wärmepumpe erzeugte Wärme abgegeben werden kann. Das war hier nicht der Fall. Stattdessen wurden die Soleumwälzpumpen sowie die Unterwasserpumpe über die Steuer- und Regelungstechnik angesteuert. Die Prozedur sah vor, dass die Steuer- und Regelungstechnik eine „Wärmebedarfsanforderung" an die Wärmepumpe sendet. Die Wärmepumpe wiederum sendet ein Signal zur Steuer- und Regelungstechnik, damit darüber die Soleumwälzpumpen sowie die Unterwasserpumpe angesteuert werden. Im Falle einer Störung soll dann die Steuer- und Regelungstechnik die Soleumwälzpumpen dauerhaft in Betrieb belassen, damit die Wärmepumpe gekühlt wird.

Aufgrund von Wartungsarbeiten wurde die Unterwasserpumpe ausgeschaltet und die „Schmelzsicherungen" wurden herausgeschraubt. Nach Abschaltung der Wärmepumpe interpretierte die Steuer- und Regelungstechnik dies als Störung und aktivierte die Soleumwälzpumpen. Die Unterwasserpumpe sprang nicht an, weil die Sicherungen ausgeschaltet waren. Die Soleumwälzpumpen förderten die Sole im geschlossenen Kreislauf. Sie haben eine elektrische Leistungsaufnahme von 3 kW. Diese Leistung führte dann zu einer allmählichen Erwärmung des Solezwischenkreislaufes, der sogenannten Systemtrennung. Weil kein Brunnenwasser durch den Plattenwärmetauscher strömte, konnte die Wärme nicht abgeführt werden. Es stellte sich eine Beharrungstemperatur ein.

Anhand von ausgelesenen Daten ließ sich folgender Temperaturverlauf rekonstruieren:

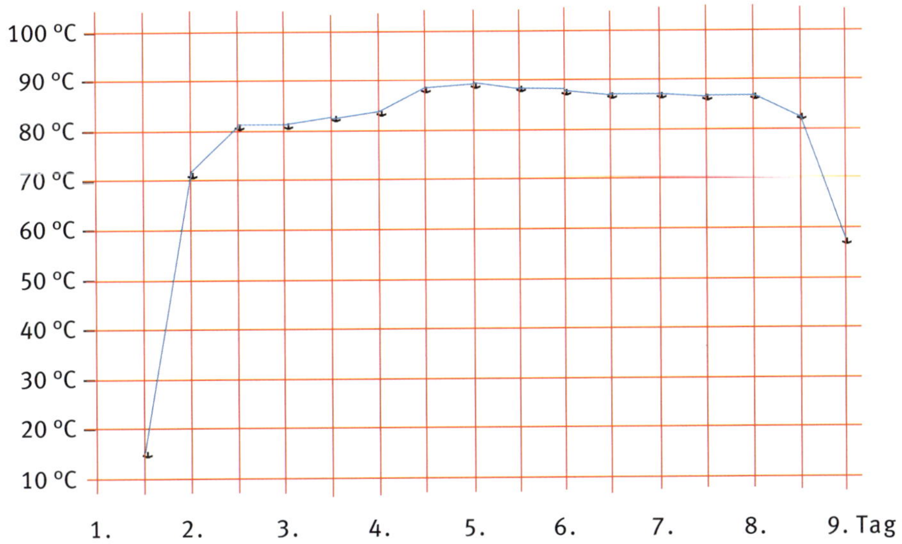

Bild 2.3.8.5: Temperaturverlauf bei Störung
Quelle: J. Bonin

Wie kam es zu den Fehlfunktionen?

Dies war nur möglich, weil man große Teile der Steuerung nicht dem Regler der Wärmepumpe überließ, sondern extern von der Steuer-Regelungstechnik übernahm. Auf meine Anregung zur Änderung wurde eingewendet, dass die Unterwasserpumpe auch zur Kühlung arbeiten müsse und der Regler der Wärmepumpe diese Funktion nicht übernehmen könne. Die Lösung ist, die beiden Signale der Wärmepumpe und der Steuer- und Regelungstechnik zur Kühlung als „Oder-Verknüpfung" zu verschalten. Die Wärmepumpe schaltet sich dann ein, wenn entweder eine Wärme- oder Kälteanforderung ansteht. Damit kann eine solche Fehlfunktion nicht mehr entstehen.

Die verwendeten Schmelzsicherungen sind unzulässig, da grundsätzlich alle Drehstrommotoren und -aggregate mit allpolig schaltenden Sicherungsautomaten zu versehen sind.

Abschließend ist festzustellen, dass bereits bei der Planung einige wichtige Faktoren unberücksichtigt blieben. Zur fehlerhaften Planung gesellte sich eine unsachgemäße Ausführung. Die Verrohrung für den Brunnenwasserkreislauf wurde zum Teil in unlackiertem Schwarzstahl ausgeführt. Schwarzstahlrohre sind nicht nur korrosionsanfällig, sondern aufgrund der rauen Oberfläche haften auch Verunreinigungen wie z. B. Kalk etc. sehr fest auf den Oberflächen. Das verändert die Druckverluste im Laufe der Zeit. Aus meiner Sicht wären Kunststoffrohre aus GFK die bessere Wahl gewesen, dies insbesondere unter dem Aspekt, dass ein Großteil der Rohre im Erdreich verlegt wurde und nicht mehr zugänglich ist.

Dies ist ein Fall, von dem man einiges lernen kann. Deswegen ging ich hier auch auf kleinere Details ein.

2.3.9 Zusammenfassung zwecks Prüfung auf Einsatzmöglichkeit einer Wasser-Wasser-Wärmepumpe

Die voraufgegangenen Beispiele zeigen sehr deutlich, dass bei einer Wasser-Wasser-Wärmepumpenanlage folgende Punkte unbedingt zu prüfen sind:

1. Enthält das Wasser zu hohe Werte für Eisen und/oder Mangan?
2. Ist das Wasser zu aggressiv?
3. Ist der Verdampfer/die Wärmepumpe für das Wasser geeignet?
4. Sind entsprechende korrosionsbeständige Materialien erforderlich?
5. Kann die erforderliche Wassermenge gefördert und auch wieder aufgenommen werden?
6. Können alle Leitungen frostfrei verlegt werden oder sind Frostschutzmaßnahmen erforderlich?

Nur wenn alle diese Punkte dauerhaft sicher als erfüllbar zu bewerten sind, kann man davon ausgehen, dass auch dauerhaft ein sicherer Betrieb möglich ist. Dann bereitet das Heizen mit einer Wärmepumpe Freude, weil dann Geld gespart und nicht für Reparaturen oder Nachbesserungen zu investieren ist. Die bei mir installierte Wasser-Wasser-Wärmepumpenanlage arbeitet bereits seit 2003 ohne nennenswerte Zwischenfälle.

2.3.10 Beispiel einer mangelhaften Gesamtanlage

Bild 2.3.10.1 zeigt eine Wasser-Wasser-Wärmepumpenanlage mit mehreren Mängeln.

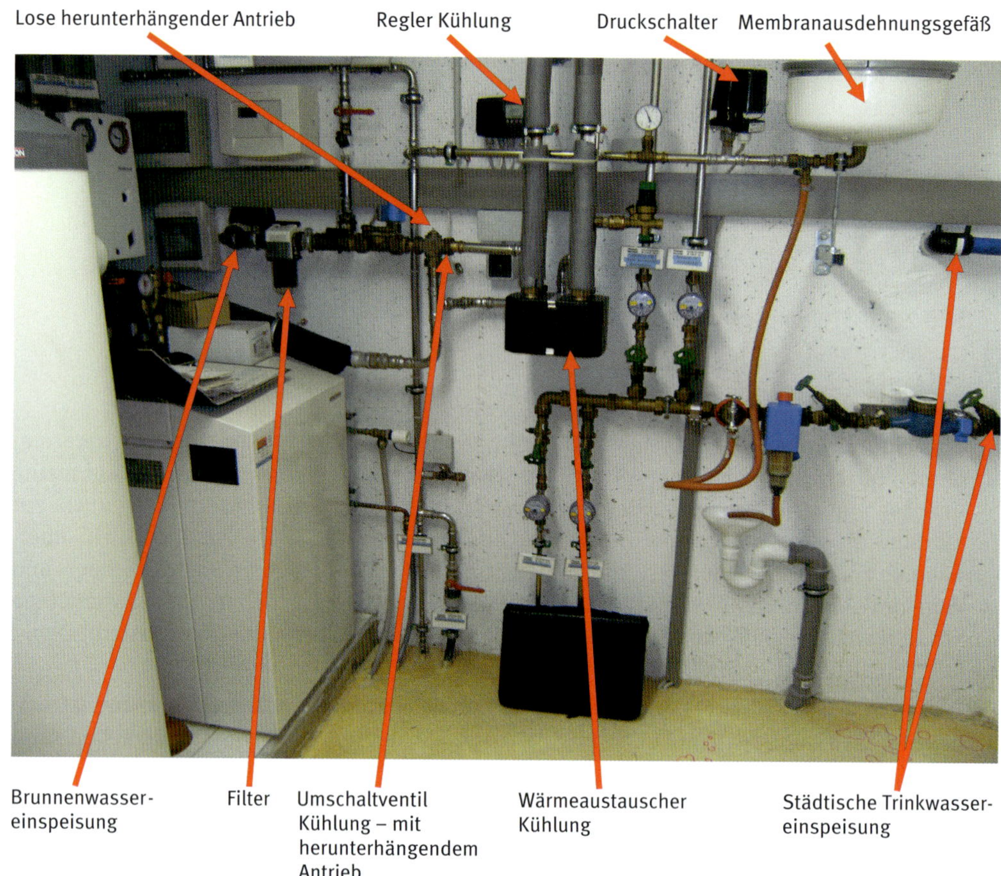

Bild 2.3.10.1: Fehlerhafte Wasser-Wasser-Wärmepumpenanlage
Quelle: J. Bonin

Hierbei handelt es sich um eine Wasser-Wasser-Wärmepumpenanlage mit freier Kühlung. Bei der Planung und Ausführung gab es folgende Fehler:

1. Manganhaltiges Brunnenwasser

   Es wurde versäumt, zuvor eine Wasseranalyse erstellen zu lassen. Dabei hätte man feststellen können, dass das vorhandene Brunnenwasser für den Betrieb einer Wärmepumpe ungeeignet ist.

   Die nachträglich erstellte Wasseranalyse wies einen Manganwert von 0,21 mg/l auf. Das führt zwangsläufig langfristig zu Problemen:

   a) Es kann sich der Verdampfer zusetzen, was lokal zu Verunreinigungen und damit zu Vereisungen und zum Defekt des Verdampfers führen kann.

      Dies lässt sich mit einer Systemtrennung vermeiden.

Bild 2.3.10.2: Mangan im Filter
Quelle: J. Bonin

b) Es ist damit zu rechnen, dass sich der Schluckbrunnen im Laufe der Zeit zusetzen und überlaufen wird. Dann muss der Schluckbrunnen regeneriert und gereinigt werden, was relativ teuer ist. Irgendwann wird dann ein neuer Brunnen erforderlich werden.

2. Zu kleiner Filter

   Der installierte Filter ist für den Betrieb einer Wasser-Wasser-Wärmepumpe viel zu klein und insbesondere zur Entfernung von Mangan völlig ungeeignet.

3. Fehlende Systemtrennung

   Wenn schon bekannt ist, dass das Wasser manganhaltig ist, ist zum Schutz der Wärmepumpe zumindest eine Systemtrennung vorzusehen.

   Außerdem stellte sich bei der nachträglichen Wasseranalyse heraus, dass das Brunnenwasser einen pH-Wert von 6,55 mg/l und 78 mg/l freie Kohlensäure aufwies. Die freie Kohlensäure und der niedrige pH-Wert passen zusammen. Beide Werte sind für den in der Wärmepumpe eingebauten kupfergelöteten Wärmetauscher (Verdampfer) ungeeignet. Deswegen ist auf jeden Fall eine Systemtrennung erforderlich. Andernfalls ist damit zu rechnen, dass nach einer längeren Betriebszeit der Verdampfer durchkorrodieren wird.

4. Fehlender Strömungswächter

   In der Verrohrung für die Zu- und Abführung des Brunnenwassers fehlt ein Strömungswächter. Wenn sich der Filter aufgrund Mangan zu weit zusetzt, besteht die Gefahr der Unterversorgung der Wärmepumpe mit Brunnenwasser. Das kann recht schnell zu einer Vereisung des Verdampfers und damit zu einem großen Schaden der Wärmepumpe führen.

5. Fehlende Isolierung der Brunnenwasserleitungen

   Weil das Brunnenwasser stets kalt ist, insbesondere das Wasser zum Schluckbrunnen, kommt es zwangsläufig beim Betrieb zur Schwitzwasserbildung. Das tropft dann auf den Boden und nässt den Keller. Die Folgen können Schimmelpilz sein.

6. Nicht funktionierende Kühlung

   Es ist wohl eine freie Kühlung geplant, die einer reversiblen Kühlung vorzuziehen ist. Dazu ist ein Umschaltventil zum Wärmetauscher Kühlung installiert. Nur so kann die Kühlung nicht funktionieren, weil der Antrieb für das Umschaltventil neben dem Umschaltventil an einem Kabel lose herunterhängt.

7. Keine Rohrtrennung Stadtwasser und Brunnenwasser

   Es ist nicht verwerflich, das Brunnenwasser auch für die Gartenberegnung zu nutzen. Hier ist jedoch das Stadtwasser unmittelbar mit dem Brunnenwasser verbunden. Das ist nicht erlaubt, weil so die Gefahr besteht, dass kontaminiertes Brunnenwasser ins öffentliche Trinkwassernetz eingespeist werden kann. Hier fehlt ein Rohrtrenner.

   Zumindest wurde für die Wärmepumpe und für die Gartenberegnung jeweils eine gesonderte Unterwasserpumpe in den Förderbrunnen eingebaut. Das war auch korrekt und wichtig, denn für die Wärmepumpe muss die Unterwasserpumpe keinen hohen Druck aufbauen, wohl aber für die Garten- und Brauchwasserversorgung. Dies sollte stets getrennt sein.

8. Zu kleines Ausdehnungsgefäß

   Hier ist eine Unterwasserpumpe mit einer nominalen Förderleistung von 5 m^3/h, einem Druckschalter und einem kleinen Membranausdehnungsgefäß von knapp 20 l installiert. Das Membranausdehnungsgefäß ist viel zu klein, was dazu führt, dass die Unterwasserpumpe häufig taktet. Das wiederum wirkt sich ungünstig auf die Lebensdauer der Unterwasserpumpe aus, weil sie durch das häufige Takten zu warm wird. Hier hätte ein Ausdehnungsgefäß mit einem Volumen von mindestens 300 l oder mehr installiert werden müssen. Eine andere kostengünstigere Möglichkeit wäre, statt des Druckschalters ein Pressostat mit einer Frequenzregelung und dem Membranausdehnungsgefäß einzubauen.

9. Ausführungsfehler

   Abgesehen von der fehlenden Isolierung der Rohre waren hier hinsichtlich der Elektroinstallation ebenfalls einige Mängel festzustellen, auf die ich an dieser Stelle nicht näher eingehe.

Insgesamt wies diese Wasser-Wasser-Wärmepumpenanlage zahlreiche Mängel auf, die es nachträglich noch zu klären und zu beheben galt. Aufgrund der vertraglichen Vereinbarung des Betreibers mit dem Fachhandwerker musste dieser hier auf seine Kosten nachbessern.

2.4 Fehler bei Sole-Wasser-Wärmepumpenanlagen

Nachdem bei den ersten Wasser-Wasser-Wärmepumpen in den 80er-Jahren zum Teil massive Probleme auftraten, dachte man über Alternativen nach. So wurden die Sole-Wasser-Wärmepumpen, einschl. Erdsonden bzw. Erdkollektoren entwickelt. Dabei fließt die Sole durch ein geschlossenes Rohrsystem und nimmt Wärme aus der Erde auf. Dies erwies sich auch langfristig als ein recht sicheres Wärmepumpensystem. Doch leider werden auch hier in der Praxis Fehler gemacht, die zu massiven Störungen und Problemen führen, wie nachfolgende Beispiele zeigen.

2.4.1 Eine sonderbare Sole-Wasser-Wärmepumpenanlage mit einem Pufferspeicher mit einer Frischwasserstation

Hierzu erstellte ich mein erstes Gutachten. Ich wurde von unserem Eiermann zu einer Sole-Wasser-Wärmepumpe gerufen, weil er damit gar nicht zufrieden war. Es war schon eine sonderbare Wärmepumpenanlage. Hier sollte Abwärme aus einem Stall zur Beheizung zur Ferkelaufzucht und zur Warmwasserbereitung genutzt werden. Dazu war pro Ferkel eine Heizplatte mit einer Leistung von 200 W vorgesehen. Das ist zunächst sicher ein guter Gedankenansatz, Abwärme zu nutzen, anstatt sie zu vernichten. Es wurden PE-Rohre an der Wand im Schweinestall frei verlegt. Durch diese PE-Rohre strömte die Sole. Die von der Wärmepumpe erzeugte Wärme wird an einen Pufferspeicher abgegeben. Der Pufferspeicher wird je nach Bedarf im oberen oder unteren Drittel geladen. Zur Warmwasserbereitung wird die Wärme oben eingespeist, und zum Heizen im unteren Drittel des Pufferspeichers. Auf denselben Ebenen wird das Wasser dann zur Warmwasserbereitung aus dem oberen, respektive zum Heizen aus dem unteren Drittel entnommen. Die Warmwasserbereitung erfolgte hygienisch im Durchlaufprinzip. Der Rücklauf von der Heizung sowie vom Warmwasserbereiter erfolgt jeweils unten in den Pufferspeicher. Der Rücklauf zur Wärmepumpe erfolgt ebenfalls unten aus dem Pufferspeicher.

Den Aufbau der Wärmepumpenanlage zeigt Bild 2.4.1.1.

Bei dieser Wärmepumpenanlage wurde ein zu geringer Wirkungsgrad beanstandet sowie ein unbefriedigender Warmwasserkomfort. Ein weiteres Problem war die Schwitzwasserbildung an den kalten Soleleitungen. Das abtropfende Wasser führte zu Wasserproblemen im Stall. Im Winter hat der Betreiber zeitweise die Heizplatten über seinen Ölkessel und zeitweise über seine Wärmepumpe beheizt. Er verglich die Mehrmenge des Heizöls mit dem Stromverbrauch und den technischen Daten des Herstellers.

Wie kam es zu den erheblichen Abweichungen und dem schlechten Wirkungsgrad?

Gemäß den Angaben des Betreibers nahm ich folgende Werte auf:

Als es so kalt war, hatte die Wärmepumpe einen täglichen Stromverbrauch von etwa 25 kWh. An vergleichbaren Tagen wurde der Stall zum Vergleich dann mit Öl beheizt. Dabei ergab sich für die Beheizung des Stalls ein mittlerer Mehrverbrauch von etwa 9 Liter Öl.

Gemessen wurden folgende Werte:

- Temperatur gem. Thermometer im Pufferspeicher: 38 °C bis 40 °C
- Vorlauftemperatur Wärmepumpe: 46 °C
- Vorlauftemperatur Sole: 16 °C
- elektrische Leistungsaufnahme Wärmepumpe: 1,9 kW bis 2,0 kW

Aufgenommene Daten:

- elektrische Leistungsaufnahme Heizungspumpe: 97 W
- elektrische Leistungsaufnahme Solepumpe, elektronisch geregelt: 37 W bis 85 W im Mittel: 61 W
- elektrische Leistungsaufnahme Heizungsladepumpe: 69 W

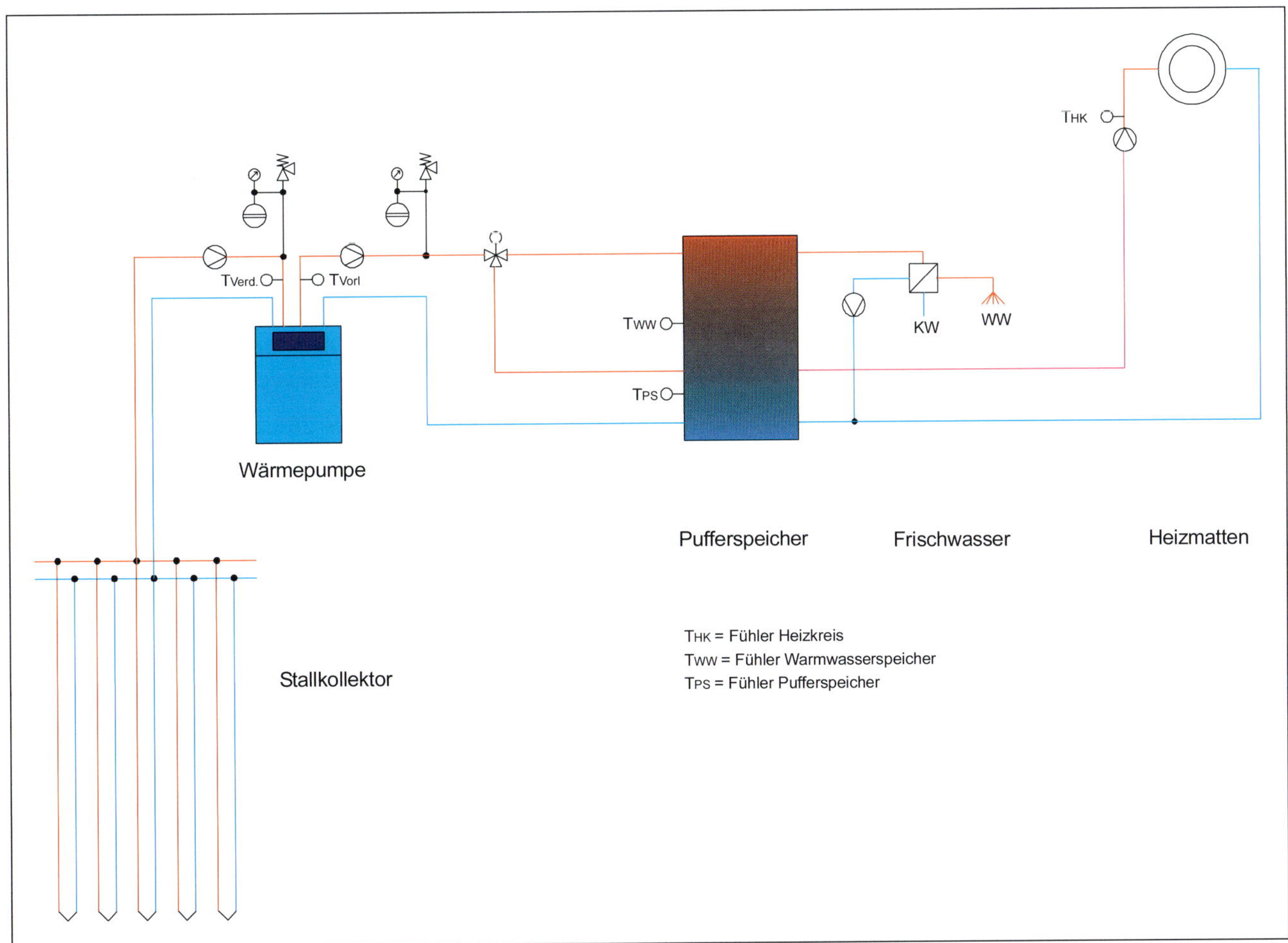

Bild 2.4.1.1: Sole-Wasser-Wärmepumpenanlage mit hygienischer Warmwasserbereitung mit theoretischer Schichtung
Quelle: J. Bonin, Umwelt & Technik

Die Leistungsziffer ε (üblicherweise mit COP bezeichnet) berechnet sich zu:

$$\varepsilon = P_H/P_{el} = F \cdot T_H/(T_H - T_U)$$

mit

P_H = Heizleistung [kW]

P_{el} = elektrisch aufgenommene Leistung [kW]

F = Umrechnungsfaktor

T_H = Vorlauftemperatur [K]

T_U = Wärmequellentemperatur [K]

Die mittlere elektrisch aufgenommene Leistung beträgt 1,95 kW. Davon sind die Leistungen der Pumpen abzuziehen, um so die von der Wärmepumpe elektrisch aufgenommene Leistung zu ermitteln. Daraus ergibt sich:

$$P_{el} = 1\,950 \text{ W} - 97 \text{ W} - 61 \text{ W} - 69 \text{ W} = 1\,723 \text{ W}$$

Die Heizleistung beträgt gem. technischen Unterlagen beim Betriebspunkt W10W35 5,91 kW = 5 910 W. Bei dem Betriebspunkt W10W55 beträgt sie gem. den technischen Unterlagen 5 100 W.

Die Temperaturdifferenzen betragen bei den jeweiligen Betriebspunkten W10W35: 25 K und bei W10W55: 45 K.

Bei dem Betriebspunkt W16W46 beträgt die Temperaturdifferenz 30 K. Die daraus errechnete Heizleistung berechnet sich linear angenommen (was nicht ganz zutreffend, aber als Näherung möglich ist) aus den beiden Betriebspunkten W10W35 und W10W55 in etwa zu: 5 708 W.

Folglich ergibt sich bei dem gemessenen Betriebspunkt S16W46 eine reale Leistungsziffer von:

$$\varepsilon = P_H/P_{el} = 5\,708\ W/1\,723\ W = 3{,}3$$

Gem. den technischen Angaben ergibt sich bei dem am nächsten gelegenen Betriebspunkt W10W35 ein Umrechnungsfaktor F zwischen der Leistungsziffer aus den Leistungen und der des idealen Kreisprozesses von:

$$F = (P_H/P_{el})/[T_H/(T_H - T_U)] = (5\,910\ W/1\,000\ W)/[308{,}15\ K/(308{,}15\ K - 283{,}15\ K)] = 0{,}479$$

Das ist durchaus realistisch.

Gem. den technischen Angaben des Herstellers müsste sich demnach bei den gemessenen Temperaturen und dem Betriebspunkt W16W46 eine Leistungszahl von:

$$\varepsilon = P_H/P_{el} = F \cdot T_H/(T_H - T_U) = 0{,}479 \cdot 319{,}15\ K/(319{,}15\ K - 289{,}15\ K) = 5{,}095 = 5{,}1$$

ergeben.

Diese Leistungszahl von 5,1 ist im Prospekt für den Betriebspunkt W10W55 angegeben. Folglich müsste lt. Angaben im Prospekt die Leistungsziffer bei dem Betriebspunkt W16W46 sogar noch höher sein. Eine lineare Umrechnung zwischen den Betriebspunkten W10W35 und W10W55 würde hier eine Leistungsziffer von etwa 5,475 ergeben.

Diese anhand der technischen Angaben im Prospekt ermittelten Leistungsziffern, nämlich 5,1 bzw. 5,5, weichen erheblich von der anhand der real aufgenommenen Werte ermittelten Leistungsziffer von 3,3 ab! Die aufgenommene elektrische Leistung für die Wärmepumpe von 1 723 W weicht von allen Angaben aus dem Prospekt deutlich zu stark ab! Entsprechend schlechter ist auch der Wirkungsgrad.

Weiterhin ist festzustellen, dass es hydraulisch nicht sinnvoll ist, über einen einfachen Pufferspeicher die Warmwassererzeugung und die Beheizung zu betreiben. Idealerweise sollte der Pufferspeicher schichtend aufgeladen werden – so dachte sich dies offensichtlich der Lieferant dieser Wärmepumpenanlage. Geht man davon aus, dass zunächst der Pufferspeicher ideal schichtend geladen ist, entspricht das dem Farbverlauf von rot zu blau. Wird nun Warmwasser entnommen, kühlt der obere rote Bereich aus und wird entsprechend kleiner. Der untere, kühlere blaue Bereich vergrößert sich entsprechend. Über den Fühler TWW erfasst der Regler der Wärmepumpe eine Unterschreitung des Sollwertes für Warmwasser und schaltet die Wärmepumpe ein. Diese zieht relativ kaltes Wasser aus dem unteren Bereich des Pufferspeichers, welches dann gem. DIN EN 14511-2 bei richtigem Betrieb um etwa 5 K erwärmt wird. Die Vorlauftemperatur aus der Wärmepumpe ist dann erst mal niedriger als die des Wassers im oberen Bereich des Pufferspeichers. Bei weiterer Warmwasserentnahme fällt dann erst mal die Warmwassertemperatur. Das stört den Warmwasserkomfort erheblich. Die Umwälzpumpe sorgt so für eine Umwälzung und eine allmähliche, nahezu gleichmäßige Erwärmung des gesamten Wasserinhaltes im Pufferspeicher, bis die gewünschte Temperatur für Warmwasser erreicht ist. Eine Schichtung ist dann nicht mehr gegeben. Die Folge ist, dass so die Temperatur im Pufferspeicher stets auf einem hohen Temperaturniveau gehalten wird und infolgedessen die Wärmepumpe mit einem schlechten Wirkungsgrad arbeitet. Das verringert den Gesamtwirkungsgrad erheblich und erklärt die hohen Stromkosten sowie den schlechten Warmwasserkomfort.

Weiterhin fiel bei der Besichtigung auf, dass viele Bereiche der Verrohrung, insbesondere der Frischwasserstation, gar nicht oder nur unzureichend isoliert sind. Das führt zu unnötigen Verlusten und zusätzlicher Verringerung des Wirkungsgrades.

Nachfolgend eine Wirtschaftlichkeitsbetrachtung: Gem. Angaben des Betreibers verbrauchte die Wärmepumpe 25 kWh am Tag. Über einen Zeitraum von einer Woche summiert sich der Gesamtverbrauch auf 175 kWh. Bei einer Leistungsziffer von $\varepsilon = 3{,}3$ entspricht das einer, von der Wärmepumpe, erzeugten Wärmemenge von 577,5 kWh. Bei einem Strompreis von etwa 20 Cent/kWh ergeben sich daraus Stromkosten von etwa 35 €/Woche.

Mit einem Heizwert des Heizöls von 41 MJ/kg = 11,4 kWh/kg entspricht dies einer Ölmenge von 50,7 kg, also etwa 50 l. Der festgestellte Mehrverbrauch an Öl beträgt gem. Angaben des Betreibers 9 l pro Tag, also 45 l pro Woche. Bei einem Ölpreis von etwa 50 Cent/l liegen die Kosten hier deutlich niedriger, nämlich bei 25 €/Woche.

Dies bestätigt auch die Aussagen des Betreibers und zeigt, dass diese Wärmepumpe nicht wirtschaftlich arbeitet!

Die Bildung des Kondenswassers an den PE-Rohren ist unvermeidbar, weil diese bei Wärmepumpenbetrieb erheblich abkühlen und dann das Wasser aus der Stallluft zwangsläufig kondensiert. Dazu kommt noch, dass die im Stall befindlichen Tiere den Wasseranteil in der Luft deutlich erhöhen.

Was wäre richtig gewesen?

Für die Warmwasserbereitung und den Heizbetrieb sind jeweils getrennte Speicher zu empfehlen. Es gibt auf dem Markt nur wenige Speicher, die eine gute und für Wärmepumpen richtige Schichtung aufbauen können. Um abtropfendes Kondenswasser gezielt ableiten zu können, wäre zumindest eine Kondenswasserrinne sinnvoll gewesen.

2.4.2 Sole-Wasser-Wärmepumpenanlage mit einem Erdkollektor und aktiver Kühlung zur Warmwasserbereitung

Vor einigen Jahren wurde ich mit der Begutachtung einer Sole-Wasser-Wärmepumpenanlage beauftragt. Der Betreiber beanstandete, dass sein Gebäude einschließlich einem angrenzenden Büro und Lagerraum nicht ausreichend warm wurde und im Winter der Boden stark vereiste und sich anhob. Nachfolgendes Bild zeigt das Objekt mit großen, ungenügend gedämmten Glasflächen.

Bild 2.4.2.1: Das Objekt
Quelle: J. Bonin, Umwelt & Technik

Installiert wurde eine Sole-Wasser-Wärmepumpenanlage mit einer Leistung von nur 14,8 kW, mit einem Erdkollektor, einem Warmwasserspeicher und einem Pufferspeicher mit aktiver Kühlung. Damit sollte das gesamte Objekt mit einer zu beheizenden Fläche von ca. 230 m^2 beheizt werden. Mit einer aktiven Kühlung soll dem Gebäude Wärme entzogen und diese dem Warmwasserspeicher zur Warmwasserbereitung zugeführt werden. Wie sich später herausstellte, entsprach auch das Gebäude nicht dem Stand der damals gültigen EnEV. Zum Zeitpunkt der Besichtigung vor Ort betrug die mittlere Außentemperatur etwa –5 °C – eigentlich für eine gut projektierte Wärmepumpenanlage kein Problem.

Bei der Besichtigung vor Ort stellte ich mehrere Mängel fest:

- Die Leistung der Wärmepumpe war nicht ausreichend, um das Gebäude zu beheizen.
- Für die Beheizung des Lagers war ein Warmluftgebläse installiert.
- Bei intensiver Beheizung gefror der Boden und hob sich an, was der Betreiber anhand von Fotos belegte.
- Das Ausdehnungsgefäß für den Solekreislauf war nicht für Glykol geeignet.
- Der Solekreis war undicht.
- Die Kühlung war im Sommer uneffektiv.

Bild 2.4.2.2: Temperaturen des Sole-Kreislaufes an der Sole-Wasser-Wärmepumpenanlage
Quelle: J. Bonin, Umwelt & Technik

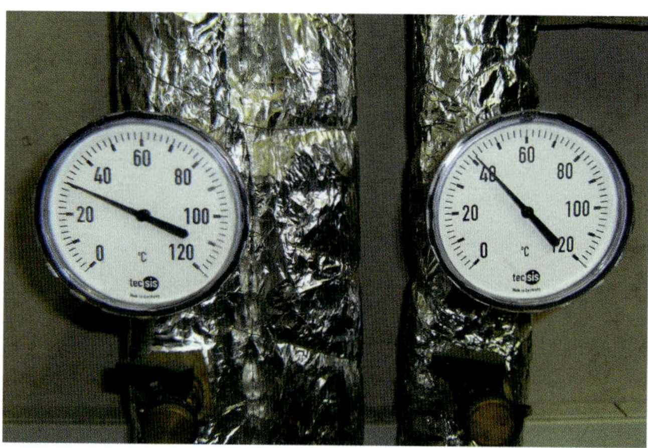

Bild 2.4.2.3: Temperaturen des Heiz-Kreislaufes an der Sole-Wasser-Wärmepumpenanlage
Quelle: J. Bonin, Umwelt & Technik

Was waren die Ursachen und wie erklären sich diese Probleme? Betrachten wir dazu die einzelnen Punkte der Reihe nach:

Nicht ausreichende Leistung des Erdkollektors und unzureichende Heizleistung der Wärmepumpe.

Die Wärmepumpenanlage wurde im Dezember besichtigt. Es war Winteranfang. Eine dünne Schneedecke bedeckte das Land und die Straßen. Die Thermometer zeigten folgende Temperaturen für den Solekreislauf und den Heizbetrieb an (siehe Bilder 2.4.2.2 und 2.4.2.3).

Die Eintrittstemperatur der Sole betrug zu dem Zeitpunkt der Besichtigung im Dezember +4 °C und die Austrittstemperatur nur –6 °C. Das entspricht einer Temperaturspreizung von 10 °C! Gem. DIN EN 14511-2 sind 3 °C vorgegeben. Diese hohe Temperaturspreizung deutet eindeutig auf einen zu klein ausgelegten Erdkollektor hin! Rein theoretisch könnte auch die Soleumwälzpumpe zu klein ausgelegt sein; doch dann würde der Boden nicht so stark vereisen, dass er auffriert und sich anhebt. Offensichtlich sind aufgrund der relativ kleinen zur Verfügung stehenden Fläche die Soleleitungen zu eng verlegt worden. Das führt flächenspezifisch zu einer zu starken Auskühlung des Bodens. Insbesondere im Anschlussbereich des Soleverteilers sind die Soleleitungen noch enger verlegt worden, was hier im Winter zu einer stärkeren Vereisung und Anhebung des Bodens führt. Die Soleleitungen sind eindeutig zu eng auf eine zu kleine Fläche verlegt worden.

> **Hinweis:**
> Eine enge Verlegung bringt keine Erhöhung der Entzugsleistung. Ausschlaggebend ist die flächenspezifische Entzugsleistung gem. VDI 4650.

Ähnlich sieht dies auch für die Fußbodenheizung aus. Die Vorlauftemperatur beträgt hier 40 °C und die Rücklauftemperatur 30 °C. Diese Spreizung von 10 K ist ebenfalls zu hoch. Gem. DIN EN 14511-2 sollte die Vorlauftemperatur für Wärmepumpen bei einer Außentemperatur von –10 °C max. nur 35 °C betragen, mit einer deutlich kleineren Spreizung nämlich von 5 °C. Zu diesem Zeitpunkt betrug die Außentemperatur –5 °C. Folglich müsste die Vorlauftemperatur kleiner als 35 °C sein. Die hohe Spreizung deutet offensichtlich auf eine zu knapp bemessene Fußbodenheizung hin. Möglicherweise ist auch das Gebäude nicht ausreichend gedämmt, was ein gebäudebezogenes Gutachten ergeben müsste. Zur Beurteilung der Fußbodenheizung könnte eine Thermografie-Messung die Verlegeabstände zeigen, um beurteilen zu können, ob diese richtig verlegt sind. Weiterhin wäre der hydraulische Abgleich zu überprüfen.

In einem angrenzenden Lager wurde zur Beheizung ein Warmluftgebläse installiert. Neben dem Warmluftgebläse war ein ungedämmtes Garagentor. Warmluftgebläse werden oftmals zur schnellen Beheizung von Lagerstätten, Hallen etc. eingesetzt. Sie benötigen zu einer ausreichenden Beheizung relativ hohe Vorlauftemperaturen. Um mit diesem Warmluftgebläse effektiv zu heizen, wäre eine Vorlauftemperatur von mindestens 50 °C bis 60 °C erforderlich. Mit Vorlauftemperaturen um die 40 °C ist dies nicht möglich. Hohe Vorlauftemperaturen sind für Wärmepumpen unsinnig, weil dies den Wirkungsgrad deutlich mindern würde. Kurz: Dieses Warmluftgebläse ist für diese Anwendung ungeeignet.

Bild 2.4.2.4: Warmluftgebläse
Quelle: J. Bonin, Umwelt & Technik

Zudem wurde ein zunehmender Soleverlust beanstandet. Der Kunde musste regelmäßig Sole nachfüllen. Dies ist absolut unzulässig, weil Sole nicht ins Erdreich gelangen darf. Die nachfolgenden Bilder zeigen eine nicht gerade vertrauenserweckende Soleverteilung.

Diese Bilder 2.4.2.5 und 2.4.2.6 zeigen den Verteilerschacht und den Verteiler.

Bild 2.4.2.5: Soleverteilerschacht
Quelle: J. Bonin, Umwelt & Technik

Bild 2.4.2.6: Soleverteiler
Quelle: J. Bonin, Umwelt & Technik

Bei der Begutachtung dieser Wärmepumpen-Anlage stellten wir weiterhin fest, dass der gem. VDI 4640 geforderte Druckwächter fehlte.

Gem. VDI 4640 und DIN 8901 sowie LANUV-Arbeitsblatt 39 ist zumindest ein Druckwächter vorgeschrieben, der bei Soleverlust die Wärmepumpe abschalten und verriegeln soll. Mit einem solchen Druckwächter hätte der Betreiber jedoch ein arges Problem, weil dann seine Wärmepumpe noch häufiger abschalten würde. Derzeit füllt er regelmäßig Sole nach, damit die Anlage läuft. Aufgrund einer rechtlichen Auseinandersetzung (Beweissicherungsverfahren) sind ihm jedoch die Hände gebunden, sodass hier das Erdreich zwangsläufig erheblich mit Glykol kontaminiert wird. Dies ließe sich mit einem Geo-Protector® sicher verhindern – siehe „Der Geo-Protector® – verbesserter Grundwasserschutz“.

Zur Kühlung hat sich der Hersteller dieser Wärmepumpen etwas Besonderes ausgedacht. Dazu dient ein handelsüblicher bivalenter Warmwasserspeicher mit einer kleinen vorgesetzten Wärmepumpe. Im Kühlbetrieb sollte über die kleine, vor dem Warmwasserspeicher vorgeschaltete Wärmepumpe dem Gebäude Wärme entzogen und dieses somit ausgekühlt werden. Diese entzogene Wärme sollte dann zur Warmwasserbereitung dienen. Hier wurde jedoch nicht bedacht, dass das relativ große Gebäude mit Büro- und Lageranbauten nur von zwei Personen bewohnt werden sollte. Folglich war der Warmwasserbedarf zu gering, um eine ausreichende Kühlung zu gewährleisten.

Wie hätten diese Probleme vermieden werden können?

Um eine Wärmepumpenanlage richtig auszulegen, ist erst mal die erforderliche Heizleistung für das Gebäude gem. DIN EN 12831 zu berechnen. Weiterhin ist der Bedarf für die Warmwasserbereitung sowie der Zuschlag für die EVU-Sperre zu berücksichtigen. Anhand der so errechneten Heizleistung ist die entsprechende Sole-Wasser-Wärmepumpe zu ermitteln. In diesem Fall lag weder eine Gebäudeheizlastberechnung noch eine überschlägige Heizlastberechnung vor. Nach welchen Kriterien die Heizleistung der Wärmepumpe ausgelegt wurde, war nicht festzustellen. Vielleicht gibt es auch keine Heizlastberechnung für dieses Gebäude.

Anhand der richtig ermittelten Gesamtheizleistung und der ausgewählten Wärmepumpe ist gem. VDI 4640 die Wärmequelle bzw. der Erdkollektor zu berechnen. In VDI 4650 sind die entsprechenden Entzugsleistungen des vorliegenden Bodens zu entnehmen. Mit großer Wahrscheinlichkeit wäre das hier vorliegende Grundstück für einen effektiven Erdkollektor zu klein. Dann wären eine zusätzliche Erdsonde oder grundsätzlich Erdsonden erforderlich gewesen.

Für die Auslegung der Fußbodenheizung für Wärmepumpenanlagen gibt es eindeutige Vorgaben. Sie ist bei einer Normaußentemperatur, hier am Niederrhein –10 °C, für eine maximale Vorlauftemperatur von 35 °C auszulegen. Das ist dann möglich, wenn die Verlegeabstände entsprechend gering sind.

Für die Beheizung der Garage hätten ein oder zwei Gebläsekonvektoren einen guten Dienst geleistet. Diese sind für die Beheizung mit Wärmepumpen mit möglichst niedrigen Vorlauftemperaturen gut geeignet.

Für das Solesystem gilt, dass dieses vor dem Füllen abzudrücken und auf Dichtigkeit zu überprüfen ist. Ein Prüfprotokoll dazu lag nicht vor. Weiterhin hätte ein vorgeschriebener Druckwächter installiert werden müssen, der bei Soleverlust die Wärmepumpe zumindest abschaltet. Auch die Ausführung der Soleleitungen einschl. Soleverteiler und Anbindeleitungen sind so zu erstellen, dass sie dauerhaft dicht sind. Die obigen Fotos belegen etwas anderes. Kupferverteiler sind ungeeignet, weil diese auf kurz oder lang von außen nach innen durch Feuchtigkeit und Kondensatwasser korrodieren.

Für das Gesamtgebäude wäre eine ordentliche Bauleitung sinnvoll gewesen, die hier fehlte.

2.4.3 Zu klein ausgelegte Sole-Wärmequelle

Hier wurde ein Fall an uns herangetragen, bei dem einmal ein großes Wohnhaus und ein mittelgroßes Bürogebäude jeweils mit einer größeren Sole-Wasser-Wärmepumpe beheizt werden sollten. Als Wärmequelle sollte ein Erdkollektor dienen. Doch jeden Winter fielen die Wärmepumpenanlagen wegen Niederdruckstörungen aus und der Boden vereiste erheblich.

Die Gebäude wurden nach der damaligen EnEV (Energieeinsparverordnung) erstellt. Das Wohngebäude, geplant für 4 Personen, hatte eine Gesamtwohnfläche von etwa 500 m^2 und das Bürogebäude etwa 400 m^2. Zwei Sole-Wasser-Wärmepumpen mit einer Heizleistung (S0W35) von 17 kW sollten die Gebäude getrennt beheizen. Als Wärmequelle diente ein Erdkollektor mit etwa 800 m^2, in einem sandigen Boden. Dass dieser Erdkollektor zu klein ist, ist offensichtlich. Für die Warmwasserbereitung im Wohnhaus stand ein bivalenter Speicher mit 1 000 l zur Verfügung. Dieser ist für 4 Personen zu groß bemessen. Für die Warmwasserbereitung wäre hier eher ein kleinerer Hochleistungsregisterspeicher angebracht gewesen, weil bei dem großen Speichervolumen eine Legionellenschaltung erforderlich ist, die hier fehlte. Im Bürogebäude wird das wenige Warmwasser über Durchlauferhitzer gemacht. Das ist sicher auch sinnvoll, denn ansonsten würden die Abstrahl- und Leitungsverluste (Zirkulation) den Gewinn durch die Wärmepumpe möglicherweise wieder reduzieren. Außerdem ist die Installation von ein paar Durchlauferhitzern auch in der Anschaffung deutlich wirtschaftlicher, insbesondere weil so das Warmwassernetz einschl. Zirkulationsleitung entfällt.

Bei der Vor-Ort-Besichtigung fanden wir Wärmepumpen vor, die durch Schwitzwasserbildung erhebliche Korrosionen aufwiesen, was nicht gerade für Qualität bürgt.

Warum konnte die Anlage nicht richtig funktionieren?

Eine überschlägige Berechnung für das Wohnhaus ergab eine erforderliche Heizleistung von:

$P_{WP} = P_H + P_{WW}$

mit

P_{WP} = Heizleistung der Wärmepumpe [kW]

und

$P_H = A \cdot 40\ W/m^2$

mit

P_H = Gebäudeheizlast [kW]

A = zu beheizende Wohnfläche [m^2]

P_{WW} = 0,25 kW/Pers. × Pers = Heizleistung für die Warmwasserbereitung*

* Je nach Warmwasserbedarf und Komfort gelten für die Warmwasserbereitung 200–300 W/Person.

Damit ergibt sich eine Heizleistung, ohne Berücksichtigung einer EVU-Sperre von:

$$P_{WP} = 500\ m^2 \cdot 40\ W/m^2 + 250\ W/Pers. \cdot 4\ Pers.$$
$$= 20\,000\ W + 1\,000\ W = 21\ kW$$

Die installierte Wärmepumpe mit 17 kW ist für das Wohnhaus damit zu klein. Hier wurde die erforderliche Leistung für die Warmwasserbereitung offensichtlich nicht beachtet.

Für das Bürogebäude ergibt sich eine Heizleistung von:

$$P_{WP} = 400\ m^2 \cdot 40\ W/m^2$$
$$= 16\,000\ W = 16\ kW$$

Die installierte Wärmepumpe für das Bürogebäude war damit ausreichend.

Auszuwählen wären dann so die nächstgrößeren Wärmepumpen. Für die Ermittlung der Kälteleistungen gilt für das Wohnhaus:

$$P_K = P_{WP} \cdot 0{,}8$$
$$= 21\ kW \cdot 0{,}8 = 16{,}8\ kW$$

und für das Bürogebäude:

$$P_K = P_{WP} \cdot 0{,}8$$
$$= 16\ kW \cdot 0{,}8 = 12{,}8\ kW$$

Für trockene sandige Böden gilt nach VDI 4640 bei einer Betriebsdauer von 1 800 h/a (ohne Warmwasserbereitung) eine Entzugsleistung von 8–12 W/m^2 und bei einer Jahresbetriebsdauer von 2 400 h/a (mit Warmwasserbereitung) eine Entzugsleistung von 6–10 W/m^2. Für die Berechnung der Erdkollektorfläche gilt:

$F_K = P_K / P_{Kspez}$

mit

P_{Kspez} = flächenspezifische Entzugsleistung [W/m]

Für die nachfolgenden Berechnungen wählen wir die mittlere Entzugsleistung. Damit berechnet sich für das Wohngebäude die erforderliche Fläche für den Erdkollektor zu:

$$F_K = 16\,800\ W/10\ W/m^2 = 1\,680\ m^2$$

und für das Bürogebäude zu:

$$F_K = 12\,800\ W/8\ W/m^2 = 1\,600\ m^2$$

Es empfiehlt sich sicherheitshalber, diese Flächen als Mindestflächen zu betrachten. Damit ist für beide Gebäude eine Erdkollektorfläche von gesamt 3 280 m^2 erforderlich.

Selbst wenn man die maximale Entzugsleistung für feuchten Sand mit 20 W/m^2 zugrunde legen würde, wäre der ausgelegte Erdkollektor mit 800 m^2 immer noch erheblich zu klein. Ohne eine entsprechende Nachbesserung der Wärmequelle kann die Wärmepumpenanlage nicht ordnungsgemäß arbeiten.

Wenn keine größere Fläche zur Verfügung steht, wie das hier der Fall war, ist allenfalls eine Kombination zwischen Erdkollektor und ergänzenden Erdsonden denkbar.

Wichtig ist bei der Auslegung der Wärmequelle für Sole-Wasser-Wärmepumpenanlagen, dass die Wärmepumpeneintrittstemperatur 0 °C und die Wärmepumpenaustrittstemperatur –3 °C nicht unterschreiten. Diese Grenzwerte sind nach DIN EN 14511-2 vorgegeben.

Wie hätte dieses Problem vermieden werden können?

Wenn die Wärmepumpen in Anlehnung einer Gebäudeheizlastberechnung gem. DIN EN 12831 unter Berücksichtigung der Warmwasserbereitung dimensioniert und die Wärmequelle gem. VDI 4640 richtig berechnet worden wäre.

2.4.4 Vereisung von Erdsonden/Erdkollektoren/Energiekörben – Vereisung einzelner Erdsonden/Energiekörbe

In den meisten Fällen ist die Wärmequelle zu klein dimensioniert. Die Praxis zeigt aber auch, dass es darüber hinaus noch andere Fehlermöglichkeiten gibt.

In einem Fall wurde ich angerufen, weil eine Sole-Wasser-Wärmepumpe ständig wegen Störungen ausfiel. Es handelte sich dabei um ein Bürohaus mit einer zu beheizenden Fläche von ca. 450 m². Auch die Warmwasserbereitung für das Personal, ca. 10 Personen, sollte über die Wärmepumpe laufen. Als Wärmequelle stand eine Fläche von ca. 550 m² zur Verfügung, in die ein Erdkollektor eingebaut wurde. Es handelte sich dabei um teilweise feuchten Sand mit lehmigen Anteilen. Eine Gebäudeheizlastberechnung lag nicht vor. Das Gebäude wurde etwa 2010 nach der damaligen EnEV (Energieeinsparverordnung) geplant und gebaut. Somit gilt folgende Rechnung:

Bürogebäude:

– zu beheizende Wohnfl. mit max. 35 °C VL.-Temperatur:	450 m²
– Angenommene flächenspezifische Heizlast:	45 W/m²
⇒ Gebäudeheizlast:	20,3 kW
– Bedarf zur Warmwasserbereitung:	1 kW
⇒ Gesamtheizlast:	21,3 kW
⇒ Kälteleistung (Entzugsleistung):	17 kW
– Entzugsleistung gem. VDI 4640 für	
– trockenen, nicht bindigen Boden bei 2 400 h/a:	8 W/m²
– bindigen, feuchten Boden:	16–24 W/m²
– Mittelwert:	15 W/m²
⇒ erforderliche Erdkollektorfläche:	1 150 m²

Dies zeigt, dass die vorhandene Fläche von 550 m² auch hier eindeutig zu klein ist. Sie müsste mindestens doppelt so groß sein.

Was passiert in einem solchen Fall? Eine Wärmepumpe ist eine Kältemaschine. Das wird dann sehr deutlich, denn die Wärmepumpe entzieht mit ihrer Kälteleistung, in diesem Fall 17 kW, der Wärmequelle die Wärme. Sie kühlt aus, bis sich ein Gleichgewichtszustand einstellt oder die Wärmepumpe wegen einer Niederdruckstörung abschaltet. Der Gleichgewichtszustand ist dann gegeben, wenn die Entzugsleistung gleich der natürlich nachkommenden regenerativen Leistung ist. D. h.

$$Q_{\mathrm{KWP}} = Q_{\mathrm{Quelle}} = Q_{\mathrm{reg.}}$$

mit

Q_{KWP} = Kälteleistung der Wärmepumpe

Q_{Quelle} = Wärmemenge der Energiequelle = $Q_{\mathrm{reg.}}$ regenerative Wärme

Die regenerative Wärme kommt bei Erdkollektoren sowie Energiekörben oder Grabenkollektoren von der Sonneneinstrahlung sowie vom Regenwasser und der Wärmeleitung im Boden.

Ist die Kälteleistung zu hoch, d. h.

$$Q_{KWP} > Q_{Quelle} = Q_{reg.}$$

kühlt die Wärmequelle weiter aus. In nicht wenigen Extremfällen führt dies dann zu einer mehr oder weniger ausgeprägten Vereisung des Erdreiches. Misst man an der Wärmepumpe die Soleeintritts- und Soleaustrittstemperaturen, sind diese häufig deutlich unter 0 °C. Bei starken Vereisungen kommt es dann zu Erhebungen des Bodens, was weitere äußere Schäden verursachen kann.

In einem anderen Fall waren mehrere Energiekörbe eingebaut. Zunächst kam es bei einem, später bei zwei und im weiteren Verlauf bei drei Energiekörben zu Vereisungen, bei den anderen nicht. Da war es naheliegend zu überprüfen, ob diese hydraulisch richtig angeschlossen waren oder ob sie unterschiedlich durchströmt wurden. Doch es war kein Verteiler zu finden. Bei genaueren Untersuchungen stellte sich heraus, dass die Energiekörbe alle in Reihe angeschlossen waren, sodass sie nacheinander durchströmt wurden. Das ist natürlich überhaupt nicht fachgerecht und hatte gleich zwei Konsequenzen:

1. Der erste Energiekorb wurde direkt mit der kalten Sole aus der Wärmepumpe durchströmt und in diesem etwas erwärmt. Danach durchströmte die Sole den zweiten Energiekorb und wurde wieder etwas erwärmt – usw. Infolgedessen vereisten die ersten Energiekörbe.
2. Der Druckverlust über in Reihe angeschlossene Energiekörbe ist natürlich viel höher als wenn diese parallel nach Tichelmann angeschlossen wären. Es ist eine unverhältnismäßig große Umwälzpumpe erforderlich. Und weil nur noch teure Hocheffizienzpumpen zulässig und erhältlich sind, verteuerte dies erheblich den Preis für die Wärmequelle.

In diesem Fall war die Größe der Wärmequelle zwar richtig ausgelegt, aber die Energiekörbe falsch angeschlossen. Richtig gewesen wäre, wenn die Energiekörbe parallel nach Tichelmann an einem Verteiler angeschlossen wären. Dann wären alle mit gleich temperierter Sole durchströmt und damit eine gleichmäßige Auskühlung gegeben.

Zum Druckverlust nachfolgende Betrachtungen: Als Beispiel ein Energiekorb mit PE-Rohr, DN 32 mit einer Länge von 100 m. Es sind 10 Energiekörbe geplant. Für die Wärmepumpe ist ein Durchfluss von 3 m^3/h erforderlich. Werden alle Energiekörbe in Reihe geschaltet, ergibt sich ein Druckverlust von ca. 110 mWs = 11 bar! Werden alle Energiekörbe parallel nach Tichelmann angeschlossen, beträgt der Durchfluss pro Energiekorb 0,3 m^3/h. Der Druckverlust beträgt dann weniger als 0,5 mWs = 0,05 bar!

Deswegen gilt für Energiekörbe sowie auch für Erdkollektoren und auch für Erdsonden, dass die einzelnen Kreise gleich lang sein müssen und grundsätzlich nach Tichelmann anzuschließen sind!

Probleme mit Erdsonden bei der Inbetriebnahme 2.4.5

Üblicherweise werden die Erdsonden vom Brunnenbauer mit einem Wasser-Glykol-Gemisch gefüllt, gespült und entlüftet. Dennoch können anfangs Lufteinschlüsse dazu führen, dass ein einzelner oder auch mehrere Kreise nicht richtig durchspült werden. Lufteinschlüsse wirken in den verhältnismäßig dünnen PE-Rohren wie Stopfen. Vor allen dann, wenn solche Lufteinschlüsse mit der Fließrichtung mit nach unten gedrückt werden. Je tiefer diese in die Sonden gedrückt werden, desto größer werden der Auftrieb und damit der Strömungswiderstand. Wird eine Luftblase in einem Rohr heruntergedrückt, entsteht pro 10 m ein Gegendruck von 1 bar; das sind bei 100 m 10 bar. Nur eine entsprechend starke Pumpe zum Spülen kann einen ausreichenden Spüldruck gewährleisten.

Dies zeigt auch, dass es sehr sinnvoll ist, wenn die Möglichkeit besteht, alle Kreise einzeln absperren zu können. Bild 2.4.5.1 zeigt einen solchen Soleverteiler. Am oberen Soleverteiler sind Absperrventile und am unteren Soleverteiler befinden sich Absperrventile mit Strömungsanzeiger. Der Soleverteiler selbst ist doppelwandig und durch die Lufträume gut isoliert, um Schwitzwasserbildung möglichst zu verhindern. Nur so ist es möglich, jeden einzelnen Kreis spülen zu können. Insgesamt sind Soleverteiler mit Strömungsanzeiger je Kreis mit Einstellvorrichtungen und Absperrvorrichtungen zu empfehlen. Das erleichtert auch das Spülen und die Inbetriebnahme. Weiterhin ermöglicht ein solcher Soleverteiler das Absperren einzelner Kreise, falls mal eine Undichtigkeit vorhanden ist.

Die einzelnen Kreise sollten möglichst alle dieselbe Länge haben und nach Tichelmann angeschlossen werden, damit sie alle gleich durchströmt werden.

Bei Erdkollektoren ist eine Entlüftung entsprechend unproblematisch.

Bild 2.4.5.1: Soleverteiler mit Strömungsanzeiger
Quelle: SBK

2.4.6 Regelmäßiger Soleverlust

Generell sind Erdwärmesonden sowie auch Erdkollektoren bei der Unteren Wasserbehörde anzumelden. Das übernimmt in der Regel der Brunnenbauer, der gemäß DVGW, Arbeitsblatt W 120, zertifiziert sein muss. Die Zertifizierung wird gefordert, um einen möglichst hohen Standard, insbesondere zum Schutz des Grundwassers zu erhalten.

Wo Menschen arbeiten, passieren bekanntlich immer mal wieder Fehler. Davon sind bei Sole-Wasser-Wärmepumpen auch die Soleleitungen, Erdsonden oder Erdkollektoren nicht auszuschließen. Aus Anfragen und Gutachten sind mir etliche Fälle bekannt, bei denen das Solesystem undicht war oder wurde. Davon waren auch des Öfteren die Soleleitungen, d. h. PE-Rohre betroffen. Nachdem ich 2009 den Geo-Protector® erfand, wandte sich ein Betreiber an mich mit der Aussage: „Sehr geehrte Damen und Herren, unsere Wärmepumpe ist jetzt 30 Jahre alt. In den letzten Jahren gehen allmählich meine Solekreise kaputt; sie werden undicht. Es sind PE-Rohre – und ich dachte diese halten ‚ewig'. Gibt es eine Möglichkeit, die Erdkollektoren wieder zu ertüchtigen?" Auf meine Frage, ob wir mal seine Erdkollektoren besichtigen dürften, lehnte der Betreiber dies deutlich ab. Weiterhin sind mir persönlich weitere Fälle bekannt, bei denen die Böden zum Teil erheblich mit Glykol kontaminiert wurden. Ein Beispiel habe ich bereits oben erwähnt. Dies mag die Industrie, d. h. die meisten Wärmepumpenhersteller, gar nicht gerne wahrhaben, ja, sie streiten dies zum Teil sogar ab. Doch während ich dieses Buch schreibe, wandte sich ein neuer Betreiber an mich mit der Bitte um ein Gutachten genau zu diesem Thema. Auch hier geht es darum, dass eine Erdsonde (hier eine Koaxial-Erdsonde) undicht war. Bei der Ortsbesichtigung bot der Hersteller der Erdsonden sogleich ein Reparaturkit an. Das deutet doch sicher nicht auf seltene Einzelfälle hin. In einem unlängst geführten Gespräch mit einem Brunnenbauer und Sachverständigen bestätigte er mir, dass dies keine Einzelfälle sind. Und auch hier streitet man seitens Hersteller der Erdsonden das Problem ab. Dies führt dann in der Regel dazu, dass während der Klärungsphase erst mal das Erdreich erheblich mit Glykol kontaminiert wird. Das verunsichert Betreiber, weil sie sich um Sanktionen und Strafen vor der Unteren Wasserbehörde sorgen. Im Rahmen meiner Tätigkeit als Sachverständiger liegen mir Bilder vor, auf denen kleine Soleseen bei Erdarbeiten zu sehen sind. Darauf ist eindeutig zu sehen, dass der Boden erheblich mit Glykol kontaminiert wurde.

Die Sorge vor Strafen und damit verbundene Kosten führt letztendlich dazu, dass die meisten betroffenen Betreiber sich aus dieser Sorge heraus nicht an die Behörden wenden, sondern versuchen, das Problem erst mal selber zu lösen. Dazu kann ich an dieser Stelle nur ermutigen, sich an die Behörden zu wenden und derartige Fälle zu melden. Dort sitzen keine Unmenschen; sie sind eher bestrebt, den Betroffenen zu helfen, damit das Problem kurzfristig behoben wird.

Bei Recherchen im Internet stieß ich auf weitere vergleichbare Fälle. Es sind also keine allzu seltenen Einzelfälle. Darin schreibt unter anderem ein Betreiber: „... alle Bohrungen wurden freigelegt (4 Stück). Bei der dritten wurde dann ein Leck gesichtet. **Man konnte den Frostschutz schon von Metern riechen!“**

In einem anderen Fall rief mich ein Betreiber an, der wiederkehrenden Soleverlust zu beklagen hatte. Er stellte fest, dass eine seiner drei Erdsonden undicht war. Dies wurde bereits durch ein drittes Fachunternehmen festgestellt. Der Brunnenbauer, der die Erdsonden erstellte, stritt vehement eine Undichtigkeit an seinen Erdsonden ab und verwies auf seine Prüfprotokolle. Als ich mir diese ansah, staunte ich nicht schlecht, nämlich dass die betroffene Sonde bereits damals schon Druck verloren hat. Es wurde protokolliert, dass bei der Sonde 3, bei einem anfänglichen Druck von 2 bar, dieser innerhalb von einer Stunde um 0,5 bar auf 1,5 bar fiel. In einer weiteren Stunde fiel der Druck um weitere 0,2 bar auf 1,3 bar. Spätestens da hätte er erkennen müssen, dass hier eine Leckage vorlag.

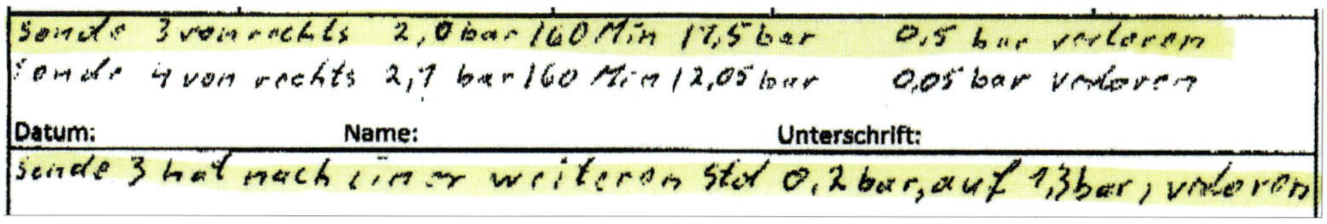

Sonde 3 von rechts 2,0 bar / 60 Min / 1,5 bar 0,5 bar verloren
Sonde 4 von rechts 2,1 bar / 60 Min / 2,05 bar 0,05 bar verloren
Datum: Name: Unterschrift:
Sonde 3 hat nach einer weiteren Std 0,2 bar, auf 1,3 bar, verloren

Bild 2.4.6.1: Auszug aus einem Protokoll zur Druckprüfung
Quelle: J. Bonin

Bild 2.4.6.2 zeigt sehr deutlich, dass das Erdreich bei Leckagen erheblich mit Glykol belastet werden kann. Das ist unzulässig und muss sicher vermieden werden. Auch hier konnte der entsprechend vorgeschriebene Druckschalter nicht verhindern, dass das Erdreich erheblich mit Glykol kontaminiert wurde. Auf dem Bild sind deutlich die Glykolpfützen erkennbar.

Bild 2.4.6.2: Solepfützen bei einer Druckprüfung
Quelle: J. Bonin, Umwelt & Technik

Der Betreiber bestätigte mir, dass er bis zur Ortung der Leckage 4 Kanister Glykolkonzentrat kaufte, um diese nachzufüllen und so den Frostschutz aufrechtzuerhalten. Folglich wurde das Erdreich mit mindestens 300 l Sole kontaminiert!

Weiterhin staunte ich nicht schlecht, als der Hersteller der Erdsonden den Brunnenbauer zur Seite nahm, um ihm ein Reparaturkitt anzubieten.

Bild 2.4.6.3 zeigt einen Soleverteiler ohne Absperr- oder Einstellmöglichkeiten. Es ist aus einem Gutachten, bei dem über einen sehr langen Zeitraum von mehreren Jahren kontinuierlich Sole austritt. Die Leckage wurde bisher noch nicht festgestellt. Weil es sich hier um einen langwierigen Gerichtsprozess handelt, wird das Erdreich über einen langen Zeitraum erheblich mit Glykol belastet.

Bild 2.4.6.3: Selbst gebauter Soleverteiler
Quelle: J. Bonin, Umwelt & Technik

Bei den mir bekannten Fällen sind etliche Parallelen festzustellen:

1. Die Betreiber wollen möglichst unerkannt bleiben. Bei einer Anfrage eines Kunden, der von mir eine Lösung für sein Problem erhoffte, teilte dieser mir ausdrücklich mit, dass er nicht wolle, dass sein Fall weiter bekannt werden sollte.

   Bei einem anderen mir bekannten Fall, bei dem die undichte Stelle nicht zu lokalisieren ist, läuft ein Rechtsstreit. Hier geht es zunächst um eine Beweissicherung. Somit ist davon auszugehen, dass sich in der Zwischenzeit nichts ändert.
2. Viele Betreiber haben Angst vor Strafen und Auflagen mit den Behörden, insbesondere der Unteren Wasserbehörden, und Sorge, für eventuelle Umweltschäden zu haften.
3. Es wird erst mal Sole (manchmal auch einfach nur Wasser) wieder nachgefüllt, damit der Betreiber nicht im Kalten sitzt, oftmals vom „verantwortlichen" Fachunternehmer.
4. Wenn die verantwortlichen Fachbetriebe mit dem Problem konfrontiert werden, bagatellisieren sie gerne die Problematik und behaupten z. T. sogar, dass dies „normal" sei! So habe ich es selbst bei meinem letzten Fall erlebt.

Der Solekreislauf muss nach der Erstellung abgedrückt und auf Dichtigkeit überprüft werden. Dazu ist ein Prüfprotokoll anzufertigen und dem Betreiber auszuhändigen. Der Solekreislauf muss so beschaffen sein, dass er dauerhaft dicht ist und bleibt. Ist das nicht der Fall, liegt eine Leckage vor. Diese ist unbedingt zu beseitigen. Wird diese nicht beseitigt, hat das folgende Konsequenzen:

1. Durch das immer wiederkehrende Nachfüllen entstehen Kosten, denn das Nachfüllwasser muss mit einem Frostschutzmittel (Glykol) versetzt werden, um eine Vereisung zu vermeiden. Wer will denn die Kosten tragen?
2. Wird jeweils nur Wasser nachgefüllt, verringert sich der Frostschutz relativ und es besteht Vereisungsgefahr im Verdampfer der Wärmepumpe, was ein Totalausfall bedeutet. Die erforderliche Reparatur ist dann aufwändig und teuer.

Das ist nicht nur ärgerlich für die Betreiber. Es kann auch erheblich die Umwelt belasten, wenn das Erdreich wiederholt mit Glykol kontaminiert wird.

Dies sind keine Einzelfälle. Man kann durchaus davon ausgehen, dass es eine beachtliche Dunkelziffer gibt. Die Folge ist eine unbekannte und kaum kontrollierbare Kontamination des Erdreiches und Grundwassers mit Glykol. Jede Autowerkstatt muss Frostschutzmittel aus Kühlern – was ja auch nichts anders ist als Glykol – teuer entsorgen. Bei defekten Solesystemen dagegen kann Glykol ungehindert ins Grundwasser gelangen.

In diesem Jahr nahm ich hierzu eine Auswertung meiner Gutachten vor. Dabei kam ich zu dem Ergebnis, dass anhand der mir vorliegenden Unterlagen jede 4. fehlerbehaftete Wärmepumpenanlage das Erdreich erheblich mit Glykol kontaminiert.

Es sei an dieser Stelle darauf hinzuweisen, dass es vorgeschrieben ist, geeignete Gegenmaßnahmen zu treffen, die eine Kontamination des Grundwassers oder Erdreiches mit Glykol verhindern. Dabei geht der Gesetzgeber davon aus, dass im Falle einer Leckage gem. VDI 4640 und DIN 8901 die Wärmepumpe abschaltet, abgeschaltet bleibt und die Leckage behoben wird. Oben genannte Beispiele aus der Praxis zeigen jedoch, dass dies in fast allen Fällen nicht zutrifft. Folglich ist hier eine Nachbesserung erforderlich, um das gewünschte und beabsichtigte Ziel zu erreichen. Eine Kontamination des Erdreiches sowie des Grundwassers mit Glykol ist nicht erlaubt. Glykol gehört zur Wassergefährdungsklasse 1 und darf somit nicht ins Grundwasser gelangen. Gem. WHG (Wasserhaushaltsgesetz) sowie auch WasgefStAnlV (Verordnung über Anlagen zum Umgang mit wassergefährdenden Stoffen) ist jeder, damit der Betreiber sowie der Erbauer, verpflichtet, nachhaltige Veränderungen des Grundwassers zu vermeiden. Anlagen sind so zu erstellen und zu betreiben, dass keine wassergefährdenden Stoffe austreten können. Mögliche Leckagen, insbesondere die der Erdsonden oder Erdkollektoren, müssen schnell und zuverlässig erkannt und beseitigt werden. Im Falle einer Leckage sind austretende wassergefährdende Stoffe schnell und zuverlässig zurückzuhalten und/oder ordnungsgemäß und schadlos zu verwerten oder zu beseitigen. Hier sind Hersteller sowie Fachunternehmer als auch Betreiber gleichermaßen verpflichtet, Veränderungen des Grundwassers zu verhindern. Es wäre im Sinne des Trinkwasserschutzes zu begrüßen, dass öffentliche Aufsichtsbehörden hier mehr Sicherheit fordern.

Dies ist mit einer neuen Erfindung, dem verbesserten Grundwasserschutz mit dem System Geo-Protector® möglich. Dass die bisherige Regelung gem. VDI 4640 und DIN 8901 unzureichend ist, wird auch in einem Gutachten der RUB (Ruhr Universität Bochum), Prof. Dr. Wohnlich bestätigt. Doch bis zur Erfindung des Systems Geo-Protector® gab es keine bessere Lösungsmöglichkeit zum Schutz des Erdreiches und Grundwassers.

Dass dieses Problem überhaupt nicht neu ist, zeigt, dass es mittlerweile auch Problemlösungen dazu gibt. Es gibt ein Flüssigdichtmittel von BCG F zur Beseitigung von Leckagen. Um den Druck im Solesystem und damit die Verluste zu verringern, gibt es offene Soleausdehnungsgefäße. Das zeigt, dass diese Probleme gar nicht so selten sind, wie gerne behauptet wird.

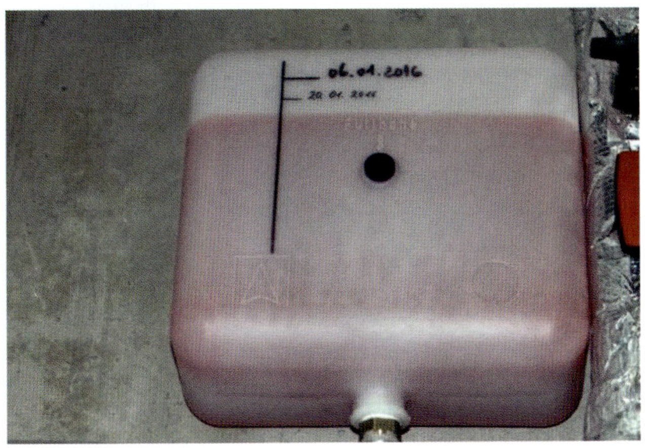

Bild 2.4.6.4: Offenes Ausdehnungsgefäß zur Minderung des Soleaustritts
Quelle: J. Bonin, Umwelt & Technik

2.4.6.1 Der Geo-Protector® – verbesserter Grundwasserschutz

Grundsätzlich ist bei Sole-Wasser-Wärmepumpenanlagen ein Druckwächter gem. VDI 4640, DIN 8901 sowie anderen Richtlinien und Leitfäden vorgeschrieben. Bei Unterschreiten eines Mindestdruckes muss dieser die Wärmepumpe abschalten. Das allein reicht jedoch nicht aus, um ein weiteres Auslaufen von Sole zu verhindern. Dies bestätigen die bereits zuvor beschriebenen Fälle. Weiterhin zeigt die Praxis, dass erst mal wieder Sole nachgefüllt wird, damit der Betreiber nicht im Kalten steht und der Fachhandwerker erst mal Zeit gewinnt.

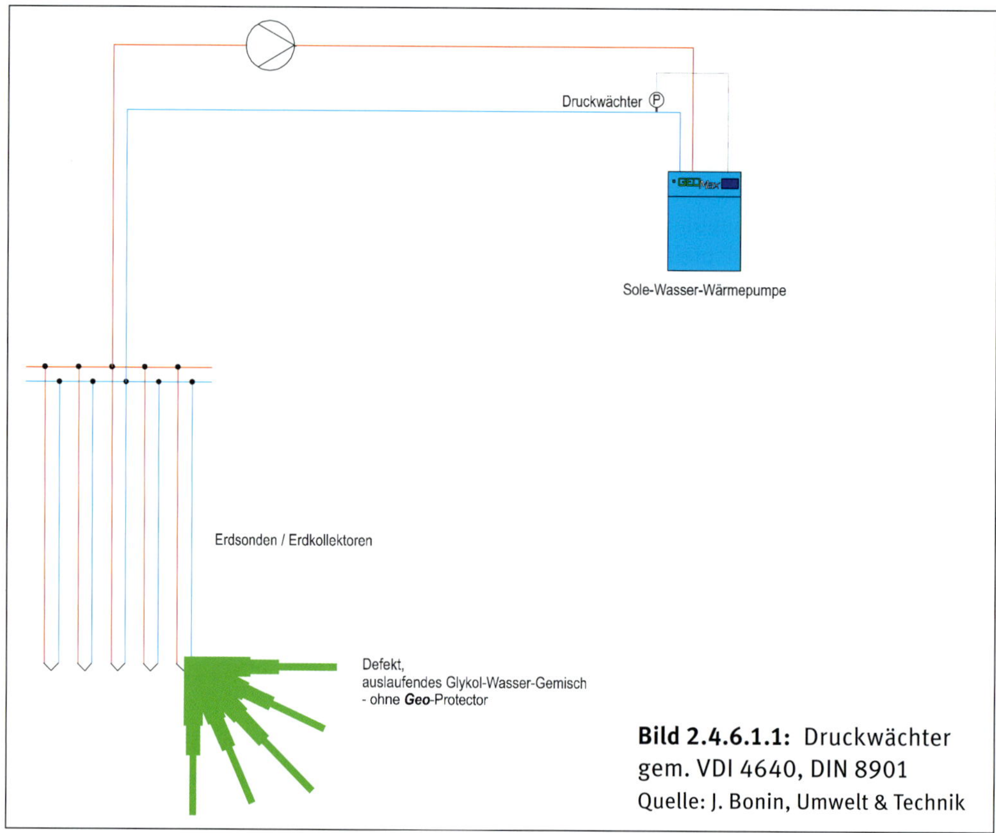

Bild 2.4.6.1.1: Druckwächter gem. VDI 4640, DIN 8901
Quelle: J. Bonin, Umwelt & Technik

So können, wie bereits beschrieben, größere Mengen Glykol austreten.

Mit dem verbesserten Grundwasserschutz Geo-Protector® lässt sich dies mit nur einem geringen Mehraufwand nachweislich sicher verhindern.

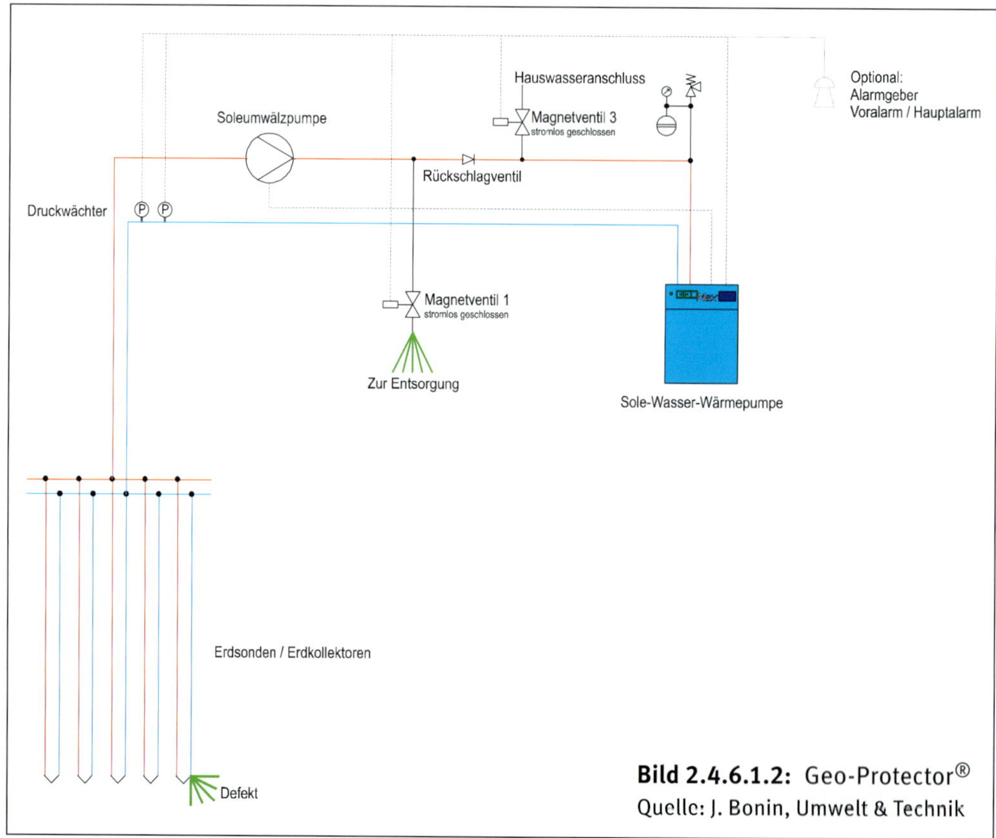

Bild 2.4.6.1.2: Geo-Protector®
Quelle: J. Bonin, Umwelt & Technik

Dabei ist es sinnvoll und daher vorgesehen, dass der Geo-Protector® in die Software des Reglers einer Wärmepumpe integriert wird. Dazu sind zusätzlich nur ein weiterer Druckwächter sowie zwei handelsübliche Magnetventile und ein Rückschlagventil erforderlich.

Die Funktion des Systems ist relativ einfach. Bei Soleverlust wird über den ersten Druckwächter mit einem höheren Druckschaltpunkt der Betreiber mit einem Voralarm gewarnt. Erst wenn dann der Soledruck weiter fällt, wie es bei einer Leckage zu erwarten ist, schaltet der zweite Druckwächter mit einem niedrigeren Druckschaltpunkt. Erst dann wird eine Spülung des Solesystems mit Trinkwasser ausgelöst, indem die Magnetventile geöffnet werden. So kann dann nur noch Trinkwasser ins Grundwasser gelangen. Auch ein mehrfaches Nachfüllen von Sole lässt sich mit einer geeigneten Software sicher verhindern. So ist es mit diesem System möglich, das Grundwasser sicher und effektiv zu schützen.

Der Nachweis, dass damit das Grundwasser effektiv geschützt wird, wurde durch ein Gutachten der RUB (Ruhr-Universität Bochum) im Rahmen eines Forschungsvorhabens und ein Gutachten von Prof. Dr. Stefan Wohnlich erbracht. Weitere umfangreiche Informationen hierzu sind im Internet zu finden.

Eine Betrachtung des Kosten-Nutzen-Verhältnisses zeigt, dass die Mehrkosten für den verbesserten Grundwasserschutz im Vergleich zum Gesamtpreis einer Wärmepumpenanlage vernachlässigbar und damit sehr gut vertretbar sind. Diese ist umso mehr berechtigt, wenn man betrachtet, dass die bisherige Regelung gem. VDI 4640 und DIN 8901 ebenfalls Kosten verursacht, obwohl diese quasi nahezu unwirksam ist.

Des Öfteren begegnet man dem Einwand, dass Glykol nicht ins Abwasser eingeleitet werden darf. Frage: Was ist denn im Falle einer Leckage schlimmer: Dass Glykol (WGK 1) ins Grundwasser eindringt oder ins Abwasser eingeleitet wird?

Fehler mit fatalen Auswirkungen 2.4.7

Hier weiß ich eine traurige Geschichte aus eigener Erfahrung zu berichten. Vor etlichen Jahren sprach ich mit einem Eigentümer eines größeren Wohnhauses, der hohe jährliche Energiekosten für seine Ölheizung in Höhe von über 5 000 € beklagte. Er interessierte sich für eine Wärmepumpenanlage, die ich dann auch plante. Ein Handwerker, der bereits Erfahrungen mit Wärmepumpen hatte, unterbreitete ihm ein Angebot. Aufgrund einer entsprechend hohen Heizleistung mit 40 kW planten wir eine Wärmepumpenanlage mit einem Speicherladesystem. Gewünscht war auch eine freie Kühlung.

Nachdem die Wärmepumpe in Betrieb genommen wurde, beanstandete der Kunde, dass im Sommer des Öfteren die Sicherung und teilweise der FI-Schalter (Fehlerstromschutzschalter) auslöste. Gleichzeitig wurden auch immer wiederkehrende Hochdruckstörungen beanstandet.

Was war passiert?

Bei einer Überprüfung der Wärmepumpenanlage stellte ich fest, dass sich bei entsprechend hoher Luftfeuchtigkeit Schwitzwasser an nicht isolierten Soleleitungen bildete. Dieses Schwitzwasser tropfte auf den Elektroanschlusskasten der Soleumwälzpumpe. Das führte dann zu gelegentlichen Kurzschlüssen oder Auslösungen des FI-Schalters. Durch eine kleine Änderung der Installation ließ sich dieser Mangel einfach beseitigen.

Nun galt es die Ursache für die gelegentlichen Hochdruckstörungen zu finden. Alles deutete darauf hin, dass dies mit der Warmwasserbereitung zusammenhängen musste. Wir überprüften mehrfach die Einstellungen zur Warmwasserbereitung sowie die Reglereinstellungen. Auch die Installation wurde mehrfach mit dem Handwerker überprüft. Dabei wies ich auch darauf hin, dass der Durchfluss zum Ladespeicher gezielt und korrekt gem. Vorgabe einzustellen ist. Doch der Handwerker war der Ansicht, dass eine Einstellung mit einem installierten Kugelhahn möglich sein müsste. Nun, das überließ ich ihm dann. Auf unsere Nachfrage, ob der Wärmetauscher für die Warmwasserladung richtig angeschlossen sei, wurde mit Nachdruck beteuert, dass er richtig angeschlossen sei. Daher wurde dies erst mal nicht weiter überprüft. Einstellungen wurden optimiert, doch die Hochdruckstörungen kamen immer wieder. Bei einer weiteren Überprüfung stellte ich fest, dass auch im Sommer der Pufferspeicher warm wurde. Weil das Umschaltventil eine sehr geringe Leckrate hatte, hinterfragte ich, ob die Einstellung des Umschaltventils verändert wurde. Der Handwerker bestätigte dies

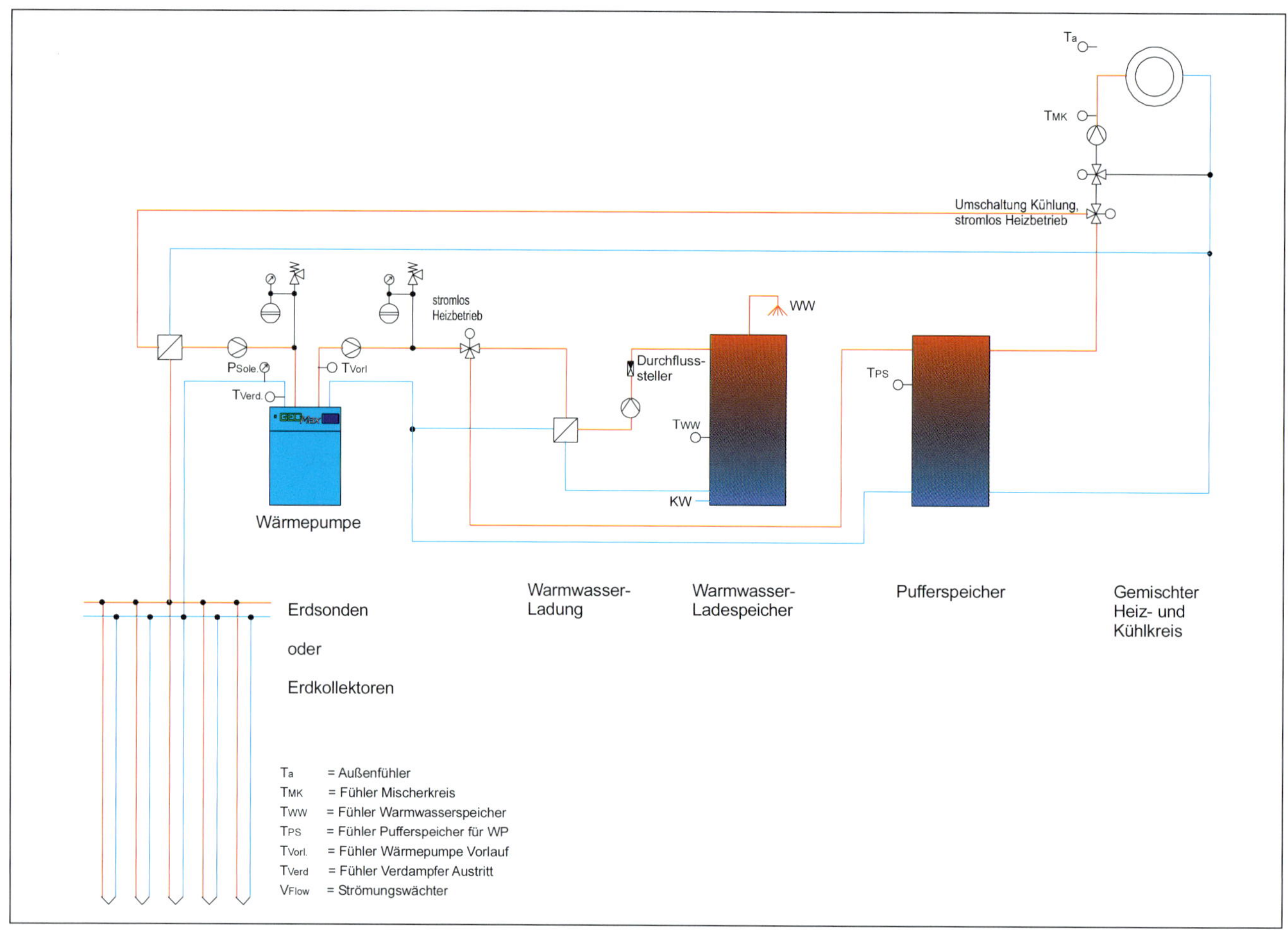

Bild 2.4.7.1: Sole-Wasser-Wärmepumpenanlage mit einem Speicherladesystem mit freier Kühlung
Quelle: J. Bonin, Umwelt & Technik

mit der Begründung, damit bei der Warmwasserbereitung etwas kälteres Wasser aus dem Pufferspeicher im Rücklauf beigemischt werden sollte, um die Rücklauftemperatur zu reduzieren und so den Hochdruckstörungen zu begegnen. Das war natürlich unsinnig, weil so die Wärmepumpe den Warmwasserspeicher und den Pufferspeicher auch im Sommer gleichzeitig auflud – und zwar auf einem entsprechend hohen Temperaturniveau. Das Problem ließ sich damit jedoch nicht lösen. Durch die Aufladung des Pufferspeichers stiegen wohl die Betriebskosten – es wurde Geld vernichtet aber nicht das Problem gelöst.

Zwischenzeitlich stellte sich auch hier ein Soleverlust ein. Ursachen waren mit Teflon abgedichtete Verbindungen.

Was war hier passiert?

Teflon ist nicht glykolbeständig und löste sich nach einiger Zeit auf. Es mussten alle Verbindungen nachgebessert werden, damit die Soleleitungen dauerhaft dicht waren.

Weil die Hochdruckstörungen immer weiter kamen, überprüfte ich erneut die Anlage. Obwohl mir vom Handwerker stets beteuert wurde, dass der Wärmetauscher zur Speicherladung richtig angeschlossen war, stellte ich dann doch fest, dass dieser im Gleichstrom angeschlossen war. Ich belegte dies mit Fotos und forderte den Handwerker auf, dies zu korrigieren.

Des Weiteren wies ich den Handwerker darauf hin, den sekundären Durchfluss auf der Brauchwasserseite so einzustellen, dass sich eine entsprechende Temperaturspreizung auf der Sekundärseite einstellt, sodass die Wärme bei allen Betriebszuständen sicher übertragen würde. Statt einen einstellbaren Durchflusssteller (Tacco-Setter) einzubauen, dessen Einstellung dokumentierbar und jederzeit neu einstellbar ist, versuchte der Handwerker, den Durchfluss zur Speicherladung mit dem Kugelhahn (roter Pfeil) einzustellen. Das entspricht keiner genauen und gezielten Einstellmöglichkeit und ist nach einer Verstellung nicht wieder genau so einstellbar.

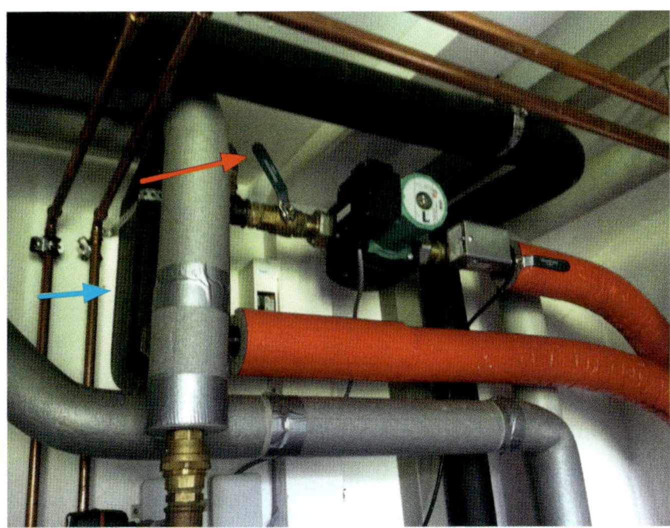

Bild 2.4.7.2:
Speicherladesystem mit Wärmetauscher (bl. Pfeil) und Speicherladepumpe
Quelle: J. Bonin, Umwelt & Technik

Nachdem ich den Handwerker aufforderte, die richtige Einstellung vorzunehmen, hörte ich erst mal längere Zeit nichts mehr. Somit ging ich davon aus, dass nun alles in Ordnung sei. Doch nach zwei Jahren wandte sich der Betreiber erneut an mich und teilte mir mit, dass die Hochdruckstörungen immer noch mal auftraten, aber insbesondere, dass sich die Stromkosten mehr als verdoppelt haben! Dafür hatte ich erst mal keine Erklärung. Als ich die Anlage besichtigte, sah ich die Einstellung des sekundärseitigen Durchflusses am Kugelhahn.

Das war aber noch keine Erklärung für den stark angestiegenen Stromverbrauch, den ich mir nach wie vor noch nicht erklären konnte. Sehr ungewöhnlich war, dass der Handwerker mich mit Nachdruck wiederholt aufforderte, den Hochdruckschalter auszutauschen, weil er angeblich defekt sei. Ich zögerte, weil ein Hochdruckschalter ein Sicherheitselement ist und im Falle eines Defektes der Stromkreis geöffnet sein müsste. Dass ein Hochdruckschalter ausfällt, war weder mir noch Kollegen bekannt. Zudem kam, dass er ja auch gelegentlich immer mal auslöste. Das würde er nicht, wenn er defekt wäre. Dann kam Kommissar „Zufall“, als eines Tages der Hochdruckschalter die Wärmepumpe abschaltete und sich diese nicht wieder einschalten ließ. Ich befürchtete einen Defekt im Kältekreislauf und beauftragte einen Kältetechniker mit der Instandsetzung der Wärmepumpe. Als wir die Wärmepumpe öffneten, staunten wir nicht schlecht. Wir fanden eine Wärmepumpe vor, an der offensichtlich sehr unfachmännisch manipuliert wurde. Was wir hier sahen, war schon sehr beeindruckend. Als der Kältetechniker und ich uns die Wärmepumpe und den Druckschalter näher ansahen, staunten wir nicht schlecht. Die nachfolgenden Bilder zeigen, dass hier unsachgemäß und grob fahrlässig manipuliert wurde.

Bild 2.4.7.3: Offene Wärmepumpe
Quelle: Fa. Klering

Bild 2.4.7.4: Blasenbildung auf dem Kompressor
Quelle: Fa. Klering

Bild 2.4.7.5: Das Schauglas zeigt eingedrungene Feuchtigkeit
Quelle: Fa. Klering

Bild 2.4.7.6: Defekter HD-Schalter
Quelle: Fa. Klering

Was war geschehen?

In diesem Fall basieren die Schlussfolgerungen auf Indizien, die hier sehr deutlich vorlagen:

1. Aufgefallen war die starke Blasenbildung am Kompressorkopf. Das ist schon exotisch! Das hatten der Kältetechniker und ich bis dato noch nicht gesehen.
2. Am Schauglas bzw. der Färbung des Indikators war zu erkennen, dass Feuchtigkeit in den Kältekreislauf gelangte.
3. Am Druckschalter war erkennbar, dass hier höchst unsachgemäß gearbeitet wurde.

   Als wir den Druckschalter ausbauten, sahen wir Gewaltspuren, worauf der Kältetechniker feststellte: „Hier hatte einer große Not!“

   Am Druckschalter befand sich eine Verstellschraube, die sehr stark beschädigt war.
4. Dazu kommen die stark angestiegenen Stromkosten von über 100 %.

Diese Spuren weisen mit größter Wahrscheinlichkeit darauf hin, dass der Handwerker versuchte, den Hochdruckschalter derart einzustellen, dass er nach Möglichkeit nicht mehr die Wärmepumpe abschaltete. Das waren zumindest seine Vorstellungen, von denen wir ausgehen. Er hat also den Druckschalter derart verstellt, dass er erst bei deutlich höheren Drücken abschaltete. Das ist ihm auch (leider) gelungen. Die Folge war, dass der Kompressor sehr hohe Drücke aufbaute. Daher auch die Blasenbildung oberhalb des Kompressors. Hier wurde es richtig heiß! Aufgrund der extremen und außerdem nicht zulässigen Drücke zog der Kompressor viel Strom. Der Stromverbrauch des Kompressors nahm erheblich zu. Die hohen Stromkosten lassen sich anhand des Diagramms für das Kältemittel R 407C relativ einfach erklären:

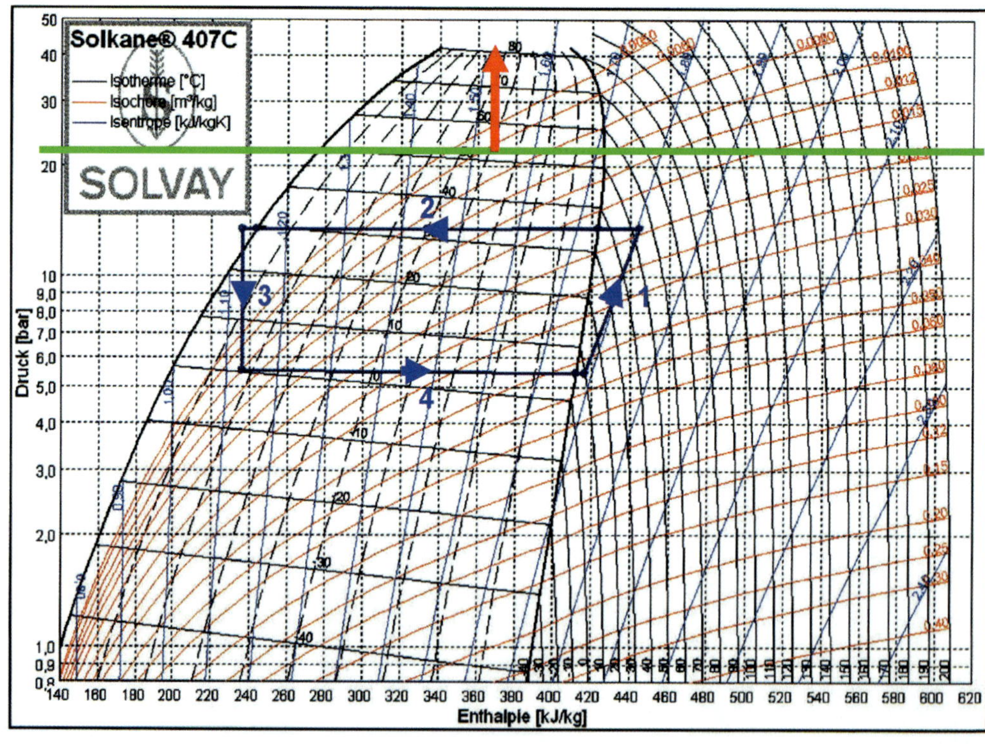

Bild 2.4.7.7: Kennlinie des Kältemittels R 407C mit Carnot-Prozess
Quelle: Solkane & J. Bonin, Umwelt & Technik

Für einen normalen Heizbetrieb gilt der blau eingezeichnete Kreisprozess. Dieser läuft wie folgt ab:

1. Schritt: Der Kompressor erhöht den Druck von ca. 5,5 bar auf ca. 13 bar. Dabei erwärmt sich das Kältemittel von etwa 3 °C auf ca. 32 °C.

2. Schritt: Das Kältemittel kondensiert im Verflüssiger und gibt dabei sehr viel Wärmeenergie an den Heizkreislauf ab. Durch die Änderung des Aggregatzustandes vom gasförmigen in den flüssigen Zustand werden große Wärmemengen freigesetzt. Das verdeutlicht die abnehmende Enthalpie von ca. 445 kJ/kg auf ca. 235 kJ/kg.

3. Schritt: Hier strömt das Kältemittel durch das Einspritzventil. Der Druck sinkt von ca. 13 bar wieder auf ca. 5,5 bar. Das Kältemittel bleibt flüssig.

4. Schritt: Das Kältemittel verdampft in dem Verdampfer durch die zugeführte Umweltwärme (hier Wasser).
Es ändert dabei seinen Aggregatzustand vom flüssigen in den gasförmigen. Dabei werden große Wärmemengen aus der Wärmequelle entzogen und dem Kältemittel zugeführt. Das verdeutlicht die zunehmende Enthalpie von ca. 235 kJ/kg auf ca. 415 kJ/kg. – Die restlichen Enthalpie von ca. 30 kJ/kg wird über dem Kompressor durch die Stromzufuhr zugeführt.

Für die Warmwasserbereitung bis z. B. ca. 50 °C, vergl. grüne Linie, muss ein größerer Druck aufgebaut werden. Der Kompressor braucht mehr Strom. Wenn nun die vom Kompressor erzeugte Energie nicht vollständig abgenommen wird, steigt der Druck innerhalb des Kältekreislaufes an. Der Druckschalter hat dann die Aufgabe, den Kompressor abzuschalten, um den Kältekreislauf vor überhöhtem Druck und den Kompressor vor Überhitzung zu schützen. Durch die Verstellung des Druckschalters konnte der Druck erheblich unzulässig weiter steigen. Das führte dazu, dass der Kältemittelfluss abnahm und damit auch die Kühlung des Kompressors. Dazu kam dann noch, dass durch den höheren Druck die Temperatur zusätzlich anstieg. Das erklärt die Blasenbildung durch die Überhitzung. Außerdem musste der Kompressor deutlich mehr arbeiten. Das erklärt dann den stark erhöhten Stromverbrauch. Der COP nahm dadurch drastisch ab. Er strebte gegen 1!

Weil die Hochdruckstörungen nur gelegentlich bei der Warmwasserbereitung auftraten, wäre hier der Fehler zu suchen gewesen, anstatt an der Wärmepumpe grob fahrlässig zu manipulieren.

Wie lässt sich das erklären?

Für ein Speicherladesystem gilt:

$$Q = \dot{m}_{\text{pr}} \cdot c \cdot \Delta T_{\text{pr}} = m_{\text{sek}} \cdot c \cdot \Delta T_{\text{sek}}$$

$$\Rightarrow \dot{m}_{\text{sek}} = m_{\text{pr}} \cdot \Delta T_{\text{pr}} / \Delta T_{\text{sek}}$$

mit

Q = Wärmemenge [kWh]
$\dot{m}_{\text{pr}}$ = primärseitiger Massestrom [kg/h]
ΔT_{pr} = primärseitge Temperaturdifferenz über den Wärmetauscher [K]
$\dot{m}_{\text{sek}}$ = sekundärseitiger Massestrom [kg/h]
ΔT_{sek} = sekundärseitge Temperaturdifferenz über den Wärmetauscher [K]
C = spezifische Wärmekapazität Wasser: 1,163 Wh/(kg·K)

Nun galt es, den sekundärseitigen Massestrom so einzustellen, dass die gewünschten Temperaturspreizungen erreicht werden können.

Für die primärseitge Temperaturdifferenz gilt:

$$\Delta T_{\text{pr}} = 5 \text{ K}$$

Für die sekundärseitge Temperaturdifferenz muss man davon ausgehen, dass die Betriebszustände variieren. Wir gehen dabei von zwei Betriebszuständen aus: Der erste Betriebszustand ist der, bei dem der Warmwasserladespeicher mit kaltem, 10-gradigem Wasser gefüllt ist und erwärmt werden soll. Dann gilt:

$$\Delta T_{\text{sek1}} = 55\text{ °C} - 10\text{ °C} = 45\text{ °C} = 45\text{ K}$$

Zunächst gehen wir also von einem ungeladenen, frisch mit 10 °C kaltem Wasser gefüllten Ladespeicher aus.

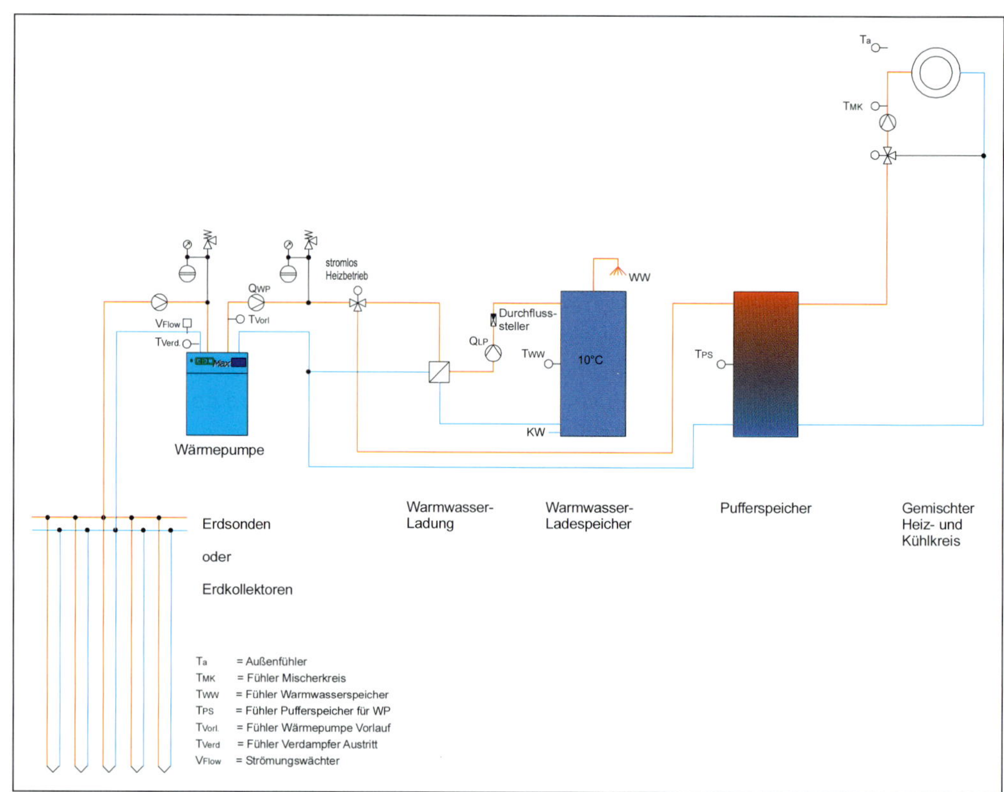

Bild 2.4.7.8: Speicherladung eines kalten Ladespeichers
Quelle: J. Bonin, Umwelt & Technik

Die Ladung des Speichers muss mit geringem Durchfluss ablaufen, damit möglichst keine oder nur eine sehr geringe Vermischung stattfindet. Dafür auch ein spezieller Ladespeicher – vergleich „Warmwasserspeicher zu klein und falsches Speicherladekonzept“:

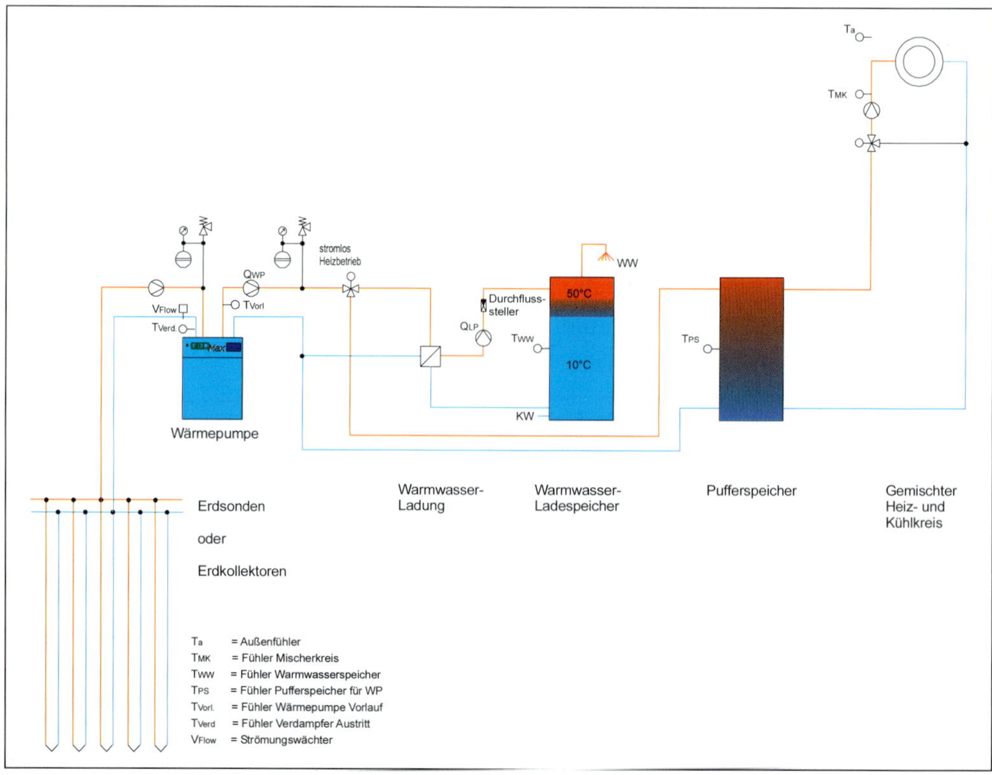

Bild 2.4.7.9: Beginn der Speicherladung eines kalten Ladespeichers
Quelle: J. Bonin, Umwelt & Technik

Wie der Speicher nach dem ersten Ladevorgang geladen ist, zeigt nachfolgendes Bild:

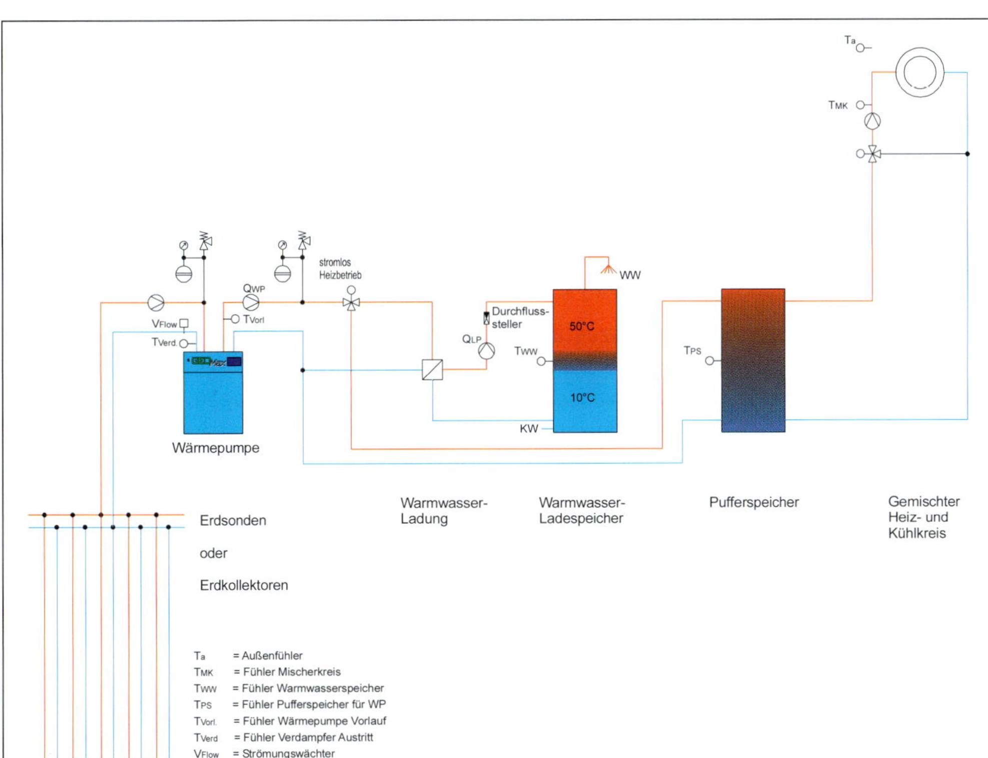

Bild 2.4.7.10: Ladespeicher nach einer erstmaligen Ladung
Quelle: J. Bonin, Umwelt & Technik

Der zweite Betriebszustand ist der, bei dem der Warmwasserladespeicher bereits warm und nachzuladen ist. Das stellt sich dann so dar:

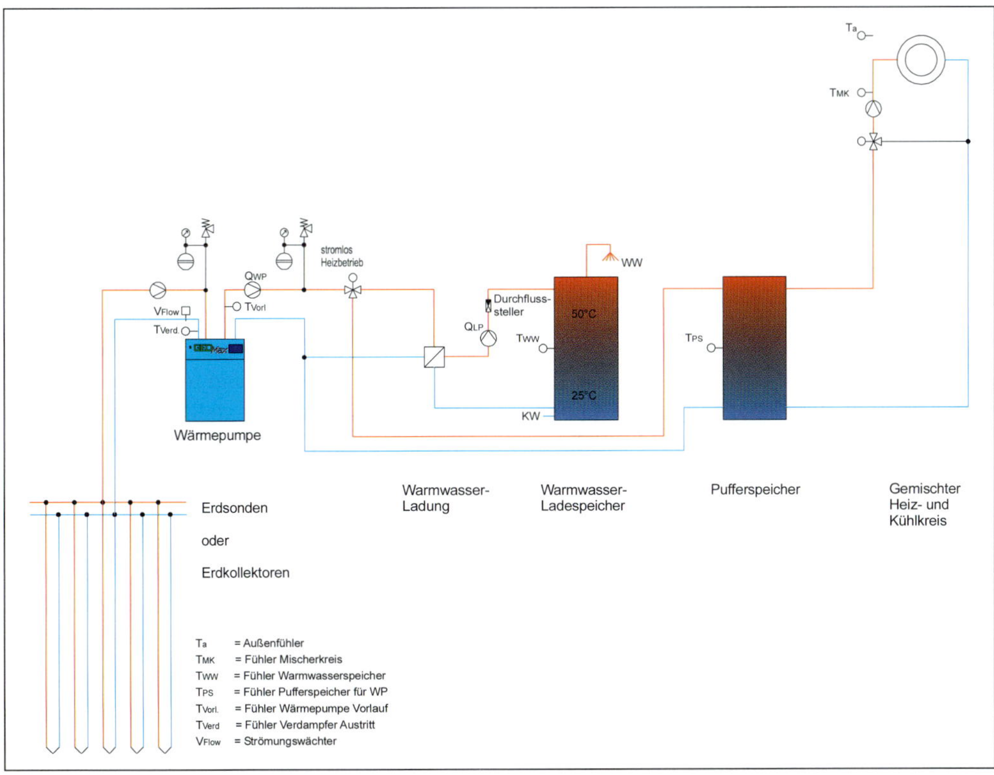

Bild 2.4.7.11: Temperaturverteilung im Ladespeicher
Quelle: J. Bonin, Umwelt & Technik

Dazu kommen äußere Einflüsse, nämlich dass davon auszugehen ist, dass der Speicher in einem beheizten Raum steht. Dann kann die Temperatur im unteren Bereich des Speichers auch leicht mal 25 °C oder 35 °C betragen.

> **Hinweis:**
> Gelegentliche Messungen der unteren Speichertemperaturen können einen guten Aufschluss über die tatsächlichen Temperaturen geben.

Dann gilt:

$$\Delta T_{\text{sek2}} = 55\ °\text{C} - 30\ °\text{C} = 25\ °\text{C} = 25\ \text{K}$$

Weil dies der ungünstigere Betriebszustand ist, sollte von diesem ausgegangen werden. Bei einer Wärmepumpe mit einer Heizleistung von 40 kW sollte der heizungsseitige (= primärseitige) Massestrom für die Warmwasserbereitung etwa 6,8 m^3 betragen. Damit errechnet sich der sekundärseitige Massestrom zu:

$$\begin{aligned} m_{\text{sek2}} &= m_{\text{pr}} \cdot \Delta T_{\text{pr}}/\Delta T_{\text{sek}} \\ &= 6{,}8\ \text{m}^3/\text{h} \cdot 5\ \text{K}/25\ \text{K} \\ &= 1{,}4\ \text{m}^2/\text{h} \end{aligned}$$

Während des Ladevorganges zum Nachladen kann es auch durchaus sein, dass die rückläufige Warmwassertemperatur weiter ansteigt, z. B. auf 30 °C. Dann müsste der sekundärseitige Ladestrom auf 1,7 m^3/h erhöht werden.

Dies ist ein theoretisch ermittelter Wert, von dem man zunächst ausgehen kann. Zum Vergleich der sekundäre Massenstrom bei einer frischen Füllung mit 10-grädigem Kaltwasser:

$$\begin{aligned} m_{\text{sek1}} &= m_{\text{pr}} \cdot \Delta T_{\text{pr}}/\Delta T_{\text{sek}} \\ &= 6{,}8\ \text{m}^3/\text{h} \cdot 5\ \text{K}/45\ \text{K} \\ &= 0{,}8\ \text{m}^2/\text{h} \end{aligned}$$

Es ist jedoch von dem ungünstigeren Fall auszugehen, nämlich von einem bereits geladenen Speicher. Der sekundärseitige Massestrom sollte aber auf keinen Fall beliebig hoch eingestellt werden.

Optimal wäre hier zu dem Durchflusssteller, der den Durchfluss auf einen maximalen Durchfluss begrenzt, ein Thermostatventil, welches bei zunehmender Rücklauftemperatur öffnet, sodass der optimale Durchfluss erzielt werden kann. Ein Kugelhahn zur Einstellung des optimalen Massestromes ist absolut ungeeignet! Weiterführende, klärende Gespräche, anstatt fahrlässig und nicht abgesprochen an der Wärmepumpe zu manipulieren, hätten hier zielführend weitergeholfen.

Inzwischen schaltete der Betreiber einen Sachverständigen ein, der dann den Handwerker aufforderte, einen Durchflusssteller einzubauen. Mithilfe dieses Durchflussstellers gelang es dann, einen optimalen Durchfluss einzustellen, damit die Wärmepumpenanlage störungsfrei lief.

Dieses Beispiel zeigt, wie man sich einen Kunden verärgern konnte. Dazu kam dann noch, dass der Handwerker auf Anrufe des Kunden meistens sehr zögerlich und teilweise gar nicht reagierte. Dies führte dazu, dass der Kunde einen Sachverständigen bestellte, der die Anlage untersuchen sollte. Dabei bemängelte der Sachverständige insbesondere die Einstellung bzw. die fehlende Einstellmöglichkeit des sekundären Ladedurchflusses am Kugelhahn. – In dieser Zeit fiel dann auch der Hochdruckschalter wegen eines Defektes aus. – Der Sachverständige sagte dazu: „Da hatte der Handwerker aber ein glückliches Händchen, dass das überhaupt einigermaßen funktionierte." und forderte den Handwerker mit Nachdruck auf, hier einen Durchflusssteller einzubauen. Erst danach war es möglich, den Durchfluss so einzustellen, dass die Anlage störungsfrei arbeitete.

Als die Wärmepumpe dann erneut wieder wegen einer Hochdruck-Störung ausfiel, nahm das Unglück seinen Lauf. Der Handwerker verstellte dann den Durchflusssteller für den Ladedurchfluss, weil er annahm, dass hier das Problem zu suchen war. Tatsächlich war die Ursache jedoch lediglich nur ein erneuter Heizungswassermangel, was er aber nicht erkannte.

Nun war der Betreiber verständlicherweise derart verärgert, dass er dem Handwerker eine Frist zur Beseitigung des Mangels setzte, die er jedoch nicht nutzte, um diese zu beseitigen.

Er hätte nach dem Nachfüllen von Heizungswasser lediglich die Durchflusseinstellung wieder so einstellen müssen wie zuvor. Weil der Handwerker nun unter einem hohen Druck stand, mangelte es ihm offensichtlich an der Fähigkeit einer systematischen und gezielten Vorgehensweise. Die Folge war, dass der Betreiber nun auf Wandlung bestand, einschl. Rückzahlung und Schadenersatz. – Das hätte vermieden werden können, wenn der Handwerker auf Beanstandungen zeitnah und kundenfreundlich reagiert sowie systematisch die Fehler gesucht und beseitigt hätte.

Damit ist die Sache noch nicht zu Ende.

Als der Handwerker zur Wandlung und Zahlung des Schadenersatzes aufgefordert wurde, erhielt ich eine Streitverkündung. Dies ist nicht ungewöhnlich. Auf diese Weise versuchte der Anwalt des Handwerkers, einen Teil der Kosten bei seinem Lieferanten einzuholen. Es wurde eine vereidigte Sachverständige mit Lehrstuhl Energietechnik beauftragt. Eine Fragestellung war zu prüfen, ob von mir Planungsfehler vorlagen. Bei der Ortsbesichtigung sah sie sich die Heizungsanlage, aber nicht die Wärmepumpe an. Anschließend forderte sie noch ein paar Daten ein. Zu meiner großen Überraschung wurden in dem Gutachten fünf Planungsfehler ausgewiesen, zumal der vorherige Sachverständige bei detaillierter Prüfung keine Planungsfehler feststellte! Nur wo das eigentliche Problem lag, wurde nicht festgestellt. Es wurden folgende Planungsfehler genannt:

- Die Speicherladepumpe von der Wärmepumpe zu den Speichern wäre zu klein.
- Die Sekundärpumpe für die Speicherladung wäre zu klein.
- Der Wärmetauscher für die Speicherladung wäre zu klein.
- Der Ladespeicher wäre zu klein.
- Das Speicherladesystem sei nicht richtig dimensioniert.

Eine erforderliche Mindestlaufzeit von 10 Min. würde dazu führen, dass der Warmwasserspeicher überladen würde.

Diese fünf Planungsfehler basierten zum Teil auf Annahmen und falschen Voraussetzungen. Natürlich widersprach ich dem Gutachten zunächst mit einem Teilerfolg. In einer Stellungnahme zu meinem Widerspruch blieb dann noch der letzte Planungsfehler offen. Dem widersprach ich natürlich erneut, denn eine „Mindestlaufzeit" für Wärmepumpen ist nicht erforderlich! Hier wird vermutlich Mindestlaufzeit mit Wiedereinschaltsperre verwechselt. Das ist natürlich kein gutes Ergebnis für ein Gutachten. Weiterhin basierte das korrigierte Ergänzungsgutachten auf einer mathematisch falschen Berechnung.

Weil der Handwerker die Wärmepumpenanlage nicht wie gefordert rückbaute, wurde eine weitere Firma damit beauftragt. Beim Rückbau stelle diese fest, dass die Verrohrung zum Warmwasserspeicher mit einer Nennweite von nur „1" mit einer Länge von etwa 30 m für einen Durchfluss von 6,9 m^3/h ausgeführt wurde. Auch dieser Mangel wurde von der Sachverständigen nicht erkannt.

Wie hätte dies vermieden werden können?

Aus meiner Sicht ist es ein Unding, ein Gutachten basierend auf Annahmen zu erstellen. Als Gutachter ist es seine Aufgabe, die technischen Daten aller Komponenten sowie die Projektierungsunterlagen anhand der technischen Daten zu überprüfen. Dann wäre dies nicht passiert. Und als bestellter und vereidigter Gutachter für eine Wärmepumpenanlage sollte man auch wissen, dass eine erforderliche Mindestlaufzeit von 10 Min. unsinnig ist. Weiterhin sollte ein Gutachter sich eine zu begutachtende Anlage genauer ansehen, um auch versteckte Mängel zu finden, was sicher nicht immer einfach ist.

Ein weiterer vereidigter Sachverständiger erstellte ein Gegengutachten, welches belegte, dass keine Planungsfehler vorliegen und dass das vorherige Gutachten gravierende Fehler aufwies. Das dürfte nun ein Problem für die erste Sachverständige sein.

Wie hätte dies vermieden werden können?

- Schon bei der Ortsbesichtigung hatte sich die Sachverständige nicht die gesamte Wärmepumpenanlage, einschließlich aller Komponenten und der Verrohrung angesehen.
- Bei dem ersten Gutachten machte sie Annahmen, anstatt die technischen Daten anzufordern und zu prüfen.

- Beim zweiten Ergänzungsgutachten korrigierte sie vier von fünf Fehlern. Dabei beachtete sie jedoch nicht die gegebenen Informationen, nämlich dass überhaupt keine Mindestlaufzeit programmiert war. Also konnte diese auch nicht zu den geschilderten Problemen führen.
- Und zumindest sollten Berechnungen mathematisch und physikalisch stimmen.

2.4.8 Sole-Wasser-Wärmepumpenanlage fällt immer wieder aus

Ich wurde als Sachverständiger gebeten, eine große Sole-Wasser-Wärmepumpenanlage zur Erwärmung einer Fertigungshalle zu prüfen. Die Wärmepumpenanlage bestand aus einem Erdkollektor, zwei Sole-Wasser-Wärmepumpen sowie einem Pufferspeicher und einer Deckenheizung. Der Bauherr vertrat die Ansicht, dass die Soleumwälzpumpen zu klein bemessen sein müssten, da sie regelmäßig ausfielen. Zu folgenden Punkten suchte der Bauherr nach Erklärungen und Lösungen:

- Warum fallen die Soleumwälzpumpen regelmäßig aus?
- Sind Abweichungen zwischen Angebot, Rechnung und Ausführung festzustellen?
- Ist der Erdkollektor richtig dimensioniert und wurde er korrekt installiert?
- Hätte der Hersteller bei der Inbetriebnahme auf Missstände hinweisen müssen?

Zwei Sole-Wasser-Wärmepumpen mit einer Heizleistung von jeweils 40 kW sind installiert. Die Wärmepumpen sind mit einem Kältemittel R 134 gefüllt. Dieses Kältemittel ermöglicht höhere Vorlauftemperaturen bis zu 65 °C. Wärmequellenseitig ist ein Durchfluss von 9 m^3/h und heizungsseitig 7 m^3/h erforderlich. Es sind vier hocheffiziente, elektronisch geregelte Umwälzpumpen von Grundfos und Wilo installiert.

Die exakte Größe des Erdkollektors ist in den Unterlagen nicht dokumentiert worden, sodass ich für die Analyse und Beurteilung allein die Fotos vom Soleverteiler von der Ortsbesichtigung nutzen konnte. Hierauf sind starke Korrosionen am Befestigungssystem sichtbar.

Bild 2.4.8.1: Soleverteiler
Quelle: J. Bonin

Das eigentliche und wiederkehrende Problem ist jedoch der Ausfall der Soleumwälzpumpen. Ein häufiger Austausch dieser wäre zu kostenintensiv. Bei meinem Ortsbesichtigungstermin waren beide Pumpen ausgefallen. Da der Winter nahte, wünschte der Investor eine zeitnahe Lösung. Er vermutete, dass die Soleumwälzpumpen zu klein ausgelegt sind und aus diesem Grund immer wieder ausfallen.

Also berechnete ich zunächst die Soleumwälzpumpen. Es gelten folgende Auslegungsdaten:

- Soledurchfluss je Wärmepumpe: $Q_S = 9{,}1\ m^3/h$

Weil mir zum Erdkollektor sämtliche Daten fehlten, musste ich die Druckverlustberechnungen anhand von realistischen Annahmen vornehmen:

- Kälteleistung: 30 kW

Als Grundlage zur Berechnung eines Erdkollektors galten zum Zeitpunkt der Planung und Installation folgende Angaben:

- Für feuchten Sand, Kies: 15–20 W/m² und für feuchten Ton, Lehm: 25–30 W/m².

  Vor Ort erkannte ich oberflächlich ein Gemisch aus Sand und Lehm. Wie der Boden in der Verlegetiefe beschaffen ist, kann ohne ein Bodengutachten nicht exakt bestimmt werden. Daher gehe ich von einem praxisnahen Wert von

- P_{spez} = max. 25 W/m² aus.

  Daraus berechnet sich bei einer Entzugsleistung von 30 kW die je Wärmepumpe erforderliche Fläche je Wärmepumpe zu:

  $$F = P_{\text{K}} / P_{\text{spez}} = 30\,000 \text{ W} / 25 \text{ W/m}^2 = 1\,200 \text{ m}^2.$$

  Zu empfehlen ist ein Verlegeabstand bei 1 800 h/a, also bei reinem Heizbetrieb, von 0,75 m. Daraus ergibt sich bei 9 Solekreisen je Wärmepumpe und Kreis eine Kollektorfläche je Solekreis von etwa 1 200 m² / 9 = 133 m². Bei einem Verlegeabstand von 0,75 m eine Länge von: 133 m² / 0,75 m = 178 m.

  Daraus errechnet sich der Durchfluss je Solekreis mit N = 9 Kreise zu:

  $$Q_{\text{SK}} = Q_{\text{S}} / N = 9{,}1 \text{ m}^3\text{/h} / 9 = 1{,}01 \text{ m}^3\text{/h}.$$

  Bei einer Länge je Heizkreis von 178 m ergibt sich dann aus der Druckverlusttabelle für PE-Rohre ein Druckverlust je Kreis von etwa 2,49 mWs = 0,249 bar.

  Die Anbindeleitung hat eine Gesamtlänge für beide Stränge von 2 × 50 m = 100 m.

  Der Druckverlust beträgt bei 9,1 m³/h etwa 3,6 mWs = 0,36 bar.

  Dazu kommen noch ein paar Druckverluste für Bögen etc., die ich mit 20 % der Gesamtdruckverluste schätze. Damit ergibt sich für den Druckverlust P_{S} über das Solesystem:

  $$P_{\text{S}} = (0{,}249 \text{ bar} + 0{,}36 \text{ bar}) \times 1{,}2 = 0{,}73 \text{ bar} = 7{,}3 \text{ mWs}.$$

  Das Ergebnis zum erforderlichen Arbeitspunkt für die Soleumwälzpumpe errechnet sich dann wie folgt:

  $$\mathbf{Q_{S} / P_{S} = 9{,}1 \text{ m}^3\text{/h} / 7{,}3 \text{ mWs}.}$$

Die Pumpenkennlinie zeigt, dass die Arbeitspunkte gut mit den installierten Pumpen korrelieren:

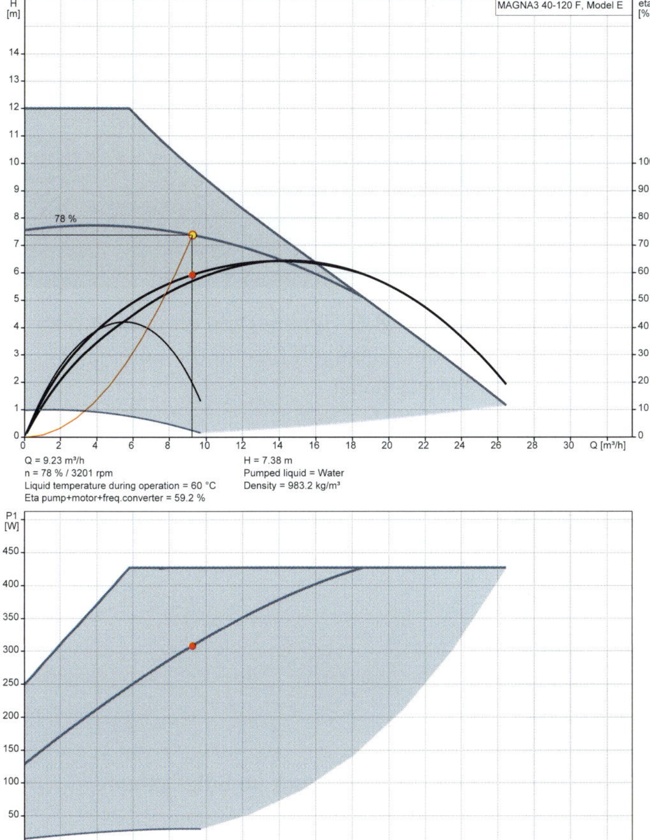

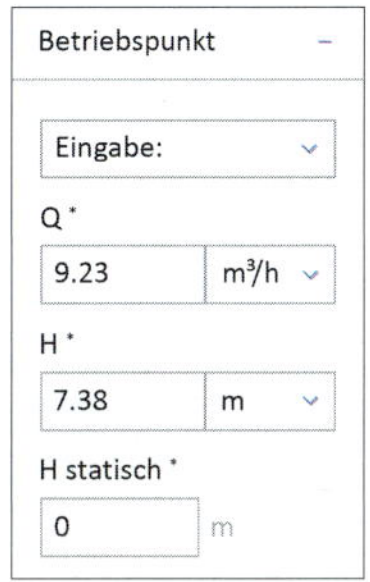

Bild 2.4.8.2: Pumpenkennlinie Soleumwälzpumpe
Quelle: Grundfos

Bild 2.4.8.3: Korrosionen der Stahlverrohrung Solesystem
Quelle: J. Bonin

Die eingebauten Sole-Umwälzpumpen sind nicht falsch ausgelegt. Auch die Erdkollektorberechnung fügt sich mit den angenommenen Werten gut ein. Folglich sind die Ausfälle der Soleumwälzpumpen nicht aufgrund einer falschen Dimensionierung zurückzuführen. Die Pumpen sind korrekt ausgelegt.

Weiterhin fand ich bei der Ortsbesichtigung stark verrostete Stahlleitungen vor (siehe Bild 2.4.8.3).

Die stark verrosteten soleseitigen Verrohrungen erforderten eine nähere Untersuchung. Die äußerlich starke Verrostung ist auf eine Schwitzwasserbildung zurückzuführen. Diese konnte jedoch nicht die Ursache für die Ausfälle der Pumpen sein. In diesem Zusammenhang erinnerte ich mich an die Bilder zum Soleausdehnungsgefäß und an den Druck im Solesystem.

Bild 2.4.8.4: Ein Membranausdehnungsgefäß für die Sole
Quelle: J. Bonin

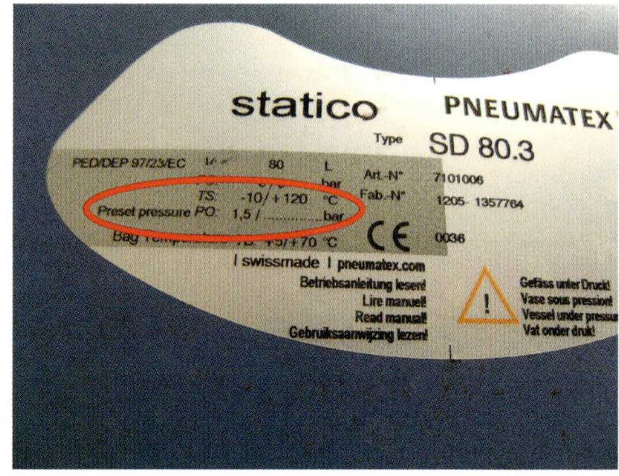

Bild 2.4.8.5: Typenschild eines Membranausdehnungsgefäßes für die Sole
Quelle: J. Bonin

Bild 2.4.8.6: Druck im Solesystem
Quelle: J. Bonin

So erschloss sich mir die Ursache für das Problem: Den Typenschildern der Membranausdehnungsgefäße ist zu entnehmen, dass der werkseitige Vordruck des Membranausdehnungsgefäßes 1,5 bar beträgt. Im Solesystem ist jedoch nur ein Druck von 1,05 bar gegeben. Folglich hat das Membranausdehnungsgefäß keine Wirkung. Zu beachten ist auch, dass die Wärmepumpenanlage aufgrund der defekten Soleumwälzpumpen bereits einige Tage nicht in Betrieb war. Ich folgere: Wenn die Sole zirkuliert und die Wärmepumpe der Sole Wärme entzieht, diese somit auskühlt, reduziert sich das Volumen weiter. Weil das Ausdehnungsgefäß bei diesem Druck wirkungslos ist, entsteht bei weiterer Auskühlung schnell ein erheblicher Unterdruck. Die verlegten PE-Rohre, durch die die Sole zirkuliert, sind nicht sauerstoffdicht, insbesondere nicht bei einem Unterdruck. Aufgrund des eindiffundierenden Sauerstoffs korrodieren die Stahlrohre nicht nur äußerlich, sondern auch innerlich. Und wenn die Soleumwälzpumpen, ohne Berücksichtigung des eisenhaltigen Wassers, regelmäßig ausgetauscht werden, steigt der Eisenoxidgehalt der Sole. Das führt dann, aus meiner Sicht, zum Ausfall der Pumpen. Damit wäre die erste Frage beantwortet: Starke Korrosionen der soleseitigen Stahlrohre verursachen Eisenoxide in der Sole und schädigen die Soleumwälzpumpen. Schwarzstahl hat auf der Soleseite nichts zu suchen, und der vorgegebene Vordruck eines Membranausdehnungsgefäßes ist dem Solebetriebsdruck anzupassen.

Außerdem fehlt der gem. VDI 4640 vorgeschriebene Druckwächter, der beim Unterschreiten eines Mindestdruckes die Wärmepumpe abschaltet. Dann wäre zumindest der Missstand des Soledruckes aufgefallen.

Nun galt es, die zweite Frage zu klären: Sind Abweichungen zwischen Angebot, Rechnung und Ausführung festzustellen? Im vom Anbieter erstellten Angebot ist notiert, dass jedes einzelne Solesystem eine Soleumwälzpumpe enthält. Die Pumpe wurde aber noch einmal separat angeboten und auch berechnet. Die Soleumwälzpumpen wurden also zweimal angeboten und berechnet. Ob willentlich oder versehentlich – das Angebot und die Faktur waren zuungunsten des Auftraggebers fehlerhaft.

Kommen wir nun zur dritten interessanten Frage: Ist der Erdkollektor ausreichend dimensioniert? Bei meinen vorausgegangenen Berechnungen komme ich zum Ergebnis, dass der Erdkollektor für jede Wärmepumpe eine Gesamtfläche von 1 200 m^2 haben müsste. Für die beiden installierten Wärmepumpen wären dann 2 400 m^2 erforderlich.

Um nun zu prüfen, wie groß denn die tatsächliche Fläche sei, bediente ich mich der Google-Maps-Funktion. Diese ermöglicht eine recht genaue Erfassung von Entfernungen.

Bild 2.4.8.7: Die Fläche des Erdkollektors für beide Wärmepumpen hinter der Fertigungshalle
Quellen: Google Maps und J. Bonin

Somit war es mir möglich, die Erdkollektorfläche relativ genau zu bestimmen. Sie betrug etwa 1 250 m^2. Es wären jedoch etwa 2 400 m^2 erforderlich gewesen. Damit ist der Erdkollektor eindeutig zu klein.

Ob der Hersteller bei Inbetriebnahme auf die Missstände hätte hinweisen müssen, sollen die Juristen entscheiden. Aus meiner Sicht wäre dies wünschenswert gewesen.

Die installierte Wärmepumpe, Typ OSWP 96R, ist mit dem Kältemittel R 410 gefüllt, um höhere Vorlauftemperaturen erzielen zu können. Diese Wärmepumpe wurde bewusst gewählt, um die Deckenheizkörper mit hohen Vorlauftemperaturen versorgen zu können. Das Problem hierbei ist jedoch, dass Wärmepumpen mit hohen Vorlauftemperaturen mit einem schlechteren Wirkungsgrad arbeiten. Damit ist die Effizienz gemindert.

Nun galt es, die Wärmepumpenanlage so schnell wie möglich zu sanieren und wieder in Betrieb zu nehmen. Doch allein mit dem Wechsel der Soleumwälzpumpen wäre dies nicht möglich. Eine seriöse Sanierung beinhaltet zusätzlich den Austausch aller soleseitig installierten Stahlrohre sowie die Installation neuer Soleverteiler, um die einzelnen Kreise zu spülen, neu zu befüllen und prüfen zu können. Weil die Fläche für den Erdkollektor zu klein ist, muss die Wärmequelle mit zusätzlichen Erdsonden erweitert werden. Außerdem wäre die gesamte eisenoxidhaltige Sole gegen eine neue auszutauschen. Die Gesamtkosten für die Sanierung überstiegen natürlich erheblich die vom Betreiber erwarteten Kosten.

Was ist hier falsch gelaufen?

Ein grober Fehler ist natürlich, soleseitig Stahlrohre zu installieren. Das führt aufgrund des stark eindiffundierenden Sauerstoffs zu erheblichen Korrosionen, die zu den Ausfällen der Solepumpen führten. Verstärkend kam hinzu, dass der Soledruck nicht zu den Membranausdehnungsgefäßen passte. Weiterhin ist der Erdkollektor erheblich zu klein dimensioniert. Und aus meiner Sicht ist die geplante Vorlauftemperatur in diesem Fall mit bis zu 65 °C für einen wirtschaftlichen Betrieb der Wärmepumpe deutlich zu hoch.

2.4.9 Wassereinbruch bei Erdwärmebohrung

Im Sommer 2009 wurde für ein normales einfaches Wohnhaus eine Erdsondenbohrung erstellt. Dabei kam es zu einer folgenschweren Havarie. Nach Feierabend wurden die angefangenen Bohrarbeiten unterbrochen. Die Bohrung hatte zu dem Zeitpunkt bereits eine Tiefe von 70 m erreicht. Es sollte bis zu einer Tiefe von 95 m gebohrt werden. Die Bohrarbeiten ruhten. Ganz anders sah es in der Erde aus. Dort begann es zu arbeiten. Die Erde gab nach und sackte ab. Eine anscheinend ganz normale Bohrung für Erdsonden löste eine unerwartete und ungewollte Reaktion im Erdreich aus. Es begann ein Alptraum für den Bauherren, die Bohrfirma und Anwohner. Das Bohrgerät verschwand in dem Bohrloch und Häuser mussten evakuiert werden.

Weil es im Ruhrgebiet viele kleine Steinkohlebergbaustätten gab, vermutete man zunächst, dass ein 1925 stillgelegter Tagebau die Havarie verursachte. Davon gab es in dieser Region viele. In Auftrag gegebene Gutachten ergaben jedoch, dass eine ganz andere Ursache diese Havarie auslöste.

Zunächst stellte man fest, dass mit einem recht kleinen, kompakten Bohrgerät gearbeitet wurde. Diese sind für Bohrarbeiten in Wohngebieten sehr praktisch, weil sie aufgrund ihrer geringen Breite von weniger als 0,8 m durch kleine Tore gelangen und mit den Gummiketten

Bild 2.4.9.1: Bohrgerät versinkt im Bohrloch
Quelle: Energieagentur NRW

Bild 2.4.9.2: Tagebau
Quelle: Energieagentur NRW

quasi keine Spuren hinterlassen. Aufgrund ihres relativ geringen Drehmomentes ist das Einbringen einer Schutzverrohrung nur bis zu einer Tiefe von 14 m möglich. Also verzichtete man hier beim Bohren auf eine Schutzverrohrung.

Was ist passiert?

Es wurde durch den oberen Grundwasserleiter (Quartär) sowie den Grundwasserstauer (Emschermergel) bis in den unteren Grundwasserleiter (Turon) gebohrt. Der Emschermergel dichtete den oberen Grundwasserleiter gegen den unteren ab. Durch die Bohrung wurde eine Wasserwegsamkeit geschaffen, die ein Abfließen des Wassers aus dem oberen in den unteren Grundwasserleiter ermöglichte. Das verursachte auch einen erheblichen Materialabfluss. Die Folge war, dass ein größeres Gebiet im Umfeld um die Havariebohrung betroffen war. Es entstand sogar eine lokale Umkehr der Grundwasserfließrichtung. Das Ausmaß und die Auswirkung der Havariebohrung waren erheblich, wie unten stehendes Bild zeigt. Durch den Materialabfluss waren auch umliegende Grundstücke mehr oder weniger betroffen. Der Einwirkungsbereich erstreckte sich auf eine Fläche von ca. 18 000 m^2. Der Materialabfluss (Fließsand und feinsandige Schluffe) wird mit etwa 50 m^3 beziffert.

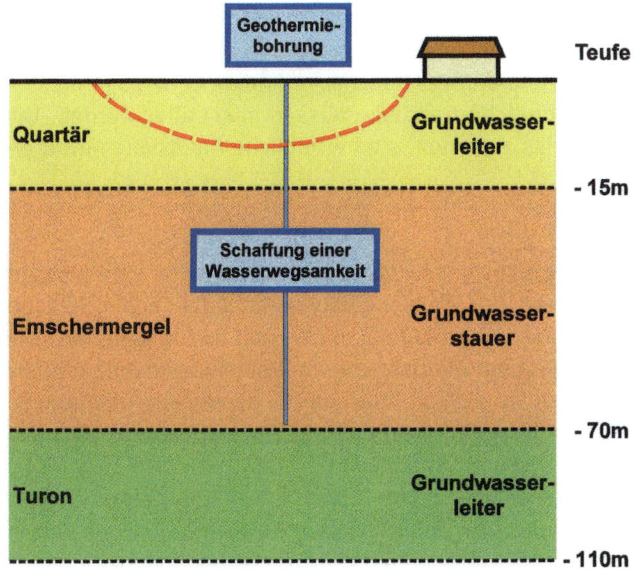

Bild 2.4.9.3: Geologie an der Havariebohrung
Quelle: Energieagentur NRW

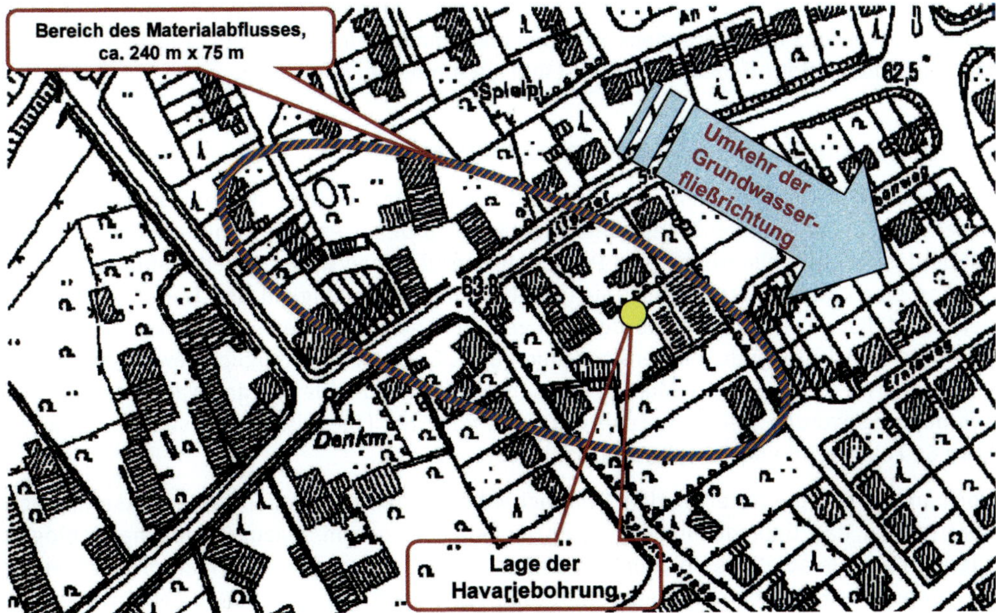

Bild 2.4.9.4: Auswirkungen um die Havariebohrung
Quelle: Energieagentur NRW

Um den Wasserabfluss zu stoppen, musste die Wasserwegsamkeit abgedichtet werden. Dazu waren 700 t Dämmer erforderlich.

Die Folgen dieser Havarie waren beachtlich. Da war zunächst die psychische Betroffenheit der Anwohner gegeben. Es entstanden erhebliche Sach- und Vermögensschäden aller Betroffenen. Weiterhin entstanden erhebliche Kosten für die Hilfseinsätze der Feuerwehr und des THW (Technisches Hilfswerk) sowie für Gutachten und Baugrunderkundung. Das hatte auch Konsequenzen für den Auftraggeber sowie für die Bohrfirma.

2.4.10 Bodenerhebungen nach Erdsondenbohrungen

Staufen im Breisgau ist ein beschauliches Städtchen mit etwa 8 000 Einwohnern. Nachdem das Rathaus aufwendig saniert wurde, sollte es umweltfreundlich mit einer Wärmepumpenanlage beheizt werden. Im Herbst 2008 bohrte ein österreichisches Bohrunternehmen 7 Erdsonden auf eine Tiefe von 140 m. Nach kurzer Zeit begann die Erde sich zu erheben. Erst nur einige Millimeter und dann bis zu 1 Zentimeter pro Monat. Das ist geologisch gesehen rasend schnell. Man sprach von Erhebungen bis zu 2 m. Es bildeten sich Risse in den Mauern zahlreicher, historischer Gebäude. Betroffen sind neben dem Rathaus auch etliche Gebäude im Stadtkern, Wohnhäuser, historische Gebäude mit Gastronomie. Nach nur einem Jahr waren mehr als 100 Häuser betroffen. Die Schäden sind immens. Es begannen Ursachenforschungen, um zweifelsfrei die Ursache und den Verursacher zu finden. Ende 2014 musste das alte Rathaus abgerissen werden. Zahlreiche Gebäude müssen abgestützt werden. Um andere historische Gebäude vor dem Abriss zu retten, sind erhebliche finanzielle Mittel erforderlich.

Was war passiert?

Beim Bohren wurde durch eine Keuper-Schicht gebohrt und anschließend in eine wasserführende Muschelschicht gebohrt. Aufsteigendes Wasser gelangte so in die Keuper-Schicht. Dieser Keuper enthält ein Kalziumsulfat, das in Verbindung mit Wasser zu Gips reagiert. Die Folge ist eine erhebliche Volumenvergrößerung. Man spricht von Volumenzunahmen bis zu 60 %. Weil eine Ausdehnung nur nach oben möglich ist, führt das zu deutlichen Anhebungen der Erdoberfläche. Weil diese nicht gleichmäßig verteilt erfolgt, kommt es zu ungleichmäßigen Erhebungen und den damit verbundenen Schäden an den Häusern. Doch das Szenario geht noch weiter. Es kann nicht ausgeschlossen werden, dass bei weiterer Wasserzufuhr in den Keuper der Gips wieder aufweicht und sich Hohlräume bilden können. Das wiederum kann dann Bodensenkungen verursachen.

Die in Auftrag gegebenen Gutachten können die Schuldfrage nicht zweifelsfrei klären, weil angeblich auch natürliche Vorgänge nicht ausgeschlossen werden können. Folglich wird auch keine Versicherung für entstandene Schäden aufkommen. Ein unendliches Tauziehen hat begonnen. Und die Betroffenen bleiben erst mal auf ihren Schäden sitzen.

2.4.11 Bohrunglück neben hessischem Finanzministerium

Das Gebäude des Finanzministeriums in Wiesbaden sollte erweitert werden. Geplant war, den neuen Gebäudeteil mit geothermischer Erdwärme zu beheizen. Dazu sollte neben dem Gebäude des Finanzministeriums eine Probebohrung für einen Responsetest gebohrt werden. Anhand eines Responsetests lässt sich die thermische Ergiebigkeit und Bodenbeschaffenheit feststellen. In einer Nacht wurde dann gebohrt und dabei in einer Tiefe von etwa 130 m eine unter Druck stehende Wasserblase angebohrt. Es traten unverzüglich gewaltige Wassermengen, etwa 6 000 Liter pro Minute, aus dem Bohrloch aus. Die Fontäne war anfangs bis zu 7 m hoch. Es wurden sofort die Feuerwehr und das THW (Technisches Hilfswerk) alarmiert. Etwa 60 Feuerwehrleute kamen zum Unglücksort.

Noch am Nachmittag traten an dem Bohrloch 40 Liter pro Minute aus. Große Wassermengen überfluteten das Gelände um das Finanzministerium herum. Dazugekommene Geologen sagten, dass sie so etwas noch nicht gesehen hätten. Nun galt es erst mal, die Wasserflut zu stoppen. Dazu wurde eine weitere Bohrung bis in eine Tiefe von 150 m gebohrt, um von unten das havarierte Bohrloch mit Beton zu verfüllen. Zeitweilig suchte sich das unter Druck stehende Wasser andere Wege und trat aus anderen Stellen aus. Bei dem Versuch, das Loch mit Beton zu schließen, kam es zu einem weiteren Problem. Beton floss mit Wasser in die Kanalisation. Man sorgte sich um feste Betonstücke, die Schäden in der Kläranlage verursachen könnten. Das konnte aber verhindert werden.

Alle beteiligten Feuerwehrleute, Mitarbeiter des THW sowie Ingenieure und Geologen arbeiteten gut zusammen. So konnten trotz der gewaltigen Wassermassen Schäden am Ministerium und einem benachbarten Hotel verhindert werden. Zum Glück blieb es bei Sachschäden. Es waren keine Personenschäden zu verzeichnen.

Zusammenfassend kann man jedoch festhalten, dass es sich bei diesen sicher spektakulären Havarien um Ausnahmen handelt. Vergleicht man dies damit, dass pro Jahr in Deutschland etwa 25 000 Erdwärmepumpen erstellt werden und dazu etwa 3 500 000 m Erdsonden mit steigender Tendenz gebohrt werden, ist die Wahrscheinlichkeit einer extremen Havarie, wie hier dargestellt, recht gering. Dagegen steht der positive Nutzen von Wärmepumpen zur CO_2-Minderung.

Glück beim Anbohren einer Methanblase 2.4.12

Kurz vor Abschluss der zweiten Überarbeitung dieses Buches ging durch die Medien die Meldung, dass bei einer Erdsondenbohrung in Hamm Methan austrat. In etwa 80 m Tiefe stieß man beim Bohren einer Erdsonde für ein privates Wohnhaus auf eine Methanblase. Der Gasgeruch war anfangs so stark, dass wohl eine Anwohnerin die Feuerwehr alarmierte. Als diese und die Polizei anrückten, wurde das Gebiet in einem Umkreis von 500 m evakuiert. Methan ist ein leicht entzündliches Gas, welches ein explosives Gas-Luft-Gemisch ergeben kann.

Das Baugebiet in Hamm befindet sich in einem Bergbaugebiet. Aber auch in anderen Gebieten des Ruhrgebietes sind Methanvorkommen anzutreffen. Weil dieses Gasvorkommen jedoch in 80 m angebohrt wurde, ist eher davon auszugehen, dass es sich nicht um einen alten Bergwerksstollen handelt. Solche Gasvorkommen bezeichnet man als unkonventionelle Gasvorkommen. Zum Glück stellte sich schnell heraus, dass der Methanaustritt zügig verebbte und die Anwohner dann wieder in ihre Häuser zurückkehren konnten. – Eine Explosion wäre fataler gewesen.

Fehler bei Luft-Wasser-Wärmepumpenanlagen 2.5

Luft-Wasser-Wärmepumpen und Wärmepumpenanlagen sind in der Regel problemloser zu installieren als Wasser-Wasser- oder Sole-Wasser-Wärmepumpenanlagen, weil die Erschließung der Wärmequelle quasi werkseitig mitgeliefert wird. Die meisten Fehler sind hier unter allgemeine Fehler einzuordnen. Dennoch gibt es ein paar spezifische Probleme bei Luft-Wasser-Wärmepumpenanlagen. Diese werden nachfolgend diskutiert.

Die Luft-Wärmepumpe stört den Nachbarn 2.5.1

In nicht seltenen Fällen stört eine Luft-Wasser-Wärmepumpe, entweder als außen stehende Wärmepumpe oder als Splittanlage, den nachbarlichen Frieden durch Geräuschemissionen. Bei Betrachtung dieser Fälle ist oftmals festzustellen, dass die Wärmepumpe oder das Außengerät erst mal recht nahe am benachbarten Haus steht und wenn der Nachbar dann auch noch sein Wohnzimmer oder Schlafräume neben oder in der Nähe dieser Wärmepumpe hat, kann dies schon durchaus zu störenden Beeinträchtigungen kommen.

Zu den unerwünschten Geräuschemissionen kommt es häufig beim Umschalten vom normalen Heizbetrieb auf den Abtaubetrieb. Das hängt ganz von der Luftfeuchtigkeit und der Außentemperatur ab.

In einem Fall befragte mich ein gut bekannter Fachunternehmer nach einer Lösung für ein Problem. Er hatte eine Wärmepumpe für ein Mehrfamilienhaus neben dem Haus, genauer gesagt zwischen zwei Häusern aufgestellt. Dieser Zwischenraum wirkte wie ein Schalltrichter. Die Folge war, dass sich Mieter beschwerten. Und die Lösung war relativ einfach. Ich schlug vor, die Außengeräte doch auf dem Flachdach zu installieren.

Um hier Ärger und Kosten zu vermeiden, sollte man bei Außengeräten den Aufstellungsort sorgfältig auswählen. Dies gilt insbesondere bei oftmals relativ enger Bebauung. Da macht es dann auch mal Sinn, andere Möglichkeiten zu prüfen, wie z. B. Luft-Wasser-Wärmepumpe für die Innenaufstellung oder eine Sole-Wasser-Wärmepumpe mit Erdsonden.

2.5.2 Im Winter leistet die Luftwärmepumpe nicht mehr genug

Ein Betreiber beanstandete, dass, wenn es im Winter draußen gefriert, sein Haus nicht mehr richtig warm wird, obwohl nachts kein Absenkbetrieb eingestellt ist.

Was kann die Ursache sein?

Die Antwort ist naheliegend. Die Luft-Wasser-Wärmepumpe ist offensichtlich zu klein ausgelegt. Was passiert dann? Als Wärmequelle dient die Außenluft. Und wenn die Temperatur der Wärmequelle abnimmt, verringert sich der COP (Wirkungsgrad) sowie auch die Leistung der Wärmepumpe. Gleichzeitig steigt natürlich der Strombedarf, weil die Wärmepumpe die Wärme mehr pumpen muss, um Wärme von einem tieferen Temperaturniveau auf ein höheres zu pumpen.

Technische Daten

Typ	WPL 13 E Grundgerät	WPL 18 E Grundgerät	WPL 23 E Grundgerät
Gewicht	210 kg	220 kg	225 kg
Volumenstrom heizungsseitig	1,0 m³/h	1,2 m³/h	1,4 m³/h
Volumenstrom wärmequellenseitig	3200 m³/h	3500 m³/h	3500 m³/h
Anschluss heizungsseitig	G 1 1/4"	G 1 1/4"	G 1 1/4"
Anlaufstrom	30 A	30 A	30 A
Heizwassertemperaturspreizung	4,5 K	4,5 K	4,5 K
Wärmeleistung bei A2/W35	8,1 kW	11,3 kW	14,8 kW
Leistungszahl bei A2/W35	3,4	3,7	3,5
Wärmeleistung bei A-7/W35	6,6 kW	9,6 kW	13 kW
Leistungszahl bei A-7/W35	3	3,2	3,1

Leistungsdaten nach DIN EN 14511

Bild 2.5.2.1: Auszug aus Datenblatt
Quelle: STIEBEL ELTRON

Mit fallender Außentemperatur T_A nimmt auch die Heizleistung P_H der Wärmepumpe ab, was nachfolgende Grafik verdeutlicht.

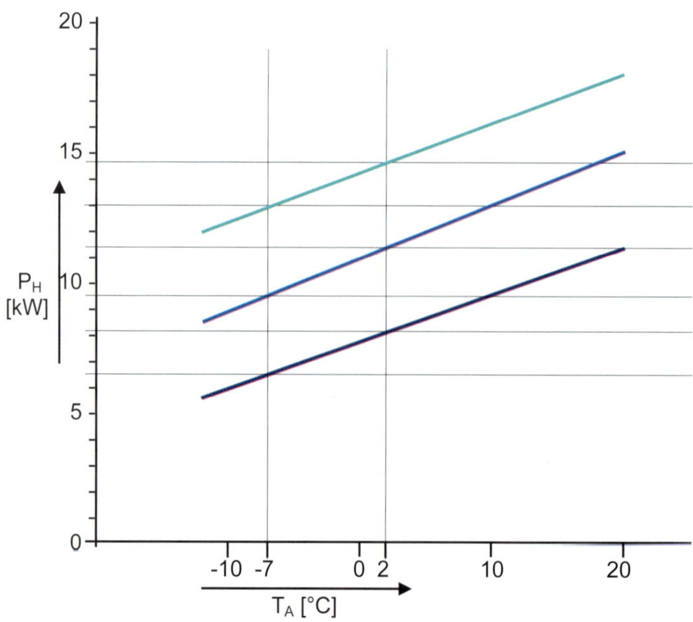

Bild 2.5.2.2: Leistungsverhalten von Luft-Wasser-Wärmepumpen
Quelle: J. Bonin, Umwelt & Technik

Um dem zu begegnen, werden Luft-Wasser-Wärmepumpen in der Regel mit einem Elektroheizstab ausgerüstet, damit diese bivalent betrieben werden können. Sollte es dann nicht richtig warm werden, ist zu prüfen, ob der Elektroheizstab aktiviert wurde und ob der Bivalenzpunkt richtig eingestellt ist. Der Bivalenzpunkt bezieht sich auf die Temperatur, bei der der Elektroheizstab eingeschaltet wird.

Die Luft-Wärmepumpe braucht zu viel Strom 2.5.3

Wenn eine Wärmepumpe zu viel Strom braucht, gibt es dafür verschiedene Ursachen, von denen hier folgende diskutiert werden:

- Zu hohe Vorlauftemperatur
- Der Elektroheizstab schaltet zu häufig dazu
- Der Regler der Wärmepumpe ist falsch eingestellt

Oftmals werden Wärmepumpen im Gebäudebestand installiert, wo z.B. eine Pelletsheizung eine bessere Alternative gewesen wäre. Damit meine ich insbesondere Gebäude ohne Fußbodenheizung. Hier sind oftmals so hohe Vorlauftemperaturen erforderlich, dass ein wirtschaftliches Heizen mit einer Wärmepumpe nicht mehr realisierbar ist. Betrachtet man dann dazu die hohen Investitionskosten, ist schnell erkennbar, dass der Betreiber keinen Nutzen von einer neuen Wärmepumpenanlage hat. Wenn im Gebäudebestand eine Wärmepumpenanlage angedacht ist, sollte sichergestellt sein, dass die Vorlauftemperatur nicht zu hoch ist. Besonders dramatisch macht sich das bei Luft-Wasser-Wärmepumpen bemerkbar, auch wenn hier die Werbung mit Slogan wie „... mit hohen Vorlauftemperaturen, besonders für den Altbau geeignet ..." wirbt. Davon profitieren nur der Hersteller und der Stromlieferant. Leider schadet dies auch dem Image der Wärmepumpen.

Insbesondere bei Luft-Wasser-Wärmepumpen wird sehr häufig ein Elektroheizstab verwendet, um diesen dazuzuschalten, wenn die Wärmepumpe in die Knie geht – vergleich „Im Winter leistet die Luftwärmepumpe nicht mehr genug". Ist dann noch die Wärmepumpe zu klein dimensioniert, hat das zur Folge, dass der Elektroheizstab schon recht früh und zu häufig zuschaltet. Eine andere Möglichkeit ist die, dass der Bivalenzpunkt falsch eingestellt ist, was ebenfalls dazu führt, dass der Elektroheizstab zu früh einschaltet. Hier ist es wichtig, bei der Auslegung und Planung der Wärmepumpenanlage darauf zu achten, dass der Elektroheizstab möglichst wenig zuschaltet.

Insbesondere Luft-Wasser-Wärmepumpen sollten mit einem Pufferspeicher ausgestattet werden, damit bei höheren Außentemperaturen die von der Wärmepumpe mit höherer Leistung erzeugte Wärme gepuffert werden kann. Für die Regelung ist natürlich dann ein Sollwert für den Pufferspeicher vorgegeben. Oftmals bildet sich der Regler der Wärmepumpe diesen selber aus der Außentemperatur und der vorgegebenen Heiztemperatur. Wird diese zu hoch eingegeben, kann der Regler einen zu hohen Sollwert für den Pufferspeicher bilden, der dann ebenfalls zu einem unwirtschaftlichen Betrieb führt.

Luftwärmepumpe friert ein 2.5.4

Dass der Verdampfer bei feuchtkaltem Wetter gerne vereist, ist bekannt und nicht ungewöhnlich. Deswegen ist es erforderlich, dass er regelmäßig wieder abgetaut wird. Dazu schaltet die Wärmepumpe in den Abtaumodus. Sie arbeitet reversibel. Dabei können fiepende Abtaugeräusche entstehen, die, je nach Lage des Verdampfers, zu störenden Geräuschemissionen führen können.

Bei außen stehenden Luft-Wasser-Wärmepumpen – vergl. Kompaktwärmepumpe Außenaufstellung – sind Verbindungsteilungen zu den Speichern erforderlich. Werden diese nicht frostfrei verlegt und mit normalem Heizungswasser gefüllt, besteht bei Stillstand die Gefahr des Einfrierens. Um dem zu begegnen, sollte dem Heizungswasser ein Frostschutzmittel zugefügt oder die Leitungen sicher frostfrei verlegt werden. Um die Frostschutzmenge zu reduzieren, kann ein Trennwärmetauscher eingesetzt werden. So kann der Frostschutz auf ein paar Liter begrenzt werden. Es ist dann natürlich eine zusätzliche Umwälzpumpe erforderlich. Andernfalls muss das gesamte Heizungswasser, welches durch die Verbindungsleitungen fließt, mit Frostschutz versehen werden.

2.5.5 Heizungswasserleitung friert ein

Eine kleine Luft-Wasser-Wärmepumpe für die Außenaufstellung sollte ein neues, gut gedämmtes Gebäude beheizen. Die Luft-Wasser-Wärmepumpe stand neben dem Haus. Die Speicher waren im Haus installiert. Für die Nacht war ein Absenkbetrieb programmiert. In einer kalten Winternacht fror dann die Leitung ein.

Was war passiert?

Wegen des programmierten Absenkbetriebs schaltete die Wärmepumpe nachts komplett ab. Aufgrund der Kälte froren die Anbindeleitungen, in denen sich das Heizungswasser befand, ein. Die Wärmepumpe schaltete wegen einer Niederdruckstörung ab.

Wie hätte dies verhindert werden können?

- Zum Ersten waren die Anbindeleitungen unzureichend isoliert.
- Um eine Luft-Wasser-Wärmepumpe sicher zu betreiben, kann Frostschutz dem Heizungswasser zugegeben werden. Bei Einsatz eines Pufferspeichers ist die einzubringende Menge Frostschutz jedoch relativ groß.

  Ggf. ist es sinnvoll, einen Trennwärmetauscher zu installieren und die kurzen Anbindeleitungen mit einem Frostschutz zu versehen.
- Eine Programmierung eines Absenkbetriebs ist bei gut gedämmten Gebäuden ohnehin nicht zu empfehlen – siehe „Einstellen des Absenkbetriebs". Dann wird die Wärmepumpe nicht so lange abschalten, was einer Auskühlung entgegenwirkt.

Auf jeden Fall ist eine Luft-Wasser-Wärmepumpe für die Außenaufstellung so zu installieren, dass sie stets sicher und ohne eine Gefahr des Einfrierens betrieben wird.

2.5.6 Ein Gebäude wird nur unzureichend beheizt

In diesem Falle wandte sich ein Bauherr an mich, weil sein Haus nur unzureichend erwärmt wurde. Insgesamt listete er mehrere Mängel auf:

- Die Räume im Erdgeschoss werden recht warm, aber die im Obergeschoss werden nur ungenügend erwärmt,
- die Wärmepumpe wurde wegen Mängeln bereits nach einem Jahr ausgetauscht,
- die Temperaturdifferenz zwischen Vor- und Rücklauf war zu hoch,
- ab –5 °C lief die Wärmepumpe durch und unter –8 °C wurden die Räume im Obergeschoss nicht mehr ausreichend warm,
- die Wärmepumpe fiel wegen zyklischer Messungen zweimal aus, weil sich der Regler aufhängte,
- es wurde mehrfach an der Heizungsanlage nachgebessert und
- zu hohe Heizkosten im Vergleich mit einem baugleichen Haus eines Nachbarn.

Dazu sandte er mir umfangreiche Unterlagen, für deren Archivierung ich zwei Ordner benötigte. Sie bestanden aus mehreren Montage- und Bedienungsanleitungen (Außenteil Wärmepumpe, Wärmepumpe, Regler, etc.), zahlreiche Serviceberichte und viel Schriftverkehr. Diese galt es als Sachverständiger erst mal durchzuarbeiten, um nicht irgendeine Information zu übersehen. Ergänzend forderte ich noch weitere Unterlagen vom Bauträger an. So versuchte ich, mir ein Bild von der geschilderten Problematik zu machen.

Das Gebäude wurde 2012 mit einer einfachen Luft-Wasser-Wärmepumpe als Splittanlage und einer Fußbodenheizung gebaut. Die Wärmepumpenanlage bestand aus einem Außen- und Innengerät, wobei das Innengerät eine Kompaktanlage mit einem Warmwasserspeicher, 250 l bestand. Es waren weder ein Pufferspeicher noch Innenraumfühler und keine Einzelraumregler installiert. Es handelte sich dabei um eine Wärmepumpenanlage einfachster Bauweise.

Die installierte Wärmepumpe war eine Luft-Wasser-Wärmepumpe mit Invertertechnik mit zugekaufter Zubadan-Technologie (Mitsubishi Corporation). D. h., dass die Wärmepumpe modulierend arbeitet; je kälter es wird, desto mehr Wärmeleistung gibt die Wärmepumpe ab. Die Zubadan-Technologie verspricht, dass die Wärmepumpe bis –15 °C eine konstante Leistung abgeben kann.

Bild 2.5.6.1: Luft-Wasser-Wärmepumpe mit Warmwasserspeicher
Quelle: J. Bonin, Umwelt & Technik

Der Bauherr beanstandete mehrere, zuvor genannte Mängel. Weil er etwa 500 km entfernt wohnt, war es zunächst mein Bestreben, erst mal dem Bauherrn via Mailverkehr weiterzuhelfen. Zunächst prüfte ich die Unterlagen, die er mir zusandte. Dabei kristallisierte sich bereits heraus, dass der hydraulische Abgleich der Fußbodenheizung offensichtlich mangelhaft war. Ich empfahl dem Kunden, die Heizkreise zur Fußbodenheizung im Erdgeschoss zu drosseln, damit mehr Wärme an die Räume im Obergeschoss abgegeben werden kann. Dazu entgegnete er, dass dann die Temperaturdifferenz zwischen Vor- und Rücklauftemperatur zu stark anstieg.

Weil Wärme stets von unten nach oben steigt, folgerte ich daraus, dass möglicherweise auch bauliche Mängel die Ursache sein könnten. Denn es ist schon ungewöhnlich, dass die Räume im Erdgeschoss mehr als erforderlich erwärmt wurden, wohingegen die Räume im Obergeschoss, insbesondere das Bad nicht ausreichend warm wurden. Das deutete auf zu hohe Wärmesenken im Obergeschoss hin. Weil dies nicht mehr mein Sachgebiet ist, empfahl ich, einen Bausachverständigen hinzuzunehmen.

Zur weiteren Prüfung erbat ich vom Bauunternehmer die Heizlastberechnung nach DIN EN 12831 sowie Unterlagen zu dem Gebäude und den verwendeten Materialien. Diese wurden mir ausgehändigt. Die erforderliche Normheizlast errechnete sich nach DIN EN 12831 zu 4 665 W. Ich prüfte die Heizlastberechnung gemeinsam mit einem Gebäudeenergieberater. Wir konnten dabei keine Mängel oder gravierenden Abweichungen feststellen. Daraus folgerten wir, dass die Heizlastberechnung soweit korrekt war. Für die Warmwasserbereitung sind 250–350 W/Pers. anzusetzen. Vor Ort ist eine Schwallwasserdusche vorhanden, sodass ich für vier Personen den oberen Wert nenne. Damit beträgt der Leistungsbedarf für die Warmwasserbereitung etwa 1 400 W. EVU-Sperrzeiten waren nicht zu berücksichtigen. Damit errechnet sich die erforderliche Heizleistung zu:

$$P_{\text{WP}} = P_{\text{H}} + P_{\text{WW}}$$

mit

P_{WP} = mindest erforderliche Heizleistung der Wärmepumpe

P_{H} = Gebäude-Normheizlast

P_{WW} = Heizleistung für Warmwasserbereitung

$$P_{\text{WP}} = 4\,665\text{ W} + 1\,400\text{ W} = 6\,065\text{ W}$$

Die Wärmepumpe hat eine maximale Leistung von 8 kW, konstant bis –15 °C und ist damit ausreichend groß dimensioniert. Das sah soweit erst mal gut aus.

Die übrigen Mängel konnte ich erst mal nicht vollständig einordnen und Vermutungen darf ein Sachverständiger nicht anstellen. Die Situation erforderte einen Ortstermin. – Es wurde spannend. – Zum Ortstermin warteten wir dann erst mal auf entsprechend kalte Witterung, um die notwendigen Messungen durchführen zu können. Im darauf folgenden Winter war es dann so weit.

Beim Ortstermin habe ich umfangreiche Messungen vorgenommen und Werte aufgenommen. Dabei kristallisierte sich heraus, dass nun schwerpunktmäßig folgende Fragen zu beantworten waren:

- Bringt die installierte Wärmepumpe die erforderliche Heizleistung?
- Werden die Räume ausreichend beheizt?
- Warum werden die Räume im Erdgeschoss deutlich wärmer als im Obergeschoss?
- Stimmt der hydraulische Abgleich?
- Liegen ggf. bauliche Mängel vor?

Um die erste Frage zu beantworten, habe ich die Vor- und Rücklauftemperaturen gemessen. Weiterhin konnte am Display des Reglers die aktuelle prozentuale Leistungsabgabe der Wärmepumpe abgelesen werden.

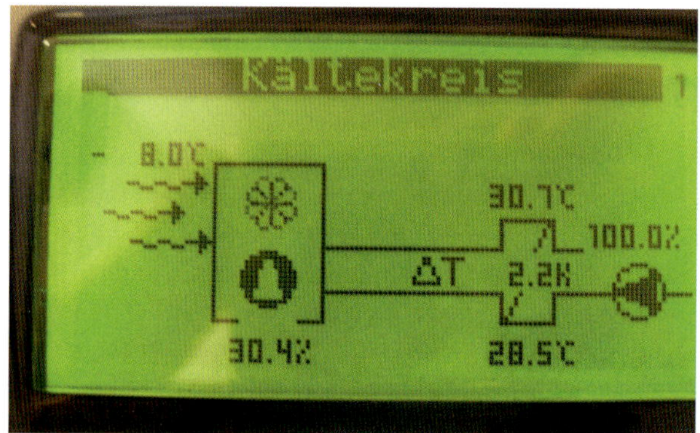

Bild 2.5.6.2:
Leistungsanzeige im Display
Quelle: J. Bonin, Umwelt & Technik

Zum besseren Verständnis beschreibe ich erst mal das Regelverhalten des Reglers. Die Wärmepumpe arbeitet modulierend; d. h., dass sie nur so viel Leistung abgibt, wie auch gebraucht wird. Dazu misst sie als Führungsgröße die Temperaturdifferenz zwischen Vorlauf- und Rücklauftemperatur. Nach einem Abtaubetrieb startete die Wärmepumpe stets mit einer reduzierten Leistung von 25 %. Der Regler erhöhte dann schrittweise die Leistung, die ich dann zu verschiedenen Zeiten gemessen hatte. Im zu begutachtenden Fall endete um etwa 05:00 ein Abtaubetrieb. In der nachfolgenden Zeit habe ich mehrere Werte zu verschiedenen Zeiten aufgenommen. Um etwa 10:25 Uhr stand der Regler dann wieder auf 30,4 %. Daraus folgerte ich, dass um ca. 09:30 ein erneuter Abtaubetrieb einsetzte, wobei ein paar Minuten über den gesamten Zeitraum keine wesentliche Rolle spielen. Ich nahm folgende Daten auf:

Tabelle 2.5.6.1: Aufgenommene Wertepaare
Quelle: J. Bonin, Umwelt & Technik

Uhrzeit	Prozentuale Leistung
05:00	25,0 %
05:30	26,3 %
06:00	40,2 %
06:20	40,2 %
06:30	54,4 %
06:55	55,0 %
08:45	68,5 %
10:35	30,4 %

Anhand der aufgenommenen Daten ergab sich dann folgender Temperaturverlauf (schwarze Kennlinie):

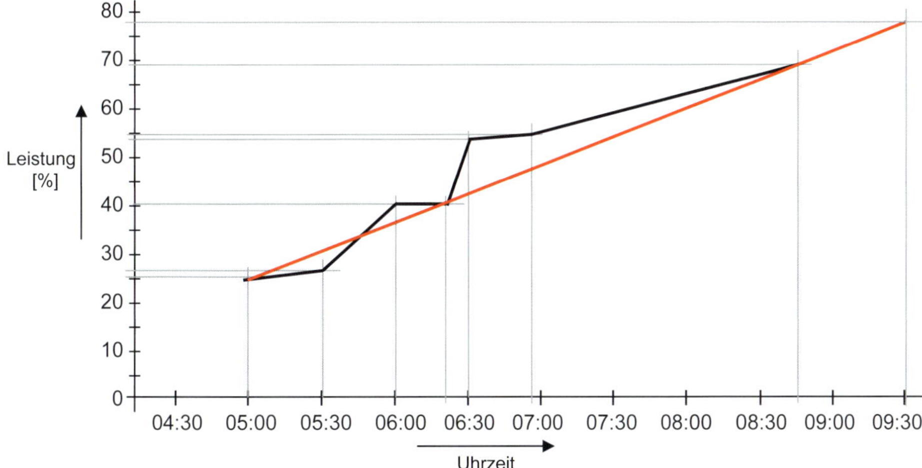

Bild 2.5.6.3: Leistungskennlinie
Quelle: J. Bonin, Umwelt & Technik

Die schwarze Kennlinie zeigt den Verlauf anhand der gemessenen Wertepaare. Die rote Kennlinie zeigt in etwa einen durchschnittlichen Wert. So kann anhand dieser Kennlinie in erster Näherung die durchschnittliche Leistung wie folgt ermittelt werden:

$$P = (25\ \% + 78\ \%) / 2 = 51{,}5\ \%$$

Davon müsste dann noch die Leistung für den Abtaubetrieb abgezogen werden. Also entspricht bei der Wärmepumpe mit einer Heizleistung von 8 kW einer mittleren Heizleistung von 50 %, also 4 kW.

Gemäß Heizlastberechnung sind für das Gebäude bei –14 °C 4 665 W (ohne Warmwasserbereitung) erforderlich. Zu dem Zeitpunkt der Messungen zeigte der Regler bei Eintreffen eine Außentemperatur von –10 °C an. Weil diese im Laufe der Messungen etwas anstieg, lege ich für die nachfolgenden Betrachtungen eine mittlere Außentemperatur von –9 °C zugrunde. Berücksichtigt man für die Warmwasserbereitung 1 400 W, ergibt sich folgende mindest erforderliche Heizkennlinie für die Gebäudebeheizung:

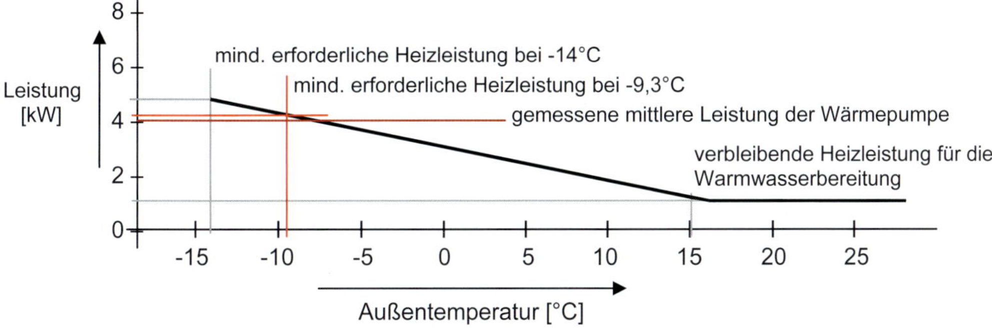

Bild 2.5.6.4: Notwendige Heizkennlinie für die Wärmepumpe
Quelle: J. Bonin, Umwelt & Technik

Bei einer Außentemperatur von –9 °C müsste demnach die Wärmepumpe eine Leistung von etwa 4,25 kW liefern. Die von der Wärmepumpe abgegebene mittlere Leistung von 4 kW war damit etwas knapp. Es fehlen rechnerisch 6 %. Das erklärt auch, warum die Wärmepumpe bei diesen kalten Temperaturen durchlief. – Weil die Wärmepumpe gem. Zubadan-Technologie bis –15 °C eine konstante Leistung von 8 kW abgeben kann, ist davon auszugehen, dass es in diesem Fall genügt, die Einstellungen am Regler etwas zu korrigieren. Das wünschte der Bauherr jedoch nicht, weil er beabsichtigte, dass die Wärmepumpe im Eco-Modus möglichst effizient arbeitete.

Weiterhin galt es zu klären, ob die Räume ausreichend beheizt werden. Dazu habe ich die Raumtemperaturen in etwa 1,5 m in der Raummitte gemessen. Die Räume im Erdgeschoss hatten alle eine Raumtemperatur von etwa 23 °C. Die Räume im Obergeschoss dagegen hatten eine mittlere Raumtemperatur von etwas über 20 °C. Einige Räume waren unter 20 °C warm. Das Bad hatte nur eine Temperatur von 21 °C. Gem. DIN EN 12831 gilt als Norm-Raumtemperatur für Wohnräume 20 °C und für Bäder 24 °C. Im Obergeschoss lagen in einigen Räumen die Raumtemperaturen unterhalb der Norm-Raumtemperaturen und werden damit nicht ausreichend beheizt. Weil es im Erdgeschoss gegenüber dem Obergeschoss deutlich wärmer war, nahm ich zahlreiche Messungen vor, um diese anschließend auswerten zu können.

Hinsichtlich der ungleichen Temperaturverteilung im Haus habe ich die Durchflüsse an den Durchflussstellern der Fußbodenheizungsverteiler abgelesen. Diese verglich ich mit den Vorgaben des Herstellers der Fußbodenheizung. Am Fußbodenheizungsverteiler im Erdgeschoss waren die Durchflüsse deutlich größer eingestellt als der Hersteller vorgab. Am Fußbodenheizungsverteiler im Obergeschoss waren die Durchflüsse für die Räume mit ungenügender Erwärmung kleiner als der Hersteller vorgab. Damit war eindeutig belegt, dass der hydraulische Abgleich ungenügend war und nicht fachgerecht durchgeführt wurde. Es ist ein hydraulischer Abgleich fachgerecht vorzunehmen. Weiterhin ist dabei noch eine wichtige Eigenschaft der Wärmepumpe bzw. besser gesagt die Einstellung des Reglers zu berücksichtigen, nämlich dass die Wärmepumpe modulierend regelt und nach einem Abtaubetrieb die Leistung beginnend mit 25 % langsam hochfährt. Dazu gehört auch, nach Aussage des Herstellers, dass mit reduzierter Leistung auch die Drehzahl der in der Wärmepumpe eingebauten Heizungsumwälzpumpe reduziert wird. Das erschwert natürlich den genauen hydraulischen Abgleich, weil die vorgegebenen Durchflüsse nur bei maximaler Leistung der Wärmepumpe gelten. Bei reduzierten Leistungen sind sie im Verhältnis linear herunterzurechnen, z. B. max. wenn bei 8 kW ein Gesamtdurchfluss von 1 000 l/h gefordert ist, dann ist bei einer Leistung von 6 kW nur noch ein Gesamtdurchfluss von 750 l/h erforderlich. Dieser Gesamtdurchfluss teilt sich gem. den Vorgaben des Herstellers der Fußbodenheizung auf die einzelnen Kreise auf. Ein ordnungsgemäßer hydraulischer Abgleich ist unbedingt erforderlich, damit die Räume im Gebäude gleichmäßig erwärmt werden. Weil keine Einzelraumregelung vorhanden war, ist ein hydraulischer Abgleich besonders sorgfältig vorzunehmen. Dazu können nachträglich weitere Feinjustierungen notwendig sein. Nach genauer Durchführung des hydraulischen Abgleichs sollte dieses Problem auch mit relativ geringem Aufwand lösbar sein.

Als ich bei dem Ortstermin darauf hinwies, teilten mir der Bauherr sowie der Bauträger mit, dass bei einem hydraulischen Abgleich gem. den Vorgaben des Herstellers der Fußbodenheizung die Temperaturdifferenzen zwischen Vor- und Rücklauftemperatur stark anstiegen und zu hoch waren. Da stellt sich dann die Frage: Warum ist das so?

Weiterhin stand die Frage im Raum, ob ggf. bauliche Mängel vorliegen könnten, weil einige Räume im Obergeschoss nicht ausreichend erwärmt und an einigen Fenstern Zugerscheinungen festgestellt wurden. Bei der Ortsbesichtigung waren deutlich starke Kondensatwasserbildungen an den Dachfenstern erkennbar. Das Wasser floss am Fenster und an den darunter befindlichen Wangen herunter.

Bild 2.5.6.5:
Starke Kondensatwasserbildung am Dachfenster
Quelle: J. Bonin, Umwelt & Technik

Um eventuelle bauliche Mängel nachweisen zu können, empfahl ich einen Sachverständigen für Bauwesen. Er stellte zunächst keine gravierenden Mängel, jedoch einige leichte Abweichungen fest. Beim gemeinsamen Ortstermin hatte er einige Vermutungen, die es zu untersuchen galt. Er sah sich den Spitzboden an und stellte beim Ortstermin feuchte Stellen und bereits Schimmelpilzbildungen fest.

Was war hier passiert?

Zunächst muss man festhalten, dass der Bauherr ein schlüsselfertiges Haus mit Wärmepumpe in Auftrag gab. Was kaufmännisch nachvollziehbar ist, war es die Absicht vom Bauträger, ein Haus mit einer Wärmepumpe zu möglichst geringen Kosten anzubieten. Damit kann er ein Haus günstig und mit einem möglichst guten Gewinn anbieten. Deswegen wurde eine Wärmepumpe mit geringem Standard angeboten und verkauft. Wie offensichtlich auch hier erkennen viele Bauherren nicht, wenn Minimalstandard angeboten wird. Natürlich kann ein Bauträger auch einen höheren Standard anbieten, hat dann aber oftmals das Nachsehen, wenn er zu teuer ist. Qualität hat nun mal ihren Preis. Er könnte jedoch auch versuchen, aktiv mehr Technik und Wert zu verkaufen.

Der Bauträger verwendete möglichst kostengünstige Materialien, die dazu führten, dass leichte bauliche Mängel zu zusätzlichem Wärmeverlust führten. Die Untersuchungen des Bausachverständigen sowie auch meine ergaben, dass die Abweichungen scheinbar weitestgehend noch im Rahmen der Toleranzen lagen.

Dazu kam jedoch, dass an der Wärmepumpe mehrere Mängel vorhanden waren. Diese wurden dann im Rahmen der Gewährleistung beseitigt. Einmal wurde die Wärmepumpe komplett ausgetauscht und dazu kamen dann noch mehrere Nachbesserungen und Reparaturen. Verständlicherweise steigt dann natürlich der Unmut der Bauherren und der Zweifel, ob er ein gut und sicher funktionierendes Produkt bekam. Er schaut dann natürlich kritischer hin und versucht seine Feststellungen einzuordnen. Bei vermeintlichen Mängeln spricht er den Auftragnehmer an, der sich dann nachvollziehbar zunehmend genervt fühlt. Das kann dann dazu führen, dass ein Konflikt eskaliert, dass man nicht mehr miteinander redet. Das war hier glücklicherweise nicht der Fall.

Nun galt es, die aufgenommenen Messungen auszuwerten. Dabei stellte sich heraus, dass in den Räumen im Erdgeschoss eine mittlere Gesamtheizleistung von etwa 3,3 kW zugeführt wurde und im Obergeschoss etwa 2 kW. Das lag daran, dass die Heizkreise am Fußbodenverteiler im Erdgeschoss zu weit geöffnet waren und damit zu viel Wärme im Erdgeschoss abgegeben wurde. Die Temperatur betrug im Mittel 23 °C, was zu warm war. Dagegen betrug die Temperatur im Obergeschoss im Mittel nur 20 °C und im Bad nur 21 °C. Also war es naheliegend zu empfehlen die Heizkreise unten zu drosseln. Das hatte zur Folge, dass die Temperaturdifferenz zwischen Vorlauf- und Rücklauftemperatur zu stark anstieg. Ein starker Anstieg der Temperaturdifferenz bedeutet eine zu starke Auskühlung durch eine zu hohe Wärmeabgabe. Das wiederum deutete auf bauliche Mängel im Obergeschoss hin. Dies wurde nach Öffnung von Bauteilen im Obergeschoss vom Bausachverständigen bestätigt. Bauteile des Daches waren durchnässt und wirkten sich wie Wärmebrücken aus. Das erklärt dann die Wärmeverluste im Dachgeschoss.

Bild 2.5.6.6: Schimmelpilz durch Feuchtigkeit und Nässe
Quelle: SV-Büro Arne Semmler

Problematisch war auch der Schimmelbefall, weil in dem Haus eine junge Familie mit einem Kleinkind wohnte. Frische Schimmelpilzsporen sind lungengängig und gesundheitsschädlich.

Weiterhin beanstandete der Bauherr noch höhere Stromkosten für seine Wärmepumpe im Vergleich zu einem Nachbarn, der nahezu ein baugleiches Haus vom selben Bauträger hat. Dort war alles in Ordnung. Der Bauträger hatte im Vergleich zu seinem Nachbarn Mehrstromkosten von knapp 15 %. Man versuchte dies mit anderem Heiz- und Lüftungsverhalten und ggf. anderem Warmwasserverbrauch zu erklären. Das war durchaus verständlich, hier aber nicht zutreffend. Vielmehr war festzustellen, dass folgende Mängel zu dem höheren Stromverbrauch führten:

- Aufgrund der anfänglich hohen Temperaturdifferenz zwischen Vorlauf- und Rücklauftemperatur musste die Wärmepumpe mehr arbeiten, was einen höheren Stromverbrauch zur Folge hatte.
- Die unnütz hohen Temperaturen im Erdgeschoss führen ebenfalls dazu, dass die Wärmepumpe mehr Wärme erzeugen muss. Auch dafür braucht sie mehr Strom.
- Dazu kommen dann noch die deutlich erhöhten Wärmeverluste aufgrund der baulichen Mängel.

Das begründet die höheren Stromkosten. Vergleicht man hier bei einer Norm-Außentemperatur von –14 °C und einer Norm-Raumtemperatur von 20 °C den Wärmebedarf mit einer Raumtemperatur von 23 °C, ergibt sich ein Mehrwärmebedarf von:

$$\Delta q = \{[(T_{NA} - T_{NR}) / (T_{NA} - T_{R})] - 1\} \cdot 100$$

mit:

Δq = prozentualer Mehrverbrauch

T_{NA} = Normaußentemperatur

T_{R} = Raumtemperatur

T_{R} = Norm-Raumtemperatur

$$\Rightarrow \Delta q = \{[(-14\,°C - 23\,°C) / (-14\,°C - 20\,°C)] - 1\} \cdot 100 = 8{,}8\,\%$$

Dazu addieren sich noch die Wärmeverluste über die Wärmebrücken sowie die Mehrkosten für einen ungünstigeren Betrieb der Wärmepumpe mit einem schlechteren Wirkungsgrad.

Der Sachverständige für Bauwesen und ich versuchten nun als Mediator zu schlichten, um nach Möglichkeit eine gerichtliche Auseinandersetzung zu vermeiden. Wir hoffen, dass der Bauträger bei der nun recht eindeutigen Sachlage zustimmt, indem er die vorhandenen Mängel beseitigt. Bei einer gerichtlichen Auseinandersetzung sähe es aus meiner Sicht nicht gut für ihn aus.

Was ist nun zu tun?

Zunächst sind die baulichen Mängel, d. h. Wärmebrücken, mangelhafte Dämmung und mit Schimmelpilz befallene Bauteile, zu beseitigen. Anschließend ist ein hydraulischer Abgleich der Heizkreise vorzunehmen. Ggf. sind noch Feinjustierungen erforderlich.

2.5.7 Probleme mit einer Abluftwärmepumpe

Es ist schon interessant, was es alles gibt. Mittlerweile wandten sich schon mehrere Betreiber an mich, weil sie Probleme mit ihrer Abluftwärmepumpe haben. Nachfolgend betrachte ich einen Fall, stellvertretend auch für andere. Offen gestanden: Ich musste erst mal nachdenken, was das sein kann. Der Fall klang interessant und ich nahm mich der Sache an. Zunächst beanstandete der Nutzer, dass es an kalten Tagen nicht richtig warm würde und insbesondere die erwartete Wirtschaftlichkeit ausblieb. Weiterhin bat er mich zu prüfen, warum die Wärmepumpe so häufig und so lange in den Abtaubetrieb schaltete und ob das Konzept stimmig sei. Er sandte mir die Unterlagen zu und ich versuchte mir ein Bild von der Problematik zu machen. Dabei erkannte ich auch, dass die Warmwasserbereitung unbefriedigend sein müsste, was der Betreiber mir dann bestätigte.

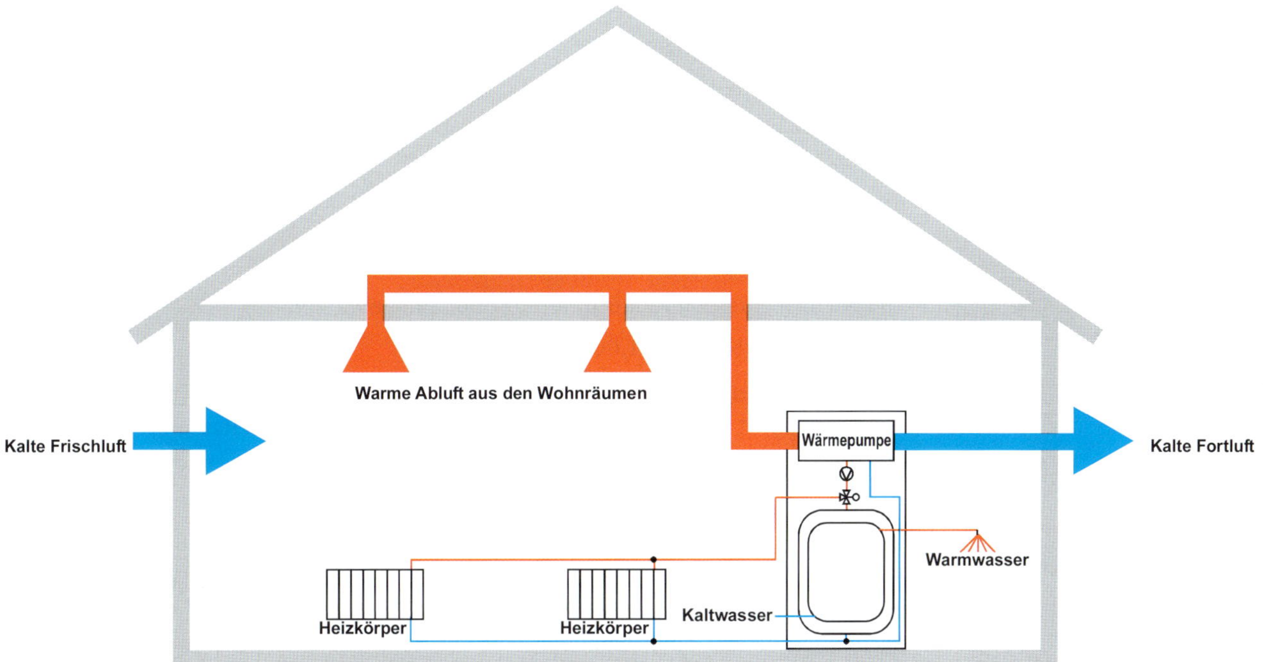

Bild 2.5.7.1: Ungünstiges Konzept, Abluftwärmepumpe
Quelle: J. Bonin

Es war ein Einfamilienhaus mit einer Wohnfläche von etwa 160 m^2 mit einem normalen Standard zu beheizen. Dazu kommt dann noch die Warmwasserbereitung für 4 Personen. Abschaltzeiten vom Energieversorger gab es nicht. Die maximale Leistung der Abluftwärmepumpe war mit 6 kW angegeben. Aus den technischen Unterlagen des Herstellers war nicht zu entnehmen, auf welche Quellen- und Senkentemperatur sich diese Angaben beziehen. Für die Raumbeheizung waren statt einer Fußbodenheizung Heizkörper installiert.

Zunächst interessierte mich die Gesamtanlage. Der Abluftwärmepumpe diente als Wärmequelle, wie aus dem Begriff abgeleitet werden kann, die Abluft aus dem Wohngebäude. Das hat natürlich zur Folge, dass zum Ausgleich dieselbe Luftmenge als kalte Frischluft in die Wohnräume einströmen muss. Die Darstellung zeigt die Gesamtanlage.

Ich war schon überrascht, dass ein namhafter Wärmepumpenhersteller eine Wärmepumpe anbietet, deren Wärmesenken Heizkörper sind, was in der Praxis so auch umgesetzt wird. Das hat zur Folge, dass die Wärmepumpe generell mit hohen Vorlauftemperaturen arbeitet. Der Warmwasserspeicher im Pufferspeicher erfordert für eine einigermaßen funktionierende Warmwasserbereitung ebenfalls eine hohe Temperatur im Pufferspeicher. Auch Heizkörper werden in der Regel mit hohen Vorlauftemperaturen beheizt, es sei denn, es sind große Niedertemperatur-Gebläseheizkörper installiert. Das geht natürlich erheblich zulasten des Wirkungsgrades.

Aus dem nicht gerade informativen Datenblatt zur Abluftwärmepumpe konnte ich einen Luftvolumenstrom von 110 / 350 m^3/h entnehmen. Das bedeutet, dass bei geringen Außentemperaturen ein Abluftvolumenstrom von 110 m^3/h genügt und bei niedrigen Außentemperaturen ein Abluftvolumenstrom von 350 m^3/h erforderlich ist. Das bestätigten auch meine Berechnungen wie folgt. Es diente die Formel:

$$P_{\mathrm{KL}} = m \cdot c \cdot \Delta T$$

$$\Rightarrow \Delta T = P_{\mathrm{KL}} / (m \cdot c)$$

mit

Massestrom $m = \zeta_{\mathrm{Lspez}} \cdot V$

$\zeta_{\mathrm{Lspez}} = 1{,}292\ \mathrm{kg/m^3}$ – bei 0 °C und normalem Luftdruck

$V = 350\ \mathrm{m^3/h}$

$\Rightarrow m = 1{,}292\ \mathrm{kg/m^3} \cdot 350\ \mathrm{m^3/h} = 452{,}2\ \mathrm{kg/h}$

$c = c_{\mathrm{p}} = 1{,}005\ \mathrm{kJ/(kg{\cdot}K)}$ – konstanter Druck angenommen

Für die Kälteleistungen P_{KL} bei verschiedenen Betriebszuständen lagen mir keine Daten vor, sodass ich hier folgende Annahmen traf:

$COP_{L-10/W55} = 3$ (vermutlich noch kleiner)

$P_H = 6$ kW

$\Rightarrow P_{el} = P_H / COP = 6 \text{ kW} / 3 = 2 \text{ kW}$

und

$P_{KL} = P_H - P_{el} = 6 \text{ kW} - 2 \text{ kW} = 4 \text{ kW} = 14\,400 \text{ kJ/h}$

Damit errechnet sich eine Temperaturdifferenz über den Verdampfer von:

$\Delta T = 14\,400 \text{ kJ/h} / (452 \text{ kg/h} \cdot 1{,}005 \text{ kJ/kg·K}) = 31{,}7 \text{ K}$

Bei einem entsprechend kleineren $COP_{L-10/W55} < 3$ wäre die Temperaturdifferenz ebenfalls etwas kleiner. Das passt sehr gut zu der Temperaturdifferenz zwischen Raumluft- und Außentemperatur

$\Delta T = T_{RT} - T_{AT} = 20 \text{ °C} - (-10 \text{ °C}) = 30 \text{ °C}.$

So machte ich mir allmählich ein Bild von der ganzen Anlage. Weiterhin berechnete ich dann die Lüftungsverluste, bei einer Normaußentemperatur von –10 °C, wie folgt: Weil die einströmende Luft ohne Wärmerückgewinnung direkt in die Wohnräume eingeleitet wird, entspricht die Temperatur der einströmenden Luft der Normaußentemperatur von –10 °C. Bei einer Raumtemperatur von 20 °C ergibt sich dann eine Temperaturdifferenz von 30 °C. Damit ergibt sich folgende Rechnung:

$P_L = m \cdot c \cdot \Delta T$

mit

$m = \zeta_{Lspez} \cdot V$

$\zeta_{Lspez} = 1{,}292 \text{ kg/m}^3$ – bei 0 °C und normalem Luftdruck

$V = 350 \text{ m}^3\text{/h}$

$\Rightarrow m = 1{,}292 \text{ kg/m}^3 \cdot 350 \text{ m}^3\text{/h} = 452{,}2 \text{ kg/h}$

$c = c_p = 1{,}005 \text{ kJ/(kg·K)}$ – konstanter Druck angenommen

$\Delta T = 30$ K (Normaußentemp. = –10 °C, Raumtemp. = 20 °C)

$\Rightarrow P_L = 452{,}2 \text{ kg/h} \cdot 1{,}005 \text{ kJ/(kg·K)} \cdot 30 \text{ K}$

$= 13\,634 \text{ kJ/h}$

$\boldsymbol{P_L = 3{,}8 \text{ kW}}$

In der Heizlastberechnung waren für die Lüftungswärmeverluste für den mechanischen Lüftungsstrom nur 1,7 kW angegeben! Das ist eine Differenz von mehr als 2 kW, also mehr als 100 %! Es stellte sich recht schnell heraus, dass die installierte Wärmepumpe für diese Anwendung deutlich zu klein ist.

Nun galt es, sich noch die Warmwasserbereitung anzusehen. Dazu war in der Abluftwärmepumpe ein Speicher mit einem integrierten Warmwasserspeicher installiert. Das Gesamtvolumen des Speichers betrug 220 l und das Volumen des Warmwasserspeichers 180 l. Nun wende ich mich der Warmwasserbereitung zu. Es ist auch bei anderen Wärmepumpenanlagen, insbesondere mit Wärmepumpen kleiner Leistung, festzustellen, dass der Warmwasserkomfort mit solch kleinen Speichervolumen recht unbefriedigend ist. Eine überschlägige Berechnung ergibt folgendes Bild: Für die Warmwasserversorgung dient ein Warmwasserspeicher mit einem Inhalt von 180 l mit einer WW-Temp. von ca. 55 °C.

Durchschnittliche Duschwassertemperatur:	45 °C
Kaltwassertemperatur:	10 °C
ΔT_{WWDW} Kaltwasser-Duschwasser:	10 °C
ΔT_{KWDW} Kaltwasser-Duschwasser:	35 °C

$\Rightarrow$ Mischungsverhältnis $V_{KW} / V_{WW} = 35 \text{ °C} / 10 \text{ °C} = 3{,}5$

$\Rightarrow V_{DW} = V_{WW} + V_{KW}$

$V_{KW} = 180 \text{ l} / 3{,}5 = 51 \text{ l}$

$\Rightarrow V_{DW} = 230 \text{ l}$

Beim Entnehmen von Warmwasser und dem Einströmen von Kaltwasser entsteht im Speicher unvermeidbar eine zunehmende Vermischung und Abkühlung, sodass davon auszugehen ist, dass das zur Verfügung stehende Warmwasservolumen entsprechend kleiner ist.

Die Zapfleistung einer einfachen Dusche beträgt in etwa 18 l/Min. Bei einer Duschzeit von 5 Minuten werden dann 90 l entnommen. Daher ist davon auszugehen, dass in diesem Haus nach einer Duschdauer von etwa 10 Minuten der Warmwasservorrat nahezu erschöpft ist. Mit zunehmender Duschzeit dürfte die Warmwassertemperatur allmählich abnehmen, was den Duschkomfort mindert. Auch das bestätigte mir der Nutzer. Ist dann eine größere Regendusche mit einer hohen Zapfleistung installiert oder wird Warmwasser für die Wasch- und/oder Spülmaschine verwendet, ist der Warmwasserkomfort nur noch mangelhaft und unzureichend.

Die max. Aufheizzeit (von 10 °C auf 55 °C) errechnet sich bei einer Leistung von max. 6 kW (bei VL-Temperatur 55 °C sicher weniger) wie folgt:

$$P_{\mathrm{WP}} \cdot t = m \cdot c \cdot \Delta T$$

$$\Rightarrow \quad t = m \cdot c \cdot \Delta T / P_{\mathrm{WP}} = 180\ \mathrm{kg} \cdot 1{,}163\ \mathrm{Wh/(kg{\cdot}K)} \cdot 35\ \mathrm{K} / 6\,000\ \mathrm{W} = 1{,}22\ \mathrm{h}$$

Das bedeutet, dass nach einer Duschzeit von etwa 10 Minuten die Abluftwärmepumpe über eine Stunde braucht, um die Warmwassertemperatur von 55 °C zu erreichen. Wird gleichzeitig Wärme für die Gebäudebeheizung entzogen, dauert die Aufheizzeit entsprechend länger.

Aufgrund der Speicherkonstellation (Warmwasserspeicher im Pufferspeicher) erhöht sich das Gesamtvolumen, in dem die Wärme gespeichert wird. Das kann sich etwas positiv auf das Warmwasserverhalten auswirken. Dennoch ist der Warmwasserkomfort, für ein normales Einfamilienhaus für 4 Personen, erheblich gemindert.

Nun galt es noch zu klären, warum angeblich der Abtaubetrieb so lange dauerte. Zunächst sah ich keine Erklärung für diese Frage. Erst eine Nachfrage beim Hersteller ergab ein schlüssiges Bild. Die installierende Firma hatte ursprünglich mal eine Bypassklappe installiert, die der Abluft aus den Räumen Außenluft zuführte. Wahrscheinlich wollte damit der Installateur den Abluftvolumenstrom reduzieren. Je nach Außentemperatur sank damit natürlich auch mehr oder weniger die Quellentemperatur für die Wärmepumpe. Folglich sank damit auch die Temperatur der in die Wärmepumpe einströmenden Luft, die im Abtaubetrieb zum Abtauen des Verdampfers diente. Aufgrund der geringeren zur Verfügung stehenden Wärmemenge war ein Abtauzyklus nicht ausreichend, was den Abtaubetrieb entsprechend verlängerte. Außerdem wird die geringere Quellentemperatur die Heizleistung zusätzlich verringert haben. – Dieses Problem wurde zwischenzeitlich behoben, doch der Betreiber hatte offensichtlich immer noch das „Gefühl", dieses Problem wäre noch da.

Insgesamt summierten sich die Probleme, was die Unzufriedenheit des Anwenders nur verstärkte und weshalb er mich mit einem Gutachten beauftragte.

Rechtlich steht es mir nicht zu, die Abluftwärmepumpe an sich zu bewerten. Aus meiner Sicht ist es nicht strafbar, Abluftwärmepumpen zu bauen, anzubieten und zu verkaufen, auch wenn sie nicht sinnvoll sind. Hier sind die Vertragsverhältnisse juristisch zu prüfen. Bei der Planung sollte sich jedoch ein Fachbetrieb damit beschäftigen, wie denn eine solche Wärmepumpe funktioniert und ob das Konzept schlüssig ist. Das war hier nicht gegeben. Die Berechnung der Heizlast wies erhebliche Fehler auf. Die tatsächlich erforderliche Heizleistung errechnete ich zu etwa 10 kW, und die Abluftwärmepumpe hatte eine maximale Heizleistung von nur 6 kW. Die Abluftwärmepumpe verfügt über eine elektrische Zusatzheizung mit einer Leistung von bis zu 6,5 kW. Dabei ist gemäß DIN 15450 darauf zu achten, dass die Jahresarbeit des Elektroheizstabes 5 % der Jahresheizarbeit nicht überschreiten darf. Das war hier nicht gegeben. Außerdem ist die Warmwasserbereitung für ein übliches Wohnhaus für vier Personen ungeeignet.

Abschließend betrachtet komme ich zu dem Ergebnis, dass das Konzept nicht stimmig ist, und es erinnert an ein Perpetuum mobile.

2.5.8 Ein Mehrfamilienhaus mit einer Luft-Wasser-Wärmepumpe erwärmt sich nicht

Ich wurde als Gutachter beauftragt, eine Luft-Wasser-Wärmepumpen-Anlage zu prüfen, um herauszufinden, aus welchem Grund das Mehrfamilienhaus nicht ordnungsgemäß beheizt wird. Ich sah mir zunächst die Wärmepumpenanlage vor Ort an und staunte nicht schlecht; sah ich folgendes Bild:

Bild 2.5.8.1: Provisorische Elektroheizung
Quelle: J. Bonin

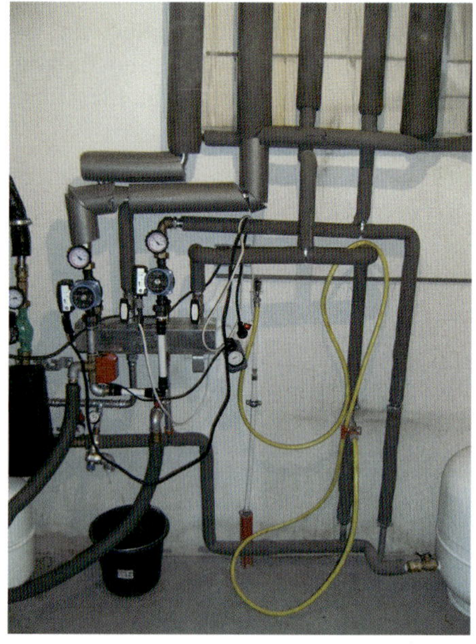

Bild 2.5.8.2: Heizungsverteiler
Quelle: J. Bonin

Das linke Bild zeigt einen elektronischen Durchlauferhitzer mit einer Leistung von 18 kW, der das Haus provisorisch beheizen sollte. Das rechte Bild zeigt eine nicht fachgerechte Installation. Die Isolierungen sind zu dünn und unvollständig. Am Wärmetauscher trat zudem Sole aus einer undichten Verschraubung aus.

Bild 2.5.8.3: Vorlauftemperaturen
Quelle: J. Bonin

Bild 2.5.8.4: Wärmetauscher zur Systemtrennung Wärmepumpe und Heizungsverteilung
Quelle: J. Bonin

Das Bild vom Verteiler mit den Vorlauftemperaturen mit knapp 19 °C zeigt, dass eine behagliche Beheizung des Gebäudes so nicht möglich ist. Der Wärmetauscher zur Systemtrennung von Wärmepumpenseite und Heizungsseite ist mit großer Wahrscheinlichkeit zu klein. Außerdem ist er an Gleichstrom und damit falsch angeschlossen. Beides mindert die Wärmeübertragung erheblich. Dieser grobe Mangel führt dazu, dass die Wärme nicht ausreichend übertragen werden kann. Leider übermittelte mir der Handwerker keine Daten oder Unterlagen zur Anlage. Folglich konnte ich auch nicht prüfen, ob die ausgewählten Komponenten ausreichend bemessen und aufeinander abgestimmt sind. Aber alles deutet darauf hin, dass dem nicht so ist.

Das Wärmepumpen-Außengerät bot folgendes Bild:

Bild 2.5.8.5: Außen stehende Wärmepumpe
Quelle: J. Bonin

Die angebrachte Isolierung ist unvollständig und zu dünn. Das bedingt bereits direkt nach Verlassen der Wärmepumpe erhebliche Wärmeverluste.

Die Elektroverdrahtung ist unzulässig, Störungen durch Wackelkontakte und Korrosionen sind unausweichlich.

Die Wärmepumpe ist schutzlos der Witterung ausgesetzt. Man hatte zuvor zum Schutz der Wärmepumpe eine Abdeckung montiert. Diese sollte die Wärmepumpe vor Regenwasser schützen. Um die Luftzu- und -abfuhr zu optimieren, wurde im Nachhinein ein großes Loch in das Schutzblech geschnitten. So kann dann über die Gebläseöffnung ungehindert Regenwasser in die Wärmepumpe gelangen. Wenn es regnet, werden die Kupferleitungen vom sauren Regen umspült. Das führt zu unerwünschten Korrosionen. Am Aluminiumgehäuse waren bereits deutliche Korrosionsschäden erkennbar.

Schlussendlich ist festzuhalten, dass die Wärmepumpe nicht fachgerecht montiert worden ist.

Weiterhin beanstanden Nachbarn zu hohe Geräuschemissionen der Wärmepumpe.

Es ist erkennbar, dass der Kompressor mit den werkseitig angebrachten Gummifüßen direkt mit dem Boden des Wärmepumpengehäuses verschraubt ist. Damit werden die Anlauf- und Schwingungsgeräusche direkt auf das Stahlblechgehäuse der Wärmepumpe übertragen. Dieses dient dann als Resonanzkörper, was zu erheblichen Schallemissionen führt. Beim Einschalten des leistungsstarken Kompressors ohne Sanftanlasser gibt es regelmäßig ein lautes Startgeräusch. Und weil die Wärmepumpe nicht über eine Invertertechnik verfügt und auch kein Pufferspeicher installiert ist, taktet die Wärmepumpe sehr häufig. Dass die Anwohner sich über die Beschallung beschweren, ist sehr verständlich.

Außerdem stellte ich fest, dass das Typenschild mangelhaft und unzulässig ist. Auf dem Typenschild fehlen jegliche Angaben zum Hersteller und Vertreiber. Insbesondere fehlt ein Energielabel, das gem. Ökodesign-Richtlinie seit 2015 auch für Wärmeerzeuger vorgeschrieben ist. Bei Missachtung dieses Gesetzes drohen empfindliche Strafen. Zu meiner Überraschung fand ich die installierte Wärmepumpe bei E-bay für einen Preis von 6 950,00 € einschließlich witterungsgeführter Regelung.

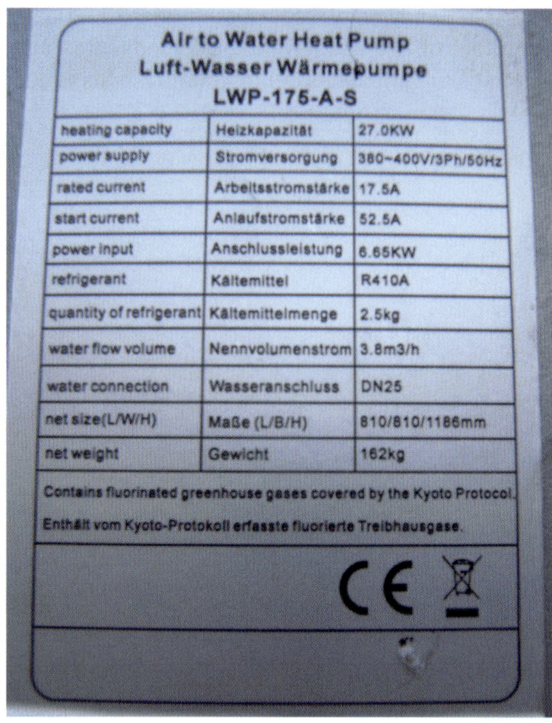

Bild 2.5.8.6: Typenschild der Wärmepumpe
Quelle: J. Bonin

Auch die Leistungsangabe mit lediglich 27 kW ist ungenügend. Es sollten zumindest die Leistungsangaben für folgende Betriebszustände auf einem Typenschild einer Luft-Wasser-Wärmepumpe zu entnehmen sein:

P_{H} L−7/W35
P_{H} L 2/W35
P_{H} L10/W35
und P_{H} L−7/W55
P_{H} L 2/W55
P_{H} L10/W55

Dasselbe gilt auch für die Leistungszahlen (COP) und die Leistungsaufnahmen.

Zusammenfassend ist hier festzustellen, dass diese Wärmepumpenanlage technisch mangelhaft und unzureichend ist und nicht angeboten werden sollte. In diesem Fall ist nur der Ersatz der mangelhaften Wärmepumpe durch eine ordentliche sinnvoll.

2.5.9 Defekt einer Heizungsumwälzpumpe

Ich erhielt einen Auftrag von einem Amtsgericht zur Prüfung, ob eine streitgegenständliche Heizungsumwälzpumpe für eine Luft-Wasser-Wärmepumpe defekt sei oder nicht. Das ist ein einfach zu erfüllender Auftrag – so dachte ich. Mit einem Stromkabel zum Ortstermin die Heizungsumwälzpumpe anschließen und die Begutachtung wäre abgeschlossen.

Dem Streit vorausgegangen war die Bewertung durch den Installateur. Er diagnostizierte eine defekte Heizungsumwälzpumpe. Diese wurde sogleich ausgetauscht. Doch daraufhin funktionierte die Wärmepumpe weiterhin nicht. Da der Installateur den Fehler nicht feststellen konnte, wurde ein Servicetechniker hinzugezogen. Dieser diagnostizierte zunächst eine Verunreinigung in einem Kältemittel als Folge eines Defekts in einem Plattenwärmetauscher. Die Luft-Wasser-Wärmepumpe hatte jedoch zwei Kältekreise. Der erste entzog die Wärme der Luft und pumpte diese zum Zwischenwärmetauscher zwischen den beiden Kältekreisläufen. Vom zweiten Kältekreislauf wurde die Wärme am Kondensator an die Heizungsanlage abgegeben. Die in der Wärmepumpe integrierte Heizungsumwälzpumpe sorgte für die Wärmeabgabe an den Heizungskreislauf.

Vor Ort angekommen, wurde mir vom Betreiber die Wärmepumpe im Haus und die ausgebaute Heizungsumwälzpumpe vorgestellt. Die Wärmepumpenanlage hinterließ bereits auf den ersten Blick keinen überzeugenden Eindruck.

Bild 2.5.9.1: Luft-Wasser-Wärmepumpe, Innengerät
Quelle: J. Bonin

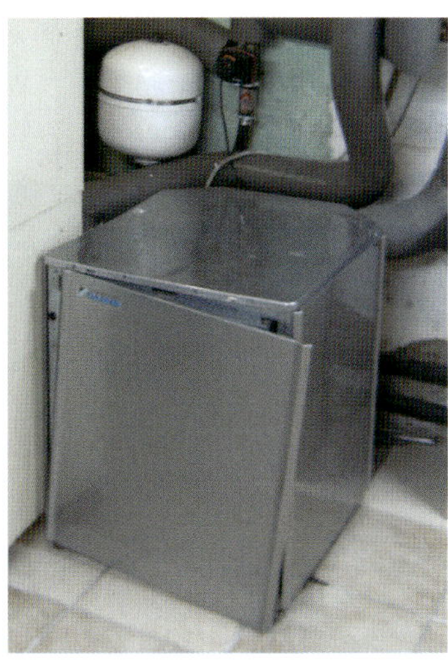

Bild 2.5.9.2: Heizungsumwälzpumpe
Quelle: J. Bonin

Die Heizungsumwälzpumpe hatte einen Stromanschluss mit einer Spannungsversorgung von 300 V DC, also Gleichspannung, und ebenso eine Steuerspannung zur Drehzahlregelung von 10–50 V DC, also ebenfalls Gleichspannung. Ich musste die Pumpe zwecks Prüfung mitnehmen und erkundigte mich beim Hersteller nach den zuvor genannten Spannungen. Demnach hatte ich nur die Option, die Pumpe wieder einbauen zu lassen, um sie prüfen zu können. Jedoch war das Budget aus dem Auftrag hierfür zu gering. Also bat ich das Gericht um einen weiteren Kostenvorschuss. Dieser wurde von den Beteiligten verständlicherweise abgelehnt. Somit schlug ich dem Gericht vor, die Pumpe mechanisch zu prüfen, und in dem Zusammenhang wies ich auch darauf hin, dass diese anschließend möglicherweise nicht mehr elektrisch geprüft werden kann. Dem wurde stattgegeben. Also baute ich die Pumpe auseinander.

Und das Pumpenlaufrad mit dem Anker und der Welle:

b)

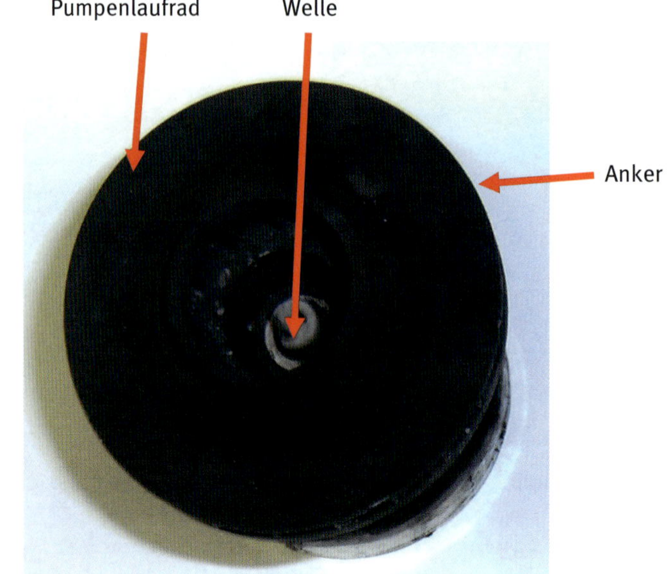

Bild 2.5.9.3: Pumpenteile
Quelle: J. Bonin

Das Pumpenlaufrad mit der Welle und dem Anker mit dem Permanentmagneten bilden quasi eine Einheit. Nachdem ich die Umwälzpumpe geöffnet hatte, stellte ich fest, dass sich der Anker mit dem Laufrad nur mit größerer Kraftaufwendung per Hand drehen ließ und dabei die Welle im Anker stehen blieb. Der Anker mit dem Pumpenlaufrad dreht sich bei ordnungsgemäßem Betrieb um die Welle. Der Anker saß jedoch fest. Damit war nachgewiesen, dass die Heizungsumwälzpumpe mechanisch defekt war.

Das Gehäuse dient als Stator, in dem ein magnetisches Drehfeld mittels Spule erzeugt wird, welches den Anker mit einem Permanentmagneten in eine Drehbewegung versetzt. Am Anker ist dann das Pumpenlaufrad befestigt, welches das Heizungswasser pumpen bzw. in einem Kreislauf umwälzen soll – daher rührt der Name Heizungsumwälzpumpe. Umwälzpumpen sind in der Regel so ausgelegt, dass sie eine gewisse Wassermenge fördern können, wobei es nicht erforderlich ist, einen hohen Druck aufzubauen. Um einen hohen Druck aufbauen zu können, ist ein starker Motor erforderlich. Das ist bei kleineren Umwälzpumpen wie hier nicht erforderlich. Folglich muss der Anker leicht drehbar sein.

So konnte ich letztlich doch bestimmen, dass die Heizungsumwälzpumpe defekt ist.

Wie hätte dieser Defekt vermieden werden können? Der Kunde verlor nach mehreren Reparaturversuchen das Vertrauen in den Handwerker. Nachdem seine Wärmepumpe wieder in Betrieb genommen wurde, festigte sich der Verdacht, dass die Heizungsumwälzpumpe nicht hätte ausgetauscht werden müssen. Hätten die beiden Parteien rechtzeitig miteinander geredet, wäre der Streit möglicherweise vermeidbar gewesen.

2.6 Fehler Elektrotechnik

Auch beim Elektroanschluss können Fehler passieren, die zu Fehlfunktionen oder gar zu Störungen führen können, wie nachfolgend gezeigt wird.

2.6.1 Starkstromanschluss – Absicherung und Drehrichtung

Fast alle Wärmepumpen werden an Starkstrom, d. h. 400 V Drehstrom angeschlossen. Das ist erforderlich, weil der Kompressor eine ausreichende Stromversorgung braucht.

Die externe Absicherung der Wärmepumpe erfolgt über einen Drehstromsicherungsautomaten, die Betonung liegt auf „Drehstrom"-Sicherungsautomaten. Leider stelle ich immer wieder fest, dass Wärmepumpen mit drei einzelnen Sicherungsautomaten abgesichert werden. Das ist unzulässig und kann zu erheblichen Schäden am Elektromotor des Kompressors führen. Bei Einzelabsicherung besteht die Gefahr, dass nur ein Sicherungsautomat auslöst. Vorgeschrieben ist ein Drehstromsicherungsautomat, der bei einem Überstrom **allpolig** abschaltet. Ergänzend sei erwähnt, dass ein Sicherungsautomat ein Leitungs- und Kurzschlussschutz ist. Er schützt nicht den Elektromotor des Kompressors vor Überlast. Dazu ist ein zusätzlicher Motorstromschutzschalter erforderlich, der meistens in der Wärmepumpe integriert ist.

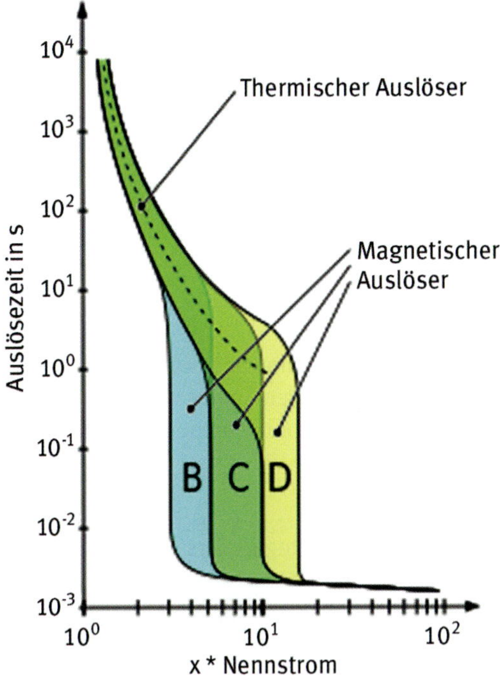

Bild 2.6.1.1: Sicherungskennlinien
Quelle: Eaton-Möller

Bei der Auswahl des richtigen Drehstromsicherungsautomaten ist zu berücksichtigen, dass die Kompressoren beim Einschalten und Anlaufen einen recht hohen Strom ziehen. Dabei sind die entsprechenden Auslösecharakteristiken zu beachten. Es gibt folgende Auslösecharakteristiken:

B: Standard-Leitungsschutz

C: Für höheren Einschaltstrom (Maschinen, Lampengruppen)

D: Stark induktive oder kapazitive Last: Transformatoren, Magnete, Kondensatoren

Für Wärmepumpen ist in der Regel die D-Charakteristik erforderlich, weil der Anlaufstrom dem eines Schweranlaufes entspricht und damit eine stakt induktive Last darstellt. Eine Absicherung über Schmelzsicherungen ist ebenfalls unzulässig, weil damit auch keine allpoilge Abschaltung gewährleistet ist.

Ein Leitungsschutzschalter mit einer B-Charakteristik löst bereits bei 2- bis 4-fachem Nennstrom aus, wohingegen ein Leitungsschutzschalter mit einer D-Charakteristik erst bei 10- bis 15-fachem Nennstrom auslöst.

Wie bereits erwähnt, ist zum Schutz des Kompressor-Motors gegen Überlast ein Motorschutzschalter erforderlich. An diesem Motorschutzschalter ist der max. zulässige Strom einzustellen, damit dieser nicht überschritten werden kann.

Die meisten Wärmepumpen werden mit Drehstrom betrieben. Dabei ist unbedingt die Drehrichtung zu beachten, weil ansonsten die Drehstrompumpen nicht richtig arbeiten und insbesondere der Kompressor bis zum Totalschaden beschädigt werden kann. Eine falsche Drehrichtung kann man mit einem geübten Gehör auch am Geräusch feststellen. Dazu ist mir folgender Fall bekannt:

Es wurde aufgrund eines Zeitdruckes eine Sole-Wasser-Wärmepumpenanlage provisorisch in Betrieb genommen. Dabei war die Drehrichtung am Baustellenverteiler falsch. Beim Einschalten der Wärmepumpe fiel die falsche Drehrichtung auf. Weil der Fachhandwerker vor der Wärmepumpe stand, tauschte der zwei Kabel innerhalb der Wärmepumpe und korrigierte damit die falsche Drehrichtung des Kompressors. Ein paar Wochen später war dann die Elektroinstallation so weit hergestellt, dass die Wärmepumpe fest angeschlossen werden konnte. Der Elektriker schloss die Wärmepumpe dann an die Verteilung an und schaltete diese ein. Er beachtete dabei weder die Drehrichtung am Kompressor, noch prüfte er diese und achtete auch nicht auf die geänderten Laufgeräusche des Kompressors. Die Wärmepumpe lief eine Nacht, dann ging der Kompressor defekt. Das Problem für den Kompressor war, dass er vom Kältemittel nicht richtig gekühlt und nicht ausreichend mit Öl geschmiert wurde. Die Folge war letztendlich ein Totalschaden des Kompressors und eine teure Reparatur.

Wie hätte dies vermieden werden können?

Hier wurden zwei Fehler gemacht: Der erste Fehler lag darin, dass der Handwerker bei der provisorischen Inbetriebnahme die Drehrichtung innerhalb der Wärmepumpe anpasste und nicht extern. Die Wärmepumpe ist ein fertiges Produkt und sollte allein schon aus Gründen der Gewährleistung nicht verändert werden. Der zweite Fehler war der, dass der Elektriker die Drehrichtung am Drehstrommotor, insbesondere am Kompressor nicht kontrollierte und die Wärmepumpe ohne Überprüfung der Drehrichtung einfach einschaltete.

2.6.2 Fühler

Fühler sind Sensoren, die bei Wärmepumpenanlagen in erster Linie zur Erfassung von diversen Temperaturen für den Regler dienen. Anhand der gemessenen Temperaturen kann der Regler dann die Gesamtanlage regeln und diverse Stellglieder und Pumpen ein- oder ausschalten. Dabei sind folgende Fehler möglich:

- Vertauschen diverser Fühler

  Wenn es sich dabei um zwei gleiche Fühler handelt, kann der Regler dies nicht feststellen. Die Folge sind Fehlfunktionen.

  Sind z.B. die Fühler für den Warmwasser- und Pufferspeicher vertauscht, führt dies zu einer Hochdruckstörung. In der Regel hat die Warmwasserbereitung Vorrang. Der Regler der Wärmepumpe wird den Warmwasserspeicher laden und misst dafür real aber die Temperatur im Pufferspeicher, die sich nicht ändert. Die Folge ist, dass der Warmwasserspeicher immer weiter erwärmt wird, bis die Wärmepumpe wegen Überschreitung einer Maximaltemperatur oder einer Hochdruckstörung abschaltet.

- Leitungsbruch

  Hier ist zwischen Leitungsbruch von Versorgungsleitungen zur Wärmepumpe oder zu Stellgliedern oder zu Sensoren zu differenzieren.

  Sind Versorgungsleitungen beschädigt, funktioniert die Wärmepumpe erst gar nicht oder die Stellglieder reagieren nicht. Ggf. kann es zu Kurzschlüssen kommen. Diese Fehler sind in der Regel recht einfach zu detektieren.

- Defekter Fühler und Sensoren

  Ausfälle von Fühler und Sensoren sollten vom Regler erkannt und als Fehlermeldung angezeigt werden. Es muss dabei nicht zwangsläufig zur Abschaltung der Wärmepumpe führen, soweit Sicherheitsaspekte nicht dagegen sprechen. Die in der Wärmepumpe integrierten Niederdruck- und Hochdruckschalter sind Sicherheitsbegrenzer und daher als Öffner ausgelegt. D. h., dass sie im Falle einer Störung öffnen und die Wärmepumpe abschalten. So kann es auch bei einem Leitungsbruch nicht zu sicherheitsrelevanten Problemen kommen.

- Falsche Platzierung von Fühlern

  Wie oben bereits geschildert kann der Regler ein Vertauschen von gleichen Fühlern nicht erkennen. Es gibt aber auch diverse unterschiedliche Fühlerwerte, z. B. Pt 100 oder Pt 1000. Ein Widerstandsfühler Pt 100 hat einen Widerstand von 100 Ω bei 0 °C und ein Widerstandsfühler Pt 1 000 hat bei 0 °C einen Widerstand von 1 000 Ω. Wird ein falscher Widerstandsfühler angeschlossen, wird dies von vielen Reglern erkannt und als Fehler gemeldet.

  Eine weitere Möglichkeit besteht in der falschen Platzierung eines Fühlers. Hier kommt es gelegentlich vor, dass der Fühler für den Warmwasserspeicher mit einem innenliegenden Rohrwärmetauscher zu tief am Warmwasserspeicher befestigt wird. Das kann dann bei der Warmwasserbereitung zu einer Hochdruckstörung führen, weil die effektive Wärmetauscherfläche mit zunehmender Warmwasserladung abnimmt – vergl. Kapitel „Hochdruckstörung".

EVU-Sperre 2.6.3

Die EVU-Sperre berechtigt das EVU (Energieversorgungsunternehmen), die Wärmepumpen innerhalb seines Versorgungsnetzes zu den Spitzenlastzeiten vom Netz abzuschalten. Das sind meistens etwa 4 Stunden pro Tag zu verschiedenen Tageszeiten. Die Abschaltung kann über ein fest in der Zählertafel installiertes Zeitrelais oder über ein externes Steuersignal erfolgen. Dies gibt das EVU dann vor. Damit die Wärmepumpe zu diesen Zeiten den Kompressor verriegelt, muss das Signal auch am Regler angeschlossen werden. Innerhalb dieser Sperrzeiten schaltet dann der Regler der Wärmepumpe den Kompressor nicht ein. Der Regler arbeitet jedoch weiterhin und regelt alle Stellglieder, wie Heizungsumwälzpumpe, Mischermotor etc. Das Gebäude wird weiterhin mit Wärme, z. B. aus dem Pufferspeicher, versorgt.

Wird aufgrund des fehlenden Signals der EVU-Sperre die Wärmepumpe nicht abgeschaltet, kann das dazu führen, dass die Wärmepumpe auch in diesen Zeiten arbeitet und der dann gebrauchte Strom zum Hochstromtarif abgerechnet wird. Dies setzt einen Zweistromtarifzähler voraus. Das kann dann die Heizkosten empfindlich erhöhen.

Kurzschlüsse durch Kondensatwasser 2.6.4

Hierzu kann ich von einem Fall berichten, wo es im Sommer regelmäßig zu Kurzschlüssen kam. Die Ursache war nicht sofort erkennbar. Bei genauer Untersuchung war dann festzustellen, dass sich an der Soleleitung an einigen unisolierten Stellen Kondensatwasser bildete. Dieses Kondensationswasser tropfte dann auf den Anschlusskasten der Soleumwälzpumpe. Kondensatwasser ist vergleichbar mit destilliertem Wasser. Es hat eine niedrige Oberflächenspannung, sodass es leicht in den Anschlusskasten gelangte. Dort kam es dann zu Kurzschlüssen.

Wie lassen sich solche Störungen vermeiden?

Grundsätzlich sollten Soleleitungen mit einer diffusionsdichten Isolierung versehen werden. Diffusionsdicht, damit keine Feuchtigkeit in die Isolierung eindringen kann. Wenn dann noch Stellen verbleiben, an denen sich Kondensatwasser bilden kann, ist bei der Installation darauf zu achten, dass eventuell tropfendes Kondensationswasser nicht zu Störungen in elektrischen Aggregaten führen kann. Grundsätzlich sollten Soleleitungen so installiert und isoliert werden, dass sich möglichst kein Kondensatwasser bilden kann, denn genau das sollte vermieden werden.

Zu beachten ist, dass bei erheblicher Schwitzwasserbildung dieses zu Bauschäden und Schimmelpilzbildung führen kann. Dies muss auf alle Fälle vermieden werden.

Kein Sanftanlasser bei Großanlagen/Außenbereich 2.6.5

Hier wurde eine Wärmepumpe mit einer Leistung von fast 40 kW im ländlichen Bereich installiert. Die Stromversorgung wurde über eine längere Überlandleitung eingespeist. Beim Anlauf des Kompressors der Wärmepumpe war die Strombelastung so stark, dass das Netz für eine kurze Zeit zusammenbrach. Das war auch sehr deutlich bei der Beleuchtung erkennbar, die beim Einschalten der Wärmepumpe kurz dunkler wurde.

Was passierte hier?

Der Anlaufstrom für den Kompressor betrug bei 400 V bei dieser Wärmepumpe fast 200 A! Das ist schon beachtlich. Aufgrund des sehr hohen Anlaufstromes erhöhte sich der Spannungsabfall über die lange Versorgungsleitung erheblich. Folglich verringerte sich die Spannung am Hausanschluss entsprechend erheblich. Das zeigte sich deutlich daran, dass beim Anlauf der Wärmepumpe das Licht kurzzeitig deutlich dunkler wurde. Dies kann im Extremfall dazu führen, dass die Wärmepumpe nicht störungsfrei startet.

Wie kann das verhindert werden?

Bei hohen Leistungen ist ein Sanftanlasser zu empfehlen. Durch den Sanftanlauf wird der Strom deutlich reduziert, indem die Wärmepumpe langsamer, also sanft, anläuft.

2.6.6 Kein UV-beständiges Kabel bei Außenanschlüssen

Bei außenstehenden Luft-Wasser-Wärmepumpen ist des Öfteren festzustellen, dass nicht UV-beständige Kabel zum Teil frei verlegt werden. Eine Luft-Wasser-Wärmepumpe trafen wir an, die mit einfachen Elektrokabel NYM 5 × 2,5 mm^2 angeschlossen war. Das ist falsch und führt langfristig zwangsläufig zu Kurzschlüssen. Für den Kabelschutz vor äußere Beschädigungen sind zumindest Kabelkanäle vorzusehen und UV-beständige Kabel zu verwenden.

Bild 2.6.6.1: Unzulässige Elektroinstallation einer Luft-Wasser-Wärmepumpe
Quelle: Sachverständigenbüro Michael Hänsch

Bei einer mit einem Kooperationspartner besichtigten Wärmepumpenanlage stellten wir zudem noch fest, dass scharfkantige, nicht wasserdichte Kabeldurchbrüche anzutreffen waren sowie Wanddurchführungen nicht sachgerecht abgedichtet wurden. Dort kann eindringendes Wasser in die Wärmepumpe zu deren Beschädigung bis zu möglichen Kurzschlüssen und über die undichten Wanddurchführungen zu Bauschäden durch Feuchtigkeit führen. Auffällig sind auch die herunterhängenden Kabel an der oberen Wanddurchführung, was ebenfalls unzulässig ist. Auch die Wanddurchführungen der Rohre sind zu beanstanden, weil sie nicht wasserdicht ausgeführt wurden. Kaum auszudenken ist, wenn hier Kinder im Garten spielen und durch einen Stromschlag verletzt würden oder gar zu Tode kämen.

2.6.7 Eine Wohneinheit von zwei wird nicht richtig warm

Hierbei handelt es sich um ein Doppelhaus mit zwei Wohneinheiten. Jede Wohneinheit erhielt eine separate Wärmepumpe. Weil die Wohneinheiten unterschiedlich groß waren, waren auch die Leistungen der Wärmepumpen unterschiedlich. Sie wurden beide in einem Kellerraum installiert. Als es kalt wurde, stellte sich heraus, dass die größere Wohneinheit nicht richtig warm wurde. Die Beheizung der kleineren Wohneinheit dagegen war problemlos. Bei einer Überprüfung stellte sich dann heraus, dass die beiden Wärmepumpen einfach nur vertauscht wurden, weil die beiden Wärmepumpen äußerlich gleich aussahen.

2.6.8 Zuschaltung der Elektrozusatzheizung

Viele Wärmepumpen besitzen integrierte Elektroheizstäbe. Diese schalten sich automatisch zu, wenn die Heizleistung der Wärmepumpe unzureichend ist und an kalten Tagen die gewünschte Raumtemperatur allein mit ihr nicht zu erreichen ist.

Nun hatte ich es mit einem Fall der besonderen Art bei Zuschaltung eines Elektroheizstabs zu tun – inklusive der Nachwirkungen bei der Fehlersuche und einem daraus resultierenden Gerichtsprozess. Doch lesen Sie der Reihe nach:

Das Energieversorgungsunternehmen (EVU) hat für die Wärmepumpe, die mit Strom zum günstigen Wärmepumpentarif betrieben wird, eine Sperrzeit eingerichtet. In dieser Sperrzeit wird die Wärmepumpe abgeschaltet, um das Stromnetz zu entlasten. Der Energieversorger unterbricht die Drehstromeinspeisung mittels eines Leistungsschützes. Es sollte also keine geregelte Abschaltung mittels eines EVU-Kontaktes über den Regler der Wärmepumpe erfolgen, sondern über die Unterbrechung der Drehstromeinspeisung.

Dadurch inspiriert hatte der Handwerker, der diese Luft-Wasser- Wärmepumpe installierte, eine eigentlich pfiffige Idee: Beim Abschalten mittels EVU-Kontakt sollte sich automatisch der Elektroheizstab zuschalten, sodass das Gebäude stets mit Wärme versorgt ist.

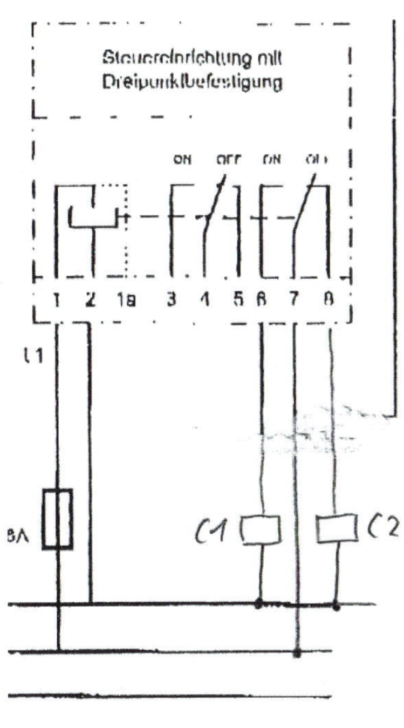

▸ **Bild 2.6.8.1:** Missbräuchliche Verwendung des EVU-Kontaktes
Quelle: J. Bonin

Bei meiner Ortsbesichtigung machte ich dann folgende Feststellungen:

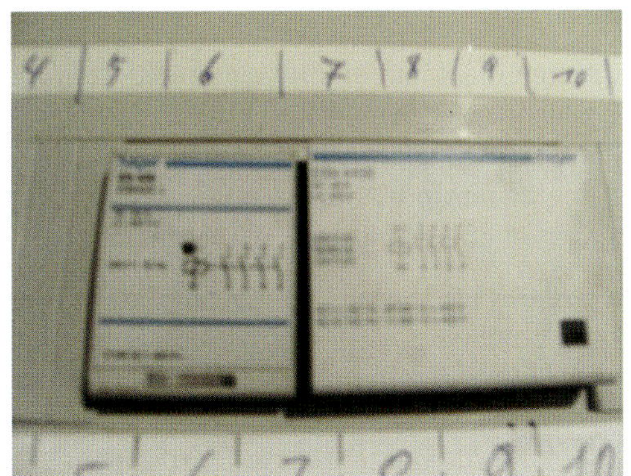

Bild 2.6.8.2: Die Leistungsschütze in der Zählertafel
Quelle: J. Bonin

Platz Nr.	
5	Schaltschütz Heizstab
6	Schaltschütz Heizstab
7	Schaltschütz Kompressor
8	Schaltschütz Kompressor
9	Schaltschütz Kompressor
10	
11	
12	Wärmepume Brauchwasse
13	Steuerung + Schaltuhr Wä

Bild 2.6.8.3: Die Legende in der Zählertafel
Quelle: J. Bonin

Die vorgenommene Einstellung widerspricht aus folgenden Gründen der üblichen Anwendung sowie den allgemeinen Regeln der Technik:

1. Eine abrupte Unterbrechung der Drehstromversorgung ist nicht üblich und auch nicht fachgerecht. Üblich ist eine Abschaltung mittels eines EVU-Signals am digitalen Eingang eines Reglers. Um dies besser zu verstehen, verweise ich auf das erste Kapitel dieses Buches „Grundlagen zur Wärmepumpentechnik".

   Während des Betriebs einer Wärmepumpe presst der Kompressor das Kältemittel zum Verflüssiger. Das Kältemittel hat nun einen hohen Druck und eine hohe Temperatur. Man spricht von Heißgas. Das Kältemittel, welches durch den Druck des Kompressors heiß und gasförmig ist, gelangt in den Verflüssiger, erfährt dort eine Abkühlung und kondensiert. Das Kältemittel ändert seinen Aggregatzustand von gasförmig in flüssig. Das dann kühlere und flüssige Kältemittel wird unter hohem Druck durch das Expansionsventil gedrückt. Dabei erfährt es eine starke Druckminderung und kühlt stark ab. Strömt dann das kalte und flüssige Kältemittel in den Verdampfer, nimmt es Wärme aus der Umwelt (hier aus der Außenluft) auf und verdampft. Nachdem das Kältemittel den Verdampfer verlassen hat, ist es dann wieder gasförmig. Dieses gasförmige, kühle Kältemittel wird nun im Kompressor angesaugt und wieder verdichtet. Dabei erwärmt es sich wieder stark (Heißdampf).

Und nun betrachte ich den Kältekreislauf beim abrupten Abschalten. Der Kompressor steht nach der Abschaltung durch den Energieversorger plötzlich still. Hinter ihm steht das heiße Kältemittel mit einem hohen Druck an. Es kann nicht wieder über den Kompressor zurück gelangen. Ist die Spannung abrupt abgeschaltet, steht auch die Heizungsumwälzpumpe still, die vom Regler der Wärmepumpe bedarfsgerecht ein- und ausgeschaltet wird. Folglich kann über den Verflüssiger keine Wärme mehr abgegeben werden. Folglich kann das heiße Kältemittel mit seinem hohen Druck nicht entweichen, weil mit der Wärmepumpe aufgrund der abrupten Stromunterbrechung auch der Ventilator steht. Somit wird dem Verdampfer keine Wärme aus der Umwelt mehr zugeführt. Das am Verdampfer anstehende Kältemittel kann nicht mehr verdampfen. Somit dauert es erheblich länger, bis der Kältemittelkreislauf wieder ins Gleichgewicht kommt. Kältemaschinen, dazu gehören auch Wärmepumpen, sollten nach einer Abschaltung über einen längeren Zeitraum stillstehen, damit sich ein Gleichgewichtszustand einstellt. Das ist jedoch nur mit einer gesteuerten EVU-Abschaltung über den Regler einer Wärmepumpe möglich, vorausgesetzt, er hat einen EVU-Kontakt. Weiterhin erhöhen sich bei einer ungeregelten abrupten Abschaltung auch Wärmeverluste. Um dies zu vermeiden, sollte eine Abschaltung ausschließlich über einen EVU-Kontakt erfolgen. Bei einer geregelten EVU-Abschaltung wird zunächst der Kompressor abgeschaltet. Die Heizungsumwälzpumpe sowie der Ventilator laufen jedoch weiter nach. Das heiße Kältemittel am Verflüssiger kann so seine Wärmeenergie noch an die Heizungsanlage abgeben und verflüssigt sich dabei so lange, bis kein heißes gasförmiges Kältemittel mehr vorhanden ist. Am Verdampfer wird durch den nachlaufenden Ventilator noch Wärme aus der Umwelt aufgenommen und so stellt sich sehr viel schneller ein Gleichgewichtszustand ein und die vorhandene Wärmeenergie wird an die Heizungsanlage abgegeben, was dem Gesamtwirkungsgrad der Wärmepumpenanlage zugutekommt.

Dieser Vorgang zeigt, dass eine Wärmepumpe fachgerecht immer über einen EVU-Kontakt abzuschalten ist. Eine abrupte Abschaltung ist nicht sachgerecht. Sie stresst das Material unnötig, was zu einer früheren Alterung und Verkürzung der Lebensdauer der Wärmepumpe führt. Und vor allem geht Energien durch eine abrupte Abschaltung verloren. Deswegen haben die mir bekannten Wärmepumpenregler einen solchen EVU-Kontakt.

2. Andernfalls steht die Schaltung im Widerspruch zu DIN EN 15450. Diese besagt, dass eine Wärmepumpenanlage möglichst effizient arbeiten soll. Bei Luft-Wasser-Wärmepumpen dürfen maximal bis zu 5 % nicht regenerativer Energien zur Unterstützung eingesetzt werden. Bei dieser Luft-Wasser-Wärmepumpe verhält es sich hingegen ganz anders, wenn 4 h pro Tag der Elektroheizstab zugeschaltet wird. 4 h/d von 24 h/d entsprechen 16,7 % und damit ist der Anteil mehr als 3-mal höher als zulässig.

Dieser Fehler hatte weitreichende Folgen: Nach einigen Jahren Betriebszeit wechselte der Energieversorger einen Zähler. Ein paar Wochen danach fiel die Luft-Wasser-Wärmepumpe aus. Ein herbeigerufener Servicetechniker diagnostizierte dann einen Fehler in einer Platine. Doch nach dem Austausch derselben arbeitete die Wärmepumpe immer noch nicht wie erwartet. Es wurde festgestellt, dass bei einem EVU-Signal dieser Wärmepumpe der Kompressor abgeschaltet und der Elektroheizstab zugeschaltet wurde. Der Sericetechniker folgerte daraus einen Verdrahtungsfehler und protokollierte dies. Der Betreiber, ein Laie bezüglich Wärmepumpen, interpretierte als Ursache für den Verdrahtungsfehler den Zählerwechsel. Weil der Betreiber seitdem im Kalten saß, suchte er sein Recht und Schadenersatz. Weil der Verursacher des Schadens im Unklaren lag, kam es zu einem langen, umfangreichen Gerichtsprozess mit zahlreichen Beteiligten. Die Kosten dieses Gerichtsprozesses übersteigen bei Weitem die Kosten für eine sachgerechte Reparatur.

Weiterhin war in dem Rechtsstreit zu klären, ob die Wärmepumpe durch das abrupte Abschalten einen unmittelbaren Schaden erleiden kann. Dies ist jedoch ausgeschlossen. Wärmepumpen, wie alle elektrischen Geräte, dürfen keinen unmittelbaren Schaden erleiden, wenn der Strom ausfällt, sei es durch eine Stromunterbrechung oder durch eine Sicherungsauslösung eines FI-Schalters (Fehlerstromschalters) oder auch durch die Abschaltung eines Stromversorgers.

Blanke Kabel 2.6.9

Bei einer Wasser-Wasser-Wärmepumpenanlage wurde für die Gartenberegnung ein Ausdehnungsgefäß mit einem Druckschalter installiert. Vom Druckschalter wurde die Kappe nicht ordnungsgemäß verschraubt und es ragte ein Kabel mit blankem Ende heraus. Das ist grob fahrlässig.

Bild 2.6.9.1: Grob fahrlässige Elektroausführung
Quelle: J. Bonin

Parametrisierung und Einstellungen am Regler, Auswirkungen auf die Wiedereinschaltverzögerung 2.7

In der Regel haben Wärmepumpen eine mehr oder weniger komfortable und komplexe Regelung. Der integrierte Regler übernimmt die technischen Regelfunktionen der Wärmepumpe als auch die Regelung der Heizungsanlage. Er ist oftmals vom Hersteller voreingestellt, sodass vor Ort nur noch wenige Feineinstellungen erforderlich und empfehlenswert sind. Bei etlichen Herstellern übernimmt der Werkskundendienst diese Feineinstellungen. Bei der Inbetriebnahme müssen die zum Regeln festgelegten Parameter mit Informationen angereichert werden. Es besteht die Gefahr für den Fachunternehmer, falsche Daten einzugeben. Die Wärmepumpenanlage funktioniert dann nicht optimal und erreicht nicht ihre maximale Effektivität. Bei erheblichen Einstellfehlern kann dies zu sich wiederholenden Störungen führen.

So unterschiedlich die Regler sind, so vielseitig sind auch die Fehlermöglichkeiten in der Einstellung. In der Regel haben die Regler mehrere Programmierebenen, die mit einem Rechtemanagement verknüpft sind. Über die Bedienerebene hat der Betreiber der Wärmepumpe Zugriff auf die für ihn relevanten Werte und Parameter. Änderungen auf der Bedienebene führen meistens nicht zu Störungen oder Ausfällen. Im ungünstigsten Fall wird der Wirkungsgrad geändert oder es wird nicht richtig warm. Darüber hinaus gibt es eine weitere Ebene, auf die nur der Fachmann zugreifen kann und sollte. Diese Ebene bietet dem Fachmann die Möglichkeit, die Wärmepumpe optimal einzustellen. Die fehlerhafte Dateneingabe verhindert den optimalen Betrieb oder verursacht Störungen. Daher ist hier eine umfangreiche Kenntnis über die Auswirkungen der Veränderungen der jeweiligen Einstellungen vonnöten. Vorschnelle oder unüberlegte Eingaben oder Änderungen können ggf. Funktionen beeinträchtigen oder gar zu Fehlfunktionen und erheblichen Schäden führen. Nachfolgend zeige ich Beispiele für Einstellungen von Reglern auf:

Temperatureinstellungen

Bei verschiedenen Reglern können bis zu drei Raumtemperaturen eingegeben werden, die Frostschutztemperatur, die Absenktemperatur und die Normaltemperatur. Um eine Raumtemperatur regeln zu können, ist auch eine Fernbedienung in einem Referenzraum erforderlich. Als Referenzraum dient oftmals ein Wohnzimmer, es kann jedoch auch ein anderer Raum sein.

Frostschutztemperatur

Die Frostschutztemperatur oder auch Mindesttemperatur kann z. B. für ein Ferienprogramm sinnvoll sein. So ist in einer kälteren Jahreszeit gewährleistet, dass das Haus bei Abwesenheit stets so beheizt wird, dass kein Frostschaden entsteht, aber das Haus bis zu dieser Temperatur auskühlen darf, um Energie zu sparen. Je nach Regler können für Warmwasser und Raumtemperatur unterschiedliche Werte eingegeben werden.

Absenktemperatur

Die Absenktemperatur ist die Raumtemperatur, die im Absenkbetrieb eingeregelt wird. Sie liegt oftmals 2 °C bis 3 °C unter der Normaltemperatur. Wird der Regler auf „Absenkbetrieb" eingestellt, schaltet die Wärmepumpe zu Beginn eines Absenkbetriebs (z. B. um 21:00 Uhr) ab. Sie schaltet erst dann wieder ein, wenn die Absenktemperatur erreicht bzw. unterschritten ist. Das kann bei gut gedämmten Gebäuden einige Stunden dauern. Endet der Absenkbetrieb (z. B. um 05:00 Uhr), heizt die Wärmepumpe das Gebäude wieder bis zur Normaltemperatur auf. Je nach Regler können für Warmwasser und Raumtemperatur unterschiedliche Werte eingegeben werden. Bei den meisten Reglern können die Zeiträume für die Absenktemperatur für jeden Tag einzeln vorgegeben werden.

Achtung – bei sehr kalter Witterung kann es beim Absenkbetrieb durch eine längere Stillstandzeit dazu kommen, dass die Wärmepumpe, ähnlich wie bei der EVU-Sperre, zu lange abgeschaltet ist. Während dieser Zeit erfährt das Gebäude eine kontinuierliche witterungsbedingte Abkühlung. Bei recht knapp ausgelegten Wärmepumpen kann während eines längeren Absenkbetriebs das Gebäude so stark auskühlen, dass die übrig gebliebene Betriebszeit nicht mehr ausreicht, um das Gebäude ausreichend zu beheizen. Spätestens zu diesem Zeitpunkt sollte auf Dauerbetrieb umgeschaltet werden.

Normalraumtemperatur

Das ist die Raumtemperatur, die der Regler während des Normalbetriebs (auch Tagesbetrieb genannt) einregelt. Das ist in der Regel die Normtemperatur von Wohnräumen (20 °C). Es gibt jedoch auch Bewohner, die sich bei 20 °C Raumtemperatur nicht wohlfühlen. Sie sollten dann die Möglichkeit haben, eine etwas höhere Raumtemperatur einstellen zu können. Dazu müssen bei einer wohldimensionierten Wärmepumpenanlage genügend Reserven vorhanden sein.

- **Minimaltemperatur Verdampferaustritt**

  Dieser Wert dient dem Frostschutz insbesondere bei Wasser-Wasser-Wärmepumpen und Sole-Wasser-Wärmepumpen. Diese Temperatur sollte mit einem Fühler innerhalb des Verdampfers an der kältesten Stelle gemessen werden. Die werkseitige Einstellempfehlung sollte aus Sicherheitsgründen 5 °C betragen. Das entspricht einer Minimaltemperaturbegrenzung am Austritt des Verdampfers, um eine Vereisung mit Sicherheit zu vermeiden.

  Bei Wasser-Wasser-Wärmepumpenanlagen mit einer Systemtrennung, also einem Zwischenkreislauf mit Sole (ein Wasser-Glykol-Gemisch) zwischen der Wärmepumpe und dem Wärmetauscher zum Brunnenwasser, darf diese Temperatur auch etwas kleiner eingestellt werden. Je nach Auslegung des Wärmetauschers für die Systemtrennung sind Temperaturen zwischen –1 °C und 4 °C realistisch. Es muss in jedem Fall sichergestellt sein, dass im Wärmetauscher zur Systemtrennung das durchfließende Brunnenwasser nicht gefrieren kann.

  Bei Sole-Wasser-Wärmepumpen mit einer Systemtrennung empfiehlt sich eine Temperatur von –4 °C, weil die meisten Unteren Wasserbehörden in der Regel die Soletemperatur auf –3 °C begrenzen. Das hat mehrere Gründe:

  1. Der Boden um die Erdsonden oder Erdkollektoren soll nicht zu stark abkühlen. Wenn eine deutlich kleinere Begrenzungstemperatur eingestellt wird, besteht Vereisungsgefahr.
  2. Damit wird auch gleichzeitig verhindert, dass die Sole-Wasser-Wärmepumpe einen zu schlechten Wirkungsgrad hat.
  3. Auch die Glykolkonzentration der Sole kann dann entsprechend verringert werden, was den Wirkungsgrad verbessert und somit wiederum Betriebskosten spart.

Je nach eingesetztem Frostschutz kann die Glykolkonzentration Einfluss auf die Strömungsgeschwindigkeit haben, bei der die turbulente Strömung beginnt. Diese lässt sich anhand der Reynoldzahl berechnen.

4. Sollte sich die Wärmepumpe regelmäßig wegen der Unterschreitung der Mindesttemperatur abschalten, ist Folgendes zu prüfen:
   - bei Wasser-Wasser-Wärmepumpen der Wasserdurchfluss
   - bei Sole-Wasser-Wärmepumpen der Soledurchfluss sowie auch die Dimensionierung der Wärmequelle (Erdkollektor, Erdsonden etc.)

Sollten die Vorlauf- als auch die Rücklauftemperaturen gegen Ende einer Heizperiode deutlich unter 0 °C liegen, ist davon auszugehen, dass die Wärmequelle unterdimensioniert ist.

- **Vorlauftemperaturbegrenzung**

  Der Fühler für die Vorlauftemperaturerfassung liegt direkt hinter oder im Kondensator (Wärmetauscher). Mit der Maximalbegrenzung der Vorlauftemperatur schaltet sich die Wärmepumpe bei Erreichen ab, um eine Hochdruckstörung zu vermeiden. Die Abschaltung der Wärmepumpe über diese Vorlauftemperaturbegrenzung sollte nur im Ausnahmefall notwendig sein.

- **Minimalvorlauftemperaturbegrenzung**

  Diese Minimalvorlauftemperaturbegrenzung ist bei Wärmepumpenanlagen mit Kühlung einzustellen. Der Fühler zur Erfassung dieser Temperatur sollte hinter dem Mischer (bei gemischten Heizkreisen) oder an der Zuleitung zur Fußbodenheizung installiert werden. Sie begrenzt die minimale Vorlauftemperatur im Falle einer Kühlung über Flächenheizungen (Kühldecken, Fußboden- oder Wandflächenheizungen). Sie dient in erster Linie zur Vermeidung von Kondensationswasser an den Heizflächen oder im Verteiler.

  Die Kondensationstemperatur ist in erster Linie von der Luftfeuchtigkeit und somit auch vom Baumaterial des Gebäudes abhängig. Das heißt, hat das Mauerwerk des Gebäudes eine gute Aufnahmekapazität und Diffusionsmöglichkeit für die Feuchtigkeit, ist die Raumluft eher trocken, was dann tiefere Vorlauftemperaturen zulässt. Ist die Aufnahmekapazität der Raumluftfeuchtigkeit geringer, darf die Minimalbegrenzung nicht zu gering eingestellt werden. Die optimale Temperatur kann auch durch Tests herausgefunden werden. Einige Einzelraumregler für Fußbodenheizungen verfügen auch über eine separate Taupunktüberwachung, die bei Taupunktbildung den Flächen-Heizkreis schließt.

- **Heizkennlinie**

  Über die Heizkennlinie wird dem Regler die einzuregelnde Vorlauftemperatur in Abhängigkeit von der Außentemperatur vorgegeben. Mit der vom Außenfühler an den Regler übermittelten Außentemperatur errechnet sich der Sollwert für die Vorlauftemperatur.

  Hier erfährt man des Öfteren, dass insbesondere während der Übergangszeiten die Wärmepumpe anscheinend nicht die gewünschte Behaglichkeitstemperatur erzielt. Das liegt darin begründet, dass der Wärmeverlust über die äußere Gebäudehülle nicht allein von der Temperatur abhängt. Der Wärmeverlust hängt auch vom Wind und der Luftfeuchtigkeit ab. Wenn es regnet, wird die äußere Gebäudehülle feucht bis nass. Dazu aufkommender Wind verursacht eine größere Verdunstungskälte. Das Gebäude kühlt dann deutlich stärker als bei Trockenheit und Windstille aus.

- **Bauweise des Gebäudes**

  Die thermische Trägheit des Gebäudes ist ebenfalls zu berücksichtigen. Es wird z. B. zwischen leichter, mittlerer und schwerer Bauweise differenziert. Bei einer leichten Bauweise z. B. mit Porenbetonstein reagiert das Gebäude schneller auf eine Temperaturänderung, weil die aufzuheizende Masse geringer ist. Somit sollte dann auch die Flächen- oder Fußbodenheizung schneller reagieren. Handelt es sich um eine schwere Bauweise, z. B. mit Kalksandstein oder gebrannten Ziegeln, kann auch die Flächen- bzw. Fußbodenheizung träger reagieren. Dabei spielt natürlich auch die Dämmung des Gebäudes eine entscheidende Rolle. Je besser die Dämmung ist, desto träger reagiert ein Gebäude auf äußere Temperatur- und Witterungseinflüsse.

- **Wiedereinschaltverzögerung & Mindestlaufzeit**

  Mithilfe dieser Eingaben kann man die Lauf- und Stillstandzeiten einer Wärmepumpe wesentlich beeinflussen. Bekanntlich verlängert sich mit langen Lauf- (Mindestlaufzeit) und langen Standzeiten (Wiedereinschaltverzögerung) die Lebensdauer der Wärmepumpe erheblich. Schaltet die Wärmepumpe ein, dauert es eine gewisse Weile, bis sich ein stabiler Kältekreislaufprozess einschwingt, sodass die Wärmepumpe stabil läuft. Nach einer Abschaltung dauert es ebenfalls wieder einige Minuten, bis die Drücke einigermaßen ausgeglichen sind. Weitergehende Betrachtungen hierzu sind im „Handbuch Wärmepumpen – Planung und Projektierung" zu finden.

2.8 Fehler – oder doch nicht?

Wie in meinem Vorwort bereits erwähnt, arbeite ich auch als öffentlich bestellter und vereidigter Sachverständiger für Gerichte. Kommt es zu einer Beauftragung, erhalte ich vom Gericht eine Gerichtsakte mit den sogenannten Beweisfragen, siehe Kapitel 4, Sachverständigenwesen.

2.8.1 Umsonst gestritten

Nun zu meinem jüngsten Fall. Zunächst sah ich mir die Gerichtsakte an, notierte die Beweisfragen und überlegte, worin denn das Problem bestehen könnte. Meistens habe ich beim Lesen der Gerichtsakte schon eine gewisse Ahnung über die möglichen Ursachen.

Es geht um eine Sole-Wasser-Wärmepumpenanlage mit freier Kühlung. Eine der Beweisfragen lautete: *Der am Stromzähler notierte Stromverbrauch von Anfang November bis Ende Dezember betrug 1 845 kWh. Entspricht der daraus hochgerechnete jährliche Stromverbrauch mit 11 070 kWh/a dem üblichen Stromverbrauch einer vergleichbaren Wärmepumpe?* Es handelt sich dabei um ein größeres Einfamilienhaus mit einer Wohnfläche von 450 m^2. Bei einem Stromtarif von 25 ct/kWh wären dies immerhin 2 767,5 €/a. Das scheint in der Tat für hohe Heizkosten zu sprechen. Ist auf dem jungen Stromzähler nach zwei Monaten bereits ein Verbrauch von 1 615 kWh vermerkt, sehe ich die Euros zum Energieversorger fliegen. Allerdings wurde der Stromverbrauch allein zu Beginn der ersten Heizperiode abgebildet. Anhand von Wetterdaten, die man im Internet findet, ist erkennbar, dass es im November bereits deutlich kühler wurde. In den wärmeren Monaten wäre der Stromverbrauch sicher deutlich geringer ausgefallen. Hinzu kommt, dass auch das Trockenheizen des Estrichs in diesen Zeitraum gefallen ist.

Eine weitere Beweisfrage war: *Sind durch den Betrieb der Wärmepumpenanlage die Erdsonden vereist?* Da holte ich erst mal tief Luft und schmunzelte. Nun, die Sole-Wasser-Wärmepumpenanlage war neu und erst zwei Monate in Betrieb. Sollte es in diesem kurzen Zeitraum schon zu einer Vereisung kommen, müssten die Erdsonden extrem unterdimensioniert sein. Um mehr Sicherheit für die Erstellung meines Gutachtens zu erhalten, bat ich natürlich über das Gericht um Kopien der Rechnung des Bohrunternehmens, des Schichtenverzeichnisses sowie um eine Kopie der wasserrechtlichen Genehmigung. Anhand der Beschreibungen aus der Rechnung des Bohrunternehmens machte ich mir ein Bild vom Aufbau der Erdsonden. Anhand des Schichtenverzeichnisses erkannte ich die Bodenschichten und daraus konnte ich in etwa die Wärmeleistung ableiten. Die Erdsonden sind richtig dimensioniert. Die wasserrechtliche Genehmigung der Unteren Wasserbehörde sind für meine Analyse nicht zwingend erforderlich, jedoch sind hiermit eventuelle Ungereimtheiten oder Widersprüche erkennbar. Diese bestehen in diesem Fall allerdings nicht.

Eine weitere Frage, ob das Aufheizen des Estrichs oder das Trockenheizen des Gebäudes dies verursacht haben könnte, erübrigte sich damit.

Den Fehler für den scheinbar erhöhten Stromverbrauch hatte ich also noch nicht gefunden. Kann ich aus der Gerichtsakte Fabrikat und Typ der Wärmepumpe entnehmen, lade ich die Montage- und Bedienungsanleitung zur Wärmepumpe herunter, um vorab ein Bild von der Wärmepumpenanlage zu erhalten. Das dient zur Vorbereitung auf den Ortstermin. Der Antragsteller (der Kläger) wandte sich an das Gericht, weil er Mängel an der elektrischen Anlage und einen zu hohen Stromverbrauch der Wärmepumpe beanstandete. Bei dem Ortstermin sammelte ich Daten, nahm Fotos auf und erbat noch weitere Unterlagen zum Stromverbrauch. Oftmals erkenne ich vor Ort diverse Probleme, hier jedoch nicht. So fuhr ich mit den gesammelten Informationen wieder nach Hause und hatte immer noch keine Lösung parat.

Am nächsten Tag in meinem Büro begann ich mit dem Verfassen meines Gutachtens. Dazu gehören auch diverse Berechnungen. Ich sah mir die zuvor erbetene Heizlastberechnung genauer an. Auch hier konnte ich keine Ungereimtheiten feststellen. Die installierte Wärmepumpe passte sehr gut zur Heizlastberechnung. Gut, sie war etwas knapp ausgelegt. Da jedoch bei der Heizlastberechnung immer ein paar Reserven berücksichtigt sind und die Wärmepumpe gerade mal etwas, und wirklich nur etwas kleiner ausgelegt war, kam ich zu dem Ergebnis, dass sich dies nicht negativ auf die Heizkosten auswirken kann. Bei deutlich zu klein ausgelegten Wärmepumpen kann dies jedoch durchaus zutreffen. Das ist insbesondere dann so, wenn der Elektroheizstab zur Unterstützung automatisch zugeschaltet wird. Denn eine gute Sole-Wasser-Wärmepumpe hat zur Gebäudebeheizung beim Betriebspunkt S0/W35 (Sole = 0 °C und Vorlauftemperatur zum Heizen = 35 °C) durchaus einen COP von etwa 4,5 und zur Warmwasserbereitung beim Betriebspunkt S0/W55 einen COP von etwa 3,5. Ein Elektroheizstab hat einen COP von 1. Das bedeutet bei einem COP von 4,5, dass die Wärmepumpe für die Gebäudebeheizung aus 1 kW Strom 4,5 kW Heizleistung und für die Warmwasserbereitung aus 1 kW Strom 3,5 kW Wärme für die Warmwasserbereitung erzeugt. Beim Elektroheizstab wird aus 1 kW Strom auch nur 1 kW Wärme erzeugt. Schaltet sich der Elektroheizstab zu früh ein, fällt die Energieeffizienz im Durschnitt geringer aus und die Stromkosten sind unverhältnismäßig hoch. Bei der Ortsbesichtigung stellte ich fest, dass der Elektroheizstab im Stromverteiler abgeschaltet war, laut Aussage der Beteiligten seit der Installation. Daraus folgerte ich, dass der Elektroheizstab nicht die Ursache sein kann. Ich konnte also eine Berechnung nach der anderen erstellen und kam trotzdem immer wieder zu dem Ergebnis, dass die Wärmepumpenanlage, beginnend bei den Erdsonden über die Wärmepumpe und deren Einstellungen am Regler bis hin zur Wärmeverteilung über die Fußbodenheizung einschließlich der Warmwasserbereitung korrekt ausgelegt ist. Kurz, ich konnte keine Mängel feststellen.

Nachdem ich mein Gutachten verfasst hatte, telefonierte ich mit einem zweiten beteiligten Gutachter und teilte ihm mein Ergebnis mit. Er lachte, denn auch er fand keine gravierenden Mängel.

Wie kann es denn dazu kommen? Nun, dazu darf ich die Parteien bei einem Gerichtsgutachten ja nicht direkt befragen; also kann ich nur vermuten. Aber wenn man weiß, wie sich Menschen oftmals verhalten, kann man sich das gut vorstellen. Hier stelle ich mir das so vor, dass die Handwerker insgesamt gute Arbeit leisteten. Aber Handwerk ist nun einmal Handwerk – und dabei passieren sicher auch kleinere Fehler – oder vermeintliche Fehler. Dies verunsichert den Kunden und er bildet sich eine negative Meinung, die sich im Laufe der Zeit immer mehr verfestigt. Spricht der Kunde mit dem Handwerker und teilt ihm die vermeintlich festgestellten Fehler mit, wäre es zu empfehlen, dass der Handwerker die Bedingungen, die Installation und die technischen Einstellungen möglichst transparent erläutert. Gelingt es dem Handwerker nicht, den Kunden zu überzeugen, verfestigt sich bei ihm die Überzeugung, dass die Fehler real sind. Ich denke an die angeblich eingefrorenen Erdsonden, die hier sicherlich niemals einfrieren werden. Beim Kunden jedoch bleibt ein unsicheres Gefühl. Handwerker haben oftmals leider auch nicht die Zeit, die Fragen rund um das komplexe Thema Wärmepumpe vollumfänglich zu beantworten. Allerdings wäre dies eine gute zeitliche Investition, denn der zeitliche Aufwand für prozessuale Streitigkeiten ist größer und kostenintensiver.

Wäre gleich von Anfang an ein Sachverständiger hinzugezogen worden, hätte dieser das System prüfen, beschreiben und bewerten können. Da die Wärmepumpenanlage sich als mängelfrei erwies, hätte der Antragsteller den Gerichtsprozess so gut vermeiden können.

KG-Rohre oder doppelwandige Wellrohre 2.8.2

Einen ähnlichen Fall hatte ich hinsichtlich zweier bestehender Mängel bei einer Luft-Wasser-Wärmepumpe. Dabei wurden die Kälteleitungen zur Verbindung des Verdampfers (Außengeräts) mit der Kältetechnik (Innengerät) in ein doppelwandiges Wellrohr verlegt. Der berechtigte Mangel lag darin, dass Regen über das Wellrohr in den Keller lief, und da das Wellrohr nicht mit einem durchgehenden Gefälle zum Keller verlegt wurde, sammelte sich dort das Wasser und die Kälteleitungen lagen im Wasser. Der Kunde verwies auf die Montageanleitung, in der für die Kälteleitungen KG-Rohre vorgegeben waren. Daher hatte der Kunde die berechtigte Sorge, dass in einem Gewährleistungsfall der Hersteller auf eine in der Montageanleitung abweichende Montageart verweisen könnte und die Gewährleistung somit nicht gegeben ist. In einer technischen Klärung mit dem Hersteller konnte ich erreichen, dass das Wellrohr als eine gleichwertige Lösung akzeptiert wird und die Gewährleistung also nicht erlischt. Abschließend stimmten Hersteller und Installateur einer Verlängerung der Gewährleistung gem. VOB (Vergabe- und Vertragsordnung für Bauleistungen – 5 Jahre) für dieses Teilgewerk um weitere 2 Jahre zu. Ich verfasste zudem eine Besprechungsnotiz, in der die berechtigten Mängel bestätigt wurden. In der Besprechungsnotiz wurden außerdem die Fristen für die Mängelbeseitigung, die Art der Ausführung und die Nachweispflicht gegenüber dem Kunden dokumentiert, sodass der Kunde auch eine Sicherheit hat.

2.8.3 Kleine oder erhebliche Mängel?

In einem anderen Fall fragte mich ein Mandant, ob die von ihm festgestellten Mängel an seiner Luft-Wasser-Wärmepumpenanlage berechtigt seien. Die festgestellten Mängel waren berechtigt, doch es waren überwiegend handwerkliche Schönheitsfehler und zum Teil nicht fachgerecht erstellte Handwerksleistungen. Bei der Durchsicht der Unterlagen stellte ich weitere erhebliche Mängel fest, die der Betreiber erst gar nicht vermutet hatte. Diese Luft-Wasser-Wärmepumpenanlage war zu klein für das durchschnittlich große Einfamilienhaus (ca. 135 m^2) ausgelegt, weshalb der Stromverbrauch entsprechend hoch war. Der Regler der Wärmepumpe schaltete den Elektroheizstab aufgrund der zu kleinen Auslegung zu früh ein. Ich schrieb diesem Mandanten ein Gutachten, welches er als Gesprächsgrundlage mit seinem Bauträger nutzen kann. So bleibt die Hoffnung auf eine außergerichtliche Einigung. Und sollte dies misslingen, liegen dem Bauherrn bzw. seinem Anwalt bereits die richtigen Beweisfragen vor. So kann der nachfolgende Fehler hier vermieden werden.

2.8.4 Welche Mängel liegen denn tatsächlich vor?

Zu einer Luft-Wasser-Wärmepumpenanlage mit einer Heizleistung von 15 kW bei A-2/W35 erhielt ich eine Gerichtsakte mit Beweisfragen, die ich zu beantworten hatte. Auch hier ging es um einen vermeintlich zu hohen Stromverbrauch. Dieser Fall ist anders als die vorherigen gelagert. Es handelte sich um eine recht aufwendige Heizungsanlage, bestehend aus einer Luft-Wasser-Wärmepumpe und zwei großen Speichern, in die eine große Solarthermieanlage mit mehreren Vakuumröhrenkollektoren sowie ein Holzofen Warmwasser einspeisen. Der Antragsteller erhielt ursprünglich mehrere Angebote. Erstaunlicherweise wurden Wärmepumpen mit deutlich unterschiedlichen Heizleistungen angeboten. Wäre zu diesem Zeitpunkt ein Sachverständiger hinzugezogen worden, um die Angebote zu vergleichen, hätte dieser dem Mandanten eine fachlich fundierte Entscheidungshilfe geben können. Als Sachverständiger rechne ich nach Zeitaufwand ab, das heißt, dass mich nicht interessiert, ob die Anlage möglichst aufwendig und teuer ist – kurz, sie sollte optimal für den Betreiber sein. In diesem Fall war es dem Betreiber wichtig, Luxus zu genießen, aber möglichst nicht zulasten der Umwelt, was unbedingt löblich ist. Daher war auch eine große Fotovoltaikanlage zur Stromerzeugung installiert.

Wie erwähnt gab es zahlreiche Beweisfragen zu klären. Der Betreiber beauftragte eine Handwerksfirma mit dem Einbau der von ihm angebotenen Heizungsanlage. Nachdem die Anlage in Betrieb genommen wurde, erschreckten den Betreiber die hohen Stromkosten. Er suchte die Ursache und verglich noch einmal die Angebote. Der Installateur der Heizungsanlage bot im Vergleich zu den anderen Anbietern die leistungsstärkste Wärmepumpe an. Daraus folgerte der Antragsteller offensichtlich, dass die leistungsstärkere Wärmepumpe mehr Strom als kleiner ausgelegte Anlagen benötigt. Daraus entstand dann die Beweisfrage: *Benötigt eine Wärmepumpe mit einer größeren Heizleistung mehr Strom als eine Wärmepumpe mit einer kleineren Heizleistung?* Das ist eine interessante Frage, denke ich.

Im Winter kam dann oftmals der Holzofen zum Einsatz und gab eine behagliche Wärme im groß bemessenen Wohnraum ab. Ein großer Teil der vom Holzofen erzeugten Wärme wurde über Heizungsrohre in die Speicher eingespeist. Und wenn die Sonne schien, lud die thermische Solaranlage die Speicher mit Solarenergie auf. Doch wenn es im Winter kalt wurde, sich die Sonne hinter Wolken versteckte und der Holzofen nicht betrieben wurde, war es zu kalt im Haus. Daraus formulierte man eine Beweisfrage sinngemäß: *Warum wird es an bewölkten Tagen, ohne Betrieb des Holzofens, nicht richtig warm?* Ich schmunzelte mal wieder – und wissen Sie, warum? Schauen Sie sich mal die Beweisfragen genauer an. Ist die Wärmepumpe nun zu groß oder zu klein?

Weil die Bauherren nicht vom Fach sind, trieb sie die Sorge um, dass die Wärmepumpe zu groß ausgelegt sei und deswegen zu viel Strom benötigt. Ihr Anwalt formulierte zusammengefasst folgende Beweisfragen:

1. Benötigt eine Wärmepumpe mit einer größeren Heizleistung mehr Strom als eine Wärmepumpe mit einer kleineren Heizleistung?
2. Ist es richtig, dass eine überdimensionierte Wärmepumpe mehr Strom benötigt und daher zu häufig taktet und daher vorzeitig verschleißt?
3. Mindert eine fehlende thermische Solarenergienutzung die Jahresarbeitszahl JAZ?
4. Sind weitere Wärmeerzeuger Pelletofen mit Wärmetauscher und 6 Vakuumröhrenkollektoren so einzubinden, dass sie vorrangig die Umweltenergie aufnehmen?
5. Ist die so installierte Heizungsanlage fachgerecht geplant und installiert?
6. Bringt die Einstellung einer Mindestlaufzeit einen Energiestau und einen unnötigen Wärmeverlust mit sich?
7. Warum ist bei extrem kalter Witterung zusätzlich der Pelletofen mit Wärmetasche zu betreiben?
8. Sind die berechneten Kosten für einen zusätzlichen Pufferspeicher von 8 000,00 € brutto zu hoch?
9. Wie ist eine mangelfreie Heizungsanlage mit Einbindung dieser Wärmeerzeuger zu errichten und welche Kosten fallen an?

Der Beweisbeschluss des Gerichts enthielt weitere Beweisfragen, die ich als Sachverständiger zu beantworten hatte. Die eigentlichen Fragen der Bauherren sind mit den Fragen 1 und 2 vollständig abgedeckt. Doch ich ging davon aus, dass aufgrund einer guten juristischen Beratung die weiteren Beweisfragen formuliert wurden, um alle möglichen Fehler in der Heizungsanlage aufzudecken. Und so ist es, denn mit der 7. Frage sind weitere entscheidende Informationen verbunden, wie nachfolgend zu sehen ist. Doch nun der Reihe nach:

1. *Benötigt eine Wärmepumpe mit einer größeren Heizleistung mehr Strom als eine Wärmepumpe mit einer kleineren Heizleistung?*

   Zur Dimensionierung einer Wärmepumpenanlage ist grundsätzlich eine Heizlastberechnung gem. DIN EN 12831 erforderlich. Und weil es sich hier um ein großes Wohnhaus mit 5 Bädern mit Rainshower-Duschen und 10 Personen handelt, ist auch eine ordentliche Projektierung für die Warmwasserbereitung erforderlich. Diese Berechnungen bat ich mir auszuhändigen. Stattdessen erhielt ich eine vom Fachhandwerker erstellte und fragmentarische Heizlastberechnung, in der er für das Gebäude eine Heizlast von 20 kW berechnete. Die installierte Luft-Wasser-Wärmepumpe bietet bei einer Außentemperatur von –10 °C jedoch nur eine Heizleistung von 16,3 kW. Demnach wäre die installierte Luft-Wasser-Wärmepumpe ohnehin zu klein ausgelegt, um fast 20 %.

   Weitere Berechnungen von mir zeigten, dass die Wärmepumpe mit großer Wahrscheinlichkeit zu klein bemessen ist. Ich empfahl, die exakte Heizlast von einem TGA-Planungsbüro erstellen zu lassen.

2. *Ist es richtig, dass eine überdimensionierte Wärmepumpe mehr Strom benötigt und sie aus diesem Grund häufiger taktet und daher vorzeitig verschleißt?*

   Dies ist eine interessante Frage. Generell liegt der Stromverbrauch einer größeren Wärmepumpe im relativen Vergleich nicht höher als bei einer kleiner dimensionierten. Jedoch muss man physikalisch zwischen Leistung und Arbeit differenzieren. Natürlich benötigt eine größere Wärmepumpe mehr Strom als die kleinere, da ihre Strom- und Leistungsaufnahme höher ist. Das ist an folgende Gleichungen erkennbar:

   $$P_{\mathrm{NWP}} = P_{\mathrm{elWP}} \cdot \mathrm{COP} = U_{\mathrm{NWP}} \cdot I_{\mathrm{NWP}}$$

mit

P_{NWP} = Heiznennleistung der Wärmepumpe [kW]

P_{elWP} = elektrische Nennleistung der Wärmepumpe [kW]

COP = Leistungszahl der Wärmepumpe

U_{NWP} = Nennspannung für die Wärmepumpe [A]

I_{NWP} = Nennstrom der Wärmepumpe [V]

Wenn die Wärmepumpe eine gewisse Zeit t läuft, verrichtet sie physikalisch gesehen Arbeit Q, für die folgender Zusammenhang gilt:

$$Q_{WP} = P_{elWP} \cdot t_{WP}$$

mit

Q_{WP} = Arbeit, die die Wärmepumpe verrichtet [kWh]

t_{WP} = Arbeitszeit der Wärmepumpe

Stellt man die Gleichung zur Berechnung der Laufzeit der Wärmepumpe um, gilt:

$$t_{WP} = Q_{WP} / P_{elWP}$$

Wenn nun ein Gebäude bei einer bestimmten Temperatur (idealerweise der Normaußentemperatur) und über eine bestimmte Zeit t genau so viel Wärme verliert, wie die Wärmepumpe liefert, dann gilt:

$$Q_H = Q_{WP}$$

mit

Q_H = Wärmeverlust über die Gebäudehülle [kWh]

Betrachten wir nun einen Tag t = 24 h und besteht für das Gebäude bei –10 °C eine Heizlast von 20 kW, so beträgt der Wärmeverlust über einen Tag:

$$Q_H = 20\ \text{kW} \cdot 24\ \text{h} = 480\ \text{kWh}$$

Wäre also eine Wärmepumpe 1 mit einer Heizleistung von genau 20 kW installiert und hätte das Gebäude bei -10 °C einen Wärmeverlust von Q_H = 480 kWh, liefe sie tatsächlich:

$$t_{WP1} = Q_H / P_{elWP1} = 480\ \text{kWh} / 20\ \text{kW} = 24\ \text{h}$$

Ist nun eine Wärmepumpe 2 mit einer Heizleistung von 40 kW installiert, würde sich die Laufzeit bei denselben Bedingungen wie folgt berechnen:

$$t_{WP2} = Q_H / P_{elWP2} = 480\ \text{kWh} / 40\ \text{kW} = 12\ \text{h}$$

Weil der Strombedarf sich proportional zur Leistung verhält, würde eine doppelt so große Wärmepumpe auch doppelt so viel Strom benötigen. Weil sie jedoch für die Wärmeversorgung des Gebäudes nur halb so viel Zeit benötigt, bleibt die Gesamtarbeit der Wärmepumpen = Gesamtheizarbeit für das Gebäude gleich. Die größere Wärmepumpe wird also nicht mehr Strom verbrauchen, weil größere Wärmepumpen in der Regel eine bessere Leistungszahl COP haben. Tatsächlich könnte der Gesamtstromverbrauch sogar ein wenig geringer sein.

Nun sind noch die Fragen zur Taktung und zum Verschleiß zu beantworten. Ein Takt mit einer Taktzeit t_T entspricht einer Ein- und einer Ausschaltung einschließlich Ruhezeit bis zum nächsten Einschaltzeitpunkt:

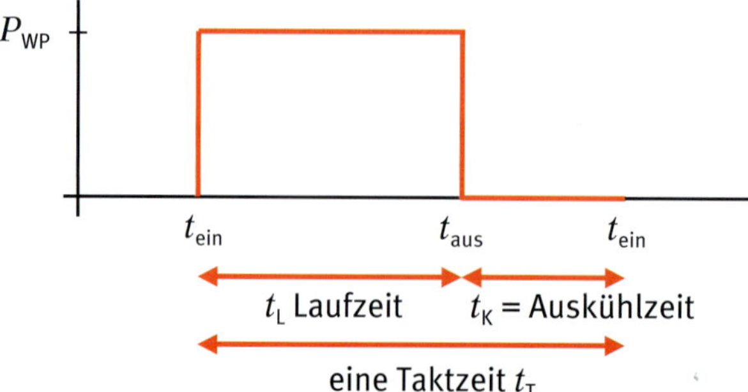

Dieses Taktverhalten wäre an einem kühlen, feuchten Novembertag denkbar. Hätte also die Wärmepumpe eine größere Leistung, wäre die Laufzeit t_L entsprechend geringer. Die Zeit für die Auskühlung t_K des Hauses, also die Differenz zwischen der Taktzeit und der Laufzeit, $t_K = t_T - t_L$, bleibt gleich. Bei dieser Betrachtung wird deutlich, dass bei gleichbleibender Auskühlzeit t_K und kürzerer Laufzeit t_L sich die Taktzeit t_T verringert. Somit ist logischerweise davon auszugehen, dass eine größere Wärmepumpe in der Tat häufiger taktet. Dem könnte man jedoch mit einer größeren Wiedereinschaltverzögerung begegnen.

Die Lebenszeit einer Wärmepumpe hängt maßgeblich von der Taktung derselben ab. Das heißt, je häufiger eine Wärmepumpe taktet, desto kürzer wird die Lebenszeit der Wärmepumpe ausfallen. Die Verkürzung der Lebensdauer hängt jedoch nicht linear mit der Anzahl der Taktungen zusammen. Daher kann die Verkürzung der Lebenszeit auch nicht berechnet werden.

Hinsichtlich des Verschleißes taktet eine größere Wärmepumpe etwas häufiger, sie hat jedoch auch kürzere Laufzeiten, weil sie die benötigte Heizleistung schneller erreicht. Der häufigeren Taktung könnte durch entsprechende Einstellungen am Regler entgegengewirkt werden, durch Einstellung der Mindestlaufzeit, der Wiedereinschaltverzögerung und weitere Einstellungen. In meinem Buch „Handbuch Wärmepumpen" gehe ich näher auf das Thema ein und zeige die Optionen bei Verwendung der Stillstandzeiten bzw. der Wiedereinschaltverzögerung auf.

3. *Mindert eine fehlende thermische Solarenergienutzung die Jahresarbeitszahl JAZ?*

   Dies ist eine interessante und spannende Frage. Die JAZ setzt sich zusammen aus der Jahresarbeitszahl zum Heizen JAZ_H und der Jahresarbeitszahl zur Warmwasserbereitung JAZ_{WW}. Es besteht folgender Zusammenhang:

   $1 / JAZ = 1 / JAZ_H + 1 / JAZ_{WW}$

   In der Regel ist die Jahresarbeitszahl zum Heizen JAZ_H deutlich größer als die Jahresarbeitszahl zur Warmwasserbereitung JAZ_{WW}. Die Jahresarbeitszahl ist direkt proportional zur Leistungszahl der Wärmepumpe COP und der Jahreslaufzeit.

   Bei Sonnenschein wärmt die thermische Solaranlage zunächst den Speicher für die Warmwasserbereitung auf und anschließend den zur Heizungsunterstützung. Dadurch reduziert sich bei solaren thermischen Gewinnen die Laufzeit zur Warmwasserbereitung und damit auch deren JAZ_{WW}. Somit erhöht sich bei zunehmender thermischer Solarenergienutzung die gesamte Jahresarbeitszahl JAZ. Umgekehrt gilt damit, dass bei fehlender Solarenergienutzung die JAZ entsprechend gemindert wird.

4. *Sind weitere Wärmeerzeuger, der Pelletofen mit Wärmetauscher und die 6 Vakuumröhrenkollektoren so einzubinden, dass vorrangig Umweltenergie genutzt wird?*

   Bei der Verbrennung von Pellets wird naturgemäß Wärme erzeugt. Dasselbe gilt, wenn die Sonne auf die Vakuumröhrenkollektoren scheint. Diese Wärmeenergien stehen damit mehr oder weniger kostenlos einfach zur Verfügung. Daher ist es sinnvoll, diese so einzubinden, dass deren Wärmeenergie vorrangig für die Speicherung von Warmwasser verwendet wird. Dies ist recht einfach realisierbar, und zwar, indem in den Reglern dieser Wärmeerzeuger höhere Sollwerte eingegeben werden als im Regler der Wärmepumpe. Erreichen die zusätzlichen Wärmeerzeuger die Sollwerttemperaturen, schaltet der Regler der Wärmepumpe diese nicht ein. Wenn also weitere regenerative Quellen wie Pelletofen und thermische Solaranlage installiert sind, sollte deren Wärme vorrangig für die Speicherung genutzt werden. Dazu sind die Sollwerte an den Reglern entsprechend einzustellen.

5. *Ist die so installierte Heizungsanlage fachgerecht geplant und installiert?*

   Das sind zwei Fragen: Wurde die Heizungsanlage fachgerecht geplant? Ist die installierte Heizungsanlage fachgerecht installiert worden?

   Zur fachgerechten Planung gehören fachgerechte Berechnungen. Und das sind Berechnungen nach den Regeln der Technik, also gemäß den anzuwendenden Normen und Richtlinien. Dazu gehört die Heizlastberechnung gem. DIN EN 12381 und die Berechnung zur Warmwasserbereitung gem. DIN 4708. Weil diese beiden Berechnungen nicht vorliegen, ist von einer fachgerechten Planung nicht auszugehen.

Die Installation wurde abgesehen von kleinen Mängeln fachgerecht ausgeführt. Allerdings ist eine fachgerechte Installation erst ausreichend, wenn die Planung korrekt ausgeführt wurde.

6. *Bringt die Einstellung einer Mindestlaufzeit einen Energiestau und einen unnötigen Wärmeverlust mit sich?*

   Hinsichtlich der Mindestlaufzeit stellen sich Bauherren manchmal vor, dass die Wärmepumpe bedingungslos auf die eingestellte Mindestlaufzeit ausgerichtet ist und sich somit ein Energiestau bzw. Wärmeenergiestau bildet und mit den höheren Temperaturen größere Wärmeverluste verbunden sind. Die Mindestlaufzeit dient dazu, dass die Wärmepumpe über diese Zeit eingeschaltet bleibt. Dadurch kann es bei geringerer Wärmeabnahme zu einer leichten Überschreitung der oberen Sollwerttemperatur kommen. Über den Regler kann auf verschiedene Weisen (abhängig vom Hersteller) eine Einschalttemperatur und eine Ausschalttemperatur, eine Hysterese, vorgegeben werden. Bei milder Witterung kann dann noch vor Ablauf der Mindestlaufzeit der obere Sollwert erreicht sein. Dann kommt es zu einer leichten Überschreitung des oberen Sollwerts. Somit ist die Frage mit Ja zu beantworten.

   Höhere Temperaturen erhöhen auch die Wärmeverluste. Weil das Überschwingen über den Sollwert bei milder Witterung jedoch nicht mehr als 1 °C bis 2 °C betragen dürfte und an kälteren Tagen kein Überschwingen mehr gegeben ist, ist davon auszugehen, dass die Wärmeverluste gering und zu vernachlässigen sind.

7. *Warum besteht bei extrem kalter Witterung die Notwendigkeit, zusätzlich den Pelletofen mit Wärmetasche zu betreiben?*

   Als ich diese Beweisfrage las, musste ich schmunzeln. Erahnen Sie, warum? Ganz einfach: Zunächst vermuten die Bauherren, dass die Wärmepumpe zu groß ausgelegt ist, und sie befürchten die negativen Folgen einer zu groß dimensionierten Anlage. Und hier die Frage, warum es notwendig ist, bei extrem kalter Witterung den Pelletofen anzuheizen. Damit ist eindeutig der Hinweis gegeben, dass die Wärmepumpe zu klein dimensioniert ist.

8. *Sind die berechneten Kosten für einen zusätzlichen Pufferspeicher von 8 000,00 € brutto zu hoch?*

   Hierbei handelt es sich um einen einfachen Pufferspeicher mit einem Volumen von 1 000 l und einem internen Rohrbündelwärmetauscher zur Solarenergieanbindung. Solche Pufferspeicher werden bereits ab 800,00 € angeboten. Beim Bezug über einen Fachhandwerker, der solch einen Speicher im Großhandel als Markenspeicher erwirbt, liegt der Preis bei bis zu 1 500,00 €. Rechnet man für die Einbringung des Speichers in einen Heizungsraum und deren Installation 2 Tage für 2 Mann mit einem Stundenlohn à 65 €/h pro Mann, ergeben sich Montagekosten von 2 h · 2 h · 8 h · 65 €/h = 2 080 €. Folglich ist ein Angebot über 8 000,00 € eindeutig überzogen. Sicherlich wäre dies nicht weiter aufgefallen, wenn die Heizungsanlage zur Zufriedenheit der Bauherren arbeiten würde.

9. *Wie ist eine mangelfreie Heizungsanlage unter Einbindung der div. Wärmeerzeuger zu errichten und mit welchen Kosten ist zu rechnen?*

   Dies ist eine Frage, die mir sehr häufig gestellt wird. Sie beziffert quasi den Streitwert, von dem auch das Honorar der Rechtsanwälte abhängt. Obzwar wahrscheinlich nur die zu kleine Wärmepumpe gegen eine größere auszutauschen ist, kommt hier ein recht hoher Betrag zustande. In diesem Fall betragen die Gesamtkosten für den Austausch knapp 50 000,00 €.

Es wurden Fehler vermutet, wo keine sind. Eine Überdimensionierung der Wärmepumpe lag nicht vor, sondern eine zu kleine Auslegung mangels fehlender fachgerechter Planung ist die Ursache für die unzureichende Effektivität der Anlage. Auch aufgrund der Beweisfragen des Rechtsanwalts konnte ich die tatsächlichen Mängel feststellen, insbesondere hinsichtlich der 1. und 7. Beweisfrage, die sich offensichtlich widersprechen. Wäre die 7. Beweisfrage zur fehlenden Wärmeleistung der Wärmepumpe ohne den Pelletofen an kalten Tagen nicht gestellt worden, wäre möglicherweise erst zu einem späteren Zeitpunkt der eigentliche Mangel festgestellt worden, nämlich dass die Wärmepumpe offensichtlich zu klein ausgelegt ist.

Ausfall einer Wärmepumpe nach einem Zählerwechsel 2.8.5

Ich erhielt den Auftrag eines Landgerichts, ein Gutachten zu erstellen. Der Gerichtsakte entnahm ich, dass der Kläger feststellte, dass vier Wochen nach einem Zählerwechsel seine Wärmepumpe ausfiel und auch nicht mehr ansprang. Er vermutete, dass mit einem Zählerwechsel ein zuvor vorhandener Überspannungsschutz demontiert wurde und seine Luft-Wasser-Wärmepumpe aus diesem Grund defekt ging. Er wandte sich zunächst an seinen Stromnetzbetreiber. Dieser wiederum teilte ihm mit, dass der Zählerwechsel von einem Subunternehmer vorgenommen wurde, der wiederum kein schuldhaftes Verhalten bei sich sah. So gingen diverse Schreiben hin und her, ohne dass eine Einigung erzielt wurde. Weil der Kläger nach Ausfall der Wärmepumpe nur mit Strom heizen konnte, stiegen die Energiekosten entsprechend an. Ein zuvor beauftragter Servicetechniker stellte einen Defekt an einer Platine innerhalb der Wärmepumpe im Heizungskeller fest und tauschte sie aus. Doch dieser Austausch führte nicht zum Erfolg; die Wärmepumpe lief nicht an. In seinem Untersuchungsbericht diagnostizierte er einen „Verdrahtungsfehler". Dadurch erhärtete sich beim Kläger der Verdacht, dass eine Überspannung aus dem Stromnetz die Ursache sein müsste. Weil er davon überzeugt war, dass der Ausfall seiner Wärmepumpe mit dem Zählerwechsel zusammenhängen musste, sah er keinen anderen Ausweg, als beim Landgericht Klage einzureichen.

Zunächst las ich aufmerksam die Gerichtsakte durch, konnte jedoch keinen Ansatz für die Ursache entdecken. So lud ich alle Parteien zum Ortstermin und einen Servicetechniker des Herstellers ein.

Ich sah mir dann vor Ort die Wärmepumpenanlage sehr genau an, um mir ein möglichst genaues Bild von der Wärmepumpe, insbesondere der elektrischen Beschaltung, machen zu können. Es handelte sich dabei um eine Luft-Wasser-Wärmepumpe als Splittanlage.

Bild 2.8.5.1: Wärmepumpen-Innenteil
Quelle: J. Bonin

Bild 2.8.5.2: Wärmepumpen-Außenteil
Quelle: J. Bonin

So sah ich mir zunächst das im Keller stehende Innenteil der Wärmepumpe an. Weiterhin sah ich mir die vormals vermeintlich defekte Platine sehr genau an.

Bild 2.8.5.3: Platine aus dem Wärmepumpen-Innenteil
Quelle: J. Bonin

Ich untersuchte die Platine auf irgendwelche sichtbaren Überspannungsschäden, konnte jedoch keine feststellen. Ein Defekt durch eine Überspannung zeigt sich oftmals an Brandspuren des beschädigten Teils. Solche konnte ich an dieser Platine nicht erkennen.

Ich bat den Servicetechniker, die Wärmepumpenanlage in Betrieb zu nehmen. Danach erschien der Fehlercode „F600", der hier mehrfach gemeldet wurde.

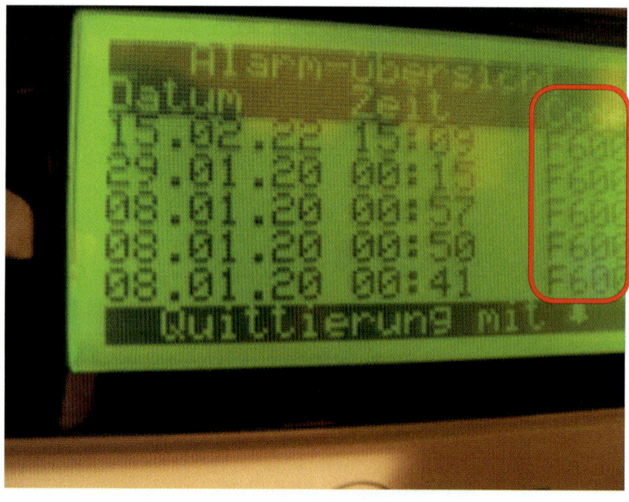

Bild 2.8.5.4: Mehrfache Fehlermeldung F600
Quelle: J. Bonin

Also wandten wir uns dem Außenteil zu.

Bild 2.8.5.5: Die geöffnete Außeneinheit
Quelle: J. Bonin

Bild 2.8.5.6: Defekte Sicherung auf der Platine in der Außeneinheit
Quelle: J. Bonin

Hier stellten wir fest, dass die Sicherung auf der Platine im Außengerät defekt war.

Wir lasen noch mit einer vom Servicetechniker mitgebrachten Ausleseeinheit einen Fehlercode 08 aus. Diese Fehlermeldung verweist auf die Drehzahl der Lüftermotoren. Demnach ist einer der Lüftermotoren oder sind beide defekt. Dies verursachte auch den Defekt der Sicherung auf der Platine der Inneneinheit.

Bild 2.8.5.7: Fehlermeldung Defekt Lüftermotoren
Quelle: J. Bonin

Nach Durchsicht der Stromlaufpläne war ersichtlich, dass die Außeneinheit über die Inneneinheit mit Strom versorgt wird. Folglich konnte dieser Defekt nicht eine Folge einer Überspannung sein, weil im Innenteil der Wärmepumpe ein Netzfilter zum Schutz der Elektrik installiert ist. Offensichtlich sind aber ein oder beide Lüftermotoren defekt und müssten ausgetauscht werden. Ggf. genügt es, die Sicherung zu erneuern oder die Platine in der Außeneinheit zu ersetzen. Der Servicetechniker erläuterte, dass die Platine im Innengerät der Wärmepumpe durch diesen Defekt ebenfalls ausgefallen ist.

Aufgrund der Bewertung des ersten Servicetechnikers, hier läge ein „Verdrahtungsfehler“ vor, war es für den Kläger naheliegend, anzunehmen, dass der Defekt auf den Zählerwechsel zurückzuführen ist.

Allerdings machte ich dann noch eine weitere Feststellung: Zur Abschaltung der Wärmepumpe sind ein Rundsteuergerät und ein Leistungsschütz installiert. Über den Leistungsschütz wurde bei einer EVU-Abschaltung der Drehstrom schlicht abgeschaltet. Dies war lt. Schaltplan vom Netzbetreiber genau so vorgesehen. Ich empfahl, stattdessen den in jeder Wärmepumpe vorhandenen Eingangskontakt „EVU-Sperre“ zu nutzen. Bei einer Abschaltung der Stromversorgung per Leistungsschütz wird die Wärmepumpe nicht gezielt und schonend heruntergefahren. Allerdings ist der in diesem Fall vorliegende Defekt nicht darauf zurückzuführen.

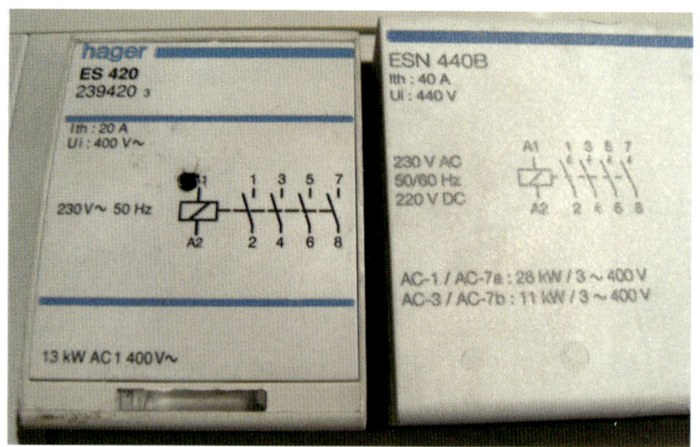

Bild 2.8.5.8: Leistungsschütz zur Abschaltung der Wärmepumpe
Quelle: J. Bonin

2.8.6 Ein vermeintlich einfacher Fall und irrtümlicher Verdacht

In diesem Gerichtsauftrag bemängelte ein Betreiber einen Defekt an seiner Wärmepumpe. Nach Durchsicht durch einen Servicetechniker diagnostizierte dieser zunächst einen Defekt an der Heizungsumwälzpumpe. Diese wurde daher ausgetauscht. Aber die Wärmepumpe funktionierte weiterhin nicht. Daraufhin wurde das 3-Wege-Umschaltventil erneuert. Doch die Wärmepumpe lief immer noch nicht. Nun kam ein zweiter Servicetechniker, um sich die Wärmepumpe genauer anzusehen. Dieser stellte dann fest, dass sich im Kältekreislauf Fremdgase befanden. Wie konnte es dazu kommen? Dazu ist wichtig zu wissen, dass dieser Splitt-Wärmepumpentyp zwei Kältekreisläufe hat, nämlich einen über die Außeneinheit und einen weiteren in der Inneneinheit. Beide werden aufgrund der unterschiedlichen Temperaturniveaus mit unterschiedlichen Kältemitteln betrieben. Dazwischen befindet sich ein Wärmetauscher, um Wärme von einem Kältekreislauf auf den anderen zu übertragen. Da sich bereits mehrere Servicetechniker erfolglos um eine Reparatur der Wärmepumpe bemüht haben und der Betreiber bereits mehrere Monate keine Heizung hatte, rief er den Werkskundendienst an. Dieser stellte dann fest, dass der Wärmetauscher zwischen den beiden Kältekreisläufen defekt war. Es folgte eine aufwendigere Reparatur, woraufhin die Wärmepumpe wieder ordnungsgemäß arbeitete.

Der Betreiber hatte nun den Verdacht, dass hier einige Teile nach dem Try-and-Error-Prinzip ausgetauscht wurden und dass die erste Reparatur nicht notwendig gewesen sei. Die ausgebaute Heizungsumwälzpumpe hatte er als Beweisstück verwahrt. Und so beauftragte er ein Gericht mit der Klärung. Ich erhielt die Gerichtsakte mit der zu klärenden Beweisfrage, ob die Heizungsumwälzpumpe defekt sei oder nicht. Ein einfacher Fall, so dachte ich. Ich ahnte noch nicht, was mich erwartete. Also lud ich zum Ortstermin ein und nahm ein einfaches Netzkabel mit, um die Umwälzpumpe an 230 V anzuschließen und zu prüfen, ob sie funktioniert. Zum Ortstermin händigte der Betreiber mir die Heizungsumwälzpumpe aus.

Bild 2.8.6.1: Heizungsumwälzpumpe
Quelle: J. Bonin

Diese hatte für den Stromanschluss diesen Steckkontakt:

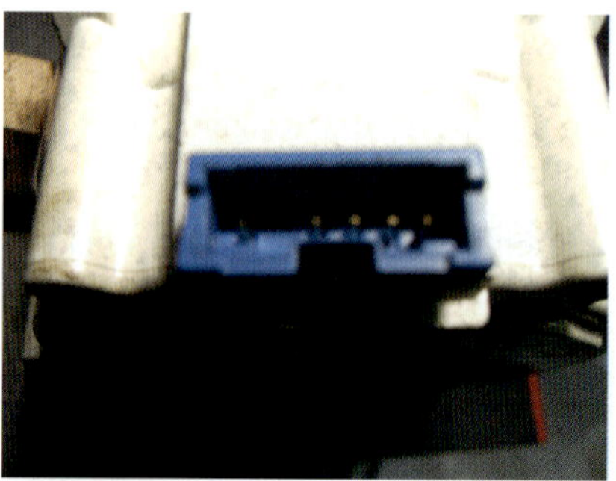

Bild 2.8.6.2: Anschlussstecker der Pumpe
Quelle: J. Bonin

Eine schnelle Beweissicherung vor Ort war also nicht möglich. Ich erkundigte mich beim Hersteller nach einer Kupplung und der Anschlussspannung. Ich erhielt die Information, dass die Pumpe eine Versorgungsspannung von 300 V Gleichspannung und eine Steuerspannung zur Drehzahlregelung von 10–50 V Gleichspannung benötigt. Wie soll ich diese erzeugen? Also bestand nur eine Möglichkeit, die Pumpe zu prüfen, nämlich, diese wieder einzubauen und an die Originalspannung anzulegen. Weil das Budget aus dem Gerichtsauftrag hierfür jedoch nicht ausreichte, teilte ich dem Gericht mit, dass ich einen weiteren Vorschuss benötige oder die Pumpe alternativ mechanisch prüfen könnte.

Ich erhielt die Freigabe zur rein mechanischen Prüfung und somit baute ich die Pumpe auseinander:

Bild 2.8.6.3: Einzelteile der zerlegten Pumpe
Quelle: J. Bonin

Weder am Anker mit dem Laufrad der Umwälzpumpe noch innerhalb des Gehäuses sind störende Verunreinigungen zu erkennen, die das Blockieren der Pumpe verursachen können.

Das Pumpenlaufrad mit dem Anker und der Welle:

Dieses Pumpenlaufrad mit der Welle und dem Anker mit dem Permanentmagneten bilden quasi eine Einheit.

Bild 2.8.6.4: Pumpenlaufrad mit Welle und Anker
Quelle: J. Bonin

Nachdem ich die Umwälzpumpe geöffnet hatte, stellte ich fest, dass sich der Anker mit dem Laufrad nur mit größerem Kraftaufwand per Hand drehen ließ und die Welle im Anker dabei stehen blieb. Der Anker mit dem Pumpenlaufrad drehte sich dabei um die Welle. Das Gehäuse dient als Stator, in dem ein magnetisches Drehfeld mittels Spule erzeugt wird, welches den Anker mit einem Permanentmagneten in eine Drehbewegung versetzt. Am Anker ist das Pumpenlaufrad befestigt, welches das Heizungswasser pumpen bzw. in einem Kreislauf umwälzen soll (daher der Name Heizungsumwälzpumpe). Dafür muss der Anker leicht drehbar sein. Umwälzpumpen sind in der Regel so ausgelegt, dass sie eine gewisse Wassermenge fördern können, wobei sie keinen hohen Druck aufbauen müssen. Bei kleineren Umwälzpumpen wie hier muss der Anker leicht drehbar sein.

Bild 2.8.6.5: Gehäuse mit feststehender Wellenkupplung
Quelle: J. Bonin

Die feststehende Wellenkupplung bildet mit dem Gehäuse eine Einheit und diese sind aus einem Guss.

Die Welle steckt dann in einer Kupplung mit einer Nut, wie nachfolgende Bilder zeigen:

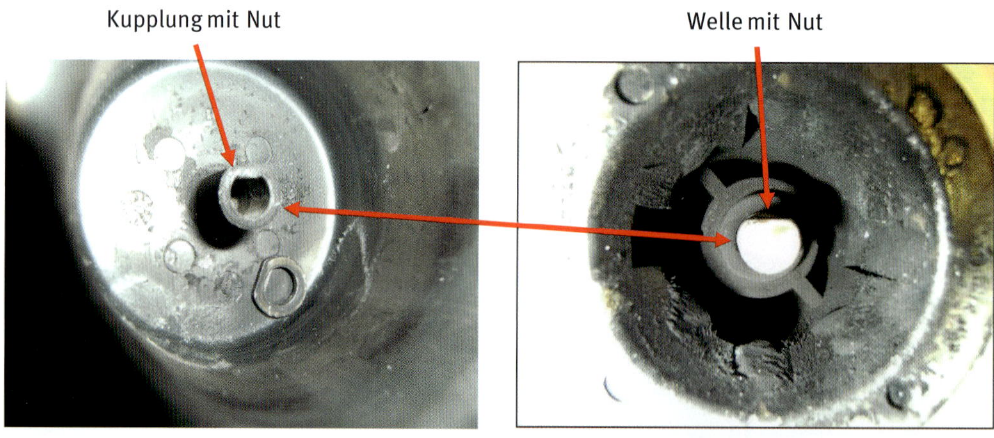

Bild 2.8.6.6: Kupplung mit dem Gehäuse aus einem Guss
Quelle: J. Bonin

Bild 2.8.6.7: Anker mit Nut, die in die Kupplung passt
Quelle: J. Bonin

Bei zusammengebauter Pumpe steckt die Welle mit der Nut passend in der Kupplung. Die Welle ist damit statisch mit dem Gehäuse verbunden und ist, bezogen auf das Gehäuse, nicht drehbar.

Im Pumpbetrieb muss sich der Anker um die Welle leicht drehen und das ist hier nicht gegeben. Der Anker sitzt recht fest auf der Welle und lässt sich nur mit größerer Kraftaufwendung per Hand drehen. Ich gehe davon aus, dass Verunreinigungen zwischen Welle und Anker dazu führten oder dass das Lager defekt ist. Es handelt sich um einen mechanischen Defekt und so gehe ich davon aus, dass die Umwälzpumpe defekt ist und war.

Berücksichtigung von Sonderwünschen 2.9

Kunden können unterschiedliche Sonderwünsche äußern. Da gilt es, ein Schwimmbad mit einer Wärmepumpe mit zu beheizen oder ein Gewächshaus, in dem Pflanzen überwintern sollen, oder eine Garage oder das Gartenhaus zu erwärmen und vieles mehr.

Schwimmbäder können mit einem sehr guten Wirkungsgrad mit einer Wärmepumpe beheizt werden. Die Heizleistung kann jedoch, je nach Bauart, Dämmung etc. erheblich variieren. Weiterhin ist zu differenzieren, ob es sich um ein Freibad oder Hallenbad handelt. Ein Freibad wird überwiegend im Sommer genutzt, also in der Zeit, wo die Wärmepumpe nicht heizen muss. Ein Hallenbad dagegen wird in der Regel ganzjährig genutzt. In beiden Fällen ist zu prüfen, welche Heizleistung die Wärmepumpe haben soll, um den Wünschen des Betreibers gerecht zu werden und die Wärmepumpenanlage fachgerecht zu dimensionieren.

Für die Beheizung von Nebenräumen gibt es gesetzliche Vorgaben, die bei der Planung zu berücksichtigen sind. Zum Beispiel macht es keinen Sinn, eine Garage auf 20 °C zu beheizen, was auch nicht zulässig ist.

Es ist nicht immer sinnvoll, alle Wünsche der Bauherren zu erfüllen. In solchen Fällen ist eine fachgerechte, fundamentierte Beratung der Bauherren angesagt und dem Interessenten verständlich zu erklären, warum es nicht sinnvoll ist, z. B. eine nicht gedämmte Garage auf 20 °C zu beheizen. Erfüllen Sie auf keinen Fall Wünsche, die den gegebenen gesetzlichen Richtlinien oder Vorschriften widersprechen.

3 Empfehlungen

In den nachfolgenden Kapiteln geht es nicht um fachliche Fehler, sondern eher um Empfehlungen, wie eine Wärmepumpenanlage effektiv zu planen ist. Oftmals spielt leider der Preis eine entscheidende Rolle. Dieser sollte aber nicht allein entscheidend sein. Wer sich für eine Wärmepumpe interessiert, beabsichtigt Heizkosten zu reduzieren. Es kann natürlich eine einfache Luft-Wärmepumpe mit Minimalstandard installiert werden. Von einer solchen Wärmepumpenanlage darf man jedoch nicht erwarten, dass sie eine optimale Wirtschaftlichkeit gewährleistet. Die Planung einer optimalen Wärmepumpe ist natürlich deutlich aufwändiger und bedarf ausreichender Fachkenntnis. In der Regel sind dies Wasser-Wasser- oder Sole-Wasser-Wärmepumpenanlagen, die dann individuell auf die Gegebenheiten und Kundenwünsche geplant und abgestimmt werden. Diese Anlagen sind aufwändiger und natürlich auch teurer. Doch in der Regel lohnt sich eine solche Investition, insbesondere für Neubauten.

3.1 Warum ein Pufferspeicher?

Bei Installation einer Wärmepumpenanlage wird zunehmend auf einen Pufferspeicher verzichtet. Das hat nur einen Vorteil, nämlich dass damit die Wärmepumpenanlage billiger wird. Doch ein Pufferspeicher hat einen mehrfachen Nutzen.

Bild 3.1.1:
Pufferspeicher
Quelle: Austria Email AG

Ein Pufferspeicher dient als hydraulische Weiche zwischen der Wärmepumpe und dem Heizungssystem. Dies ist wichtig, damit die richtigen und optimalen Durchflussmengen eingehalten werden können. Für eine Wärmepumpe sollte die Temperaturdifferenz 5 °C (= 5 K) betragen. Zur Betrachtung dient wieder die bekannte Formel

$$P = \dot{m} \cdot c \cdot \Delta T$$

$$\Rightarrow \dot{m} = P/(c \cdot \Delta T)$$

mit

P = Wärmeleistung [kW]

$\dot{m}$ = Massedurchfluss [kg/h]

c = spezifische Wärmekapazität Wasser = 1,163 Wh/(kg·K)

ΔT = Temperaturdifferenz [K]

Für eine Wärmepumpe mit einer Heizleistung von 12 kW errechnet sich somit ein Durchfluss von:

$$\dot{m} = 12\,000 \text{ W}/(1{,}163 \text{ Wh/(kg·K)} \cdot 5 \text{ K}) = 2\,063 \text{ kg/h} = 2{,}1 \text{ m}^3\text{/h} = 34 \text{ l/Min.}$$

Der notwendige Durchfluss durch das Heizsystem, z. B. eine Fußbodenheizung, ist in der Regel deutlich geringer. Allein deswegen ist ein Pufferspeicher immer sinnvoll, damit die Durchflussmengen für einen optimalen Betrieb einzustellen sind. Arbeitet eine Wärmepumpenanlage ohne Pufferspeicher, ist sicherzustellen, dass einige Heizkreise stets geöffnet sein müssen, damit die Wärmepumpe ihre Wärme abgeben kann. Ist das nicht der Fall, kann dies zu einer Abschaltung durch Überschreitung einer Maximaltemperatur oder zu einer Hochdruckstörung führen.

Diese Betrachtung zeigt auch, dass ohne Pufferspeicher auch Komforteinbußen gegeben sind, wenn einige Heizkreise ungeregelt beheizt werden. Das kann zu höheren Temperaturschwankungen in den betroffenen Räumen führen. Mit einem Pufferspeicher kann die erforderliche Wärme bedarfsgerecht und witterungsgeführt an alle Heizkreise abgegeben werden.

Ein weiterer bedeutender Nutzen ist der, dass die Wärmepumpe längere Lauf- und Standzeiten hat. Sie taktet deutlich weniger. Das verlängert deutlich die Lebensdauer einer Wärmepumpe, denn durch das Ein- und Ausschalten des Kompressors ist dessen Verschleiß deutlich größer als beim ruhigen Betrieb. Vergleicht man die Kosten für den Austausch eines Kompressors mit denen eines Pufferspeichers mit passender Heizungsumwälzpumpe, wird deutlich, dass sich allein deswegen schon ein Pufferspeicher lohnt.

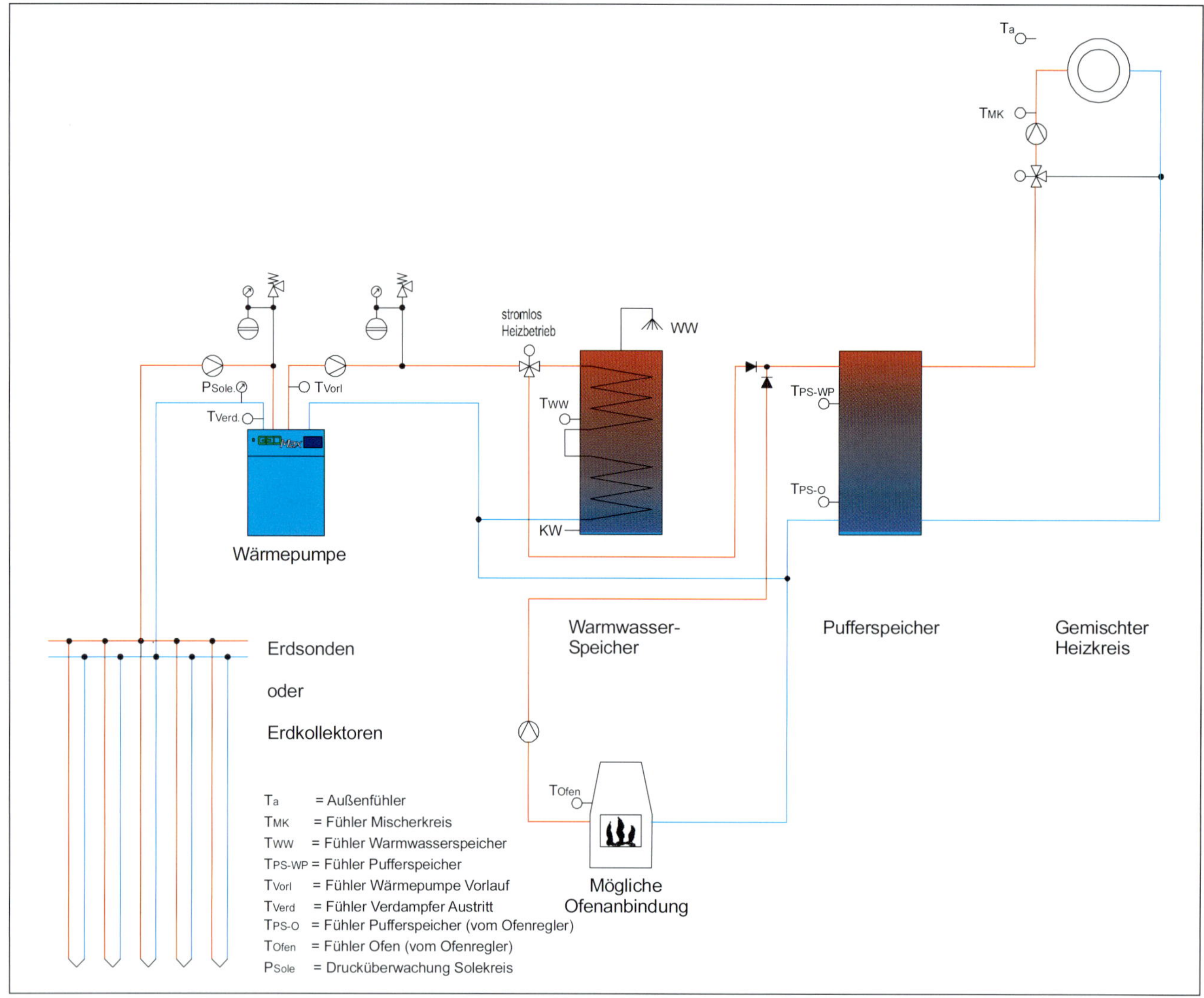

Bild 3.1.2: Sole-Wasser-Wärmepumpenanlage mit Pufferspeicher und Kachelofen
Quelle: J. Bonin, Umwelt & Technik

Ein Pufferspeicher ermöglicht zudem die Einbindung weiterer Wärmequellen, z.B. die eines Kachelofens. Weil die Gebäude immer mehr gedämmt werden, kann es bei der Nutzung von z.B. Kachelöfen schnell zu einer zu starken Raumerwärmung kommen. Wird jedoch über einen Wärmetauscher im Kachelofen ein großer Teil der Wärme in den Pufferspeicher abgegeben, kann diese Wärme dann recht komfortabel und bedarfsgerecht an die übrigen Räume abgegeben werden. Außerdem arbeitet dann die Wärmepumpe weniger. Das wiederum spart Heiz- und Energiekosten.

3.2 Pufferspeicher und Sauerstoffdiffusion

Pufferspeicher werden in der Regel aus Stahl gefertigt. Da ist natürlich ein Sauerstoffeintrag durch nicht sauerstoffdiffusionsdichte Rohre, insbesondere bei Fußbodenheizungen problematisch. Deswegen sind auf jeden Fall sauerstoffdiffusionsdichte Fußbodenheizungsrohre zu empfehlen. Am besten geeignet sind Mehrschichtverbundrohre. Diese haben eine eingearbeitete Metallfolie, die jegliche Sauerstoffdiffusion vermeidet. Dasselbe gilt auch für die flexiblen Anschlussleitungen an die Wärmepumpe. Einfache sog. Panzerschläuche sind absolut nicht sauerstoffdiffusionsdicht – aber billig!

In meinem Heizungssystem befindet sich seit über 15 Jahren Heizungswasser, welches immer noch klar ist. Das zeigt, dass ich mir über Korrosionen in meiner Heizungsanlage keine Sorgen bereiten muss.

Im Gebäudebestand ist ein Austausch der Fußbodenheizungsrohre nicht möglich. Daher ist hier ggf. eine Systemtrennung oder andere Maßnahmen zur Vermeidung von Korrosionen zu empfehlen.

Aktuell erhielt ich hier einen Auftrag, eine Wärmepumpenanlage zu begutachten, bei der der Kondensator (Wärmetauscher) in der neuen Wärmepumpe defekt ging. Die alte Wärmepumpe dagegen arbeitete über viele Jahre störungsfrei. Es ist mir nicht bekannt, welcher Wärmetauscher in der alten Wärmepumpe eingebaut war. In der neuen Wärmepumpe war ein einfacher kupfergelöteter Plattenwärmetauscher installiert. Das Gebäude, einschließlich der Fußbodenheizung ist bereits älter. Daher ist davon auszugehen, dass diese nicht diffusionsdicht ist. Für die Verrohrung der Heizungsanlage wurden zudem noch Stahlrohre verwendet. Entsprechende Korrosionen sind unvermeidbar. Korrosionsrückstände, also Rostpartikel können sich in dem Wärmetauscher ablagern. Die engen Kanäle im dem Wärmetauscher können wie ein Filter wirken. Die sich ablagernden Rostpartikel führen dann zu einer elektrolytischen Oberflächenkorrosion, die zum Defekt des Wärmetauschers führen. Auch hier war eine teure Reparatur erforderlich.

Wie hätte das vermieden werden können?

Die korrodierenden Stahlrohre waren dem Handwerker nicht aufgefallen. Er hätte darauf hinweisen und Lösungsprobleme unterbreiten sollen.

Hinweis:
Besonders problematisch sind nicht sauerstoffdiffusionsdichte Fußbodenheizungsrohre, wenn ein Pufferspeicher aus Stahl installiert wird.

Um Sauerstoffdiffusionen zu vermeiden, gibt es verschiedene Möglichkeiten: Man kann mit Inhibitoren oder entsprechenden Anlagen den Sauerstoff binden und damit Korrosionen vermeiden. Ist eine Systemtrennung angedacht, sollte ein Wärmetauscher zumindest mit größeren Plattenabständen eingesetzt werden. Es gibt aber auch entsprechende Filter, die im Rücklauf eingebaut werden können.

Welche Art der Warmwasserbereitung ist sinnvoll? 3.3

Hier ist eine generelle Aussage nicht angebracht. Es ist anwenderbezogen zu entscheiden. Dazu zeige ich einige Möglichkeiten:

Für ein Einfamilienhaus ist es immer sinnvoll, die Warmwasserbereitung über die Wärmepumpe zu machen. Leider kenne ich einige Einfamilienhäuser, bei denen zur Warmwasserbereitung ein Elektroheizstab oder Durchlauferhitzer installiert ist. Doch eine direkte elektrische Warmwasserbereitung hat einen COP von 1, wohingegen z. B. bei einer Sole-Wasser-Wärmepumpe ein COP von mindestens 3 zu erwarten ist. D. h., dass die Warmwasserbereitung mit einer Wärmepumpe immer günstiger ist. Dies ist umso bedeutender, wenn man betrachtet, dass Neubauten immer mehr gedämmt werden und infolgedessen der Energieanteil für die Warmwasserbereitung prozentual immer größer wird.

Für die Warmwasserbereitung gibt es verschiedene Speicher. Grundsätzlich sind monovalente Speicher, wie sie bei Feuerungskesseln verwendet werden, ungeeignet. Bei kleineren Wärmepumpen bis etwa 12 kW sind bivalente Warmwasserspeicher mit zwei (= bi) recht gut geeignet. Bei größeren Wärmepumpen sind spezielle Speicher für Wärmepumpen, wie z. B. Hochleistungsregisterspeicher zu empfehlen. Der Hochleistungsregisterspeicher zeichnet sich durch seine besonders hohe Wärmetauscherfläche durch zwei parallel großflächige Rohrbündel aus.

Wird eine hygienische Warmwasserbereitung über ein Frischwassersystem gewünscht, ist auch ein Pufferspeicher mit einer Frischwasserstation einsetzbar. Es sollten jedoch der Heizbetrieb und die Warmwasserbereitung hydraulisch auf jeden Fall getrennt bleiben.

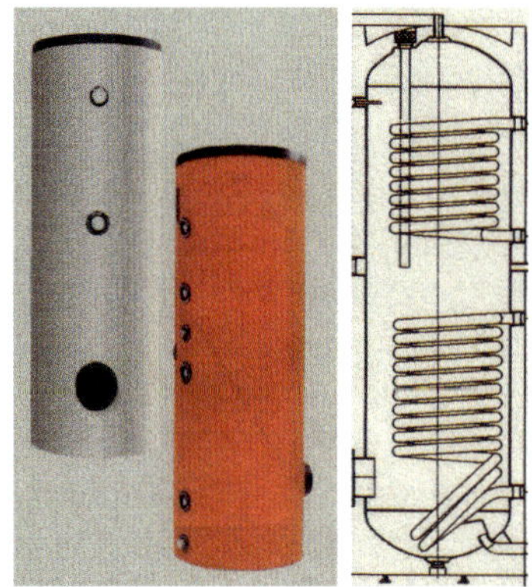

Bild 3.3.1: Bivalenter Warmwasserspeicher
Quelle: Austria Email AG

Bild 3.3.2: Hochleistungsregisterspeicher
Quelle: Austria Email AG

Bild 3.3.3: Durchlauferhitzer
Quelle: Austria Email AG

Es gibt auch sogenannte Kombispeicher, z.B. Warmwasserspeicher in einem Pufferspeicher oder andere. Hier ist genau zu überprüfen, ob diese geeignet sind. Die meisten Kombispeicher sind für den Betrieb mit einer Wärmepumpe ungeeignet. Es sollte sichergestellt sein, dass für den Heizbetrieb die Vorlauftemperatur aus der Wärmepumpe immer entsprechend klein bleibt, z.B. kleiner als 35 °C.

Für Mehrfamilienhäuser kann es sinnvoll sein, für die Warmwasserbereitung elektronisch geregelte Durchlauferhitzer zu installieren. Die haben in diesen Fällen gleich mehrere Vorteile: Die Installationskosten sind deutlich geringer und die Wärmeverluste über ein größeres Zirkulationsnetz entfallen.

Es ist natürlich auch die Warmwasserbereitung mittels einer Wärmepumpe möglich. Bei kleineren Mehrfamilienhäusern eignen sich noch gut spezielle Hochleistungsregisterspeicher für Wärmepumpen. Eine andere Möglichkeit besteht darin, einen entsprechend dimensionierten Pufferspeicher zu planen und in den einzelnen Wohneinheiten die Warmwasserbereitung über eine Frischwasserstation zu installieren.

3.4 Diverse Energiequellen bei Sole-Wasser-Wärmepumpen

Das Stichwort ist „Innovation". Doch nicht alle innovativen Ideen sind auch gut. In diesem Kapitel möchte ich ein paar sogenannte „Innovationen" diskutieren.

Eine innovative Idee sind sogenannte Energiekörbe. Das sind Rohrbündel, die spiralförmig in die Erde eingebracht werden. Angeblich soll die erforderliche Fläche für Energiekörbe deutlich geringer sein als bei Erdkollektoren. Dies kann ich jedoch physikalisch nicht ganz nachvollziehen. Den Ertrag für einen Erdkollektor bekomme ich aus der erdoberflächennahen Fläche. Energiekörbe werden in der Regel jedoch **nur etwas** tiefer eingebaut. Die Wärmeleitung zu einem Feld mit Energiekörben sieht daher ähnlich aus. Nur dadurch, dass Energiekörbe ein bis zwei Meter tiefer sind, wird der Ertrag kaum bedeutend höher sein. Dies bestätigte mir auch ein Kollege vom Wärmepumpeninstitut LohrConsult. Da dürfte aus wirtschaftlicher Sicht dann ein einfacher Erdkollektor günstiger sein.

Weiterhin seien hier kurz Grabenkollektoren erwähnt. Dazu werden Gräben mit einer Tiefe von mehreren Metern, z.B. 3 m, erstellt. An die Grabenwände werden dann die PE-Rohre oder vorgefertigten Rohrschleifen befestigt. Weil hierbei ebenfalls die Wärme aus dem Boden sehr konzentriert und oberflächennah entzogen wird, ist eine ausreichende Dimensionierung unbedingt erforderlich. Bei zu klein bemessenen Grabenkollektoren kann der Boden um die Gräben gefrieren. Das wiederum kann Erhebungen des Bodens über die Grabenkollektoren verursachen.

Dann gibt es sogenannte Energiezäune. Hierbei werden die PE-Rohre nicht in die Erde verlegt, sondern um in die Erde befestigte Pfähle gewickelt. Sie sehen sehr ähnlich wie ein Zaun aus, daher „Energiezäune". Als Wärmequelle dient die Außenluft. Die durch die PE-Rohre fließende Sole wird von der Außenluft erwärmt und gibt diese Wärme an eine Sole-Wasser-Wärmepumpe ab. Die Sole-Wasser-Wärmepumpe verhält sich dann jedoch ähnlich wie eine Luft-Wasser-Wärmepumpe, ja energetisch sogar noch ungünstiger. Bei einer Luft-Wasser-Wärmepumpe wird der Verdampfer direkt von der durch einen Ventilator zugeführten Außenluft erwärmt. Bei einer Sole-Wasser-Wärmepumpe mit Energiezaun ist noch der Solekreislauf als Zwischenkreislauf gegeben. Folglich ist die Temperatur am Verdampfer entsprechend geringer, was höhere Stromkosten zur Folge hat. Außerdem sorgt bei einer Luft-Wasser-Wärmepumpe ein Ventilator für eine konstante Luftzufuhr. Beim Energiezaun tut das der Wind, der alles andere als konstant ist. Ohne Wind ist die Auskühlung entsprechend tiefer. Folglich ist theoretisch davon auszugehen, dass bei einer Wärmepumpenanlage mit Energiezaun der Gesamtwirkungsgrad noch ungünstiger ist als bei einer Luft-Wasser-Wärmepumpe. Zudem ist hier und da zu sehen, dass die nicht unbedingt schönen Energiezäune umpflanzt werden, was eine windige Luftzufuhr hindert.

In einem Nachbarort von mir sah ich zufällig zwei schneeweiße Kollektoren auf einem Dach in einem Neubaugebiet. Die Außentemperatur war über 0 °C. Das sah ich mir dann genauer an. Ich vermutete dahinter eine Wärmepumpe und schellte. Die Bewohnerin bestätigte mir dies. Die Wärmepumpe wird also über diese Dachkollektoren mit Umweltwärme versorgt. So wird dann gleichzeitig die Solarenergie, soweit die Sonne denn scheint, mit genutzt. Nur ob die so gewonnene Solarenergie das oben beschriebene Defizit ausgleicht, ist aus meiner Sicht fraglich.

Ich empfehle, wenn eine Wärmepumpenanlage mit solch „innovativen" Energiequellen angeboten wird, sich die voraussichtliche JAZ errechnen und für diese Anlage bestätigen zu lassen. Die JAZ ist dann ein Faktor, mit dem die Wirtschaftlichkeit einer Wärmepumpenanlage beurteilt werden kann.

Sachverständigenwesen 4

Der Begriff „Sachverständiger" ist nicht geschützt. Deswegen kann sich jeder als Sachverständiger bezeichnen, der meint, einer zu sein. Darüber hinaus gibt es Sachverständigenverbände, z. B. der BVFS e. V. (Bundesverband Freier Sachverständiger) oder DGSF (Deutscher Gutachter und Sachverständiger Verband) und andere. Die Sachverständige oder Gutachter, die sich diesen Verbänden anschließen, sind auf ihre Eignung dahingehend überprüft, indem sie z. B. einen Lebenslauf sowie Zeugnisse einsenden. Eine Prüfung zur Eignung müssen sie nicht ablegen. Es handelt sich dabei um sogenannte „freie Sachverständige". Darüber hinaus gibt es die ö. b. u. v. SV (öffentlich bestellte und vereidigte Sachverständige). Diese sind entweder der Industrie- und Handelskammer, Ingenieurkammer, Architektenkammer oder den Handwerkskammern zugehörig. Der Begriff des ö. b. u. v. Sachverständigen ist geschützt, was er durch die Verwendung eines Rundstempels zeigen darf. Bevor ein Sachverständiger eine öffentliche Bestellung und Vereidigung bekommt, wird seine Eignung streng geprüft. Für Gerichtsgutachten greifen die Gerichte daher gerne auf gelistete ö. b. u. v. Sachverständigenlisten der Kammern zurück. Leider ist hier dennoch festzustellen, dass es auch hier Sachverständige gibt, die, insbesondere wenn es um Wärmepumpen und Wärmepumpenanlagen geht, unzureichende Fachkenntnisse haben.

Wie kann es sein, dass viele Sachverständige sich bei Wärmepumpen schwertun? Dies liegt daran, dass es kaum ö. b. u. v. Sachverständige gibt, die sich mit Wärmepumpen wirklich gut auskennen. Bei der Industrie- und Handelskammer gibt es einige wenige Sachverständige, die sich auf Wärmepumpen spezialisiert haben. Bei den übrigen Kammern sind Wärmepumpen nur ein Teilgebiet. Zum Beispiel findet man bei Handwerkskammern auch Sachverständige für Wärmepumpen, die jedoch ö. b. u. v. Sachverständige für Heizungsanlagen sind und Wärmepumpenanlagen nur als Teilsachgebiet abdecken. Dasselbe gilt für Ingenieur- und Architektenkammern. Ich wünsche mir, dass es demnächst mehr Sachverständige gibt, die sich auf Wärmepumpenanlagen spezialisieren, denn hier sehe ich ein großes Defizit, weil Sachverständige mit fehlenden Fachkenntnissen oft fehlerhafte Gutachten erstellen, was einer Rechtsprechung nicht dienlich ist.

Wann braucht man einen Sachverständigen?

Ein Sachverständiger wird dann hinzugezogen, wenn ein Kunde, Betreiber oder Bauherr mit seinem Produkt unzufrieden und keine Einigung mit seinem Auftraggeber oder Lieferanten erzielen kann. In den meisten Fällen fehlen den Betroffenen auch die notwendigen Fachkenntnisse zur sachlichen Beurteilung der Probleme. Dazu verfügen die Verbände und Kammern über umfangreiche Listen, aus denen ein Sachverständiger ausgesucht werden kann. Allerdings haben sich die meisten Sachverständigen nicht auf Wärmepumpenanlagen spezialisiert. Dieser Sachverständige kann dann verschiedene Aufgaben wahrnehmen:

- beraten
- den Sachverhalt prüfen
- Streit schlichten und/oder
- ein Gutachten erstellen

Er wird als freier Sachverständiger oder als Privatgutachter beauftragt. Diese Gutachten könnten den Anschein eines parteiischen Gutachtens haben. Deswegen stützen sich Richter in der Regel nicht allein auf ein solches Gutachten, sondern beauftragen zur „unabhängigen" Prüfung einen weiteren Sachverständigen. Das hat mit der Qualifizierung des „privaten" Gutachters überhaupt nichts zu tun. Weiterhin besteht bei einem nicht neutral verfassten Gutachten die Gefahr, dass es zu einer Eskalation des Streitfalls beiträgt, anstatt zu schlichten. Daher ist ein Sachverständiger gut beraten, wenn er sein Gutachten möglichst neutral und sachlich verfasst.

Ein Gutachter/Sachverständiger kann bei recht eindeutiger Sachlage auch als Mediator versuchen zu schlichten. Das entlastet die Gerichte und spart den Konfliktparteien erhebliche Kosten, wie Gerichts- und Anwaltskosten sowie Kosten für weitere Gutachten. Der Sachverständige sollte sich dabei auf sein Sachgebiet konzentrieren und nicht als Rechtsanwalt oder Richter agieren.

Ein kleiner Hinweis an dieser Stelle: Sollte ein Konflikt übergeordnet zu lösen sein, kann zu einer gerichtlichen Auseinandersetzung ein Schiedsgericht eine gute Alternative zum Amts- oder Landgericht darstellen. Fragen Sie dazu die Kammern nach einem geeigneten Schiedsmann. Auf diesem Weg kommt man in der Regel schneller und kostengünstiger zu einem Ergebnis. Das von einem Schiedsgericht vereinbarte Urteil ist genauso bindend wie das eines ordentlichen Gerichts.

Können sich die beiden Parteien nicht einigen und kommt es zu einer gerichtlichen Auseinandersetzung, bedient sich ein Richter (Vorsitzender) gerne eines Sachverständigen, weil er als sachlicher Laie die Sachlage nicht beurteilen kann. Dazu bedient er sich in der Regel eines ö. b. u. v. Sachverständigen. Dieser ist dann der verlängerte Arm des Richters. Ein ö. b. u. v. Sachverständiger muss die Sachlage prüfen und in einem Gutachten, für Laien möglichst verständlich und für einen Fachmann nachvollziehbar beschreiben. Er muss sich dabei neutral und weisungsfrei verhalten. Er darf auch nicht in irgendeiner Weise in den Prozess involviert sein, z. B. als Anbieter oder Verwandter. Er geht ansonsten das Risiko ein, wegen Besorgnis zur Befangenheit abgelehnt zu werden.

Weiterhin ist oftmals festzustellen, dass Sachverständige ein und dieselbe Sachlage unterschiedlich bewerten. Dazu beziehe ich mich gerne und insbesondere auf das Fachgebiet „Wärmepumpen bzw. Wärmepumpenanlagen“. Weil eine Wärmepumpenanlage als eine Heizungsanlage angesehen wird und eine Wärmepumpe ein Wärmeerzeuger ist, wird meistens ein Sachverständiger aus dem Sachgebiet „Heizungsanlagen“ ausgewählt. Dazu machte ich mehrfach die Feststellung, dass ein Sachverständiger für Heizungsanlagen nicht unbedingt für Wärmepumpenanlagen geeignet ist. Hier empfiehlt es sich, schon genauer hinzusehen. Auch ein Sachverständiger wäre gut beraten, wenn er den Fall an das Gericht zurückgibt, sollte er das Gefühl haben, dass er sich sachlich nicht in der Lage fühlt, den Fall richtig zu bearbeiten und zu beurteilen. Hier ist besondere Sorgfalt angesagt, um weitere Gutachten und Gegengutachten und insbesondere Fehlurteile zu vermeiden. Es ist immer sinnvoll, einen Fall an einen Kollegen weiterzugeben, der sich in einem speziellen Fachgebiet besser auskennt.

Sollte es dennoch mal zu derartigen Problemen kommen, hat man immer noch die Möglichkeit, zunächst ein Gegengutachten erstellen zu lassen. Dazu bedient man sich in der Regel eines privaten Gutachters. Dieser kann ein ö. b. u. v. Sachverständiger sowie auch ein freier Sachverständiger sein. Will man sichergehen, ist es zu empfehlen, sich eines ö. b. u. v. Sachverständigen zu bedienen. Kommt der zweite Gutachter zu einem Ergebnis, welches dem ersten widerspricht, wird der Richter einen sogenannten „Obergutachter“ bestellen, der dann die Aufgabe hat, die beiden Gutachten zu prüfen. Da stellt sich die Frage: Wer trägt denn dann die Gesamtkosten? Ganz einfach, der, der verliert. Deswegen sollte man sich diese Schritte sehr gut überlegen und nur dann gehen, wenn man sich entsprechend sicher ist. Pokern kann teuer werden.

Nun, ich erwähnte zuvor Sachverständige aus dem Fachgebiet Heizungsanlagen. Bei Wärmepumpen kann es auch vorkommen, dass ein Sachverständiger aus dem Sachgebiet „Kältetechnik“ hinzugezogen wird. Ein solcher Sachverständiger ist dann gut, wenn es sich um offensichtliche Mängel an der Wärmepumpe, handelt, weil eine Wärmepumpe eine Kältemaschine ist. Da kennt sich ein Kältetechniker sicher besser aus als ein Heizungsbauer. Das dürfte jedoch seltener der Fall sein, weil Wärmepumpen in der Regel ausgereifte und geprüfte Produkte sind. Wenn es sich um Probleme mit der Wärmepumpenanlage an sich handelt, ist ein Sachverständiger für Kältetechnik unter Umständen überfordert. Wie will z. B. ein Kältetechniker einen mangelhaften hydraulischen Abgleich oder eine falsch ausgelegte Wärmequelle, z. B. einen Erdkollektor, beurteilen, wenn er das nicht gelernt hat?

Aber auch öffentlich bestellte und vereidigte Sachverständige sind nicht unfehlbar. Auch sie können in ihren Gutachten zu falschen Ergebnissen kommen. In manch einem Fall fehlten entsprechende Fachkenntnisse. In zwei Fällen war ich Zeuge, die Sachverständigen pauschalisierten, gingen von falschen Annahmen aus und verwechselten gar Wärmepumpenarten. Mutmaßungen gehören nicht in ein Gutachten; ein Gutachten sollte stets auf einer gewissenhaften Analyse und Berechnung, auf Fakten und den Regeln der Technik basieren. In einem Fall konnte ich die angestellten Spekulationen widerlegen. In einem weiteren Fall behauptete der Sachverständige, dass großen Herstellern keine Fehler unterlaufen. Das ist ein klarer Fall zur Besorgnis auf Befangenheit. Der Sachverständige erstellte ein Gutachten mit gravierenden Fehlern. Hier ging es um eine Abluftwärmepumpe, die zu begutachten war. Er verwechselte die Abluftwärmepumpe in seinem Gutachten mehrfach mit einer Luft-Wasser-Wärmepumpe und kam so zu falschen Bewertungen. Auch die Warmwasserbereitung wurde in diesem Gutachten falsch bewertet. Obwohl erhebliche Mängel vorhanden waren, kam der Sachverständige zu dem Ergebnis, dass die Anlage korrekt projektiert und installiert worden sei.

In meiner langjährigen Begutachtung haben auch mehrfach große Anbieter Wärmepumpenanlagen mit Fehlern geplant und installiert. Die Größe einer Unternehmung kann nicht das Kriterium bei der Fehlerbewertung sein.

Wenn Sie nach einem geeigneten Sachverständigen für Wärmepumpen und Wärmepumpenanlagen suchen, empfehle ich zu einer gezielten Suche, den ausersehenen Sachverständigen nach Referenzen zu fragen. Hatte er eventuell einen solchen Fall, vergleichbar wie Ihrer?

Zusammenfassung und Resümee 5

Dieses Buch weist auf diverse Fehlermöglichkeiten bei der Planung, Installation und Einstellung von Wärmepumpenanlagen hin. Daraus sollte man jedoch nicht ableiten, dass Wärmepumpen generell schlecht sind. Richtig geplant und installiert sind Wärmepumpen ein Segen für die Nutzer und die Umwelt. Wärmepumpen sind im Vergleich zu anderen Heizsystemen noch relativ neu und jung und funktionieren ganz anders als herkömmliche Heizkessel. Deswegen sind insbesondere Fachbetriebe gut beraten, wenn sie sich umfassend schulen lassen und weiterbilden. Nur mit Wissen, Fachkenntnissen und Kompetenz sind Fehler vermeidbar. Daher würde ich es begrüßen, wenn dieses Buch dazu beiträgt, zukünftig Fehler zu vermeiden und dass alle Betreiber Freude an ihrer Wärmepumpenanlage haben.

Verzeichnisse 6

Stichwortverzeichnis 6.1

6.2 Bildquellenverzeichnis

Bild-Nr.	Titel	Quelle
2.4.2.4	Warmluftgebläse	J. Bonin, Umwelt & Technik
2.4.2.5	Soleverteilerschacht	J. Bonin, Umwelt & Technik
2.4.2.6	Soleverteiler	J. Bonin, Umwelt & Technik
2.4.5.1	Soleverteiler mit Strömungsanzeiger	SBK
2.4.6.1	Auszug aus einem Protokoll zur Druckprüfung	J. Bonin
2.4.6.2	Solepfützen bei einer Druckprüfung	J. Bonin, Umwelt & Technik
2.4.6.3	Selbst gebauter Soleverteiler	J. Bonin, Umwelt & Technik
2.4.6.4	Offenes Ausdehnungsgefäß zur Minderung des Soleaustritts	J. Bonin, Umwelt & Technik
2.4.6.1.1	Druckwächter gem. VDI 4640, DIN 8901	J. Bonin, Umwelt & Technik
2.4.6.1.2	Geo-Protector®	J. Bonin, Umwelt & Technik
2.4.7.1	Sole-Wasser-Wärmepumpenanlage mit einem Speicherladesystem mit freier Kühlung	J. Bonin, Umwelt & Technik
2.4.7.2	Speicherladesystem mit Wärmetauscher (bl. Pfeil) und Speicherladepumpe	J. Bonin, Umwelt & Technik
2.4.7.3	Offene Wärmepumpe	Fa. Klering
2.4.7.4	Blasenbildung auf dem Kompressor	Fa. Klering
2.4.7.5	Das Schauglas zeigt eingedrungene Feuchtigkeit	Fa. Klering
2.4.7.6	Defekter HD-Schalter	Fa. Klering
2.4.7.7	Kennlinie des Kältemittels R 407C mit Carnot-Prozess	Solkane & J. Bonin, Umwelt & Technik
2.4.7.8	Speicherladung eines kalten Ladespeichers	J. Bonin, Umwelt & Technik
2.4.7.9	Beginn der Speicherladung eines kalten Ladespeichers	J. Bonin, Umwelt & Technik
2.4.7.10	Ladespeicher nach einer erstmaligen Ladung	J. Bonin, Umwelt & Technik
2.4.7.11	Temperaturverteilung im Ladespeicher	J. Bonin, Umwelt & Technik
2.4.8.1	Soleverteiler	J. Bonin
2.4.8.2	Pumpenkennlinie Soleumwälzpumpe	Grundfos
2.4.8.3	Korrosionen der Stahlverrohrung Solesystem	J. Bonin
2.4.8.4	Ein Membranausdehnungsgefäß für die Sole	J. Bonin
2.4.8.5	Typenschild eines Membranausdehnungsgefäßes für die Sole	J. Bonin
2.4.8.6	Druck im Solesystem	J. Bonin
2.4.8.7	Die Fläche des Erdkollektors für beide Wärmepumpen hinter der Fertigungshalle	Google Maps und J. Bonin
2.4.9.1	Bohrgerät versinkt im Bohrloch	Energieagentur NRW
2.4.9.2	Tagebau	Energieagentur NRW
2.4.9.3	Geologie an der Havariebohrung	Energieagentur NRW
2.4.9.4	Auswirkungen um die Havariebohrung	Energieagentur NRW
2.5.2.1	Auszug aus Datenblatt	STIEBEL ELTRON
2.5.2.2	Leistungsverhalten von Luft-Wasser-Wärmepumpen	J. Bonin, Umwelt & Technik
2.5.6.1	Luft-Wasser-Wärmepumpe mit Warmwasserspeicher	J. Bonin, Umwelt & Technik
2.5.6.2	Leistungsanzeige im Display	J. Bonin, Umwelt & Technik
2.5.6.3	Leistungskennlinie	J. Bonin, Umwelt & Technik
2.5.6.4	Notwendige Heizkennlinie für die Wärmepumpe	J. Bonin, Umwelt & Technik
2.5.6.5	Starke Kondensatwasserbildung am Dachfenster	J. Bonin, Umwelt & Technik
2.5.6.6	Schimmelpilz durch Feuchtigkeit und Nässe	SV-Büro Arne Semmler

6.3 Tabellenverzeichnis

6.4 Adressen

Jürgen Bonin, Umwelt & Technik, Peldenhofweg 4, 46509 Xanten – www.umweltundtechnik.de

Normen und Richtlinien, Beuth Verlag GmbH, Burggrafstraße 6, 10787 Berlin – www.beuth.de

Energieagentur NRW, Haroldstraße 4, 40213 Düsseldorf – www.ea-nrw.de

LOHRConsult Wärmepumpeninstitut, Frommershäuser Straße 92, 34246 Vellmar – www.lohrconsult.de

Gea WTT GmbH, Remsaer Straße 2a, 04603 Nobitz-Wilchwitz – www.geawtt.com

Austria Email AG, Austria Straße 6, A-8720 Knitterfeld – www.austria-email.at

Danfoss GmbH, Carl-Legien-Straße 8, 63073 Offenbach – www.danfoss.de

KLIMAL Komponenten für Kälte- und Klimaanlagen Vertriebs GmbH, Grillenweg 21, 82178 Puchheim – www.klimal.de

SOLVAY Flour GmbH, Hans-Böckler-Allee 20, 30173 Hannover – www.solvay.de

Sauter-Cumulus GmbH, Hans-Bunte-Straße 15, 79108 Freiburg – www.sauter-cumulus.de

Stiebel Eltron GmbH & CoKG, Dr.-Stiebel-Straße 33, 37603 Holzminden – www.stiebel-eltron.de

SBK Siegfried Böhnisch, Kunststofftechnik GmbH, Maybachstraße 1, 74632 Neuenstein – www.sbk-neuenstein.de

Sachverständigenbüro Michael Hänsch, Jordanstraße 35, 40477 Düsseldorf – www.mh-tec-service.de

Grundfos GmbH, Schlüterstr. 33, 40699 Erkrath

Sachverständigenbüro Arne Semmler, Kantstraße 21, 10623 Berlin – semmler@dienstleistung-denkmal.de